CW00742365

novum premium

Gerhard Schmidberger

Die Oama-Bauern und ihre Familien

Freie Bauern gefangen in den Wirren der Zeit

Die Eltern

novum premium

Bibliografische Information der Deutschen Nationalbibliothek:

Die Deutsche Nationalbibliothek verzeichnet diese Publikation in der Deutschen Nationalbibliografie. Detaillierte bibliografische Daten sind im Internet über http://www.d-nb.de abrufbar.

Gedruckt in der Europäischen Union auf umweltfreundlichem, chlor- und säurefrei gebleichtem Papier.

ISBN 978-3-99130-174-5
Lektorat: Mag. Eva Reisinger
Umschlagfotos: Gerhard Schmidberger; Okawarung | Dreamstime.com
Umschlaggestaltung, Layout & Satz: novum Verlag
Innenabbildungen: Gerhard Schmidberger

Die vom Autor zur Verfügung gestellten Abbildungen wurden in der bestmöglichen Qualität gedruckt.

www.novumverlag.com

INHALTSVERZEICHNIS

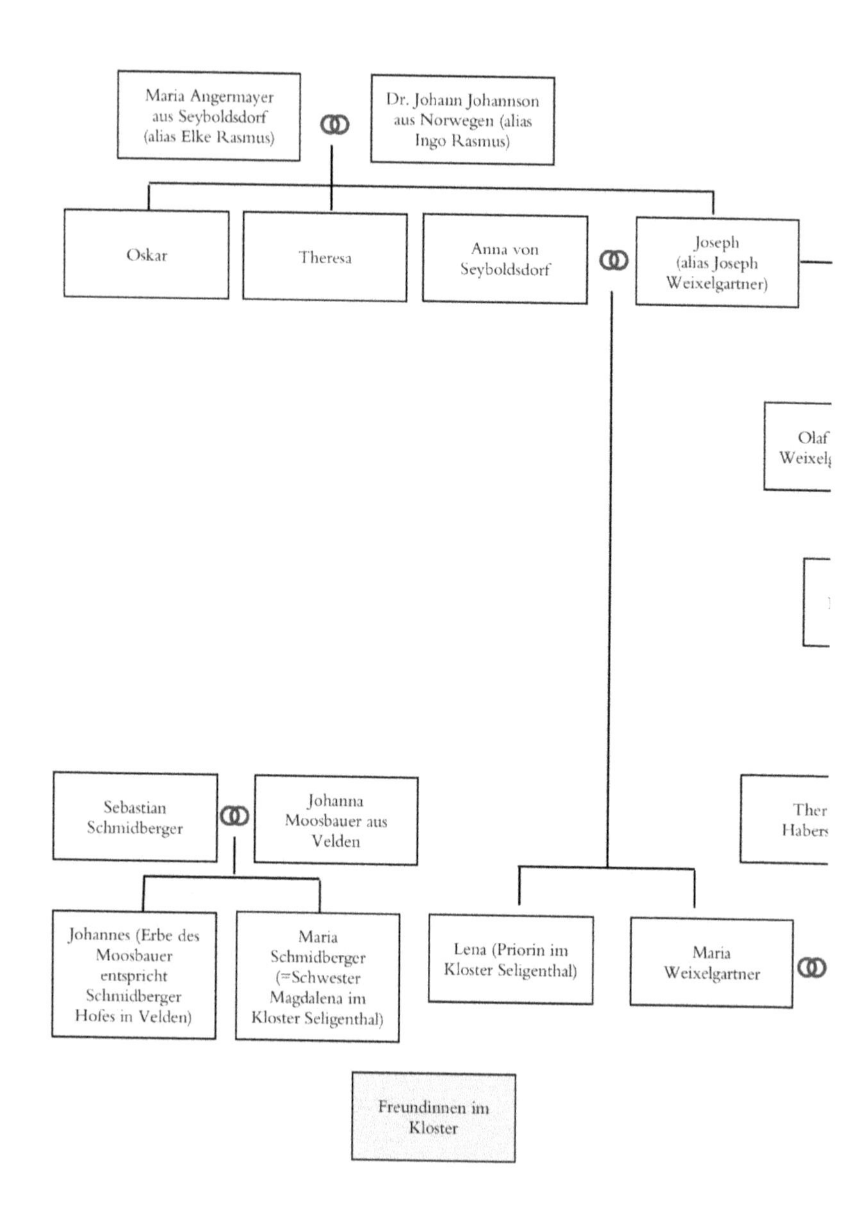
Maria Angermayer aus Seyboldsdorf (alias Elke Rasmus)
Dr. Johann Johannson aus Norwegen (alias Ingo Rasmus)
Oskar
Theresa
Anna von Seyboldsdorf
Joseph (alias Joseph Weixelgartner)
Olaf
Sebastian Schmidberger
Johanna Moosbauer aus Velden
Johannes (Erbe des Moosbauer entspricht Schmidberger Hofes in Velden)
Maria Schmidberger (=Schwester Magdalena im Kloster Seligenthal)
Lena (Priorin im Kloster Seligenthal)
Maria Weixelgartner
Freundinnen im Kloster

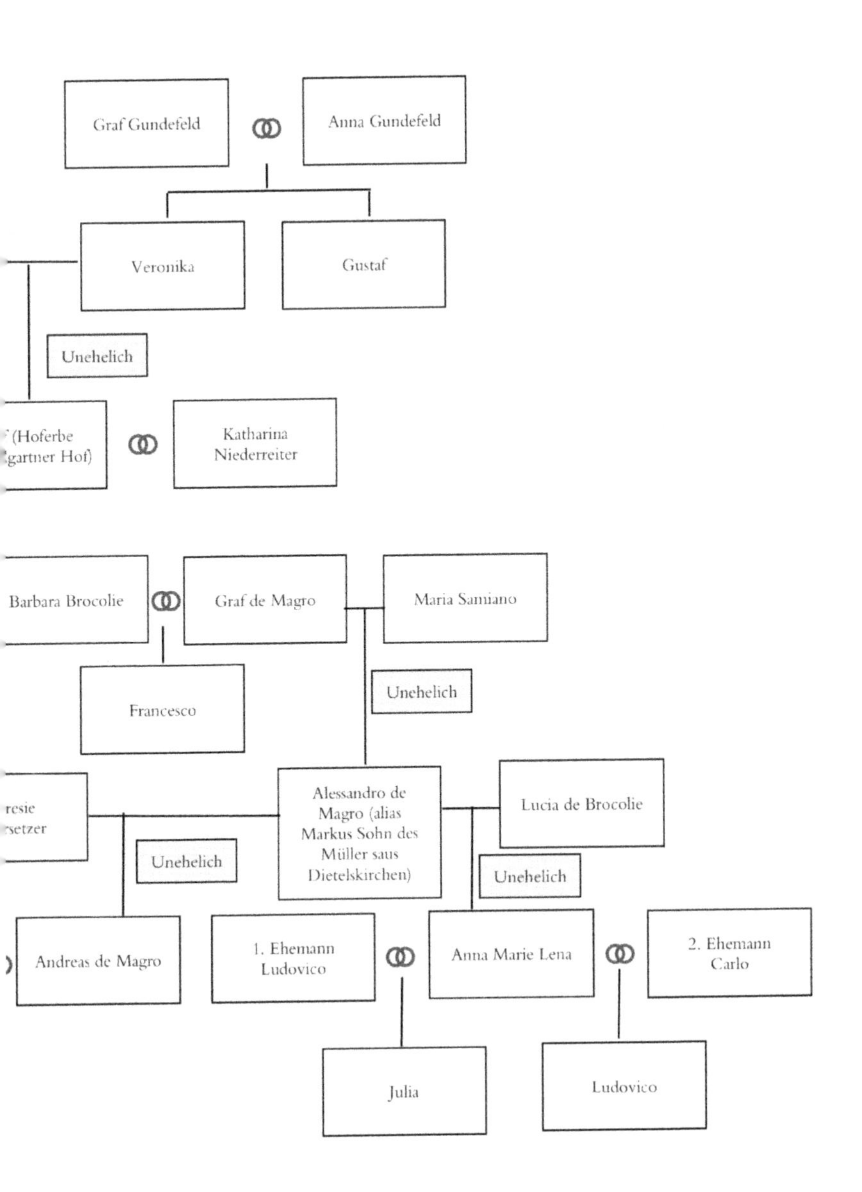
Graf Gundefeld
Anna Gundefeld
Veronika
Gustaf
Unehelich
(Hoferbe
gartner Hof)
Katharina
Niederreiter
Barbara Brocolie
Graf de Magro
Maria Samiano
Francesco
Unehelich
resie
setzer
Alessandro de
Magro (alias
Markus Sohn des
Müller saus
Dietelskirchen)
Lucia de Brocolie
Unehelich
Unehelich
Andreas de Magro
1. Ehemann
Ludovico
Anna Marie Lena
2. Ehemann
Carlo
Julia
Ludovico

PROLOG

Liebe Leser!

Der Mensch vergisst ungefähr 99,9 % seines Lebens. Wenn Sie es nicht glauben sollten, dann denken Sie doch einmal daran, wo Sie genau vor einem Jahr waren, was Sie am gleichen Tag, zur gleichen Stunde, oder sogar Minute getan haben, ob Sie geredet, gegessen, geschlafen oder sonst etwas unternommen haben. Sie werden es nicht wissen, auch nicht, was sie eine halbe Stunde davor, oder eine Dreiviertelstunde danach getan haben. Ich habe Berichte von Freunden und Verwandten, aber auch Olgas und meine Erfahrungen und Erlebnisse zusammengetragen, um einen Abriss der Ereignisse, die unsere beiden Familien betreffen, zusammen zu stellen und wiederzugeben.

Da ich vieles nur vom Hörensagen weiß, anderes aber selbst erlebt habe, aber das Erlebte auch selbst bewertet und vielleicht in meinem Sinne verändert habe, gibt es keine Garantie für Wahrhaftigkeit. Ich schreibe die Dinge so, wie ich sie in meiner Erinnerung sehe. Andere haben die gleichen Ereignisse möglicherweise ganz anders gesehen und bewertet. Es gibt also keine Garantie für Objektivität. Dies soll kein Tatsachenbericht sein. Ich will die Begebenheiten so darstellen, wie ich meine, dass sie gewesen sein könnten. Ich möchte damit niemanden beleidigen. Sollte sich jemand dennoch auf die Füße getreten fühlen, so bitte ich ihn bereits jetzt um Vergebung. Ich habe mir lange darüber Gedanken gemacht, ob ich die Namen aller Beteiligten verändern sollte, habe davon aber doch wieder Abstand genommen.

Auf die Idee, diese Zeilen überhaupt zu schreiben, bin ich anlässlich Olgas 50. Geburtstag gekommen. Die Kinder und ich haben einen Bildervortrag über Olgas Leben vorbereitet, der bei den Geburtstagsgästen recht gut Anklang gefunden hat. Mir ist damals der Gedanke gekommen, nicht nur Olgas Leben, sondern die Geschichte unserer Familien insgesamt zusammen zu stellen und aufzuschreiben, damit wenigstens meine Enkelkinder noch solch großartige Charaktere wie Olgas Vater, Josef Weixelgartner, oder auch meinen Vater, Georg Schmidberger, kennen und verstehen lernen. Aber auch die Geschichte des kleinen Klaus, dessen früher Tod mein Leben so nachhaltig verändert hat, soll hier Erwähnung finden.

Auch wir beide, Olga und ich, sind bereits in die Jahre gekommen. Wenn es uns einmal nicht mehr gibt, werden vielleicht ein paar Menschen, die diese Zeilen lesen, auch von der Existenz von uns erfahren, die wir doch so unterschiedlich in vielen Dingen sind, weshalb wir vier Jahre brauchten, um zueinander zu finden.

Doch im Grunde unseres Herzens sind wir wesensgleich, wie Olga es immer auszudrücken pflegt. Vielleicht ist das der Grund, warum wir uns so gut verstehen.

Während des Schreibens ist mir der Gedanke gekommen, nachzufragen, woher wir kommen, wer unsere Vorfahren gewesen sein könnten, was sie möglicherweise erduldet und erlebt haben, und vielleicht auch wie es mit unseren Familien weitergehen könnte.

Ein wichtiges Anliegen sollte es mir dabei sein, darzustellen, wie die einfache, bäuerliche Bevölkerung unter den vielen Kriegen, die die Adligen, Vornehmen und Reichen veranlasst haben, leiden musste, wie die kleinen Bauern verheizt wurden für Kriege, von denen sie oft kaum verstanden hatten, wofür sie geführt wurden.

Ich habe dazu Berichte von meinem Schwiegervater, meinem eigenen Vater, meiner Schwester Sieglinde, aber auch von vielen Bekannten und Verwandten, großteils Teilnehmer am Zweiten Weltkrieg, zusammengetragen und aufgeschrieben. Je weiter zurück die Ereignisse liegen, desto mehr sind sie auch meiner eigenen Fantasie entsprungen. Es ergibt sich somit ein Mix aus wirklich stattgefundenen Ereignissen, möglicherweise stattgefundenen Ereignissen und solchen, die reine Spekulation sind.

Ich hoffe, dass es mir gelungen ist, sie so darzustellen und aneinander zu reihen, dass es Spaß machen wird, sie zu lesen.

Santa Maria, madre de dios, ora per nostras pecatores a cuesta ora e a la ora de nostra muerte.

Diesen Spruch habe ich in der Kathedrale von „Baños" vernommen, als wir im Rahmen unserer Ecuadorreise nach einer kleinen Bergtour in diese großartige Kirche kamen, um sie zu besichtigen. Olga und ich setzten uns gerne in eine Bank, um zu beten und zu meditieren. Weit vorne rezitierte ein Vorbeter das Ave Maria auf Spanisch. Mir wurde dabei bewusst, dass man sein Leben genießen soll, aber die Stunde seines Todes nicht aus den Augen verlieren darf.

The Everlasting Light

Es werden öfter Zitate aus der Bilingual Version of The Everlasting Light gebracht, einem buddhistischen Büchlein, das ich in einem riesigen Kloster in Taiwan erworben habe, da in diesen Versen viel Lebensweisheit steckt. Bilingual nennen sich diese Verse, da sie in der ursprünglichen Form in Mandarin-Chinesisch und Englisch aufgeschrieben sind. Dass ich hier nur die englische Version wiedergebe, liegt auf der Hand.

Als Beispiel sei genannt: In the midst of this life, don't puzzle over the life before.

In the midst of the life, don't worry about the life to come.

Oder:

The life of the elderly is frail. It is sad, when the elderly are bedridden.

It is foolish, when the elderly hoard their money.

It is happy, when the elderly remember the Buddha.

Wenn man älter wird, denke ich, ist man gut beraten, sich auf seine Religion, seinen nahenden Tod und darauf, was im Jenseits vielleicht kommen mag, zu besinnen.

DAS TAL DER KLEINEN VILS

» ***Rosa Buchner***
» ***Der andere Hof***
» ***Georg Weixelgartner (Pfarrer)***

Hier sitze ich und schaue aus dem Fenster meines Arbeitszimmers auf die sanften grünen Hänge des kleinen Vilstals. Auf den Wiesen unter meinem Fenster grasen die Pferde der Leute, die unseren Hof gepachtet haben. Noch etwas unterhalb befindet sich der Reitplatz. Eine junge, mir bisher unbekannte Dame lässt ihr Pferd an der Lodge seine Runden drehen.

Austragshaus

Etwas rechts daneben schließt sich die Hofstelle an. Deren Häuser sind jedoch von Bäumen verdeckt, weshalb nur Teile der roten Dächer hervorschauen. Den Talgrund durchzieht die kleine Vils in zum Teil weit ausholenden Windungen. Die Ufer des kleinen Flüsschens werden von großen, alten Buchen und Weiden gesäumt. Dazwischen stehen neu angepflanzte Erlen, durch die aus der gesamten Uferregion ein Biotop entstehen soll. Vom bayerischen Staate sind auch Biber neu angesiedelt worden. Leider habe ich die Tiere selbst noch nicht entdecken können. Ihre Anwesenheit ist an der Vielzahl abgenagter Baumstümpfe leicht zu erkennen. Auf der anderen Seite des Baches verläuft das Tal fast eben mit grünen Wiesen bedeckt bis zur Bundesstraße, um dann wieder in sanften mit Maisfeldern überzogenen Hängen anzusteigen. Die Kuppen sind von einem dunklen Nadelwald wie mit einer Krone überzogen. In der Mitte gibt der Nadelwald einen Blick auf das Land dahinter frei, das sich in sanften Hängen immer weiter nach oben zieht, bis man fast schon am Horizont das rote Dach eines einsamen Bauernhofes erahnen kann. Den Abschluss bildet dann beinahe schon schemenhaft fahl wieder der Wald, den man kaum noch vom Himmel darüber unterscheiden kann.

Für uns war dies immer das Land unseres Opas, Josef Weixelgartner. Eigentlich war er mein Schwiegervater und nur der Opa unserer Kinder Johanna und Andreas. Auf Umwegen ist dieses Land in den Besitz unserer Familie gelangt, wo doch als Hoferbe Olgas Bruder Georg bestimmt war. Olga ist meine Frau, Josef Weixelgartners Tochter. Erst als sich Georg so verschuldet hatte, dass der Hof vor der Versteigerung stand, bot er ihn mir zum Kauf an, damit der Bauernhof nicht in fremde Hände fiel. Ich musste die Schulden übernehmen und meinem Schwager das Wohnrecht für den umgebauten Stall des alten Bauernhauses übertragen. Doch wird darauf später noch genauer eingegangen werden.

Die Bäume, die Josef Weixelgartner unterhalb seines Austragshauses, das von oben an die Pferdewiesen des Hofs grenzt, gepflanzt hatte, um den Blick nach unten zu verwehren, habe ich gleich nach seinem Tod vom Nachbarn entfernen lassen, dem er auf die gleiche Weise diese Aussicht weg zu nehmen im Sinne hatte. Josef wollte von dem Geschehen dort unten nichts mehr mitbekommen. Dass Pferde fremder Menschen hier grasen, anstatt dass ein Weixelgartner Bauer, wie seit vielen Jahrhunderten, seine Felder bestellt und Weizen oder Mais anbaut, war für ihn ein unerträglicher Gedanke.

Dennoch hatte er den Strick für sich, den er, wie er uns einmal erklärt hatte, bereits auf dem Dachboden im Falle einer Versteigerung des Hofes hergerichtet hatte, nicht verwandt, da der Hof, indem ich ihn gekauft habe, zumindest in den Händen seiner Familie geblieben ist, wenn sich auch der Name des Besitzers von Weixelgartner in Schmidberger geändert hatte, da Olga bei unserer Hochzeit meinen Familiennamen angenommen hat. Von Johanna, unserer Tochter, hatte er einmal verlangt, dass sie sich in Weixelgartner umbenennen solle, falls sie den Hof übernehmen würde.

Nachdem aber Andreas vorhat, einmal auf dem Hof zu leben, wird der Name Schmidberger wohl vorerst bleiben. Mir gehört zwar derzeit das Anwesen, da ich es meinem Schwager Georg, wie bereits erwähnt, abgekauft habe. Selbst auf dem Hof zu leben und zu arbeiten, wird mir jedoch verwehrt bleiben, da ich mein Geld als Arzt in Schongau verdienen muss, wo ich augenblicklich eine gynäkologische Praxis betreibe und als Belegarzt im Krankenhaus gynäkologische Operationen durchführe und Kinder zur Welt bringe.

Erst in der Rente werden meine Frau Olga und ich hier herunterziehen können. Andreas hat einmal vor, seine Hausarztpraxis auf dem Hof zu errichten und hobbymäßig den kleinen Bauernhof zu betreiben, zu dem ungefähr sieben Hektar Wiesen und zwei Hektar Wald neben der Hofstelle mit zwei Wohnhäusern und zwei Stallungen gehören, sowie dem Austragshaus am oberen Ende der Wiesen, in dem ich gerade sitze und hinunterschaue.

Zu meinen beiden Kindern hat Josef Weixelgartner einmal gesagt, wenn mit seinem Sohn und dessen Familie alles gutgegangen wäre, hätte er unseren Kindern überhaupt nichts vermacht, sondern alles denen vererbt. Josef dachte in der Tradition der Bauern, dass alles beim Hof bleiben müsse, damit dieser fortbestehen werde. Einzelne Personen wären bedeutungslos. Nur das Schicksal des Hofes sei wichtig. Er selbst habe sich zeit seines Lebens nur als Verwalter gesehen, der den Hof so an seinen Nachfolger weitergibt, wie er ihn von seinem Vater übernommen hat, so wie es seit Jahrhunderten bei den Bauern der Brauch war.

Dass die Ehe seines Sohnes Georg mit seiner ersten Frau auseinandergehen würde, dass er seine Enkeltöchter nicht mehr sehen dürfte, dass der Hof so überschuldet sein könnte, dass er vor der Versteigerung stand, passte nicht in Josefs Denkschema.

Vielleicht stammte diese Denkweise aus seiner Erziehung, da er selbst nicht als Hoferbe vorgesehen war. Erst als sein Bruder Georg, der den Hof übernehmen sollte, mit 22 Jahren im Zweiten Weltkrieg gefallen war, wurde Josef zum Erben bestimmt.

Was bedeutet schon Besitz von Land? Besitzer wechseln laufend. Das Land bleibt ewig. Vor 6.000 Jahren sollen bereits Steinzeitmenschen in dieser Gegend gelebt haben. Man hat Tonscherben auf den Feldern gefunden. Mit der Radiokarbonmethode konnte man diese Scherben so weit zurückdatieren.

Vor 2.000 Jahren hatten die Römer dieses Land besetzt. In den folgenden Jahrhunderten war Niederbayern so weit von seiner Umgebung abgeschlossen, dass sich im Dialekt lateinische Worte abgewandelt über 2.000 Jahre hin erhalten hatten. So sagen die Niederbayern statt anzünden ohkenten, was sich direkt vom lateinischen Wort incendere ableitet.

Nach den Römern kamen die Bajuwaren. Wer waren diese Vorfahren der Bayern? Sie waren offensichtlich nicht wie die Goten, Sachsen, Markomannen und viele andere mehr ein eigener germanischer Volksstamm, also auch nicht, wie man früher sagte, die Fußkranken der Völkerwanderung, die zu faul waren, um über die Alpen zu gehen.

Wie es aussieht, nannten sich die Menschen so, die am Ende der Römerzeit am Nordrand der Alpen lebten. Diese Bevölkerung setzte sich zusammen aus den ursprünglich von alters her hier lebenden Kelten sowie den eingewanderten Römern, als auch vor allem den Soldaten der römischen Legion mit ihren germanischen Söldnern, die hier stationiert waren und offensichtlich großteils geblieben sind und sich hier niedergelassen haben.

Ein späterer Führer, der in seiner Rassenlehre das Germanentum besonders hervorgehoben hat, scheint selbst nicht von reiner Rasse gewesen zu sein, wenn man bedenkt, dass Österreich unter Herzog Tassilo von Bayern aus besiedelt wurde und die Bayern doch eher ein Mischvolk sind.

Seit 1648 lebt die Familie der Weixelgartner auf dem Oama-Hof. Oama bedeutet so viel wie frei.

Sie waren also freie Bauern, keine Leibeigenen.

Anhand von Kirchenanalen kann man die Abstammung von Familien bis 1648 gut zurückverfolgen. Taufen, Beerdigungen und Hochzeiten sind darin dokumentiert.

Wer während oder gar vor dem 30-jährigen Krieg, der die Bevölkerung in Deutschland auf ein Viertel der ursprünglichen Zahl reduziert hat, auf diesem Land gelebt hat, wird man nie erfahren. So werden wir auch nie wissen, wer unsere Vorfahren waren.

Ob die ursprünglich hier siedelnden Menschen geblieben sind oder sich fremde zufällig in den Kriegswirren vorbeikommende Leute hier niederließen, werden wir nie erkennen können.

ROSA BUCHNER

In unseren Familien gibt es keine herausragenden Persönlichkeiten oder Helden.

Dennoch bezeichnete der Pfarrer, der Rosa Buchner beerdigte, sie als Heldenmutter. Wer war eigentlich Rosa Buchner? Wir wussten lange nichts von ihr, obwohl mir gleich beim ersten Mal, als mich meine spätere Frau Olga mit nach Hause nahm, dieser große, schöne, alte, rotbraune Schrank in der Diele des neuen Bauernhauses mit den Initialen R B und der Jahreszahl 1876 auffiel. Doch erst viele Jahre später, als mir mein Schwager Georg wie immer aus Geldnot für einige 100 Euro diesen schönen Schrank verkaufte, fanden wir in einem der hinteren Schubfächer sorgfältig in einen Umschlag gehüllt die Grabrede für diese Frau.

Heldenmutter war sie, weil sie drei ihrer fünf Söhne im Ersten Weltkrieg verloren hatte. Sie war offensichtlich Olgas Urgroßmutter. Helden sind in unseren Familien also eher Opfer als Täter. 1876 war wohl das Jahr ihrer Hochzeit.

Den Schrank hatte sie mit der Aussteuer innen drin als Mitgift zur Vermählung bekommen. Ihr Ehemann hatte offensichtlich den Krieg von 1870 gegen Frankreich gut überstanden. Ob er auch einen oder mehrere Brüder dabei verloren hatte, werden wir nie erfahren.

Einer der zwei überlebenden Brüder von Rosa Buchners Söhnen muss wohl Olgas Großvater gewesen sein.

Dessen Sohn, also Olgas Vater, war unser Opa Josef Weixelgartner, wobei auch er einen Bruder im nächsten großen Krieg, dem Zweiten Weltkrieg, verloren hat. Der Blutzoll, den diese Familien für Kriege, die sie nicht wollten, leisten mussten, ist unglaublich.

Ein Gutes hatten diese Kriege. Durch sie sind hoffentlich Kaiser und Führer und andere Diktatoren für immer verschwunden.

Auf dem Dachboden der alten Scheune fand ich eine Tafel von 1908 mit der Aufschrift: „Wenn das Vaterland dich einst wieder ruft, legst du beiseite deinen Pflug, nimmst die Waffe in die Hand, zum Ruhm von Kaiser und Vaterland."

Der Kaiser jedenfalls wird den Ruhm nie wieder benötigen.

Ich war schon immer der Meinung, dass eine Teilschuld am Ersten Weltkrieg der Geburtshelfer von Kaiser Wilhelm trägt. Durch seine insuffiziente Kinds-Entwicklung hatte er dem Kaiser eine Erb'sche Lähmung des Armes beigebracht. Dies scheint beim Kaiser solche Minderwertigkeitskomplexe erzeugt zu haben, dass er relativ harmlose Konflikte statt mit Diplomatie und Fingerspitzengefühl mit einem Weltkrieg zu lösen versuchte.

Rosa Buchner hatte übrigens einen sehr grausamen Tod erlitten. Sie starb an einem bösartigen Tumor am Gesicht.

Josef Weixelgartner erinnerte sich, dass der Hausarzt gesagt haben soll, man müsse Gleiches mit Gleichem behandeln, also Gesichtskrebs mit einem Flusskrebs, der dann den Gesichtskrebs auffressen würde.

Als Kind suchte Josef in der Vils nach einem Flusskrebs, um seine Oma damit zu behandeln.

Der Heilungserfolg war jedoch nur gering. Josefs Großmutter verstarb trotz intensiver Krebsbehandlung nur wenige Wochen später.

DER ANDERE HOF

Es wird in diesem Buch neben dem Oama-Hof auch noch ein zweiter Bauernhof, der sich circa 40 Kilometer von Lichtenhaag entfernt zwischen Dorfen und Taufkirchen in einem Dorf namens Babing befindet, gewisse Bedeutung erlangen.

Aus diesem Hof stammte mein Großvater Georg Schmidberger.

Leider wurde er enterbt, so dass der Besitz an seine Schwester fiel, weshalb der Name Schmidberger dort nicht mehr weiter existiert.

Mein Vater, der ebenfalls Georg Schmidberger hieß, war Lehrer für Geschichte. In seinem historischen Interesse hat er die Geschichte dieses Hofes anhand von Kirchenanalen und Gemeindebüchern bis zum Westfälischen Frieden von 1648 zurückverfolgt.

Darüber hinaus würde man nur noch die Geschichte von Adelsgeschlechtern zurückführen können, hat er mir einmal in meiner Kindheit erklärt.

Der Name Schmidberger lässt sich eben von 1648 an bis zu meinem Großvater auf dem Hof finden.

Genauere Erkenntnisse über meine Vorfahren habe ich aber nur bis zu meinen Urgroßeltern zurück. Von den Leuten, die früher dort lebten, weiß ich nur noch, dass sie Schmidberger hießen.

Vieles von diesen Begebenheiten habe ich von meiner Schwester Sieglinde Noe erfahren, da ich erst 15 Jahre alt war, als mein Vater starb. Sie hat ihn und auch unsere Großeltern doch viel länger gekannt, da sie 14 Jahre älter ist als ich.

Ich kann mich noch gut daran erinnern, als Kind öfter mit meinem Vater auf diesem Bauernhof gewesen zu sein. Er hing offensichtlich an diesen Gebäuden, die er als sein Erbe ansah, ohne dass er sie jemals besitzen konnte. An die Leute selbst, die dort lebten, kann ich mich nur noch sehr vage erinnern. Meine Schwester weiß noch besser über sie Bescheid.

Doch sie mochte sie nicht sonderlich, da sie während des Krieges als Kind öfter um Nahrung bei ihnen nachfragte, wobei sie meist nur mit einem kleinen Sack Mehl abgespeist wurde.

Soweit ich mich entsinne, verläuft ein Bach nahe an der Hofstelle vorbei. Etwas außerhalb des Hofes befand sich eine Mühle, wo die Leute ihr eigenes Getreide zu Mehl verarbeiteten.

PFARRER GEORG WEIXELGARTNER

Die Geschichte des Oama-Hofs hat ein gewisser Georg Weixelgartner, ein Großonkel von Olga, noch viel genauer studiert, als dies Georg Schmidberger mit dem Hof in Babing gemacht hat.

Er hat nicht nur die Kirchen- und Gemeindebücher von Lichtenhaag durchforstet, sondern ist auch in Vilsbiburg, Gerzen und Landshut über den Namen Weixelgartner fündig geworden. Er hat sogar im Landshuter Gefängnis nach Weixelgartner gesucht und ist leider auch dort auf den Namen gestoßen. Durch die Nachforschungen dieses Georg Weixelgartner haben wir ein viel genaueres Bild über die Oama-Bauern während der vergangenen Jahrhunderte, als uns dies Georg Schmidberger über den Hof in Babing vermitteln konnte. Georg Weixelgartner hat Theologie studiert, ist Priester und Pfarrer in Gerzen geworden.

Offensichtlich fand er neben seinem Beruf als Geistlicher auch genügend Zeit für Ahnenforschung. Georg Weixelgartner hat seine Erkenntnisse an seinen Neffen und Hoferben, Josef Weixelgartner, meinen Schwiegervater, weitergegeben. Dieser hat mir diese Geschichten und auch seine eigenen Lebensgeheimnisse während zweier Urlaubsfahrten, die wir gemeinsam unternommen haben, in Anfällen gewisser Sentimentalität berichtet.

Da ich zu dieser Zeit noch nicht ahnen konnte, jemals selbst Besitzer des Oama-Hofs zu werden, haben sie mich damals eigentlich gar nicht sonderlich interessiert.

Da es jetzt aber anders gekommen ist, und ich mich entschlossen habe, die Geschichte des Hofes und seiner Familien aufzuschreiben, habe ich mich an seine alten Erzählungen erinnert.

Josef Weixelgartner konnte mir relativ detaillierte Aussagen über die Geschehnisse der letzten 200 Jahre geben. Über die Jahrhunderte zuvor konnte er nur gerüchteweise einzelne Geschehnisse zum Gesamtverständnis beisteuern, deren Wahrheitsgehalt niemand mehr überprüfen kann.

Auf meine Frage, was vor 1648, also während der Wirrnisse des 30-jährigen Krieges, mit dem Oama-Hof geschehen ist, wann er überhaupt zum ersten Mal erwähnt wurde, schüttelte mein Schwiegervater nur verständnislos den Kopf. Ihm war darüber nichts mehr bekannt.

Wenn man also über die Entstehung und Vorgeschichte des Oama-Hofes schreiben möchte, muss man sich völlig auf Spekulationen verlassen. Diese müssen aber im Kontext mit den zeitgeschichtlichen Ereignissen stehen.

Es wäre denkbar, dass der Hof bereits vor dem großen Krieg existiert hatte.

Die Weixelgartner oder ihre Vorfahren wären dann schon viel längere Zeit auf dem Bauernhof gewesen. Der Gedanke, dass der lange und grausame Krieg völlig ohne Schaden an den Oama-Bauern vorbeigegangen ist, klingt doch ziemlich unwahrscheinlich, wenn man bedenkt, dass nach dem Krieg die Bevölkerung Deutschlands auf ein Viertel der ursprünglichen Zahl geschrumpft ist.

Diese Dezimierung der Bevölkerung kam nicht nur durch kriegerische Handlungen, sondern vor allem durch Hunger und Seuchen wie Pest und Cholera zustande.

Viel wahrscheinlicher erscheint es mir, dass die Familie der Weixelgartners erst im Verlauf des Krieges auf den Hof gekommen ist, diesen wahrscheinlich sogar erst aufgebaut hat, wenn man bedenkt, dass Bayern von Beginn an Kriegsteilnehmer war, möglicherweise den Krieg sogar begonnen hat.

Die Reformation war schon 100 Jahre vorüber. Ignatius von Loyola hatte zur Gegenreformation bereits den Orden der Jesuiten gegründet.

Viele deutsche Städte waren ins Lager der Reformierten übergewechselt, als Erzherzog Maximilian von Bayern in Altötting vor der Mutter Gottes den Eid leistete, ein Heer aufzustellen, um die reformierten Städte wieder zum wahren Glauben zurückzuführen.

In Prag sind zur gleichen Zeit die Abgesandten des Kaisers vom Fenster des Rathauses gestürzt worden, um den Herrscher zu provozieren.

Der Bayernherzog hat den Holländer Tilly als Führer seines Heeres gewonnen, der anfangs ziemlich erfolgreich war. Er soll sogar Magdeburg erobert haben.

In Rothenburg ob der Tauber, der Geburtsstadt meiner Kinder, feiert man zu jedem Pfingsten das Festspiel des Meistertrunkes, bei dem durch die Trinkfestigkeit des Bürgermeisters die Stadt vor der Zerstörung durch Tillys Heer bewahrt worden sein soll.

Zur damaligen Zeit galt der Grundsatz „Eius regio, cuius religio“, was nichts anderes zu sagen hat, als dass der einzelne Mensch überhaupt keine Entscheidungsfreiheit über seine eigene Religion hatte. Wenn man eine Stadt erobert hatte, konnte man per Dekret über die Religion der Bürger entscheiden. Offensichtlich war jeder Angehöriger eines Teilstaates Leibeigner des Landesherrn.

Tilly war zeitweise so erfolgreich, dass ihm Jahrhunderte später von König Ludwig I. von Bayern in der Feldherrnhalle auf dem Odeonsplatz in München ein Denkmal gesetzt wurde.

Er ist einer von zwei bayrischen Feldherren, deren Standbild dort verewigt wurde.

Der andere ist Fürst von Wrede, wobei der Münchner Volksmund bis zum heutigen Tag besagt, dass Tilly kein Bayer und Wrede kein Feldherr war. Dessen einzige Großtat soll gewesen sein, dass er am Vorabend der Völkerschlacht bei Leipzig das bayrische Heer vom französischen abgezogen und ins Lager der Alliierten übergeführt hat, wodurch Bayern zu den Siegermächten gehörte.

Dadurch durfte Bayern Königreich bleiben und die napoleonischen Schenkungen behalten.

In der Folgezeit hat sich übrigens Graf Montgelas von Gerzen als bayrischer Reformminister beim Wiederaufbau unseres Landes hervorgetan. Damals ist zum ersten und bisher einzigen Mal das Vilstal, das zwar schön, aber bis heute völlig unbekannt ist, ins Rampenlicht der Öffentlichkeit geraten.

Die Erfolge Tillys gingen schnell zu Ende, als die Schweden unter König Gustav Adolf auf der Seite der Reformierten ins Kriegsgeschehen eingriffen. Die Schweden haben sogar München erobert, wobei der König gesagt haben soll, München sei eine Perle in einer furchtbaren Umgebung, womit wohl die Münchner Schotterebene gemeint sein dürfte.

Die Erfolge der Schweden gingen dann aber auch schnell zu Ende, als der Kaiser in Wien unter seinem Feldherrn Wallenstein ein noch größeres Heer aufstellte, das wiederum die Schweden besiegte, wobei sogar ihr König umkam. Deutschland war vor und während des 30-jährigen Krieges in viele kleine Einzelstaaten aufgeteilt. Das Gefühl, ein gemeinsames Volk zu sein, entstand erst am Ende des großen Krieges. Der Westfälische Friede dürfte auch der Beginn des modernen Deutschlands gewesen sein.

Der Beginn und die Geschichte des Oama-Hofes muss im Rahmen dieser weltgeschichtlichen Geschehnisse stattgefunden haben.

Es muss eine schreckliche Zeit von 30 Jahren Krieg gewesen sein, als Kaiser Ferdinand II. versuchte, das Hause Habsburg, das bereits Spanien, die neue Welt, Deutschland, die Niederlande und Österreich regierte, zum Herrscher über ganz Europa aufsteigen zu lassen.

Maximilian von Bayern eroberte als treuester Verbündeter des Kaisers protestantische Städte, um sie zum wahren, katholischen Glauben zurückzuführen.

Schweden, Dänen, Franzosen und viele andere Völker kämpften zeitweise auf deutschem Boden, um ihre Interessen durchzusetzen. Die Not der Bewohner, die von Söldner- und Landsknechtshorden geplündert, ausgeraubt, vergewaltigt und getötet wurden, interessierte sie alle nicht.

Beide großen Feldherren kamen selbst in den Wirren des 30-jährigen Krieges um, nachdem sie zuvor tausenden von Menschen den Tod gebracht hatten.

Johann T'Serclaes Graf von Tilly, wie der Feldherr mit vollem Namen hieß, fiel in einer Schlacht.

Albrecht von Wallenstein ist im Auftrage seines eigenen Kaisers ermordet worden, als dieser befürchtete, er könne zu mächtig werden und ähnlich wie im Altertum Julius Caesar, als er den Rubicon überschritt, um mit seinem Heer nach Rom zu ziehen, sich seine Soldaten gegen Wien wenden und ihn als Kaiser absetzen lassen, um selbst zu herrschen.

Angeblich soll der Kaiser während der Zeit, von der er glaubte, Wallenstein würde sterben, in einer Kapelle gebetet haben.

Es ist schon ein seltsamer Gedanke, Gott um Vergebung zu bitten, wenn man den Mord erst begeht.

The world's troubles arise from false distinctions between self and others. The world's troubles arise from attachment to phenomena, whereby we attribute real existence and permanence to things.

Error cannot defeat reason. Reason cannot defeat law. Law cannot defeat power. Power cannot defeat the law of causality.

When you have a good will, the Buddhas and the Bodhisattvas see it. When you have an ill will, the devil sees it and the karmic retribution finds it.

Those, who have faith in religion, are the wealthiest. Those, who are virtuous, can be the most peaceful in their minds. Those, who practice well, are the most powerful. Those, who are intelligent, are the most perspicuous.

Buddhistische Weisheiten, wie wir sie bei unseren vielen Reisen erhalten haben, wie sie in dem Büchlein Bilingual Version of The Everlasting Light wiedergegeben werden, hätten den Feld- und Kriegsherren im 30-jährigen Krieg oft gute Hilfestellungen und Erkenntnisse bringen können. Vielleicht wären die Kriegshandlungen dann weniger grausam gewesen. Der Krieg selbst hätte möglicherweise keine 30 Jahre gedauert.

Die Großeltern

DAS TAL DER KLEINEN VILS, ZUR ZEIT DES 30-JÄHRIGEN KRIEGS

Das Erscheinungsbild des kleinen Vilstals zum Beginn des 30-jährigen Krieges differierte stark zu dem des 20. Jahrhunderts. Zwischen Geisenhausen und Gerzen gab es nur wenige Dörfer. Der Wald bedeckte fast überall noch das Vilstal. Wiesen und Felder waren nur in sehr geringem Maße vorhanden. Ein Großteil der Rodungen fand erst in späteren Jahrhunderten statt. Anstelle der Bundesstraße schlängelte sich nur ein schmaler Sandweg den Windungen der Vils entlang. Bei Lichtenhaag gab es eine kleine Holzbrücke, die über den Fluss führte. Eine Abzweigung von der Straße nach Gerzen wand sich die sanften Anhöhen hinauf bis zum Schloss, das ganz oben am Berg steht. Zur damaligen Zeit glich dieses einer Festung, die von einer hohen Mauer und einem Burggraben umgeben war. Von hier aus konnte man das Tal gut überwachen. Auf halbem Weg zwischen Fluss und Schloss stand das alte, gotische Kirchlein, das Jahrhunderte später von Josef Weixelgartner auf Anweisung des Pfarrers abgerissen und durch eine moderne Kirche ersetzt wurde. Um die Kirche herum gruppierten sich nur wenige Gehöfte. An der Stelle des Austragshauses von Josef Weixelgartner befand sich ein kleines Bauernhaus mit niedrigen, schmalen Räumen und einem einfachen Stall, der in Richtung zum Tal hin gelegen ist. Der Sandweg zum Schloss führte direkt an der Vorderfront dieses Hofes vorbei. Weiter unten, wo heute der Oama-Hof liegt, stand eine größere Scheune, die mit Heu und Getreide gefüllt war. Ganz unten am Fluss war eine Mühle zu sehen, die auch schon zur damaligen Zeit das Getreide der Bauern zu Mehl verarbeitete.

Auf der anderen Seite des Flusses führte ebenfalls ein Weg die Anhöhen hinauf bis zu einem Gehöft, das bis zum heutigen Tag Bartl am Ross heißt, da Bartl als Einziger es verstanden hatte, beim Überfall der Schweden sein Pferd so zu verstecken, dass die feindlichen Soldaten es nicht fanden. Nach dem Abzug der Schweden hatte er als Einziger noch ein Pferd. Als er darauf einmal ins Dorf nach Lichtenhaag geritten kam, nannten ihn die Leute voller Neid: Bartl am Ross. Die Straße von Geisenhausen weiter nach Landshut und selbstverständlich auch in die andere Richtung nach Vilsbiburg war natürlich auch zur damaligen Zeit schon viel besser ausgebaut als die Abzweigung nach Gerzen. Wenn Landshut auch seine Bedeutung als Sitz des bayrischen Herzogs und heimliche bayrische Hauptstadt längst an München verloren hat, blieb der Stadt dennoch ein gewisser Einfluss als Provinzhaupt- und Universitätsstadt, zumindest auf die nähere Umgebung, erhalten. Das Mittelalterspiel der Landshuter Hochzeit, das alle vier Jahre die Heirat des bayrischen Herzogs mit der polnischen Königstochter im 14. Jahrhundert nachspielt, gibt bis zum heutigen Tag Zeugnis von der früheren Bedeutung dieser Stadt.

Landshuter Hochzeit

DIE VORFAHREN – DIE ENTSTEHUNG DES OAMA-HOFES

- » ***Zwischenbericht***
- » ***Sebastian Schmidberger***
- » ***Schuld und Sühne***
- » ***Der Klausenberg***
- » ***Olafs Rausch***
- » ***Die Kutsche***
- » ***Die Hochzeit***
- » ***Das Lokal***
- » ***Die Reise nach Italien***
- » ***Sommernachtsball***
- » ***Klosterleben***
- » ***Das Alter***

Die alte Kirche von Lichtenhaag

DIE ANFÄNGE

Unsere Geschichte beginnt weit weg vom kleinen Vilstal, hoch oben im Norden Schwedens in einem Dorf, das ungefähr 300 km nördlich von Stockholm mitten in den Bergen gelegen ist.

Ingo Rasmus, der Verwalter der Güter des Grafen Gundifels, war äußerst beunruhigt. Die Wehen hatten bei seiner Frau bereits vor 15 Stunden eingesetzt, ohne dass es zu einem nennenswerten Geburtsfortschritt gekommen wäre. Die Hebamme, die schon seit vielen Stunden bei ihr ausharrte, schien ziemlich ratlos zu sein. Jedes Mal, wenn Ingo den Bauch seiner Frau abtastete, bekam er den Eindruck, dass kein vorangehender Teil im kleinen Becken zu spüren war. Der Bauch lud beidseits weit seitlich aus, so dass Ingo immer mehr den Eindruck bekam, dass sich das Kind quer zum Geburtskanal einstellen würde. Es war ihm bewusst, dass es so nicht zur Welt kommen konnte. Er könnte versuchen, sobald der Muttermund weiter aufgehen würde, durch die Scheide in die Gebärmutter zu langen, um ein Bein zu fassen und das Kind an diesem Bein aus dem Bauch herauszuziehen. Die Wahrscheinlichkeit, sein Kind zu töten oder ihm zumindest schweren Schaden zuzufügen, wäre dabei sehr groß. Die andere Möglichkeit, die Herrn Rasmus durch den Kopf ging, war, das Kind aus dem Bauch seiner Frau herauszuschneiden. Er hatte früher, als sie noch in Stockholm lebten, viele solcher Eingriffe durchgeführt, bis er zu unvorsichtig wurde und ihm eine vornehme Gräfin verstarb. Er sollte damals wegen Mordes angeklagt werden. Der Skandal ging bis zum Königshaus. Als die Soldaten kamen, um ihn zu verhaften, flüchteten er und seine Frau. Sie versteckten sich im Keller des Nachbarhauses, wobei sie Glück hatten, dass der Soldat, der den Keller durchsuchte, gerade nicht in den Schrank schaute, in dem sie untergeschlüpft waren. In der Nacht, als die Soldaten sich wieder zurückgezogen hatten, schlichen sie sich aus der Stadt, um sich in einer weit abgelegenen Hütte mitten im Wald zu verstecken. Sie ernährten sich von Beeren und Wurzeln. Sie wanderten weiter nach Norden in möglichst einsame

Gegenden, um nicht entdeckt zu werden. Er hatte damals bei der Gräfin, deren Geburt nicht voranging, ebenfalls das Kind aus dem Bauch herausgeschnitten. Die Operation an sich verlief gut. Das Kind war gesund. Er hatte nur nicht, wie es damals üblich war, die Frau mit Alkohol betrunken gemacht, um ihr die Schmerzen etwas zu nehmen, sondern ihr Äther zum Einatmen gegeben. Ein Freund hatte ihn auf diese fatale Idee gebracht Die Patientin erbrach und aspirierte den erbrochenen Mageninhalt, so dass sie qualvoll an Lungenversagen erstickte. Als besonders negativ wurde es ihm angerechnet, dass er auch noch Geld von seinem Freund dafür bekommen hatte, da dieser Äthernarkosen bei Operationen einführen und damit viel Geld verdienen wollte. Sie hätten diese Art der Narkose erst bei Tieren oder zumindest Menschen niederer Abstammung testen müssen. Bei einer hochgestellten Persönlichkeit und Freundin der Königin dies auszuprobieren, war fatal. Der Freund, dem die Flucht aus Stockholm nicht gelungen war, wurde verhaftet, vor Gericht gestellt und zum Tode durch Erhängen verurteilt. Das Urteil war nun schon vor bereits sieben Jahren vollstreckt worden. Er selbst war in Abwesenheit ebenfalls zum Tode durch den Strang verurteilt worden. Nur hat er sich diesem Urteil bisher durch seine Flucht entziehen können. Ein halbes Jahr versteckten sie sich in den nördlichen Wäldern, bis der Winter kam. Dann mussten sie es riskieren, irgendwo unterzukommen, da sie den nördlichen Winter im Freien nicht überlebt hätten. Sie hatten erfahren, dass beim Grafen Gundifels der Posten eines Verwalters zu besetzen war. Sie stellten sich bei ihm unter den Namen Heike und Ingo Rasmus vor. Ingo Rasmus, alias Dr. Joseph Johannson, gab vor, Norweger zu sein und aus Oslo zu kommen, was sogar der Wahrheit entsprach. Josephs Eltern waren früh gestorben. Er wuchs bei einem Wanderheiler auf, mit dem er in der Umgebung von Oslo von Dorf zu Dorf zog, um Leute zu behandeln. Sein Vormund und Lehrer zog Zähne, nähte und verband Wunden, machte Gipsverbände bei Beinbrüchen, wobei er versuchte, diese wieder durch Zug einzurichten. Als Joseph älter wurde, bekam er durch Zufall die Gelegenheit, im Hospital Assistent eines bekannten Arztes zu werden. So konnte er seine medizinischen Fertigkeiten verbessern und sein Wissen vermehren. Von diesem Arzt bekam er auch den Rat, nach Deutschland zu gehen, da dort der medizinische Wissensstand bereits erheblich fortgeschrittener sein sollte. So kam es, dass er sich eines Tages aufmachte, nach Deutschland zu ziehen, wobei er letztendlich nach längerem Umherziehen bis München in Bayern gelangte. Dort arbeitete er wieder in einem Hospital. Er war sehr beliebt, da er fleißig und zu den Menschen freundlich war. Seine Kenntnisse aus Norwegen konnte er dabei gut verwenden und durch andere Praktiken, wie sie in Bayern verwandt wurden, ergänzen. So erlangte er gute Fertigkeiten vor allem in der Chirurgie und Geburtshilfe, wusste aber auch gut den Einsatz von Kräutern, Salben und Verbänden anzuwenden. Bei seiner Arbeit im Hospital lernte er auch seine Maria kennen, die sich dort als Hospitalhelferin, wie die Krankenschwestern damals genannt wurden, ihr Geld verdiente. Er hatte sich gleich bei der ersten Begegnung, als ihm Maria als neue Mitarbeiterin vorgestellt wurde, in ihre tiefliegenden braunen Augen, ihre geschwungenen schwarzen Augenbrauen und ihren etwas schmollenden Mund mit seinen breiten Lippen verliebt. Maria war schlank, 20 Jahre jung, relativ groß gewachsen, hatte brünette, halblange, gewellte Haare, eine muskulöse Figur mit wohlgeformten Brüsten. Sie entsprach genau dem Typ Mädchen, von dem der gutaussehende, blonde, mittlerweile 25 Jahre alte Norweger so lange schon geträumt hatte. Sie verliebten sich ineinander und wollten heiraten, was im damaligen Bayern gar nicht möglich war, da er als Protestant keine Katholikin ehelichen durfte. Als bekannt wurde, dass er ein Lutheraner war, wäre er beinahe verhaftet worden, wenn sie sich nicht durch Flucht den Polizisten entzogen hätten. So kamen sie nach Stockholm, wo er als guter Arzt und Geburtshelfer bald recht bekannt wurde. Er hatte sowohl in Bayern als auch in Stockholm bereits wiederholt sogenannte Kaiserschnitte durchgeführt, die so hießen, weil angeblich schon Caesar im alten Rom auf diese Art zur Welt gekommen sein soll. Offensichtlich hatten auch dessen Geburtshelfer Angst vor diesem Eingriff, da Caesars epileptische Anfälle sicherlich vom Sauerstoffmangel bei der Geburt herrührten, was darauf schließen lässt, dass sie zu lange mit dem Eingriff gewartet hatten. Joseph, beziehungsweise Ingo, wie er sich jetzt nannte, stand nun bei seiner eigenen Frau vor der gleichen Entscheidung. Sollte er die Operation durchführen, würde er das Leben seiner Frau gefährden und zugleich riskieren, dass ihre Tarnung auffliegen könnte, was seine Auslieferung nach Stockholm und Hinrichtung durch den Strang zur Folge haben dürfte. Würde er aber versuchen, das Kind vaginal zu entwickeln, müsste er es töten oder ihm zumindest schweren Schaden zufügen. Dabei waren die Geburten seiner beiden anderen Kinder, seines Sohnes Oskar und seiner Tochter Theresa vor fünf und drei Jahren, so unkompliziert verlaufen. Maria hatte starke Schmerzen. Sie lag bleich und voller Angst auf ihrem Bett in dem kleinen Behandlungszimmer, das sich ihr Mann zur Versorgung kleinerer Verletzungen eingerichtet hatte. Ihre Wangen waren eingefallen. Sie sah mit ihren schönen Augen ihren Mann fest an. Sie kannte seine Gedanken. „Unterstehe dich, unser Kind zu gefährden!“, sagte sie zu ihm, indem sie ihm fest in die Augen blickte. „Du musst schneiden, du kannst es“, fügte sie noch hinzu, um ihrem Mann die Entscheidung zu erleichtern.

Er wusste, dass sie Recht hatte. Aber er brauchte Hilfe. Er konnte es nicht allein machen. Er musste zum Grafen gehen. Der Graf, ein gutmütig aussehender Mann, der etwas älter als sein Verwalter war, schaute ihn fragend an, als dieser ihm erklärte, das Kind würde quer im Bauch liegen, weshalb er operieren müsse, um es zu retten. Graf Gundifels stellte aber keine Fragen, sondern schickte mehrere seiner Knechte mit Wein und Schnapsflaschen zu Ingos Haus, das etwas abgelegen vom gräflichen Schloss auf einer Wiese stand. Maria musste viel Schnaps trinken. Es ekelte ihr vor diesem Gesöff. Die Knechte mussten sie festhalten, falls sie sich trotz Rausch wehren würde. Ingo entfachte ein Feuer, worüber er seine Instrumente hielt, um sie zu reinigen. Dieses Verfahren hatte er in München gelernt. Die Wunden würden besser heilen, wenn man die Instrumente übers Feuer hält, als wenn man sie nur reinigt, meinten die Ärzte dort, ohne eine Erklärung dafür geben zu können. Maria hatte Angst. Sie trank tapfer ihren Alkohol. Sie versuchte, sich möglichst ruhig zu halten, als der Schmerz stark wurde. Dennoch mussten sie die Knechte mit aller Kraft festhalten. Sie schrie vor Schmerz. Es blutete stark. Ingo musste viele Gefäße abklemmen, um den Blutverlust nicht zu stark werden zu lassen. Er entwickelte einen Sohn mit den gleichen braunen Augen wie seine Mutter. Das Kind atmete sofort. Es blickte seinen Vater mit großen Augen an, bereits als der es aus dem Bauch der Mutter herausholte. Seine beiden anderen Kinder hatten seine blauen Augen geerbt. Ingo nabelte es ab und übergab seinen Sohn der Hebamme. Er löste die Plazenta und vernähte die Wunden, was sich alles ganz gut machen ließ. Maria war matt. Sie hatte doch relativ viel Blut verloren. Sie schlief ihren Rausch aus und fühlte sich am nächsten Tag recht wohl.

Die Familie war glücklich. Schwester und Bruder freuten sich über den weiteren Familienzuwachs. Doch das Glück währte nicht lange. Maria bekam die nächsten Tage immer mehr Schmerzen und laufend ansteigendes Fieber. Ihr Ehemann versuchte, sie mit Kräutern und kalten Wickel zu behandeln, um das Fieber zu senken. Dennoch verschlechterte sich Marias Zustand zusehends. Das Fieber stieg. Die Lochien wurden immer übelriechender. Die Wunde am Bauch rötete sich und schwoll zusehends an. Ingo öffnete die Wunde, ließ den Eiter ablaufen, spülte sie mit klarem Wasser. Er versuchte auch, die Gebärmutter von der Scheide aus mit Wasser zu spülen. Trotz allem verschlechterte sich Marias Befinden laufend. Sie wurde mehr und mehr delirant und verstarb nach knapp zwei Wochen, ohne das Bewusstsein wieder erlangt zu haben. Ingo war verzweifelt. Er hatte seine geliebte Frau verloren, musste zwei kleine Kinder und ein Neugeborenes allein aufziehen. Für das Neugeborene besorgte ihm der Graf eine Amme, damit es überhaupt weiterleben konnte. Nach der Beerdigung auf dem Dorffriedhof ließ ihn Graf Gundifels zu sich kommen. Er begrüßte ihn, indem er ihn mit Herr Dr. Joseph Johannson anredete. Joseph, der seine Tarnung, wie er es befürchtet hatte, aufgeflogen sah, glaubte schon, verhaftet und nach Stockholm überführt zu werden. Irgendwie wäre es ihm nach dem Tod seiner geliebten Frau auch egal gewesen. Er hatte jeglichen Lebensmut verloren. Der Tod wäre ihm eigentlich sogar sehr willkommen gewesen, hätte er nicht die Verantwortung für seine drei Kinder gehabt, die ohne ihn auch elend zugrunde gehen würden. Zu seiner Überraschung behandelte ihn Graf Gundifels aber weiterhin sehr freundlich. Er erklärte ihm, sie bereits bei der Einstellung als Ehepaar Johannson erkannt zu haben. Er hatte diese eingebildete Gräfin, die für ihn als Landadligen nur mitleidige Verachtung übrig hatte, noch nie leiden können, ebenso wenig wie ihren Ehemann, diesen arroganten, unsympathischen Affen, wie er ihn im Stillen bezeichnete. Die Todesstrafe war für ihn ein unverhältnismäßig hohes Strafmaß für das Vergehen, bei dem zumindest keine Tötungsabsicht vorhanden war. Er habe Joseph und seine Frau Maria, die ihm sehr sympathisch waren, deshalb geschützt und gefördert. Er werde dies auch weiter tun, falls Joseph seine Tarnung als Ingo Rasmus fortführen möchte. Des Grafens Frau, Anna, war ebenfalls schwanger. Joseph sollte sie bei ihrer Schwangerschaft unterstützen, sie entbinden, aber auch seine Arbeit als Verwalter der Güter gewissenhaft weiterführen. Dann werde er, Graf Gundifels, ihm bei der Erziehung seiner Kinder helfen. Sie würden dann gemeinsam mit seinen Kindern auch eine gute schulische Ausbildung bekommen, wobei Joseph als Lehrer für Lesen, Schreiben und Medizin aktiv mitwirken sollte. Gustav, der Sohn des Grafen, war gerade einmal zwei Jahre alt. Seine Tochter Veronika sollte erst in einigen Monaten geboren werden. Die beiden Männer besiegelten ihre Abmachung durch Handschlag. Dies sollte der Beginn einer langjährigen Männerfreundschaft werden.

Veronikas Geburt gestaltete sich vollkommen unproblematisch. Ihre Mutter, Gräfin Anna von Gundifels, war überglücklich, hatte sie doch große Angst nach dem Tod ihrer Freundin und Verwaltersgattin, Maria, dass ihr ein ähnliches Schicksal bevorstehen könnte.

Anna von Gundifels war eine nicht übermäßig schöne, aber doch sehr vornehme, dennoch aber auch sehr sympathische

Frau, die sich aufopfernd um die Ausbildung der fünf Kinder bemühte, wobei kein Unterschied zwischen Grafen- und Verwalterkindern gemacht wurde. Die Kinder wuchsen gemeinschaftlich in guter Freundschaft auf. Trotzdem ergaben sich im Laufe der Zeit immer mehr Spannungen zwischen Joseph, dem jüngsten Sohn des Verwalters, und Gustav, dem Sohn des Grafen. Letzterer war doch sehr bedacht darauf zu zeigen, dass er von höherer Abstammung war als die Verwalterkinder. Die beiden anderen Kinder des Verwalters waren stets bemüht, Gustav den entsprechenden Respekt zu zeigen, der ihm aufgrund seiner Abstammung zustand. Joseph hingegen verweigerte ihm diese Ehrerbietung, was zu Streitereien führte, die bis zu Handgreiflichkeiten gehen konnten, wobei Joseph seinem Gegenüber aufgrund seiner Stärke und Wendigkeit deutlich überlegen war. Das Verhältnis zwischen Veronika und Joseph wurde hingegen immer besser, je älter sie wurden. Sie unternahmen öfter gemeinsam Spaziergänge, legten sich unter einen Baum, um zusammen die Natur um sich herum zu betrachten, ohne dass es in irgendeiner Weise zu sexuellen Handlungen gekommen wäre. Je inniger das Verhältnis zwischen Joseph und Veronika wurde, desto eifersüchtiger reagierte Gustav.

Irgendwie setzte sich die Nachricht durch, dass im fernen Deutschland ein Krieg zwischen den Papisten, wie die Katholiken verächtlich genannt wurden, und den Protestanten ausgebrochen sei. Am schlimmsten schienen die Bayern zu sein, die über protestantische Städte wie Magdeburg und andere hergefallen sein sollen, um der Bevölkerung ihren verfluchten Glauben aufzuzwingen.

Gustav schimpfte massiv über diese schrecklichen Bayern, wohingegen Joseph sich daran erinnerte, dass seine Mutter aus Bayern kam. Er versuchte dieses Volk, aus dem seine Mutter und damit auch er stammte, zu verteidigen, was ihm noch größeren Streit mit Gustav einbrachte. Dass Katholiken Mörder und Teufel seien, wie Gustav behauptete, konnte Joseph auch nicht nachvollziehen, da er von seinem Vater erfahren hatte, dass seine Mutter ursprünglich katholisch getauft wurde, und erst wegen ihrer Hochzeit mit ihm zum evangelischen

Glauben konvertierte. Obwohl er seine Mutter nicht gekannt hatte, glaubte er nicht, dass sie ein böser Mensch war, da sein Vater sie sonst nicht so sehr geliebt hätte. Ihre Verwandten scheinen übrigens aus einem Landstrich gekommen zu sein, den sein Vater als Niederbayern bezeichnete. Seine Mutter ist offensichtlich im kleinen Vilstal in einem Ort namens Seyboldsdorf aufgewachsen. Brüder und Schwestern von ihr, also Onkel und Tanten von ihm, müssten zu der Zeit noch dort gelebt haben. Die Grafen von Seyboldsdorf waren zugleich auch für Lichtenhaag, das in unmittelbarer Nähe liegt, zuständig. Sein Vater hatte Joseph einmal erzählt, selbst nur einmal dort gewesen zu sein, als ihn Maria ihren Eltern und Geschwistern vorgestellt hat. Zu einem weiteren Besuch sei es leider nicht mehr gekommen, da sie wegen seines Glaubens aus Bayern haben fliehen müssen. Von Schweden aus konnte Maria keinen Kontakt mehr zu ihren Angehörigen aufnehmen, da Verbindungen zu Katholiken strengstens verboten waren. Es verging nicht allzu viel Zeit, bis man erfuhr, dass Schwedens König Gustav Adolf sich anschickte, ein Heer aufzustellen, um den protestantischen deutschen Städten zu Hilfe zu eilen.

Trotz Widerwehr musste Graf Gundifels als Oberst der Reserve mit in den Krieg ziehen.

Die Freunde Graf Gundifels und sein Verwalter Joseph Johannson unterhielten sich zum Abschied lange miteinander. Der Graf traute seinem Verwalter seine Frau und seine beiden Kinder zum Schutz an. Was die beiden Männer nicht ahnen konnten, war, dass sie belauscht wurden. Gustav vermutete längst, dass es zwischen den beiden Männern ein Geheimnis geben müsse. Er wusste, sie würden sich an diesem Abend zum Abschied in dem alten Rittersaal treffen, der neben dem großen Tisch mit den vielen Stühlen vor allem vollgestellt war mit Ritterrüstungen, alten Helmen und Hellebarden. Gustav hatte sich bereits über eine Stunde vor Ankunft der beiden Männer in dem mächtigen, schön verzierten, antiken Schrank versteckt, um endlich hinter das Geheimnis dieser beiden Herren zu gelangen. Er vernahm also, dass ihr Verwalter nicht Ingo Rasmus, sondern eigentlich Dr. Joseph Johannson hieß, und ein zum

Tode verurteilter Verbrecher war. Er kochte innerlich, als er vernahm, dass sein Vater die Geschicke der Familien nicht ihm, seinem mittlerweile 25-jährigen Sohn, anvertraute, sondern diesem Verbrecher. Er bekam mit, wie sich die beiden Männer zum Abschied fest umarmten, wobei sie nicht ahnen konnten, dass dies ein Abschied für immer sein sollte. Gustav verließ erst den Schrank, als die beiden Personen längst gegangen waren. Er musste zuvor innerlich verarbeiten, was er vernommen hatte. Sein erster Gedanke war, diesen Verwalter nach dem Weggang seines Vaters sofort zu denunzieren, um ihn und seine Familie, wobei er vor allem an dessen Sohn Joseph dachte, endlich loszuwerden. Er erkannte aber auch, dass er damit ebenso seinen Vater denunzieren würde, da er diesem Verbrecher so viele Jahre Unterschlupf gewährt hatte. Sie könnten möglicherweise ihre ganzen Besitztümer und vielleicht sogar ihren Adelstitel verlieren. Gustav war klar, dass er vorsichtig sein musste.

Der Graf war nun schon zwei Jahre im Krieg. Es kamen laufend gute Kunden von den großen Erfolgen der Schweden in Deutschland. Die Leute jubelten. Das bayrische Heer unter Tilly, dem verräterischen Holländer, war geschlagen worden. Das schwedische Heer marschierte auf München zu. Zu Hause hatte Gustav das Regiment an sich gerissen. Den verbrecherischen Verwalter und dessen gehasste Familie behandelte er ziemlich arrogant von oben herab. Seine Mutter, die ihren Sohn abgöttisch verehrte, wagte niemals, ihm zu widersprechen. Lediglich seine Schwester Veronika widersetzte sich seinen Anordnungen. Je mehr sie sich von ihrem Bruder entfremdete, desto besser verstand sie sich mit Joseph, dem Sohn des Verwalters, in den sie schon seit längerer Zeit heimlich verliebt war. Er war auch ein hübscher Junge mit blonden Haaren, braunen Augen, einem fein geschnittenen Gesicht und einem muskulösen Körperbau von ungefähr 180 cm Größe geworden. Aber auch Veronika selbst war mit ihren mittlerweile 20 Jahren eine auffallend schöne Frau. Sie hatte neben ihren blonden, gewellten Haaren blaue Augen in einem sehr hübschen Gesicht mit kleiner gerader Nase bekommen. Veronika war schlank, 170 cm groß, muskulös, hatte wohlgeformte Brüste, also ein Mädchen, in das sich Joseph schon vor langer Zeit verliebt hatte, ohne dass er es gewagt hätte, sie anzurühren. Sie lagen oft gemeinsam unter ihrem Eichenbaum an dem kleinen See und schauten den Vögeln zu, wie sie durch die Lüfte schwebten. Joseph war oft etwas müde von der harten Arbeit, die er zur Unterstützung seines Vaters längst verrichten musste. Dann waren die jungen Leute glücklich, wenn sie unter ihrem Baum lagen und gemeinsam von der Zukunft träumten. Doch dieses Mal war es anders. Veronika wirkte äußerst niedergeschlagen. Ihr Bruder hatte einen Bräutigam für sie ausgesucht. Sie sollte schon bald nach Uppsala gehen, um diesen, ihr völlig unbekannten Grafen zu heiraten. Dieses Mal wollte Veronika nicht mehr nur neben Joseph liegen und träumen. Sie schaute ihm tief in die Augen und küsste ihn. Er küsste sie auch. Sie öffnete ihre Bluse, so dass er zum ersten Mal ihre schönen Brüste betasten konnte. Sie begann auch ihn auszuziehen, bis sie beide nackt unter ihrem Baum lagen. Er hatte Angst, dieses schöne, hochgestellte Mädchen zu berühren.

Schüchtern fuhr er ihr mit seiner schlanken, feingliedrigen Hand über den Bauch, was sie leicht erschauern und zittern ließ. Sie wollte sich jedoch dieses Mal damit nicht zufriedengeben.

Erneut blickte sie ihm tief in die Augen, küsste ihn, legte sich vorsichtig auf seinen Bauch, fasste einen mittlerweile maximal erregten Penis mit der Hand und führte ihn langsam in ihre Scheide ein.

Es war für beide das erste Mal, dass sie überhaupt Verkehr hatten, und sollte auch das einzige Mal bleiben, dass sie miteinander geschlafen haben.

Bereits am nächsten Tag wurde Veronika abgeholt und nach Uppsala gebracht. Joseph hatte große Sehnsucht nach ihr. Er sollte sie erst viele Jahre später wiedersehen, als bei ihr bereits längst ihre Schizophrenie ausgebrochen war und sie geistig ziemlich abgetreten von seiner Schwester Theresa gepflegt wurde. Der Selbstmord ihrer Mutter, die unter starken Depressionen litt, war bereits mehrere Jahre vorbei.

Veronikas Hochzeit in Uppsala war sehr pompös. Wenige Monate danach gebar sie ihren Sohn Olaf. Man sagte, er sei eine Frühgeburt, obwohl er mehr als 3.000 Gramm wog. Veronikas Ehemann, ein alternder Graf, der mindestens 30 Jahre älter als sie selbst war, war froh, endlich einen Erben für seine vielen Güter bekommen zu haben. Auf die Idee, dass er möglicherweise nicht der Vater des Kindes sein könnte, ist er erst gekommen, als ihn seine Mätresse darauf hinwies, dass Olaf ihm überhaupt nicht ähnlichsähe. Veronika hat ihn nie geliebt, weshalb sie ihn abzuwehren versuchte, wann immer es möglich war, wenn er sich ihr sexuell zu nähern versuchte. Ihre einzigen Freuden waren, ihren Sohn heranwachsen zu sehen und sich mit Theresa zu unterhalten. Als ihr gräflicher Ehemann dies erkannt hatte, suchte er sich eine Freundin, bekam von dieser einen weiteren Sohn, setzte diesen als seinen Erben ein und verstieß Olaf aus seiner Umgebung.

Schon bald nach ihrer Hochzeit kam die Todesnachricht von Veronikas Vater. Er war im Krieg gegen die Bayern gefallen, woraufhin sich ihre Mutter vom obersten Stock ihres Schlosses herabstürzte, da sie das strenge und ungerechte Regime ihres Sohnes nicht mehr ertragen konnte. Nach dem Tod des Vaters war Gustav endlich selbst Graf. Den verhassten Verwalter ließ er von der Polizei verhaften und nach Stockholm überführen, wo nach so vielen Jahrzehnten endlich das Todesurteil an ihm vollstreckt werden konnte. Joseph und sein Bruder Oskar wurden für die Armee zwangsrekrutiert. Ihre Schwester Theresa war als Kammerzofe mit Veronika mitgegangen. Gustav ernannte einen neuen Verwalter für seine Güter und meldete sich selbst zur Armee, um sich für den Tod seines Vaters, den er doch irgendwie verehrt hatte, an den verhassten bayrischen Papisten zu rächen.

DIE EINBERUFUNG

Olaf Graf Gundifels war sehr besorgt um seine Familie, als er zu guter Letzt doch noch in diesen unseligen Krieg gegen die Katholiken in Deutschland ziehen musste. Er hatte sich, solange es irgendwie ging, gegen diese Einberufung gewehrt. Nachdem sich der Krieg aber doch schon längere Zeit dahinzog, konnte er sich als Oberst der Reserve nicht länger den Bitten seiner Vorgesetzten verschließen, endlich auch daran teilzunehmen. Er hatte Angst um seine Familie. Seine Frau war äußerst labil und neigte stark zu depressiven Verstimmungen. Seine Tochter Veronika war in den hübschen, jungen Sohn seines Verwalters verliebt. Er liebte diesen jungen Mann sehr. Dennoch war er keine richtige Partie für eine Baronesse. Am meisten Sorge bereitete ihm aber sein Sohn Gustav. Dieser war aufbrausend. Er hasste den Sohn des Verwalters. Graf Gundifels fürchtete sich manchmal vor seinem eigenen Sohn. Er empfand ihn manchmal als unberechenbar. Es entsprach deshalb dem Resultat einer langen Überlegung, als er seinen Verwalter Dr. Joseph Johannson bat, sich um seine Familie zu kümmern. Obwohl er eigentlich nicht glaubte, dass sein Verwalter sich gegenüber Gustav durchsetzen könnte, der doch oft ein großes Geltungsbedürfnis an den Tag legte, wollte er doch wenigstens versuchen, Dr. Johannson offiziell mit der Leitung seiner Güter zu beauftragen, um Gustav soweit es ging etwas auszubremsen.

Graf Gundifels kämpfte nun bereits zwei Jahre in diesem unseligen Krieg. Die Nachrichten, die er von zu Hause erhielt, waren sehr beunruhigend. Gustav hatte den Verwalter kaltgestellt. Er schien ziemlich despotisch über die Familien und die Angestellten zu herrschen. Seine Frau hatte sich offenbar aus Angst vor ihrem eigenen Sohn hauptsächlich in ihre Gemächer zurückgezogen. Einzig Veronika schien sich Gustav zu widersetzen, was oft zu heftigem Streit zwischen den beiden führte.

Der Graf lag mit seinem Regiment vor Ingolstadt. Sie hatten einen dichten Belagerungsring um die Stadt gezogen. Die Verteidiger innerhalb der Stadtmauern wehrten sich verzweifelt. Sollte Ingolstadt fallen, wäre der Weg nach München frei. Graf Gundifels wurde mit einem Stoßtrupp die Donau abwärts in Richtung Regensburg geschickt. So kamen sie zu einem Benediktinerkloster namens Weltenburg. Das Kloster war malerisch am rechten Ufer der Donau gelegen, unterhalb von steil ansteigenden, bewaldeten Hängen. Am gegenüberliegenden Ufer begannen bereits die schroffen Felsen des Donaudurchbruchs. Als Graf Gundifels mit seinen Soldaten zum Kloster kam, war er begeistert von der herrlichen Lage dieser Gebäude und der wunderschönen Natur ringsherum. Irgendwie war er so fasziniert von dieser wunderbaren Umgebung, dass er einen Augenblick lang die übliche Vorsicht vergaß. Er ging auf das Kloster zu, ohne zuvor die umliegenden Hänge von seinen Soldaten auf versteckte Fallen durchsuchen zu lassen. Diese Nachlässigkeit sollte sich als verhängnisvoll herausstellen. Kaum war der Graf mit seinen Soldaten in den Klosterbereich eingerückt, als sie von der Kirche heraus mit Pfeilen beschossen wurden. Der Graf gab den Befehl zum Rückzug, als ein Stoßtrupp bayrischer Soldaten an der Engstelle zwischen Donau und den Felswänden heranrückte und ihnen den Rückweg versperrte. Von den bewaldeten Hängen herab hagelte es ebenfalls Pfeile, so dass sie von drei Seiten umzingelt waren, wobei nur der Weg zur Donau noch offenstand. Die schwedischen Soldaten verbarrikadierten sich zwischen herumstehenden Tischen und Stühlen und schossen ihrerseits in alle Richtungen, wobei nur der Stoßtrupp am Eingang des Tals für sie sichtbar war. Doch dann brach ein furchtbarer Lärm los. Die Soldaten stürmten mit furchtbarem Gebrüll von den Hängen herab. Die Kirchentür öffnete sich. Heraus kamen mindestens 20 weitere Soldaten, die sofort auf die Schweden zustürmten. Diese zogen sich vor der Übermacht in Richtung Donau zurück. Viele von ihnen waren bereits gefallen. Als die bayrischen Truppen nachrückten, sprangen viele Schweden in die Donau, um sich ans andere Ufer zu retten. Graf Gundifels kämpfte voller Verzweiflung. Doch zuletzt sah auch er nur noch den Ausweg in den Fluss. Kaum war er ins Wasser gesprungen, wobei die Temperatur im Sommer ganz angenehm war, als ihn auch schon die Strömung mit sich fortriss. Er versuchte sich verzweifelt gegen die vielen Wirbel, die ihn nach unten ziehen wollten, über Wasser zu halten. Trotz der massiven Strömung bemühte er sich, vom Ufer weg in die Mitte des Stromes zu schwimmen, um den Pfeilen der bayrischen Soldaten zu entgehen. Die Strömung riss ihn weit hinein in den Durchbruch mit sich fort. Er war bereits auf der gegenüberliegenden Seite des Stroms, als plötzlich eine schroffe Felswand vor ihm auftauchte. Obwohl er verzweifelt versuchte, daran vorbeizukommen, trieb ihn das Wasser voll auf die Felswand zu. Die Gewalt des Wassers war so groß, dass es ihm nicht möglich war, sich um die Wand herum zu bewegen. In seiner Verzweiflung bemühte er sich, die Felswand senkrecht hochzuklettern, was ihm erstaunlicherweise ganz gut gelang. Er war ungefähr in der Mitte des Felsens angekommen, als ein bayrischer Soldat vom anderen Ufer einen Pfeil auf ihn abschoss, der seinen Thorax durchbohrte. Graf Gundifels schrie laut auf. Seine Hände lösten sich vom Felsen. Er stürzte in die Tiefe und versank in der Donau. Nur wenige seiner Soldaten überlebten und brachten die Nachricht vom Tod ihres Befehlshabers zurück in ihr Heerlager.

An dem Felsen, an dem Graf Gundifels starb, war auch ich einmal Jahrhunderte später in einer großen Notlage. Zu der Zeit, als Olga ihre Ausbildung zur Physiotherapeutin in Bad Abbach absolvierte, gingen wir oft im Donaudurchbruch spazieren. An warmen Sommertagen stiegen wir auch öfter hinab zum Fluss, um an dem Sandstrand, zu dem normalerweise nur Kajakfahrer gelangen, zu baden. Trotz des Schildes „Baden verboten – Lebensgefahr", ließ ich mich einmal auf den Felsen zutreiben, um zu sehen, wie ich wieder davon wegkommen könnte. Ich dachte, man könnte um den Felsen herumkommen. Die Wucht des Wassers ist aber so groß, dass ich keine Chance dazu hatte. Die einzige Möglichkeit, aus dieser Notlage zu entkommen, war, den Felsen hochzuklettern. Genauso muss es damals Graf Gundifels ergangen sein. Er konnte nur hochklettern, um dem Fluss zu entkommen. In dem Augenblick, als er aus dem Wasser herauskam, bot er natürlich eine gute Zielscheibe für Bogenschützen. Da auf mich damals kein Schütze wartete, um mich mit seinen Pfeilen zu töten, habe ich die letzten 30 Jahre, die diese Ereignisse bereits wieder her sind, überlebt, wohingegen Graf Gundifels in den Fluten der Donau verschwand.

Erwähnen sollte man noch, dass Graf Gundifels einen Adjutanten namens Sebastian hatte, der versucht hatte, ihn zu beschützen. Sebastian stammte aus Magdeburg. Er hatte sich freiwillig der schwedischen Armee angeschlossen, um gegen die Bayern zu ziehen, nachdem das bayrische Heer unter seinem Feldherrn Tilly seine Vaterstadt zerstört und geplündert hatte. Seine Eltern und sein Bruder wurden dabei brutal ermordet, seine neunjährige Schwester entführt. Er selbst war damals zwölf Jahre alt. Bei einer Pflegefamilie hatte Sebastian das Schmiedehandwerk gelernt. Mit 20 Jahren schloss er sich den Schweden an, um gegen die Bayern zu kämpfen und nach seiner vermissten Schwester zu suchen, wobei er nicht einmal wusste, ob sie noch lebte. Nach anfänglichen Sprachproblemen hat Sebastian relativ rasch gut Schwedisch zu sprechen gelernt. Seinem Vorgesetzten, Graf Gundifels, schien er zu gefallen, weshalb dieser ihn zu seinem persönlichen Diener und Adjutanten gemacht hatte. Als sie bei Weltenburg in den Hinterhalt der Bayern geraten waren, versuchte Sebastian Tische und Stühle vor seinem Herrn aufzubauen, um ihn vor den feindlichen Pfeilen zu schützen. Nachdem die Übermacht der Feinde zu groß geworden war, folgte Sebastian seinem Herrn in Richtung Donau. Er trug dabei eine umgestürzte Sitzbank hinter sich her, um die feindlichen Pfeile abzufangen. Als der Graf in den Fluss gesprungen war, folgte ihm Sebastian dorthin nach. Sebastian sah Graf Gundifels den Felsen hochklettern. Er musste mitansehen, wie der Pfeil seinen Brustkorb durchbohrte und er in die Donau stürzte. Sebastian versuchte, die Hand des Grafen zu fassen und ihn hinter dem Felsen ans gegenüberliegende Ufer zu zerren. Durch den Felsen waren sie vor den Blicken der Feinde geschützt. Sebastian entfernte den Pfeil und versuchte, die Wunde zu verbinden. Sterbend flüsterte ihm der Graf noch etwas ins Ohr, bevor seine Augen für immer erstarrten.

DIE GEFANGENNAHME

Es war ein warmer Frühlingstag. Die Sonne strahlte vom Mittagshimmel auf die blühenden Wiesen unter ihr. Das hohe Gras und die Blumen, die in allen Farben von Rot über Blau, Violett bis zu Gelbtönen erstrahlten, schwankten leicht in dem milden Wind, der von den Bergen herab wehte. Dr. Johannson saß auf der Bank vor seinem Haus und betrachtete das ergreifende Naturschauspiel vor seinen Augen, als die Soldaten kamen, um ihn zu verhaften. Joseph hatte sie erwartet. Er wusste vom Tod seines Freundes und Gönners Graf Gundifels. Es war ihm auch bekannt, dass dessen Sohn Gustav ihn bei den Behörden angezeigt hatte. Er war mittlerweile bereits 65 Jahre alt geworden. Man konnte ihm die langen Jahre des harten Berufes ansehen. Seine Wangen waren eingefallen. Um seine Augen haben sich viele Falten gebildet. Sein Gesicht wirkte vom Schmerz gezeichnet infolge der starken Ischiasbeschwerden, die ihm in den letzten Jahren das Leben so massiv erschwert haben. Er wusste auch, dass seine Söhne zwangsrekrutiert wurden für diesen unseligen Krieg in Deutschland. Er betete so sehr, dass sie überleben würden. Leider musste er vor seiner Hinrichtung auch noch vom Tode seines Erstgeborenen erfahren. Seine einzige Freude war, dass seine Tochter als Kammerzofe mit Veronika mitgehen konnte. Sie würde dadurch ein angenehmeres Leben führen können, als er es von ihren Brüdern erwartete. Joseph Johannson hatte mit seinem Leben abgeschlossen. Irgendwie ist er nie wirklich über den Tod seiner geliebten Frau Maria, auch wenn dieser bereits über 20 Jahre her war, hinweggekommen. Seinen Kindern konnte er nicht mehr helfen. Sie müssten ihren Weg jetzt ohne ihn gehen. Joseph ließ sich ohne Gegenwehr verhaften. Eigentlich war er sogar froh, dass das Versteckspiel endlich zu Ende war. Man brachte ihn nach Stockholm. Dort wurde er einem Richter vorgeführt. Das Einzige, was ihn wirklich empörte, war die Aussage von Gustav Gundifels, dem Sohn des Grafen, der behauptete, Joseph hätte ihn und seinen Vater über zwei Jahrzehnte hindurch belogen und betrogen. Bei seiner eigenen Frau hätte er das gleiche Verbrechen begangen, wie damals bei der Gräfin, wegen deren Tod er verurteilt worden war. Selbst seine eigene Frau sei durch seine verbrecherische Behandlung gestorben. Der Richter, der Mitleid mit Joseph hatte, ermunterte ihn, sich zu verteidigen. Doch der saß nur apathisch da und ließ alle Vorwürfe über sich ergehen. Man bekam den Eindruck, er wollte sterben. Diese Todessehnsucht verstärkte sich noch, als er die Nachricht vom Tod seines ältesten Sohnes erhalten hatte. Am Ende der Verhandlung konnte der Richter nicht anders, als das Todesurteil seines Vorgängers vor fast drei Jahrzehnten zu bestätigen. Dr. Joseph Johannson beichtete seine Sünden einem Pfarrer und bat Gott um Vergebung für seine Verfehlungen in seinem Leben. Vom Henker ließ er sich wortlos ohne Augenbinde den Strick um den Hals legen. An seinem Todestag hatte das Wetter umgeschlagen. Es regnete in Strömen.

Als Dr. Joseph Johannson von Soldaten bei heftigem Regen, den er gar nicht zu bemerken schien, auf den großen Freiplatz des Gefängnisses geführt wurde, auf dem eigens wegen ihm das Schafott aufgebaut war, nahm er die Geschehnisse um ihn herum kaum wahr. Er musste an sein vergangenes Leben denken. Er erinnerte sich, wie ihm sein Chef im Hospital in Oslo ein Empfehlungsschreiben für dessen Freund und seinen späteren Chefarzt in München mitgab, indem er ihn zum ersten Mal als Doktor bezeichnete. Er wurde in diesem Schreiben so sehr gelobt, dass es ihm die Tore des Hospitals in München ebenso wie später in Stockholm öffnete. Auch sein Osloer Chef schien in seiner Jugend viel gereist zu sein, so dass er Freunde bis nach München hatte. Joseph hatte sich etwas Geld gespart, weshalb sich die Reise dorthin, die hauptsächlich per Schiff stattfand, als problemlos darstellte.

Man führte ihn die Stufen des Schafottes hinauf, bis er auf der Falltür zu stehen kam, die dann geöffnet werden sollte.

Joseph musste daran denken, wie er Maria kennenlernte, wie er sich in ihre rehbraunen Augen verliebte. Sie machten damals viele Spaziergänge durch München. Sie zeigte ihm ihre Stadt mit den vielen Kirchen und großen Häusern. Der Herzog residierte zu der Zeit noch in der alten Hofburg, durch deren Hof sie oft schlenderten. Joseph verdiente relativ viel Geld, so dass er sich eine nette Wohnung im Zentrum von München, gleich neben der Frauenkirche leisten konnte. Als er sie zum ersten Mal dorthin einlud, machte er ihr Tee. Sie unterhielten sich. Irgendeinmal küsste er sie, oder sie ihn. Er wusste nicht mehr genau, wer von ihnen zuerst die Initiative dazu ergriff. Sie sehnten sich jedenfalls beide danach. Beim nächsten Mal zog er sie aus und sie ihn. Sie schiefen miteinander, wobei er darauf achten musste, dass er rechtzeitig aufhörte, damit sie nicht schwanger würde. In ihren Ferien nahm sie ihn mit ins kleine Vilstal zu ihren Verwandten in Seyboldsdorf. Er lernte ihre Eltern kennen und ihre Geschwister. Sie haben ihn alle sehr freundlich aufgenommen. Er lebte mit ihnen auf ihrem Bauernhof, wobei er auch bei der Arbeit etwas mithalf, was ihm großen Spaß bereitete. Es war eine glückliche Zeit, leider aber das einzige Mal, dass er Marias Angehörigen begegnete. Damals begann bereits dieser unselige Krieg, der nun schon über zwei Jahrzehnte andauerte. Als bekannt wurde, dass er den falschen Glauben hatte, mussten sie aus München weggehen. Die Anfeindungen einem Evangelischen gegenüber wurden zu groß. Er wollte aber nicht mehr zurück nach Oslo, sondern nach Stockholm, wo es für einen guten Arzt viel bessere Möglichkeiten gab. Ähnlich wie vor der Abreise nach München, als ihm sein damaliger Chef Bücher in Deutsch zum Erlernen dieser Sprache gegeben hatte, besorgte er sich nun Bücher auf Schwedisch, um auch dieser Sprache etwas mächtiger zu werden, bevor sie nach Stockholm gingen. Da er in München ausreichend Geld verdient hatte und auch Maria ihre Ersparnisse mit einbringen konnte, gestaltete sich die Reise nach Stockholm relativ problemlos. Maria fiel die Entscheidung, sich, ohne von ihrer Familie verabschieden zu können, Hals über Kopf von München abreisen zu müssen, sehr schwer. Weder er, Joseph Johannson, noch seine Frau Maria haben je wieder etwas von ihren Angehörigen im kleinen Vilstal gehört. Er fragte sich manchmal, ob seine Schwiegereltern noch lebten. Er konnte nicht ahnen, dass sein Sohn Joseph einmal dorthin gehen und dort leben würde, und auch nicht, dass er der Stammvater der Dynastie der Weixelgartner im kleinen Vilstal werden würde. In Stockholm wurden sie mit offenen Armen aufgenommen. Aufgrund seiner guten Zeugnisse seiner Chefs in Oslo und München bekam er eine gute Stelle als Oberarzt im größten Hospital von Stockholm. Sein Aufstieg zum Chefarzt der Geburtshilflichen Abteilung ging rasant vonstatten. Maria und er haben sich schnell in Stockholm eingelebt. Ihre Hochzeit fand im kleinen Rahmen statt. Da beide keine Angehörigen in Schweden hatten, luden sie nur wenige Freunde zu ihrer Feier ein. Ihren katholischen Glauben verschwieg Maria vor den Pfarrern einfach, so dass es auch diesbezüglich keine Probleme gab. Maria trug bei der kirchlichen Feier ein hellgrünes Kleid, in dem sie mit ihren braunen Augen und dunklen Haaren sehr hübsch aussah. Joseph war sehr stolz auf seine Frau. Sie bekamen viele Freunde und waren sehr angesehen, bis zu dem verhängnisvollen Kaiserschnitt, der ihr Leben grundlegend verändern sollte. Marias Versuche, während ihrer Stockholmer Zeit Kontakt zu ihrer Familie im kleinen Vilstal aufzunehmen, scheiterten, da in Deutschland bereits Krieg herrschte, weshalb es nicht möglich war, von einem protestantischen Land aus Verbindungen ins katholische Bayern aufzunehmen.

Versunken in seinen Gedanken bemerkte Joseph kaum, wie ihm der Henker die Schlinge um den Hals legte. Er verspürte nur einen furchtbaren Schmerz am Genick, als die Falltüresich unter ihm öffnete und er in die Tiefe fiel. Dass der Himmel sich verdunkelt hatte und ein mächtiges Gewitter aufgezogen war, dass riesige Blitze vom Himmel sausten und furchtbarer Donner die Umgebung erschütterte, nahm Joseph nicht mehr wahr.

Ob Joseph Angst hatte vor seinem Tod, Angst davor, seinem Schöpfer gegenüberzutreten – er war ein sehr religiöser Mensch und glaubte fest an ein Weiterleben nach dem Tode –, weiß man nicht. Er hat sich jedenfalls keine Furcht anmerken lassen.

Voller Stolz hatte Maria ihm damals auch das goldene Amulett mit dem großen, roten, stark funkelnden Rubin in der Mitte gezeigt. Es war ein Familienerbstück, das sie von ihrer Großmutter erhalten hatte. Niemand wusste genau, wie lange dieses wertvolle Kleinod bereits in ihrer Familie war und wie es überhaupt in deren Besitz gekommen ist. Es sei ein Glück bringender Talisman, hatte Maria ihm damals versichert. Um ihn zu beschützen, hat Joseph diese Brosche seinem ältesten Sohn Oskar mitgegeben, als dieser in den Krieg ziehen musste. Leider hatte sie ihm kein Glück gebracht, musste Joseph nachträglich konstatieren, nachdem er von Oskars Tod erfahren hatte.

Als Joseph Johannson in der letzten Nacht vor seiner Hinrichtung in seiner Todeszelle lag, versuchte er, mit seinem Gott ins Reine zu kommen. Er betete viel, bat Gott um Vergebung für die Verfehlungen in seinem Leben. Er versuchte die Zweifel am jenseitigen Leben, die zwischenzeitlich immer wieder hochkamen, zu unterdrücken. Nur keine Angst haben, nur nicht verzweifeln, waren laufend seine Gedanken. Irgendwie freute er sich auch wieder auf den morgigen Tag, da er hoffte, seine verstorbene Frau Maria im Jenseits wieder zu treffen und auch seinen erst vor kurzem gefallenen Sohn Oskar. Er betete inbrünstig für seine beiden noch lebenden Kinder Theresa und Joseph. Hoffentlich haben sie einmal ein besseres Leben und ein schöneres Ende als er. Seine Gedanken wanderten durch sein Leben. Er musste unwillkürlich auch an seine Jugend und Kindheit denken. An seine Mutter konnte er sich nicht mehr recht erinnern. Sie verstarb, als er fünf Jahre alt war. Niemand wusste genau, warum sie plötzlich immer mehr abnahm und irgendwann einfach aufhörte zu atmen. Sein Vater folgte ihr zwei Jahre darauf in den Tod. Aus Kummer über den Verlust seiner Frau hatte er begonnen, viel Alkohol zu trinken. Ein Baum, den er bei seiner Arbeit als Holzfäller umschlagen musste, hatte auch ihn erschlagen, da er in seinem Suff nicht richtig reagierte. Joseph hatte auch noch zwei Geschwister, einen Bruder mit fünf und eine Schwester mit drei Jahren. Nach dem Tod seines Vaters wurde er von dessen Cousin, einem umherziehenden Heiler oder Medicus, wie sich diese Leute damals selbst nannten, übernommen und großgezogen. Seine beiden Geschwister kamen zu anderen Verwandten. Er hatte seither nie wieder etwas von ihnen gehört. In seiner Zeit in Stockholm, als er am Gipfel seiner Karriere stand, hatte er sich fest vorgenommen, nach Norwegen zu gehen, um seine Geschwister zu suchen und sie vielleicht sogar zu sich zu holen. Durch diese unselige Operation sind diese Pläne alle zunichte gemacht worden.

Von seinem Gönner wurde er gut behandelt. Er musste zwar viel für ihn arbeiten, bekam dafür aber Essen, eine Unterkunft und eine gute Ausbildung im Lesen, Schreiben und Rechnen sowie in vielen medizinischen Belangen. Überwintert haben sie jeweils in einer Blockhütte an einem See. Vom Frühjahr bis weit in den Herbst hinein reisten sie mit einem Planwagen herum, der von einer alten Haflingerstute gezogen wurde. Sein bester Freund war damals ein Schäferhund, der ebenfalls mit ihnen mitfuhr. Im Planwagen schliefen sie. Sie gingen häufig in den Wald, um Kräuter und Beeren zu suchen, aus denen Anton, wie sein Gönner hieß, Mischungen herstellte, die er zu Suden abkochte und in kleinen Fläschchen abfüllte. Immer, wenn sie in ein Dorf oder eine kleine Stadt kamen, musste Joseph auf dem Dorfplatz herumlaufen, in sein Horn blasen und verkünden, dass der Wunderheiler Anton gekommen sei. Die Leute strömten dann herbei, um den Heiler zu sehen und sich von ihm behandeln zu lassen. Er zog Zähne, verband Wunden, schiente gebrochene Beine, verkaufte aber auch für relativ viel Geld seine selbst gemachten Arzneien. Joseph musste Geld einsammeln, kochen, abspülen, den Wagen säubern, die Tiere füttern und vieles mehr. Er fand aber dennoch ausreichend Zeit, mit dem Hund zu spielen und ihn spazieren zu führen. Streng war Anton nur, was seine Erziehung und Ausbildung in schulischen Dingen betraf. Es war eigentlich eine glückliche Zeit, bis Anton krank wurde. Joseph musste jetzt auch dessen Arbeit übernehmen, verbinden, Arzneien herstellen und verkaufen und vieles mehr. Auf diese Weise lernte er den Chefarzt des Hospitals, seinen späteren Chef und Freund, kennen. Dieser hatte ihm bei seiner Arbeit zugesehen und ihn daraufhin gefragt, ob er sein Assistent im Hospital werden möchte. Die Stute war so alt, dass sie den Wagen nicht mehr ziehen konnte. Anton war zu der Zeit bereits schwer krank, wobei niemand genau wusste, was er eigentlich hatte.

Der Hund konnte aus Altersschwäche einfach nicht mehr selbst aufstehen. Joseph musste ihn tragen, da er selbst nicht mehr gehen konnte. Dies ging so lange, bis Anton sagte, dass jetzt Schluss sei. Er hatte sein altes Gewehr hervorgesucht und das Tier trotz massiven Protestes von Joseph erschossen. Er hatte damals viel um den Hund geweint. Irgendwie hatte er aber doch eingesehen, dass es so das Beste für das Tier war, weshalb seine Wut auf Anton bald wieder abebbte. Durch seine Arbeit im Hospital verdiente Joseph so viel Geld, dass er sich eine kleine Wohnung in der Nähe leisten konnte. Die alte Stute mit dem Planwagen verschenkte er. Anton nahm er mit zu sich in die Wohnung, wobei dieser ihn anfangs noch etwas im Haushalt unterstützen konnte. Leider wurde er aber immer schwächer, bis Joseph ihn eines Tages tot im Bett liegend auffand, als er vom Hospital heimkam. Die Arbeit im Hospital war schwer, machte Joseph aber viel Spaß. Er konnte viel von seinem neuen Chef lernen, wobei ihm aber auch vieles, was er von Anton gelernt hatte, zugutekam. Es gab im Hospital mehrere Assistenten und einen Oberarzt. Der Konkurrenzkampf zwischen den Assistenten um die Gunst des Ober- und Chefarztes war zur damaligen Zeit bereits ähnlich groß, wie Dr. Gerhard Schmidberger es viele Jahrhunderte später bei seiner Ausbildung in Landshut und Eggenfelden miterleben musste. Ähnliches galt für die Intrigen unter den Assistenzärzten, um sich gegenseitig auszubooten. Offensichtlich stand Joseph besonders in der Gunst seines Chefs, da er ihn nach München zu seinem Freund schickte, um sich zu verbessern. Oder hatte er ihn nur ausgesucht, um einen möglichen Konkurrenten um seine eigene Stelle loszuwerden, als er selbst bereits etwas älter und schwächer geworden war? Solche und ähnliche Gedanken gingen Joseph durch den Kopf, als er auf die Soldaten wartete, die ihn am Morgen zur Hinrichtung abholen sollten. Als diese dann endlich gekommen waren, schien Joseph sogar kurz eingenickt gewesen zu sein. Er war fast noch etwas verschlafen, als sie ihn in den Regen hinausführten, um ihn zum Hinrichtungsplatz zu bringen.

DIE GRÄFIN ZU GUNDIFELS

Anna zu Gundifels war eine sehr vornehme Frau. Sie war sehr stolz darauf, in den Hochadel eingeheiratet zu haben, nachdem sie ursprünglich nur von einem unbedeutenden, ziemlich verarmten Landadel abstammte. Kennengelernt hat sie ihren Ehemann bei einem Deputantenball. Zur damaligen Zeit waren diese Bälle nur dem Adel vorbehalten. Heutzutage können auch einfache Leute wie Olga, Sieglinde, Wolfgang und ich solche Bälle besuchen, wie unsere Teilnahme am Rosenball 2011 in Rosenheim zeigt. Die Vorgaben des Wiener Opernballs hatten für die Bälle in Uppsala zur damaligen Zeit natürlich nicht die Bedeutung wie im heutigen Rosenheim. Der junge Gundifels hat sie einfach zum Tanzen aufgefordert. Er war ein guter Tänzer. Es machte ihr viel Spaß, sich mit ihm im Takt zu drehen. Am Ende des Tanzes führte er sie höflich zu ihrem Tisch zurück und verabschiedete sich. Doch schon beim nächsten Tanz war er wieder da, um sie erneut aufzufordern. So kamen sie ins Gespräch. Er setzte sich nach dem Tanze einfach zu ihr hin. Sie hatten sich viel zu erzählen. Für den nächsten Tag verabredeten sie sich zum Spaziergang in Uppsala. Nach ihrer Abreise aus der großen Stadt hörte sie wochenlang nichts mehr von ihm, bis er eines Tages plötzlich bei ihr auftauchte. Er wolle sie zu sich auf sein Gut einladen, war sein Vorschlag bei der Ankunft. Anna war anfangs etwas zögerlich. Schließlich waren seine Güter mindestens 200 km von ihrem Landgut entfernt. Erst als er verstärkt drängte und nicht lockerließ, entschloss sie sich, mit ihm mitzukommen. Es gefiel ihr sehr gut auf seinen Gütern. Nach zwei Wochen machte er ihr plötzlich einen Heiratsantrag. Sie war überrascht und geschmeichelt; dennoch wusste sie nicht recht, was sie antworten sollte. Ihr gefiel dieser hochgewachsene Mann sicherlich recht gut. Ob er ihre große Liebe war, konnte sie selbst nicht beantworten. Trotzdem willigte sie in die Hochzeit ein. Es fand ein großes Fest statt. Es gab viel Bier und gutes Essen. Von überall aus der Umgebung kamen die Leute, um die neue Gräfin zu sehen. Selbst wusste sie nicht recht, ob sie glücklich oder traurig sein sollte. Jedenfalls war sie bereits damals schon stolz darauf, die Gräfin zu Gundifels zu sein. Richtig glücklich war sie erst, als sie ihren ersten Sohn Gustav gebar, den sie über alles liebte. Als sie dann mit Veronika schwanger war, musste sie miterleben, wie ihre Freundin Maria, die Frau ihres Verwalters, auf grausame Weise nach der Geburt ihres Sohnes Joseph verstarb. Sie war anfangs sehr wütend auf diesen Verwalter, der seiner Frau eine so gefährliche Operation zugemutet hatte. Sie hatte sich nie darüber Gedanken gemacht, wo dieser Mann die Technik erlernt hatte, solche Operationen durchzuführen. Er betreute sie jedenfalls sehr liebevoll bei ihrer eigenen Schwangerschaft. Sie fühlte sich bei ihm so sicher wie bei einem richtigen Arzt. Veronikas Geburt war dann jedenfalls absolut problemlos. Irgendein Geheimnis schien dieser Ingo Rasmus zu haben. Ihr Mann wusste offenbar mehr darüber. Sie getraute sich aber nicht, ihn danach zu befragen. Anna zu Gundifels zog die Kinder des Verwalters auf, als wären es ihre eigenen. Etwas wütend war sie zeitweise auf den kleinen Joseph, da dieser öfter mit ihrem geliebten Sohn Gustav Streit bekam, obwohl sie diese Hänseleien nicht wirklich ernst nahm. Mehr Sorgen machte sie sich schon um ihre Tochter Veronika, die sich offensichtlich in diesen Joseph verliebt hatte. Als Veronika ihr diese Liebe zu dem Verwaltersohn gestand, wurde sie sehr wütend, da Joseph für ihre Tochter keine standesgemäße Partie war.

Ein großes Problem wurde für Anna die Einberufung ihres Mannes in diesen unseligen Krieg in Deutschland. Der Graf hatte den Verwalter beauftragt, sich um sie und ihre Kinder zu kümmern, was zu Auseinandersetzungen mit ihrem Sohn Gustav führte, der doch oft sehr jähzornig werden konnte. So sehr sie Gustav auch liebte, zeitweise bekam sie richtig Angst vor ihm, nachdem er sie in seinem Zorn sogar einmal geschlagen hatte, was ihm hinterher wieder furchtbar leidtat. Glücklich war Anna, als Gustav ihr mitteilte, dass er eine standesgemäße Partie für Veronika gefunden habe. Dass Veronika selbst nicht sehr angetan von dieser Hochzeit war, schien Anna weniger zu tangieren. Die Liebe würde im Laufe der Jahre schon noch kommen, wie es auch bei ihr selbst war. Sie liebte und verehrte ihren Mann mittlerweile aufrichtig, obwohl sie anfangs gar nicht so sehr angetan war von ihm. Sie redete viel auf Veronika ein, bis diese der Hochzeit zustimmte. Als sie die Nachricht vom Tode ihres Ehemannes erhielt, brach für Anna eine Welt zusammen. Von ihrem Sohn Gustav, der immer herrschsüchtiger wurde, entfernte sie sich mehr und mehr. Schrecklich war für sie die Nachricht, wonach ihr Sohn den Verwalter denunziert hatte, um ihn hinrichten zu lassen. Sie hatte versucht, Gustav davon abzubringen, wurde von diesem aber nur wüst beschimpft und sogar geschlagen. Fortan schloss sie sich in ihr Zimmer ein. Nur ihre Kammerzofe durfte ihr Nahrung und Kleider bringen. Sonst wollte sie niemanden mehr sehen. Ihre Gedanken entfernten sich immer mehr von dieser grausamen Welt, mit der sie nicht mehr zu Rande kam. Ihre schizophrenen Schübe wurden immer stärker, so dass sie kaum mehr wahrnahm, dass sie auf dem Balkon das Geländer überstiegen hatte und plötzlich sprang. Erst als sie fiel, bekam sie Angst und schrie fürchterlich, weshalb die ganze Dienerschaft um Mitternacht zusammenlief, um ihren verstümmelten Leichnam vor dem Haupteingang aufzufinden. Sie scheint sofort tot gewesen zu sein. Offensichtlich hat Anna von Gundifels ihre Veranlagung zur Schizophrenie ihrer Tochter Veronika vererbt, da auch bei ihr diese Krankheit ausgebrochen ist, nachdem ihre Ehe mit ihrem gräflichen Ehemann zu scheitern drohte. Wie es scheint, hat sich die Veranlagung zu dieser Krankheit über die Jahrhunderte bei den Weixelgartnern weitervererbt, da auch Georg Weixelgartner, Olgas Bruder, im Laufe seines Lebens immer mehr zumindest schizoide Züge aufwies, die sich mit dem Alter laufend verstärkten. Ob es auch in den Jahrhunderten dazwischen Weixelgartner gab, die Züge dieser Krankheit aufwiesen, ist nicht bekannt.

Donaudurchbruch

THERESA UND GUSTAV

Theresa war zwei Jahre alt, als ihr Bruder Joseph geboren wurde und ihre Mutter starb. Sie konnte sich nicht mehr an sie erinnern. Gustav war gerade ein halbes Jahr älter als sie. Theresa und Gustav verstanden sich eigentlich von vorneherein recht gut. In seiner Kindheit und frühen Jugend entwickelte sich Gustav völlig normal. Im Spiel mit den anderen Kindern zeigte er keinerlei Auffälligkeiten. Als sie größer wurden, schien ihm Theresa zeitweise sehr gut zu gefallen. Die beiden trafen sich oft im Stall bei den Pferden, um sich um die Tiere zu kümmern. Beide waren passionierte Reiter und Pferdeliebhaber. Seine überhebliche, arrogante, aufbrausende Art entwickelte Gustav erst in seiner späteren Jugend. Zeitweise saßen sie dann im Heu bei den Pferden und unterhielten sich über viele Dinge, die ihr Leben betrafen. Dies ging so lange gut, bis Gustav mit 18 Jahren versuchte, Theresa zu küssen. Sie wehrte ihn ab, indem sie ihm zu erklären versuchte, dass sie für einen künftigen Grafen nicht standesgemäß sei. Dies wiederum sei ihm egal, meinte Gustav, und versuchte sie wieder zu küssen. Als sie sich dagegen zur Wehr setzte, packte sie Gustav ziemlich grob, küsste sie fest auf den Mund, riss ihr brutal die Kleider vom Körper und versuchte, mit ihr Verkehr zu haben. Theresa wehrte sich, schlug auf Gustav ein, um sich zu befreien und schrie so laut sie nur konnte. Gustav wurde wütend und schlug ihr mehrmals fest mit der Faust ins Gesicht, wobei Theresa benommen zurücksank. Gustav wollte sich jetzt wieder über sie hermachen, als die Stalltüre aufging und Joseph eintrat. „Gustav, lass von Theresa ab“, schrie ihm dieser entgegen. Als Gustav sich entdeckt sah, ließ er von Theresa ab und stürzte sich auf Joseph, um ihn mit seinen Fäusten zu bearbeiten. Dieser wich seinem ungestümen Angriff aus und versetzte seinerseits Gustav einen mächtigen Faustschlag ins Gesicht, so dass der erst einmal benommen zu Boden ging. Gustav rappelte sich aber gleich wieder auf und schlug seinerseits Joseph voll in die Magengrube, als der einen Moment unaufmerksam war. Theresa hatte sich mittlerweile wieder hochgerappelt, eine Mistgabel gepackt und drohte Gustav, ihn niederzustechen, falls er nicht sofort von Joseph abließe. Irgendwie schien Gustav wieder zur Besinnung zu kommen. Er schaute Theresa mit großen, hasserfüllten Augen an, drehte sich um und verließ den Stall. Theresa fiel Joseph um den Hals, wobei sie heftig zu weinen anfing.

Die drei Akteure haben nie jemandem von diesen Vorfällen berichtet. Das Verhältnis zwischen Gustav und den drei Verwalterkindern war von dieser Zeit an völlig vergiftet. Gustav legte Wert darauf, als künftiger Graf behandelt zu werden. Seine drei Spielkameraden behandelte er nur noch von oben herab. Völlig verdutzt reagierte Oskar, der keine Ahnung von den Geschehnissen hatte, aber erkennen musste, dass er von Gustav kaum noch wahrgenommen wurde. Doch aufgrund seines geringen Selbstvertrauens fügte sich Oskar schnell in die Rolle des Dieners, ohne weitere Fragen zu stellen. Diese stellte jedoch Veronika, die wissen wollte, woher diese plötzliche Feindschaft kam. Doch auch sie bekam keine Antworten und musste sich schließlich dem Unvermeidlichen fügen. Das Verhältnis zwischen Joseph und Gustav, das zuvor schon etwas angespannt war, verschlechterte sich weiter. Theresa und Gustav gingen sich, soweit dies möglich war, aus dem Weg.

Theresa war sichtlich froh, als Veronika sie fragte, ob sie ihre Kammerzofe werden möchte, dass sie endlich weit von Gustav wegkam. Bei Veronikas Hochzeit fühlte sich Theresa fast wieder froh und ausgeglichen. Bei der Geburt von Olaf, die relativ unproblematisch verlief, hielt sie Veronikas Hand. Erst als die Hiobsbotschaften vom Tod des Grafen, von der Verhaftung ihres Vaters, vom Tod Oskars, von der Einberufung Josephs und dem Selbstmord der Gräfin nacheinander eintrafen, wusste Theresa kaum noch, wie es weitergehen sollte. Irgendwie war sie sogar wieder froh, als Veronika und ihr Sohn, in dem sie längst ihren Neffen erkannt hatte, von ihrem Gemahl verstoßen wurden, da sie in dem Nebenhaus, das sie jetzt bewohnten, wieder eine neue Aufgabe fand in der Unterstützung Veronikas und der Erziehung ihres Neffen. Theresa lernte ihm Lesen und Schreiben, bildete ihn im Rechnen aus. Nachdem bei Veronika ihre schizophrenen Schübe immer häufiger und heftiger wurden, oblag Theresa allein Olafs Erziehung. Vom Grafen bekam sie ausreichend Geldmittel zur Verfügung gestellt. Für die Organisation des Haushalts, der Einkäufe, der Wäsche, Olafs Erziehung und vieles mehr musste sie sorgen. Zu ihrer Unterstützung wurden ihr vom Grafen zwei Diener zur Seite gestellt. Von ihrem letzten Verwandten Joseph hatte sie bereits viele Jahre nichts mehr gehört. Sie glaubte ihn ähnlich wie ihren Bruder Oskar in Deutschland vermisst oder gefallen. Als nach zwölf Jahren plötzlich ein Joseph Weixelgartner, in dem sie ihren Bruder Joseph wiedererkannte, an ihrer Tür Einlass begehrte, konnte sie ihr Glück kaum fassen.

GUSTAV

Nachdem sich Gustavs Verhältnis zur eigenen Familie, seiner Schwester und auch seinem Vater – nur die Mutter hielt ihm weiter die Stange –, vor allem aber zur Verwalterfamilie immer weiter abgekühlt hatte, suchte er sich Kumpane aus der Umgebung, mit denen er vor allem an den Wochenenden regelmäßig zu Sauf- und Sexpartys in die nächste größere Stadt fuhr. Die Grafenfamilie hatte ein eigenes Haus in der Stadt. Die jungen Männer luden sich Mädchen ein, für die sie bezahlen mussten, besorgten sich Bier, Wein und Schnaps und feierten ausgelassen Partys zum großen Leidwesen von Graf Gundifels, der eher ein einfaches und asketisches Leben zu führen gewohnt war. Manchmal waren Gustav und seine Kumpane selbst am Sonntag noch so besoffen, dass sie sogar versäumten, um zehn Uhr in die heilige Messe zu gehen, was laufend zu Auseinandersetzungen zwischen Vater und Sohn Gundifels führte, da der Messebesuch am Sonntag eine heilige Tradition der Familie war, an der man nicht rütteln durfte. Die Grafenfamilie hatte schließlich in ihrer schönen, mit hellgelber Farbe gestrichenen Holzkirche die erste Bankreihe für sich mit Namensschildern reserviert. Wenn nun einer von ihnen bei der heiligen Messe am Sonntag fehlte, war dies Anlass genug für die Leute im Dorf, darüber zu reden und zu lästern, besonders, wenn es sich um Gustav handelte, von dem alle wussten, dass er zu besoffen war, um in die Kirche zu gehen. So war es nicht verwunderlich, dass der Graf nach seiner Einberufung die Geschicke der Familie in die Hände seines Verwalters zu legen versuchte, da er zu diesem weit mehr Vertrauen hatte als zu seinem eigenen Sohn.

Die Meinung der Leute – was die sagen – war nicht nur für Josef Weixelgartner in der Neuzeit von großer Bedeutung, sondern war schon sehr wichtig für einen Grafen vor vielen Jahrhunderten, da der schließlich der wichtigste Mann in der Umgebung war. Die Grafenfamilie wurde von allen bewundert und beneidet. Bei Unregelmäßigkeiten waren diese aber auch Gesprächsstoff für eine ganze Region.

Das Kirchlein stand übrigens am Ende der Dorfstraße ganz oben auf einem Felsen. Wenn man in Richtung Kirche durch das Dorf fuhr, das fast nur aus roten Holzhäusern mit weißer Umrandung bestand, kam man ungefähr in der Mitte, auf der linken Seite gelegen, an einem größeren, hellgelben Holzhaus mit Türmchen auf dem dunklen Satteldach vorbei. Das Türmchen wurde nach oben hin von einem ziemlich hohen, viereckigen Spitzdach bedeckt. Dieses Gebäude diente den Dorfleuten als Rathaus und Versammlungsort zugleich, wenn wichtige Entscheidungen anstanden, bei denen alle mitreden wollten. Das letzte Wort hatte aber dann doch immer der Graf, der jedoch von diesem Recht nur selten Gebrauch machte. Auf der anderen Seite des Dorfplatzes stand noch ein etwas größeres Haus, das ein auffälliges Reklameschild am Eingang als Gaststätte kennzeichnete. Am Ende der Straße befand sich hoch über dem Dorf, schon von weitem sichtbar, das Kirchlein. Die Straße führte in zwei Serpentinen dazu hinauf. Das gelbe Kirchlein mit seinem dunklen Satteldach wurde von einem mächtigen Turm an der Rückseite überragt, der ähnlich wie das Rathaus von einem Spitzdach überdeckt war. Der Turm schien zum Himmel hochzuzeigen, der leider meist wolkenverhangen war, als wollte er zum Gebet aufrufen. Auf der Rückseite fiel der Felsen, auf dem das Kirchlein stand, senkrecht zu einem kleinen See ab, dessen Ufer mit Büschen und Bäumen bewachsen war, so dass man nur an wenigen Stellen Zugang zum See hatte. Ein besonders beeindruckendes Bild bot der Felsen über dem See mit seinem Kirchlein darauf, wenn man von der gegenüberliegenden Seite des Sees hinüberblickte.

Das Kirchlein war seit alters her eine Schenkung der gräflichen Familie an das Dorf, so dass das Fehlen eines Mitgliedes der Familie bei der sonntäglichen Messe als vollkommen unverständlich empfunden wurde. Das gräfliche Schloss mit seinen hohen, dunkelroten Backsteinmauern und vielen Türmen befand sich übrigens am anderen Ende der Dorfstraße gegenüber der Kirche.

OSKAR JOHANNSON

Oskar Rasmus, alias Oskar Johannson, wie Josephs Bruder zu seiner eigenen Überraschung nach der Verhaftung ihres Vaters plötzlich hieß, war das älteste von Josephs Kindern. Er war sieben Jahre alt, als ihre Mutter starb. Als Einziger von den dreien konnte er sich noch an sie erinnern. Anfangs hasste er seinen Bruder Joseph dafür, dass ihre Mutter seinetwegen hat sterben müssen. Doch bald liebte er seinen Bruder ähnlich fest wie seine Schwester Theresa. Oskar war ein recht hübscher Junge, aber lange nicht so gutaussehend wie seine beiden Geschwister. Er war gutmütig, hatte aber nicht die enorme Willensstärke seines Bruders. Bei den Streitigkeiten zwischen Gustav und Joseph versuchte er stets zu vermitteln. Er, aber auch seine Schwester Theresa zollten Gustav den nötigen Respekt, der ihm als Grafensohn zustand, den ihm Joseph meist verweigerte. Oskar versuchte Joseph dahingehend zu belehren, dass er sein Verhalten diesbezüglich ändern müsse, hatte aber dabei wenig Erfolg. Nachdem Joseph sich in späterer Zeit immer mehr zu Veronika hingezogen fühlte, verstand Oskar sich besser mit seiner Schwester Theresa. Gustav hatte im Laufe der Zeit eine immer jähzornigere Art entwickelt, so dass die anderen anfingen, ihn mehr und mehr zu meiden, was dessen Stimmungslage weiter verschlechterte. Irgendwie scheint die Veranlagung zur Schizophrenie auch in Gustav vorhanden gewesen zu sein. Möglicherweise lässt sich sein Verhalten, wie er seine eigene Welt zerstörte, dadurch besser verstehen.

Als Dr. Joseph Johannson verhaftet wurde und zugleich klar war, dass seine beiden Söhne zwangsrekrutiert würden für diesen schrecklichen Krieg in Deutschland, gab er das wertvolle Amulett mit dem funkelnden Rubin in der Mitte, das als Glücksbringer in Marias Familie von Generation zu Generation weitervererbt wurde, an Oskar, da er glaubte, dass Oskar über viel weniger Durchsetzungskraft verfügte als sein jüngerer Bruder und es deshalb viel nötiger hätte, ein Glücksamulett zu besitzen.

Nach viel zu kurzer Vorbereitung für die Front, was sich, wie die Schicksale von Josef Weixelgartner und Georg Schmidberger zeigen, im Lauf der Jahrhunderte nicht geändert hat, wurde Oskar nach Deutschland in den Krieg geschickt. Anfangs lief alles gut für ihn. Er lernte einen Kameraden kennen, mit dem er sich gut verstand. Sie unterstützten sich gegenseitig und versuchten gemeinsam, sich ihr schweres Schicksal zu erleichtern. Dies ging so lange gut, bis sie beide in einen Hinterhalt von bayrischen Truppen bei Würzburg gerieten, wo Oskar den Tod fand, während sein Kamerad entkam.

Joseph, der etwas später als Oskar nach Deutschland geschickt wurde, suchte anfangs überall nach seinem Bruder, bis er zufällig dessen Freund kennenlernte und von diesem erfuhr, wie ein bayrischer Pfeil aus dem Hinterhalt Oskars Rücken durchbohrte und er tot vom Pferd fiel.

Oskar war ein sympathischer, aber etwas willensschwacher, schüchterner und zurückhaltender Mensch. Er brauchte immer jemanden, zu dem er aufschauen konnte. Zu Hause waren dies vor allem seine Schwester Theresa, aber auch sein Bruder Joseph und besonders sein Vater. Hier im Feld hatte er keine Verwandten. Er hatte sich also einen Freund gesucht, der das Gegenteil von ihm war. Hannes war ein Draufgänger, der immer versuchte, an Frauen heranzukommen, wenn es irgendwie möglich war. Sobald sie in größere Städte kamen, suchte er Puffs auf, wobei er jederzeit bereit war, seinen ganzen Sold für eine Nacht mit einer schönen Frau zu opfern, was dazu führte, dass er meistens geldknapp war und Oskar anpumpen musste, um wieder flüssig zu werden. Oskar hatte bisher wenig Erfahrung mit Frauen. Er war anfangs immer sehr zögerlich, ließ sich dann aber immer öfter doch von seinem Freund überzeugen, auch mit ins Bordell zu gehen. Wenn sie auf dem freien Feld lagerten, versuchte Hannes sich oft an Marketenderinnen heranzumachen, die zur damaligen Zeit mit den Heeren mitzogen, um den Soldaten ihre Waren und oft auch sich selbst zu verkaufen.

Zwischen Joseph und Hannes klappte dieses Zusammenspiel natürlich nicht so gut, da Joseph sehr willensstark war und deshalb nicht bereit war, Anordnungen von Hannes entgegenzunehmen. Joseph glaubte an die große Liebe. Er hatte kein Interesse an käuflichen Frauen. Er wollte nur Verkehr haben mit einer Frau, zu der er auch eine innere Beziehung hatte. Dies war bei ihm sicherlich nicht so sehr religiös bestimmt wie bei seinem Nachkommen, Josef Weixelgartner. Auch mit den Saufgelagen, die Hannes liebte, konnte sich Joseph nicht anfreunden. Er trank im Gegensatz zu seinem Nachkommen Alkohol nur in geringen Mengen.

Ein Verhältnis, wie es Josef Weixelgartner zu seinen Kriegskameraden hatte, deren Freundschaft ein ganzes Leben lang hielt, konnte hier nicht entstehen, da Oskar gefallen war und zwischen Joseph und Hannes die Chemie nicht wirklich stimmte. Da die Einheiten der beiden Männer bald wieder getrennt wurden, gab es sowieso keine Zukunft für eine engere Freundschaft zwischen den beiden. Joseph war Hannes jedenfalls dankbar, dass er ihm vom Tod seines Bruders berichtet hatte.

DER GROSSE KRIEG

Joseph kam nach Stockholm in ein Ausbildungslager, wo er, ähnlich wie viele Jahrhunderte später Josef Weixelgartner und auch Georg Schmidberger, in kurzer Zeit zum Kriegführen vorbereitet werden sollte. Der Drill war zur damaligen Zeit schon ebenso groß wie später im Zweiten Weltkrieg. Er wurde ausgebildet im Schwertkampf und am Gewehr. Es war gerade die Übergangszeit zwischen Mittelalter und Neuzeit, als man noch die alten, aber auch bereits die neuen Waffensysteme beherrschen musste. Die Kriege damals bestanden fast nur aus Nahkampf. Joseph wurde so sehr schikaniert, durch Wälder und Morast geschleift, dass er kaum Zeit hatte, sich seiner Trauer hinzugeben. Seine bis dahin einigermaßen heile Welt war zusammengebrochen. Sein Vater war erhängt worden, die Gräfin, in der er irgendwie auch eine Ersatzmutter gesehen hatte, war aus dem Fenster gesprungen, der alte Graf, dem er sich sehr verbunden gefühlt hatte, in Bayern gefallen, seine Geschwister irgendwohin verstreut, seine Geliebte in Uppsala verheiratet. Es war auch wieder gut, dass er vor Anstrengung gar nicht richtig Zeit zum Trauern hatte. Andernfalls hätte er seine Situation vielleicht gar nicht ertragen. Ein Feindbild stieg in ihm auf, das er zu hassen begann, da er dieses für alles verantwortlich machte: Gustav, den neuen Grafen. Früher war er ihm nur nicht sonderlich sympathisch, wenn sie ihre Streitereien ausfochten, ohne dass er dies allzu ernst genommen hätte. Offensichtlich hatte Gustav dies ganz anders gesehen. Er musste ihn bereits früher massiv gehasst haben, sonst hätte er es nie so weit kommen lassen. Joseph entwickelte eine furchtbare Wut gegenüber seinem alten Spielgefährten und schwor ihm insgeheim furchtbare Rache.

Oskar war schon vor Joseph nach Deutschland abkommandiert worden, wo er bei einem der ersten Einsätze erschossen wurde. Ein Heckenschütze hatte sich ihn ausgesucht und von hinten getroffen. Oskar hatte keine Chance. Joseph erfuhr erst viel später vom Tod seines Bruders. Anfangs suchte er ihn in jedem Regiment, mit dem er in Kontakt kam. Als Hannes ihn dann doch vom Tod seines Bruders unterrichtet hatte, suchte er, ähnlich wie Jahrhunderte später sein Nachkomme Josef Weixelgartner, eigentlich sein ganzes restliches Leben lang nach dem Grab seines Bruders, ohne jemals irgendeine Spur davon zu erhalten. Es soll nach der Eroberung von Würzburg, dieser verfluchten Pfaffenstadt gewesen sein, bei der die Pfaffen sogar als Landesherren fungierten. Die Schweden haben diese Stadt erobert und diesem schrecklichen Treiben der so genannten Fürstbischöfe ein Ende gesetzt. Anders war es bei Ansbach und Nürnberg. Diese Städte hingen bereits dem reformierten Glauben an, weshalb sie die Schweden mit offenen Armen empfingen. Joseph lernte durch Zufall Hannes, den Kameraden kennen, der dabei war, als sein Bruder fiel. Sie ließen ihn einfach liegen, da sie keine Zeit hatten, ihn zu bestatten. Wahrscheinlich haben Leute aus der Umgebung ihn in ein Massengrab geworfen, von denen sie mehrere anlegten, um die vielen Leichen zu beerdigen, damit sie nicht diesen furchtbaren Verwesungsgeruch bekamen.

Gustav Adolfs Armee zog weiter in Richtung München. Nach deren Eroberung soll der König gesagt haben, diese Stadt sei eine Perle in einer furchtbaren Umgebung, womit wohl die Münchner Schotterebene gemeint sein dürfte. Dies erstaunt umso mehr, wenn man bedenkt, dass erst Jahrhunderte später König Ludwig I. von Bayern die Ludwigstraße, eine der zweien Münchner Prachtstraßen, von der Feldherrnhalle bis zum Siegestor frei ins Feld hinaus anlegen ließ mit der Begründung, dass niemand sagen könnte, er habe Deutschland gesehen, wenn er nicht in München war. Erst unter dessen Nachfolger, König Maximilian II., wurde dann die zweite Münchner Prunkstraße angelegt, die vom Maximilianeum bis zur Oper reicht. Zur Zeit Gustav Adolfs muss München also sehr klein gewesen sein. Trotzdem schien es ihm gefallen zu haben.

Joseph war nun ein einfacher Soldat. Auf ihrem weiteren Zug nach Süden musste er zu seinem Entsetzen feststellen, dass Graf Gustav Gundifels, mittlerweile im Range eines Majors, zu seiner Einheit stieß. Als der Major Joseph sah, grüßte er ihn nicht. Er gab vor, seinen früheren Spielkameraden nicht wieder zu erkennen. Von diesem Zeitpunkt an musste Joseph aber feststellen, dass er zu allen gefährlichen Kommandos eingeteilt wurde. Wenn vor der Eroberung einer Gegend Stoßtrupps zur Erkundung vorausgeschickt wurden, konnte er sicher sein, daran teilnehmen zu müssen. Offensichtlich versuchte Gustav, seinen früheren Widersacher auf diese Weise zu beseitigen. So kamen sie auch ins kleine Vilstal. Bei einer Siedlung namens Seyboldsdorf erinnerte sich Joseph an die Erzählung seines Vaters, wonach seine Mutter aus diesem Dorf stammte. Er ging in die Häuser, um nach der Familie Angermayer zu fragen. Er hoffte, auf diese Weise Nachricht über Verwandte seiner Mutter zu erhalten. Als die Leute den schwedischen Soldaten sahen, bekamen sie Angst. Sie verkrochen sich in die letzten Winkel ihrer Häuser, ohne zu verstehen, was dieser Soldat von ihnen wollte. So kam Joseph auch ins Schloss der Grafen von Seyboldsdorf-Lichtenhaag, das zu dieser Zeit noch existierte und bereits relativ alt war, wohingegen das Schloss zu Lichtenhaag erst vor wenigen Jahrzehnten gebaut worden war. Er klopfte an das Schlosstor, ohne feindliche Handlungen zu erwarten, da die Leute zu große Angst vor der Rache der Schweden hatten. Es öffnete ihm ein circa 20-jähriges Mädchen. Wie Joseph bald erkannte, war sie die Tochter des Grafen. Joseph war wie versteinert. Er hatte noch nie eine so schöne Frau gesehen. In letzter Zeit hatte er oft an Veronika denken müssen und sich gefragt, wie es ihr wohl ergeht in ihrer ungeliebten Ehe. Von ihrer Schwangerschaft und seiner eigenen Vaterschaft zu ihrem Sohn war ihm zu dieser Zeit noch nichts bekannt. Davon erfuhr er erst viel später, als er nach dem Krieg wieder nach Schweden zurückkam, um seine Schwester zu suchen. Anna von Seyboldsdorf hatte tiefliegende, rehbraune Augen mit fein geschwungenen dunklen Augenbrauen, eine gerade kleine Nase, einen fein modellierten Mund, ein ovales Gesicht, rötlich- braune, mittellange Haare, gut geformte Brüste. Sie war ungefähr 170 cm groß, schlank, nett, aber nicht pompös gekleidet. Joseph konnte kaum glauben, dass es ein so schönes Geschöpf gab. Auf seine Frage nach seiner Verwandtschaft erfuhr er, dass in Lichtenhaag noch ein Onkel von ihm, also ein Bruder seiner Mutter mit seinen Kindern, also zwei Cousinen und einem Cousin von ihm leben müssten. Ohne es sich eingestehen zu wollen, hatte auch dieser freundliche, hübsche, nette Soldat, der höflich nach seinen Verwandten fragte, auf Anna großen Eindruck gemacht.

Joseph und seine drei Kameraden ritten wieder zu ihrer Einheit zurück, um zu berichten, dass sie in Seyboldsdorf keine Gegenwehr zu erwarten hätten. Für seine Militärzeit kam es Joseph zugute, dass er in seiner Jugend auf dem Gestüt des Grafen Gundifels gut reiten gelernt hatte.

Im Gefolge von Gustav, der ihn völlig zu ignorieren schien, betrat auch Joseph wieder das Seyboldsdorfer Schloss. Anna von Seyboldsdorfs Schönheit schien auch Gustav zu faszinieren.

Anders als Joseph, der ihr schüchtern gegenübergetreten ist, da er wusste, dass sie gesellschaftlich weit über ihm stand, ging Gustav geradewegs auf sie zu, um sie ziemlich primitiv anzumachen. Seine Soldaten schickte er zur Plünderung des Dorfes weg. Die Frauen waren Freiwild. Anna wollte er für sich allein haben. Bei der Aussicht auf Frauen und Plünderung jubelten die Soldaten und liefen nach draußen. Joseph ging nur ein Zimmer zurück bis zum Gang. Er wollte abwarten, was drinnen passiert. So konnte er hören, wie Gustav auf Anna einzuschlagen begann, um sie gefügig zu machen. Der Graf, Annas Vater, wollte ihr zu Hilfe kommen. Er stürzte sich auf Gustav, lief aber prompt in dessen Degen, den dieser blitzschnell gezückt hatte. Der Graf brach sterbend zusammen. Anna schrie entsetzt auf. Als Gustav sich wieder ihr zuwenden wollte, trat Joseph in den Raum. „Gustav, lass ab von ihr", schrie er ihm zu. „Joseph, du verfluchter Hund, stirb endlich!", kreischte Gustav und stieß ihm seinen Degen entgegen. Joseph aber parierte den Stoß und stieß seinerseits zu. Sein Degen durchbohrte Gustavs Thorax und traf voll ins Herz. Gustav blickte Joseph entsetzt an, wollte etwas sagen, brach aber dann röchelnd zusammen. Joseph fasste Anna bei der Hand und rief ihr zu: „Kommen Sie, schnell! Wir müssen fliehen, sonst werden sie uns töten." Anna folgte ihm, wie es schien, willenlos. „Im Stall stehen Pferde", sagte sie, als sie sich wieder etwas gefangen hatte. Sie liefen in den Stall, sattelten zwei Pferde, sprangen hinauf und galoppierten los. Bis die übrigen Soldaten auf sie aufmerksam wurden, hatten sie bereits einen beträchtlichen Vorsprung. Da Joseph einer der ihren war, nahmen sie die Verfolgung erst auf, als sie den Tod ihres Anführers bemerkt hatten. Die beiden Flüchtenden waren bereits im nächsten Wald verschwunden, weshalb die Verfolger anfangs nicht wussten, wohin sie sich wenden sollten. Die Flüchtenden bemerkten bald, dass sie nicht verfolgt wurden. Sie konnten deshalb ihre Geschwindigkeit drosseln, so dass sie bequem im Schritt weiter zu reiten vermochten. Einmal begegnete ihnen eine Patrouille von schwedischen Soldaten. Da Joseph aber immer noch seine schwedische Uniform trug, hielten ihn die Soldaten für einen der ihren. Er gab vor, dass Anna seine Gefangene sei, die er nach München zum König selbst überführen sollte. Die Soldaten erzählten ihnen, dass schwere Kämpfe gegen kaiserliche Truppen des Feldmarschalls Wallenstein weiter im Süden im Gange wären. Anna und Joseph entschlossen sich deshalb, ihre Reiserichtung nach Norden umzulenken. Von seinem Vater hatte Joseph erfahren, dass es im Norden Bayerns, jenseits des großen Flusses Donau, ein großes, sehr einsames Wald-Berggebiet gäbe. Dorthin wollte der kriegsmüde Joseph sich begeben, um endlich den Kriegswirren zu entkommen. Anna wollte eigentlich nicht einsam im Wald leben, hatte aber zu viel Angst, um alleine weiter zu reisen. So kam sie zwangsweise mit ihm. Übernachtet haben sie unter dem dichten Laub großer Bäume, damit sie bei Regen nicht allzu nass würden. In der ersten Nacht froren sie sehr. Joseph machte den Vorschlag, sie sollten sich enger aneinanderlegen, um sich gegenseitig zu wärmen, was Anna entsetzt ablehnte. Irgendwie war Anna schon recht fasziniert von ihrem Retter. Doch stand sie aufgrund ihrer hohen Abstammung weit über diesem gemeinen Soldaten. Am nächsten Tag ritten sie stundenlang geradewegs nach Norden, um zur Donau zu kommen. Sie hatten furchtbaren Hunger, weshalb sie sich einem einsamen Bauernhof zu nähern wagten. Der Bauer tauschte Decken, warme Kleider und Essen gegen eines ihrer Pferde. Diese Nacht verbrachten sie im warmen Heu des kleinen Stalles, der dem Bauern nach dem Einfall der Schweden noch verblieben war. Am nächsten Tag nach dem Frühstück wollte Joseph früh aufbrechen, um endlich an die Donau zu kommen. Anna folgte ihm nur widerwillig. Sie musste hinter ihm auf dem letzten, ihnen noch verbliebenen Pferd sitzen. Ihr zweites Pferd tauschten sie wieder gegen Essen, eine Übernachtung im Stall und einen Kahn, mit dem sie noch vor Sonnenaufgang über die Donau setzen wollten, um nicht entdeckt zu werden. Der Bauer brachte sie über den Fluss, da er seinen Kahn wieder zurückbekommen wollte. Bei Sonnenaufgang waren Anna und Joseph bereits ein schönes Stück in Richtung Wald gewandert. Es war ein schöner, warmer, sonniger Tag. Zu Mittag setzten sie sich müde unter eine große Buche und verzehrten das karge Mal, das ihnen der Bauer noch mitgegeben hatte, als plötzlich vier Männer über sie herfielen. Sie hatten sich angeschlichen und stürzten sich jetzt auf die beiden Wanderer. Joseph sprang auf, zog seine Pistole und feuerte auf einen der Räuber. Dieser stürzte. Sein Hintermann stolperte über ihn und fiel voll in Josephs Degenstoß. Anna war ebenfalls aufgesprungen und versuchte, mit ihrem Gehstock ihre Angreifer abzuwehren. Als ihr nun Joseph zu Hilfe kam, ergriffen die beiden Strauchdiebe die Flucht, nachdem sie erkannt hatten, dass ihre beiden Freunde im Sterben lagen. Joseph nahm ihnen ihre Messer und anderen nützlichen Habseligkeiten ab. Auf eine Verfolgung der Flüchtenden verzichtete er. Anna fiel ihrem Retter um den Hals und küsste ihn. Sie war vollkommen durcheinander. Abwechselnd schrie und weinte sie. Joseph drückte sie fest an sich, küsste sie wieder und versuchte sie sanft zu trösten und beruhigen. Als sie sich endlich beruhigt hatte, kamen ihr wieder Zweifel an ihren Handlungen wegen ihrer höheren Abstammung. Sie fing an, Joseph zu beschimpfen und auf ihn mit ihren Fäusten einzuschlagen. Joseph schüttelte nur den Kopf und ging wortlos fort. Anna schaute ihm verdutzt nach und entschloss sich dann, ihm nachzulaufen. Sie schrie ihn an, er könne sie nicht alleine hierlassen. Joseph meinte, es stehe ihm nicht zu, eine Gräfin zu begleiten. Sie entschuldigte sich bei ihm, umarmte und küsste ihn erneut. So gingen sie beide eine Zeit lang Hand in Hand auf den Wald zu. Sie wanderten mit Pausen den ganzen Tag über. Übernachtet haben sie im Freien unter den dicken Decken, die sie für ihr erstes Pferd erhalten hatten. Sie kuschelten sich eng aneinander. Sie küssten sich und hatten zum ersten Mal miteinander Geschlechtsverkehr. Zum Frühstück sammelten sie Beeren und Blätter. Gegen Abend erreichten sie eine verlassene Hütte, die an einem kleinen See gelegen war. Sie entschlossen sich, vorerst hier zu bleiben. Irgendwie machten Anna und Joseph jetzt das gleiche Schicksal durch wie Jahrzehnte zuvor dessen Eltern.

VERONIKAS HOCHZEIT

Veronika von Gundifels war irgendwie sogar glücklich, dass sie wenigstens einmal mit dem Mann Verkehr hatte, den sie schon seit so langer Zeit liebte, den sie aber aufgrund ihrer viel höheren Abstammung nie hätte heiraten dürfen. Vor längerer Zeit war ihr schon einmal der Gedanke gekommen, mit ihm irgendwohin zu flüchten, um mit ihm ein einsames, aber glückliches Leben zu führen. Doch dazu fehlte ihr der Mut. Sie war kein Mensch von spontanen Entscheidungen. Bei ihr musste alles gut durchdacht sein; Risiko wollte sie keines eingehen. So war wahrscheinlich die Ehe mit dem 30 Jahre älteren Grafen, der viel reicher war als sie selbst, eine gute Lösung. Einmal mit Joseph geschlafen zu haben, war Risiko genug. Doch das wollte sie unbedingt. Das erste Mal sollte es mit dem jungen, geliebten Mann sein. Davon könnte sie dann ihr restliches Leben zehren. Solch ähnliche Gedanken gingen ihr durch den Kopf, als sie aufbrach mit den Gesandten ihres künftigen Ehemanns, die gekommen waren, sie nach Uppsala zur Hochzeit zu holen. In ihrem Gefolge war auch Theresa, ihre Spielgefährtin, die sie sich zu ihrer persönlichen Betreuung als Kammerzofe ausgesucht hatte. Die Reise in der ungefederten Kutsche war bei den holprigen Straßen etwas mühsam, verlief ansonsten aber völlig problemlos. Die Knechte brachten sie ins gräfliche Schloss von Uppsala, wo sich ihr im großen Salon ihr zukünftiger Ehemann vorstellte. Das Schloss war großartig, ein barocker Prachtbau mit gepflegtem Park und prunkvollen Zimmern. Der Salon, ganz in Weinrot gehalten, mit Brokatvorhängen und mit Holzschnitzereien verzierten Polsterstühlen beeindruckte die beiden Damen Veronika und Theresa sehr. Vom Erscheinungsbild des Grafen war zumindest Veronika entsetzt. Es handelte sich um einen mittelgroßen, etwas untersetzt gebauten Mann, der vor 30 Jahren sicherlich ganz gut ausgehen haben mag. Mit seinen über 50 Jahren hatte er doch schon einen ziemlich ansehnlichen Bauchansatz. Die Haare waren grau und schon recht schütter, so dass man gerade noch nicht von

Glatze sprechen konnte. Seine Haut wirkte bereits etwas fahl und war mit vielen kleinen Falten überzogen. Seine Zähne waren braun und nur noch teilweise vorhanden. Seine Kleidung hingegen wirkte sehr elegant und vornehm. Der Graf küsste Veronika auf die Stirne, umarmte sie und überreichte ihr eine goldene Halskette mit brillantenem Anhänger. Von Theresa nahm er kaum Notiz. Für ihn sprach, dass er bei der Vorstellung auf diese furchtbare Perücke verzichtet hatte, die die vornehmen Herren damals zu tragen pflegten.

Die Hochzeit war, wie man sich denken kann, sehr prunkvoll. Die Gästeliste reichte bis ins schwedische Königshaus hinauf. Die Trauungszeremonie wurde vom Bischof persönlich im Dom zu Uppsala vorgenommen. Zur Feier floss viel Wein, der zu den erlesensten Speisen gereicht wurde. In der Hochzeitsnacht war Veronika so beschwipst, dass sie kaum wahrnahm, mit wem sie ins Bett stieg. Am nächsten Morgen waren alle stark verkatert. Bei Veronika waren schon seit zwei Monaten die Blutungen ausgeblieben. In der Folgezeit klagte sie über starke Übelkeit und Erbrechen. Dem Grafen sagte sie, es handelte sich um die Nachwirkungen der Hochzeitsfeier. Da es ihr so schlecht ging, brauchte sie auch keinen Verkehr mit diesem Mann haben, vor dem es ihr ekelte.

Nach einigen Monaten zeigte sich bei ihr bereits ein beginnender Bauch, so dass klar wurde, dass sie bereits in der Hochzeitsnacht schwanger geworden sein musste.

Theresa kümmerte sich sehr um ihre Herrin und Freundin. Die beiden Frauen trösteten sich gegenseitig. Ihren Bruder Gustav hatte Veronika seit ihrer Hochzeit nicht mehr gesehen. Mit ihrer Mutter hatte sie auch nur noch brieflichen Kontakt. Die Hiobsbotschaften kamen alle kurz hintereinander, zuerst der Tod ihres Vaters, dann der Selbstmord ihrer Mutter und zuletzt die Hinrichtung von Theresas Vater, die ihr Bruder Gustav veranlasst hatte. Die beiden Frauen waren so entsetzt über diese Ereignisse, dass die Wehen bereits sieben Monate nach der Hochzeit eintraten. So jedenfalls erklärte Veronika es ihrem Ehemann, obwohl ihr und auch Theresa längst klar war, dass der Vater des Kindes Joseph sein musste. Der Graf durfte von dieser Beziehung vor der Ehe nichts ahnen. Etwas überraschend war sicherlich, dass das Kind, ein Knabe, den sie Olaf nannten, bei der Geburt bereits über 3000 g wog, was für eine Frühgeburt doch etwas ungewöhnlich ist. Der Graf schien jedoch keinen Verdacht zu hegen, dass das Kind nicht von ihm sein könnte. Er war froh, endlich einen Nachfolger bekommen zu haben.

Ein halbes Jahr nach der Geburt des Kindes kam die Nachricht vom Tod von Theresas älterem Bruder, Oskar, was beide Frauen sehr getroffen hat. Theresa trauerte ganz besonders um ihren geliebten Bruder.

Weitere eineinhalb Jahre später erhielten sie die Nachricht von Gustavs Tod, der von Joseph ermordet worden sein soll. Joseph war deshalb, ähnlich wie sein Vater viele Jahre zuvor, in Abwesenheit zum Tode durch den Strang verurteilt worden.

Veronika ekelte es so sehr vor ihrem Mann, dass sie probierte ihn abzuwehren, wenn er sich ihr zu nähern versuchte, so oft sie nur konnte, was zu beständigen Streitereien zwischen den beiden führte. Nach der Nachricht vom Tode Gustavs war Veronika die Alleinerbin des Vermögens der Gundifels.

Ihr gräflicher Gemahl konfiszierte den Besitz zu seinem Eigentum. Er hatte sich längst eine Mätresse zugelegt, von der er nochmals einen Sohn bekam. Nachdem ihm doch Zweifel an seiner Vaterschaft Olafs gekommen waren, ernannte er kurzerhand seinen zweiten Sohn zu seinem Erben.

Veronika, Theresa und Olaf verbannte er in ein Nachbarhaus, wo die beiden Damen ziemlich zurückgezogen lebten. Sie bekamen mehrere Diener und ausreichend Geld aus dem Vermögen ihres Vaters, um diese zu bezahlen. Zu dieser Zeit begannen auch die ersten schizophrenen Schübe bei Veronika. Die Ereignisse waren zu viel für die zarte Seele dieser Frau. Sie flüchtete sich immer mehr in eine Traumwelt, aus der es immer schwerer wurde, sie wieder zurückzuholen. So entfernte sie sich immer mehr von Theresa und ihrem Sohn Olaf. Als nach vielen Jahren ein Fremder namens Joseph Weixelgartner bei ihnen Einlass begehrte, erkannte sie ihren früheren Geliebten nicht einmal mehr wieder. Zuerst wollten sie diesen Fremden überhaupt nicht hereinlassen. Erst als sich dieser nicht abwimmeln ließ, empfing ihn Theresa an der Haustüre. Als sie die Türe aufmachte und ihren Bruder vor sich stehen sah, konnte sie ihr Glück gar nicht fassen. Sie zog ihn sofort nach innen, damit ihn niemand erkennen konnte, da er doch ein gesuchter und bereits zum Tode verurteilter Mörder war. Als niemand sie mehr sehen konnte, umarmte und küsste sie ihn innig. Sie erklärte ihm, dass er sich verstecken müsse, da er ähnlich wie ihr Vater wegen Mordes an Gustav zum Tode verurteilt sei. Dieses Urteil würde vollstreckt werden, obwohl der Krieg bereits zu Ende gegangen war. Nachdem zurzeit keine Diener im Haus waren, konnte sie ihm auch Olaf vorstellen, der mittlerweile bereits zwölf Jahre alt war. Olaf hatte längst verstanden, dass der Graf nicht sein richtiger Vater war, weshalb er enterbt wurde. Theresa führte Joseph in ihr Wohnzimmer, wo Olaf bei seiner weit entrückten Mutter saß. Er hatte ein Buch in der Hand und versuchte zu lesen. Als Theresa mit diesem fremden Mann ins Zimmer trat, schaute er diesen groß an. Joseph wollte zuerst Veronika grüßen, merkte aber sofort, dass sie ihn nicht wiedererkannte. Dann stellte Veronika Joseph als ihren jüngeren Bruder vor und Olaf als Veronikas Sohn. Joseph wusste bisher nichts von der Existenz Olafs. Olaf hatte früher von seiner Mutter, in letzter Zeit nur noch von Theresa, viel von Theresas jüngerem Bruder Joseph gehört und wusste auch, dass dieser sein Vater sei. Als Joseph seine Schwester verwundert ansah, erklärte diese ihm, dass Olaf auch sein Sohn sei.

DER OAMA-HOF

Anna von Seyboldsdorf und Joseph Johannson richteten es sich in ihrer Hütte so gut es eben ging gemütlich ein. Anna war im Gegensatz zu Veronika von spontaner und starker Natur. Sie hat sich, wenn auch anfangs sehr widerstrebend, dann aber doch bewusst zu ihrer großen Liebe bekannt, ohne nach den

Risiken zu fragen, die diese Liaison mit sich bringen könnte. Sie fühlte sich trotz, oder vielleicht sogar wegen ihres Alleinseins mit diesem Mann in dieser Hütte glücklich.

Sie hatten versucht, die Hütte möglichst wohnlich einzurichten, sowie Ritzen, durch die es zog, abzudichten. Das Dach hatten sie ausgebessert. Joseph entwickelte sich zu einem recht erfolgreichen Angler, so dass sie auf ihren Speiseplan neben Beeren, Wurzeln und Blätter auch Fisch und manchmal sogar Kleintiere wie Mäuse und Ratten bekommen haben.

Wer die Erbauer dieser Hütte waren, haben die beiden nie erfahren. Möglicherweise wurden sie von vorbeiziehenden Soldaten erschlagen oder verschleppt. Dem Zustand nach zu urteilen, muss die Hütte bereits längere Zeit verlassen gewesen sein.

Die früheren Besitzer hatten sich eine wunderschöne Gegend für ihre Behausung ausgesucht. Sie lag an einem kleinen See und hatte einen Steg, der ins Wasser führte. Auf dem See befanden sich zwei Schilfinseln. Das Gewässer lag mitten im Wald, war umgeben von ziemlich hohen, ebenfalls bewaldeten Bergen. Die Berge waren übersät von, zum Teil mächtigen, dunklen Granitfelsen, die dem Wald ein verwunschenes Aussehen gaben. Diese Felsen zogen sich an einer Stelle bis zum See heran, um an dessen Ufer steil abzufallen.

Joseph und Anna sonnten sich oft auf ihrem Steg. Sie lagen nah beieinander. Zwischenzeitlich schliefen sie wieder miteinander. Hinterher sprang Joseph häufig ins Wasser und schwamm zu einer der Schilfinseln, wo er hinaufkletterte und zu Anna herüber sah, die nicht schwimmen konnte, weshalb sie auf ihrem Steg bleiben musste.

Joseph hatte in den vielen schwedischen Seen schon in früher Kindheit schwimmen gelernt. Auch mit Veronika ist er oft schwimmen gegangen, wenn sie an ihren versteckten See zum Träumen gingen. Sie haben sich dann oft nackt ausgezogen und sind gemeinsam zur nächsten Insel geschwommen, wo sie sich nackt meist frierend in die Sonne gelegt haben, um sich wieder aufzuwärmen. Die schwedischen Seen waren doch recht kalt, was den jungen Leuten aber wenig ausmachte. Joseph musste oft an die Zeit mit Veronika denken. Wenn sie manchmal nackt vor ihm stand und er ihre zarte, glatte Haut, ihre schönen Brüste, ihr ovales Gesicht mit den blonden gewellten Haaren, ihre blauen Augen ansah, war er wahnsinnig in sie verliebt. Dennoch hätte er nie gewagt, sie anzurühren. Sie war wie eine Heilige. Sie stand hoch über ihm. Veronika hätte nie ihr ganzes Leben mit dem Sohn eines Verwalters verbracht. Sie war Baronesse; sie würde einen Grafen heiraten, obwohl sie mindestens ebenso in ihn verliebt war, wie er in sie. Was nicht sein konnte, durfte nicht passieren.

Nur ein einziges Mal ist Veronika über ihren eigenen Schatten gesprungen, als sie bereits mit einem Grafen verlobt war. Vielleicht ist ihr in diesem Moment klar geworden, was sie sich mit ihrer Engstirnigkeit antat und, wenn sie diesen Grafen heiratet, für immer antun wird. Dennoch reichte ihre Entschlusskraft nicht, sich vom Grafen abzuwenden und mit Joseph zu fliehen, so dass sie sich lieber ihrem vorbestimmten Schicksal hingab.

Ganz anders war dies mit Anna. Sie war eine fast noch schönere Frau. Sie war ebenfalls Baronesse und stand damit weit über ihm. Auch sie hatte sich anfangs gegen eine Beziehung mit ihm gesträubt. Sie hat sich aber längst bewusst zu ihm bekannt. Er war der Mann, den sie liebte. Sie hatte Tat- und Durchsetzungskraft. Sie war im Gegensatz zu Veronika bereit, sich für ihre Liebe einzusetzen.

Anna hatte nie schwimmen gelernt. Sie hatten als Kinder sicherlich oft in der kleinen Vils gebadet. Doch diese war zu seicht, um darin schwimmen zu können.

Sie ist nur einmal mit ihren Eltern und beiden Brüdern an den großen See, den sie als Chiemsee bezeichneten, gekommen. Sie waren damals Gäste des bayrischen Herzogs auf der langen Insel im See, die wegen der dort ansässigen Mönche Herreninsel genannt wurde.

Sie wohnten im Schloss, das nahe am Ufer stand, von dem aus man gut auf die kleinere Fraueninsel mit ihrem Nonnenkloster hinübersehen konnte. Sie sind mit einem Ruderboot auch dorthin gebracht worden. Sie haben sich das romanische Münster mit seinen vielen Fresken angesehen.

Diese Woche am See verging wie im Flug. Anna war selten so glücklich im Kreise ihrer Familie, wie damals. Dieses Glück dauerte leider nicht lange, da Annas Mutter bald darauf sehr krank wurde. Anfangs dachte man, dass es sich nur um eine einfache Erkältung handelte. Aus einer einfachen Bronchitis entwickelte sich aber bald eine massive Pneumonie mit hohem Fieber, das trotz herbeigeholter Ärzte nicht mehr beherrscht werden konnte. Ihre Mutter erstickte jämmerlich an Lungenversagen. Anna stand damals neben ihr. Sie hielt ihre Hand, als sie ihren Todeskampf verlor. Anna wird diese Zeit nie vergessen. Joseph hingegen scheint seine Mutter, wie er einmal gesagt hatte, nie gekannt zu haben, da sie schon bald nach seiner Geburt verstorben sein soll. Ansonsten erzählte Joseph wenig von seiner Zeit in Schweden, was Anna bisweilen recht an ihm störte. Auf diesbezügliche Fragen bekam sie immer nur kurz gehaltene Antworten.

Reisen war zur damaligen Zeit sehr gefährlich. Während Annas bisheriger Lebenszeit war immer Krieg. Es gab viele Straßenräuber und Strauchdiebe. Überfälle auf Reisende waren sehr häufig, weshalb man, wann immer es ging, zu Hause blieb. Sollte man doch einmal verreisen, wie damals zum Chiemsee, musste man viele Knechte zur Bewachung mitnehmen, um nicht überfallen zu werden.

Diese Diener gingen aber wiederum zur Bewachung des eigenen Schlosses ab, so dass man sich nie ganz sicher sein konnte, ob es nicht zu Hause einen Überfall gegeben hat.

Wenn Anna Joseph so über den See schwimmen sah, entschloss sie sich, dies auch lernen zu wollen. Joseph musste also Schwimmunterricht geben. Er trug sie zeitweise durchs Wasser. Manchmal hielt sie sich an seinen Schultern fest. Am Ende dieses Sommers, der der glücklichste im Leben dieser beider Menschen werden sollte, konnte Anna von Seyboldsdorf selbstständig zu ihren Schilfinseln schwimmen, wo sie sich oft nackt zum Trocknen in die Sonne legten. Manchmal schliefen sie auch auf diesen Inseln miteinander.

Trotz allem übermannte sie doch immer wieder die Trauer um ihren Vater, der auf so unsinnige Art hatte sterben müssen.

Irgendwie machte sie sich auch Vorwürfe, da er starb, weil er ihr zu Hilfe kommen wollte.

Anna musste auch oft an ihre beiden Brüder denken, die im kaiserlichen Heer gegen die Schweden kämpften. Sie fragte sich dabei, wie es ihnen wohl ergehen wird, ob sie überhaupt noch lebten. Sie war dann meist sehr traurig, so dass Joseph seinen Arm um sie legte und zu trösten versuchte. Einmal erklärte er ihr, auch einen Bruder im Kampf gegen die Bayern verloren zu haben, was wiederum Anna erstaunte, da er bisher fast nie über sein Vorleben gesprochen hatte.

Anfangs beschränkten sich die beiden auf die Erkundung der näheren Umgebung des Sees, bis Joseph einmal den Vorschlag machte, auf die umliegenden Berge zu steigen. Anna zeigte sich davon wenig begeistert, da es zur damaligen Zeit noch keine Wege dort hinaufgab. Joseph musste sich seine Bahn durch das Unterholz mit seinem Degen frei schlagen. Der Aufstieg war mühsam. Doch als sie den Gipfel des niedrigeren der beiden Berge, der aus mächtigen Granitfelsen bestand, erklommen hatten, wurden sie durch herrliche Ausblicke auf das umliegende Berg-Waldgebiet und vor allem auf den Gipfel des noch höheren und größeren Nachbarberges belohnt.

An diesem Tag stiegen sie wieder zu ihrer Hütte ab, was relativ einfach war, da sie den Weg bereits beim Aufstieg gebahnt hatten. Am nächsten Tag regnete es ziemlich stark, so dass sie sich vornehmlich in ihrer Hütte aufhielten und versuchten, das Dach weiter abzudichten an Stellen, wo es hereinregnete. An ihrem offenen Kamin machten sie Feuer mit trockenem Holz und Reisig, das sie Tage zuvor gesammelt hatten, um sich zu wärmen und ihre Fische, die sie an Holzstecken aufgespießt hatten, zu braten.

Als sich am folgenden Tag die Sonne wieder mühte, durch die Wolken mit ihren Strahlen hindurchzukommen, wollte Joseph auch den höheren der beiden Berge besteigen. Da ihr die letzte Wanderung auf den kleineren Gipfel doch sehr viel Spaß bereitet hatte, war auch Anna sofort wieder bereit, mitzugehen. Den Weg bis zur Senke zwischen den beiden Gipfel hochzusteigen war recht einfach, da er bereits vorgebahnt war.

Doch dann mussten sie sich wieder ihren Weg mit Josephs Degen freikämpfen bis zum Hochplateau, das oben nicht mehr mit Wald, sondern mit Heidekraut bedeckt war.

Der Berg hatte gleich mehrere riesige, schroffe Granitfelsgipfel, die die beiden alle bestiegen. Der Ausblick von dort oben war überwältigend. Man bekam fast den Eindruck, ganz weit in der Ferne, im Süden, die Silhouette eines noch schrofferen und höheren Gebirges ausmachen zu können. Diese Bergtouren der beiden waren übrigens nicht nur reines Vergnügen. Sie wollten vor allem wissen, ob sie von oben Dörfer und Städte sehen könnten, deren Einwohner sie überraschen und ihnen gefährlich werden könnten. Natürlich sammelten sie beim Wandern auch alles an Beeren, Kräutern und Wurzeln sowie Brennholz fürs Abendessen auf, um nicht hungern zu müssen.

An den folgenden Tagen widmeten sich die beiden Liebenden wieder vermehrt ihrer Nahrungsaufnahme. Angeln, Jagd nach Kleintieren und vieles mehr.

Zur Zeit von Anna und Joseph waren die Hänge des bayrischen Waldes vornehmlich mit Laubbäumen bedeckt, was ihnen ein helleres und besonders im Herbst ein farbenfroheres Aussehen gab als vor über 30 Jahren, als Sophia und ich viel in den bayrischen Bergen herumwanderten. Damals bedeckten dichte Nadelwälder diese Hänge, die damit ein düsteres, dunkles Erscheinungsbild bekamen. In den letzten Jahrzehnten hat sich das Aussehen der Bayerwaldberge nochmal grundlegend geändert.

Als Olga, Sieglinde, Wolfgang, Manfred, Maria und ich in den vergangenen Jahren wieder in den bayrischen Bergen zum Wandern gingen, fanden wir großteils nur noch Baumstummel vor, die den Blick bis weit in die Tiefe freigeben.

So lebten sie den Sommer über recht glücklich in ihrer Zweisamkeit, bis bei Anna die Periode ausblieb und es klar wurde, dass sie schwanger war. Sie freuten sich sehr darüber, wussten aber auch, dass es für eine schwangere Frau unmöglich sei, den Winter in dieser Hütte zu verbringen.

Sie mussten also spätestens im Oktober weiterziehen. Entscheidend wäre es, sich in kaiserlich-österreichisches Gebiet durchzuschlagen, da sie beide von den Schweden strafrechtlich gesucht und wegen Mordes an Graf Gundifels hingerichtet würden.

Am einfachsten wäre der Weg über die Donau. Doch dürfte der Schiffsverkehr an der Donau durch Kriegshandlungen und Patrouillen völlig lahmgelegt sein. An den Grenzen wird gekämpft. Ein unbemerktes Vorbeikommen wäre sicherlich unmöglich.

Sie entschlossen sich also, noch weiter in den Bayerwald hineinzuwandern, bis sie ein einsames Gehöft fänden, bei dem sie sich als Knecht oder Magd verdingen könnten.

So brachen sie eines Tages wieder auf. Am Tag marschierten sie. Die Nächte verbrachten sie eng aneinander geschmiegt unter Bäumen, um nicht allzu nass zu werden.

Am dritten Tag erreichten sie ein Gehöft, bei dem sie nach Arbeit und Unterkunft fragten. Mehr aus Mitleid mit dem doch ziemlich elend aussehenden Paar als aus Bedarfsgründen, gab ihnen das Bauernehepaar Arbeit im Stall und Haushalt gegen Kost und Logis.

Sie hatten natürlich auch bemerkt, dass die Frau schwanger war. Soldaten hätten sich in dieser abgelegenen Gegend schon länger nicht mehr gezeigt. Gerüchteweise haben sie vernommen, dass schwere Kämpfe zwischen den Schweden und kaiserlichen Truppen im Gange seien.

Das Liebespaar bekam ein einfaches Zimmer mit etwas größerem Bett, in dem sie gut zu zweit Platz fanden.

Den See und die Berge, wo ihre Hütte stand, in der sie den Sommer verbracht hatten, nannten die Bauersleute den kleinen Arbersee und die Berge den großen und kleinen Arber.

Die Schwangerschaft verlief relativ problemlos, bis zu Beginn des Frühjahrs die Wehen einsetzten. Die Geburt verlief etwas protrahiert, ohne dass es größere Komplikationen gegeben hätte. Anna stillte, so dass sie nicht auf fremde Muttermilch angewiesen war. Das Bauernehepaar, das selbst keine Kinder hatte, freute sich über die jungen Leute und vor allem über das Neugeborene.

DIE BAUERNFAMILIE

Als Anna und Joseph nach mehrtägiger Hin- und Her-Wanderung endlich an einem einsamen Hof, der auf einer Lichtung, umgeben von bewaldeten Berghängen, gelegen ist, ankamen, war ihnen nicht bewusst, dass sie bayrisches Gebiet verlassen hatten und nach Böhmen gelangt sind.

Die Hofstelle war umgeben von mehreren Stallungen, die dem Geruch nach unter anderen auch Schweine beherbergten. Das Wohnhaus, das sich auf der gegenüberliegenden Seite befand, war einfach, aber sauber.

Auf ihr Klopfen an der hölzernen Eingangstüre hin wurde diese von einer älteren Dame geöffnet. Diese war einfach gekleidet. Aufgrund ihrer Falten und eher schon etwas atrophischen Gesichtshaut schätzte sie Joseph auf ein Alter von Mitte 60 Jahre.

Die Frau schaute sie fragend an, wobei sie etwas in einer Sprache sagte, die weder Anna noch Joseph verstand. Nachdem die Dame dies erkannt hatte, fragte sie in gebrochenem Deutsch nach ihrem Begehren.

Die beiden Liebenden versuchten ihr Anliegen darzustellen, woraufhin die Bäuerin nach ihrem Mann rief, der sich im Wohnzimmer des Hauses aufhielt. Dieser erschien ebenfalls in der Türe und bat die beiden nach kurzer Erklärung herein.

Er schien im gleichen Alter wie seine Gattin zu sein. Auch er hatte schon ziemlich viele Runzeln im Gesicht. Seine Haltung war gebeugt, was auf Wirbelsäulen-Beschwerden schließen ließ. Ihre Kleidung war einfach, aber sauber, im Gegensatz zur Kleidung der beiden Ankömmlinge, die doch schon ziemlich heruntergekommen war, obwohl Anna verzweifelt immer wieder versucht hatte, ihre Gewänder irgendwie zu flicken und zu reinigen.

Mit dem Bauern konnte man sich einigermaßen gut auf Deutsch unterhalten.

Für Joseph, der die deutsche Sprache von seinem Vater notdürftig gelernt hatte, da dieser der Meinung war, seine Kinder sollten die Sprache ihrer Mutter sprechen können, war die Verständigung mit den beiden noch schwieriger als für Anna.

Mehr aus Mitleid als aus wirklicher Notwendigkeit stellte das Bauernpaar die Ankömmlinge für Unterkunft und Ernährung ein.

Da sie selbst keine Kinder hatten und sehr einsam und zurückgezogen auf ihrem Einödhof lebten, freuten sie sich darüber, dass junge Leute gekommen waren, die bei ihnen wohnen und mit ihnen arbeiten wollten.

Ganz besonders aber freuten sie sich auf das Kind.

Die Bäuerin war zwar zweimal schwanger. Ihr Sohn starb gleich nach der Geburt; ihre Tochter bekam mit sechs Jahren so starke Durchfälle, dass auch sie nicht mehr zu retten war.

Es grassierte zu dieser Zeit eine Choleraepidemie in den umliegenden Dörfern und Städten, weshalb man davon ausging, dass auch das kleine Mädchen von dieser Krankheit befallen war.

Das Ehepaar hat sich daraufhin völlig von der Außenwelt zurückgezogen.

Sie arbeiteten und beteten viel in ihrer kleinen Kapelle, die dem Hof angeschlossen war.

Nur sonntags nahmen sie ab und zu eine zweistündige Wanderung bis zum nächsten Dorf auf sich, um die heilige Messe zu besuchen.

Anfangs waren sie skeptisch, ihre Einsamkeit, aus Trauer um ihre verstorbenen Kinder, aufzugeben.

Doch nachdem sie Anna und Joseph besser kennengelernt und verstanden hatten, welch liebenswerte und verbindliche Menschen sie waren, freuten sie sich nur noch auf ihr Enkelkind, wie sie die kleine Maria nach ihrer Geburt bezeichneten.

In den drei Jahren, die Anna und Joseph auf dem Bauernhof verbrachten, lernten sie übrigens auch relativ gut Tschechisch zu sprechen.

Für Joseph, der von frühester Kindheit an seinen Vater bei der Arbeit auf dem Gutshof der Gundifels unterstützen musste, war die harte Arbeit auf einem Bauernhof kein großes Problem.

Er fütterte die Schweine, melkte die wenigen Kühe und versorgte auch die zwei Pferde, die die Bauern zum Pflügen und Ziehen ihres Wagens brauchten.

Anna unterstützte die Bäuerin bei der Hausarbeit, soweit es ihre Schwangerschaft zuließ.

Die Winter waren hart. Es fällt in dieser Gegend, mitten in den Bergen, viel Schnee, so dass Joseph kräftig zulangen musste, um die Hofstelle und die Eingänge ins Haus frei zu schaufeln.

Dennoch war es eine glückliche Zeit, die diese fünf Menschen zusammen verbrachten.

Joseph wäre am liebsten für immer dortgeblieben.

So lebten sie bescheiden, aber doch recht zufrieden und ruhig, drei Jahre auf diesem Hof, bis sich plötzlich die Nachricht durchsetzte, wonach die Schweden eine große Schlacht verloren hätten, bei der sogar der König Gustav Adolf selbst gefallen sein soll. Die Schweden würden sich zurückziehen. Die kaiserlichen Armeen unter Feldmarschall Wallenstein wären auf dem Vormarsch. Der bayrische Wald und die südlich daran angrenzenden Gebiete wären bereits von kaiserlichen Truppen besetzt.

Annas und Josephs Tochter Maria war jetzt bereits drei Jahre alt. Joseph hatte sie nach seiner Mutter benannt, die er selbst nicht kennengelernt hat, da sie zwei Wochen nach seiner Geburt verstorben ist.

Anna war mit ihren brünetten, langen Haaren seit der Geburt fast noch hübscher geworden. Sie strahlte innerliches Glück aus.

Nachdem sich die Schweden zurückgezogen hatten, wurde es Zeit, sich im nächsten Frühjahr wieder auf den Weg zurück ins kleine Vilstal zu machen, um nach ihren Gütern und Verwandten zu sehen.

Die Bauersleute, die es sehr bedauerten, dass ihre jungen Gäste wieder aufbrechen mussten, gaben ihnen viele Decken und Lebensmittel mit, damit sie ausreichend versorgt seien und nicht frieren müssten.

Die Bauern hätten sich gefreut, ihren Hof an ihre drei Mitbewohner einmal vererben zu können. Doch Anna hatte laufend Heimweh nach ihrem Zuhause im kleinen Vilstal.

Sie wollte auch ihre Brüder wiedersehen, von denen sie nicht einmal wusste, ob sie den Krieg heil überstanden hatten.

Sie war zum Leidwesen von Joseph, aber auch von den Bauersleuten, nicht mehr zu halten, nachdem die Nachricht vom Friedensschluss bis zu ihnen vorgedrungen war.

So kam es, dass sie sich nach drei Jahren, obwohl sie sich gut eingelebt hatten und so überaus gastlich aufgenommen worden waren, auf den Weg machten, ins kleine Vilstal zurückzukehren.

Joseph musste vor der Abreise ihren Gastgebern fest versprechen, sie wieder besuchen zu kommen. Er konnte damals noch nicht ahnen, dass er sie bei seiner Rückkehr nicht mehr lebend antreffen würde, da sie einem Gewaltverbrechen zum Opfer gefallen sein würden.

Die Bauersleute nannten sich übrigens Marketta und Marek. Ihre Nachnamen sind nicht überliefert.

Als Joseph viele Jahre später nochmals zu ihrem Hof kam, um sie zu besuchen, fand er sie nur noch tot auf, ermordet, hinter dem großen Stall verscharrt.

An der Stelle, die ihm als ihre letzte Ruhestätte bezeichnet wurde, stellte Joseph ein Kreuz mit der Inschrift auf: „Hier ruhen in Frieden Marketta und Marek, die Gott viel zu früh zu sich berufen hat."

Zwei Jahrzehnte später kam Joseph noch ein letztes Mal zu diesem Bauernhof, Dieses Mal in Begleitung seines Sohnes Olaf.

Das Kreuz mit der Inschrift fanden die beiden etwas verwittert, aber ansonsten unversehrt an der gleichen Stelle stehen, an der es Joseph vor so langer Zeit aufgestellt hatte.

Die beiden beteten für die Verstorbenen. Joseph vergab ihrem Mörder. „Gott allein wird dich richten", sagte er beim Abschied, so dass es seine Frau und seine Kinder nicht hören konnten.

DIE HEIMKEHR

Durch seine jugendlichen Kräfte hat Joseph den Bauernhof, der bereits leicht heruntergekommen wirkte, wieder vorangebracht.

Er fällte Bäume im Wald, um Brennholz zu besorgen oder Stämme zur Reparatur von Stallungen zu bekommen.

Ihre Erzeugnisse verkauften er und sein Bauer auf freien Bauernmärkten, die es zu dieser Zeit bereits überall gab, um für den Erlös wichtige Utensilien für ihr tägliches Leben zu besorgen.

Die alten Herrschaften hatten sich durch ihre jugendlichen Gäste aus ihrer selbst gewählten Isolierung, aus Trauer um ihre verstorbenen Kinder, herausholen lassen. Sie hatten gerade wieder begonnen, am Leben teil zu nehmen, als Anna erklärte, zu ihrer Familie heimkehren zu wollen.

Das alte Ehepaar war darüber sehr traurig, musste sich aber dem Unvermeidlichen fügen.

So brachen sie also wieder auf und wanderten tagelang, bis sie an die Donau kamen. Ein Fährmann brachte sie ans andere Ufer. Sie marschierten dann weiter über Vilshofen, an Frontenhausen und Gerzen vorbei, bis sie nach Lichtenhaag kamen.

Von weitem sahen sie schon das Schloss auf der höchsten Erhebung über dem kleinen Vilstal stehen. Sie überquerten die Brücke über die Vils und stiegen die Anhöhe hinauf durch das Dorf, das großteils zerstört war, bis sie das Schloss erreichten.

Das Tor war verriegelt. Erst nach wiederholtem Klopfen öffnete ein älterer Diener, der, als er Anna sah, in Tränen ausbrach. „Baronesse“, schluchzte er. „Wir dachten alle, dass sie tot wären, dass die Schweden sie ermordet hätten, wo sie doch aus Wut über den Tod ihres Grafen das Seyboldsdorfer Schloss völlig zerstört hatten.“ Anna erkannte ihren alten Diener sofort wieder und umarmte ihn vor Glück, ihn wieder zu sehen. Die restliche Dienerschaft lief herbei, einschließlich ihres älteren Bruders Alexander und dessen Frau Marianne, um die verloren geglaubte Baronesse zu empfangen.

Alexander kämpfte damals vor Linz im kaiserlichen Heer gegen die Schweden, als sie von jenen überfallen wurden und ihr Vater starb.

Über ihren jüngeren Bruder, den Anna sehr geliebt hatte, musste sie leider erfahren, dass er im Kampf gegen die Schweden gefallen war, was Anna äußerst traurig stimmte. Sie stellte ihrem Bruder auch ihren Retter, Freund und Vater ihrer Tochter Maria vor. Ihr Bruder und seine Frau Marianne hatten noch keine Kinder. Die Geschwister umarmten sich und konnten ihr Glück kaum fassen, sich wiederzusehen.

Für Anna und ihre Familie wurden Zimmer im Schloss hergerichtet. Sie bekamen Essen. Man unterhielt sich. Es gab so viel zu erzählen. Anna erklärte, Joseph so bald wie möglich heiraten zu wollen. So gab es zum ersten Mal nach diesem furchtbaren und langen Krieg wieder einen Anlass im Dorf zum Feiern und um fröhlich zu sein.

Joseph bekam aber ähnliche Probleme, wie sie viele Jahrzehnte zuvor schon sein Vater hatte, als er seine Maria heiraten wollte. Er hatte für Südbayern die falsche Konfession.

Nach dem Ende des großen Krieges musste man aber nicht mehr um sein Leben fürchten, wenn man evangelischen Glaubens war. Eine katholische Baronesse zu heiraten war aber dennoch nicht möglich. So kam es, dass Joseph beim Pfarrer von Lichtenhaag Religionsunterricht nehmen musste, um zum katholischen Glauben konvertieren zu können. Der Pfarrer war ein etwas bärbeißiger, ältere Herr, der aber eigentlich recht gutmütig und keineswegs fanatisch war.

Irgendwie freuten sich die Leute des Dorfes und der Umgebung für das junge Paar, dass sie so ineinander verliebt waren, und natürlich auch auf die Hochzeitsfeier selbst, damit sie sich endlich auf Kosten des Barons von Lichtenhaag wieder einmal richtig sattessen konnten.

Der Pfarrer unterrichtete Joseph im katholischen Glauben und beide Partner des Paares in den Pflichten und Mühen der Ehe, so dass sie die Hochzeit schon zum nächsten Frühjahr ansetzen konnten.

Geladen waren nur die Bauern des Dorfes und der näheren Umgebung, da auch die Grafen von Seyboldsdorf und Lichtenhaag durch den langen Krieg verarmt waren, so dass sich die Kosten für die Feier in engen Grenzen bewegen mussten.

Anna ließ es sich aber nicht nehmen, sich von einer Schneiderin ein weißes Kleid, wie es Tradition in ihrer Familie war, anfertigen zu lassen. Sie sah in diesem engen Kleid mit seiner langen Schärpe wunderschön aus. Joseph war sehr stolz auf seine Frau. Das Essen war einfach, aber reichlich. Bier war genügend vorhanden. Die Hochzeitstorte hatte man eigens von Vilsbiburg kommen lassen, da es in Lichtenhaag keinen Bäcker gab. Die Leute waren fröhlich und ausgelassen. Sie tanzten zu den Klängen einer kleinen Band, die eigens dazu von Gerzen gekommen war. Anna und Joseph genossen sichtlich die ausgelassene Stimmung bei ihrer Hochzeit. Für kurze Zeit waren die Sorgen und Nöte vergessen.

Ihre Tochter Maria drehte sich vor Freude laufend im Kreis. Sie jubelte und sang mit der Band mit, wobei es ihr vor allem Spaß bereitete, mit Andreas zu tanzen.

So bemerkten sie kaum, als es Mitternacht wurde und das Brautpaar die Feier verlassen musste, um auf ihr Zimmer zu gehen, wo für sie die eigentliche Hochzeitsnacht erst beginnen sollte.

Die Trauung selbst fand in dem kleinen, gotischen Kirchlein von Lichtenhaag statt. Joseph war vor dem Altar so benommen, dass er fast vergessen hätte, „JA" zu sagen. Erst als ihn seine Anna so stark anrempelte, dass er fast über den Pfarrer gestürzt wäre, kam ihm das Jawort über die Lippen. Da der Pfarrer aber durch den Religions- und Brautpaarunterricht beide Eheleute schon gut kannte, musste er nur amüsiert lächeln.

Die eigentliche Feier fand dann im großen Eingangssaal des Schlosses statt, der für die damalige Zeit recht prunkvoll mit Brokatvorhängen und mit Schnitzereien verzierten Tischen und Stühlen eingerichtet war. Sie hatten auch mit dem Wetter großes Glück. Es war ein herrlicher Frühsommertag im Juni, so dass sie auch im Garten des Schlosses Tische und Stühle aufbauen konnten, um die Gäste zu bewirten. Die Eröffnungsrede hielt der Gastgeber, Annas Bruder Alexander, und Graf von Lichtenhaag persönlich.

Als Joseph am Altar so benommen war, dass er fast kein Jawort herausgebracht hätte, erging es ihm ähnlich, wie es viele **Jahrhunderte** später mir selbst passiert ist.

Auch mich musste Olga erst massiv anrempeln, um mich aus meiner Benommenheit aufzurütteln, so dass ich mein Jawort geben konnte. Auch wenn viele **Jahrhunderte** dazwischen liegen, wiederholen sich Geschichten im Kleinen und im Großen, weltgeschichtlichen Bereich immer wieder, da die Menschen irgendwie gleich bleiben. Doch darüber wird an anderer Stelle noch ausführlicher berichtet werden.

Unter den Hochzeitsgästen befanden sich auch Annas beste Freundin Theresia Riedenauer, geborene Habersetzer, mit ihrem Geliebten Markus, dem Sohn des Müllers, und deren sechsjährigem Sohn Andreas, der an diesem Tag seine Jugendliebe und spätere Frau Maria, Annas und Josephs Tochter, kennenlernte. Die beiden Kinder tanzten zusammen, drehten sich im Kreis, waren fröhlich und hatten mächtigen Spaß miteinander. Markus hatte auch seine kleine Tochter, Anna-Maria-Lena, mit zur Feier gebracht, deren Mutter vor zwei Jahren einem Gewaltverbrechen zum Opfer gefallen war.

Theresia und Anna waren zusammen aufgewachsen, haben schon als Kinder zusammengespielt, hatten den gleichen Privatlehrer, sind oft zusammen ausgeritten und haben sich immer schon ihre innigsten Geheimnisse, Wünsche und Hoffnungen mitgeteilt.

Die Hochzeitsnacht verbrachte das Brautpaar in ihren Gemächern im Schloss zu Lichtenhaag.

In der Folgezeit fragte Anna ihren Bruder, wo sie leben sollten. Alexander meinte, etwas oberhalb der Vils gäbe es eine Scheune, in der Getreide gelagert würde. Sie könnten diese Scheune übernehmen und daneben ihr Bauernhaus errichten. Er würde für Baumaterial sorgen. Seine Diener sollten beim Bauen mithelfen.

So errichteten sie in nur einem Sommer das Bauernhaus mit anhängendem Stall dahinter, das erst Josef Weixelgartner im 20. Jahrhundert abreißen sollte, um sein neues Wohnhaus an der anderen Seite der Einfahrt zu bauen.

Der anhängende Stall blieb allerdings erhalten und wurde von Josef Weixelgartners Sohn Georg zu seinem Wohnhaus umgebaut, da er für das andere Haus Mieteinnahmen brauchte.

Das Land, das sie bewirtschafteten, blieb gräflicher Besitz, weshalb sie zu der Zeit noch keine Oama-Bauern waren. Freie Bauern wurden sie erst, als im 17. Jahrhundert der Weixelgartnerbauer seinem Lehensherrn zu Hilfe eilte und ihm das Leben rettete, als dieser von Räubern überfallen wurde.

Der Name Weixelgartner entstand, als Joseph einen Obstgarten mit vielen Weixel-, also Sauerkirschbäumen anlegte.

Anna, Maria und Joseph waren glücklich, als sie noch vor dem Winter in ihr neues Haus einziehen konnten.

Während der langen Wintermonate bemerkte Anna, dass Joseph etwas bedrückte, dass er nicht so glücklich schien, wie er eigentlich hätte sein müssen. Er erzählte ihr, zum ersten Mal übrigens, von seiner Schwester Theresa, die er in Schweden zurückgelassen hatte. Er hatte bisher wenig über sein Vorleben in Schweden berichtet, was Anna ihm schon lange vorgehalten hat.

Er wollte zurück nach Schweden, um seine Schwester zu holen. Anna war entsetzt. Sie erinnerte ihn daran, dass er in Schweden wegen Mordes an Graf Gundifels gesucht würde. Dies war ihm bewusst. Er meinte dazu, dass er sich stark verändert und einen bayrischen Pass mit Namen Weixelgartner habe. Es würde ihn sicherlich niemand mehr erkennen.

Im folgenden Jahr hatte Joseph sehr viel Arbeit an seinem Bauernhof, so dass sich seine Reise nach Schweden nochmals um ein Jahr verzögerte. Maria war jetzt bereits fünf Jahr alt, als sich ihr Vater doch noch aufmachte, nach Schweden zu reisen, um seine Schwester zu holen. Anna konnte ihn nicht davon abhalten. Sie hatte große Angst um ihn.

Zur damaligen Zeit war Reisen sehr gefährlich. Die Menschen waren arm und durch die Grausamkeiten des langen Kriegs verroht. Über 50 % der damaligen Bevölkerung hatte noch nie Friedenszeiten erlebt. Sie kannten nur Morden und

Brandschatzen. Sie töteten andere Menschen, um nicht selbst getötet zu werden. Überfälle auf Reisende waren an der Tagesordnung.

Joseph musste sich also vorsehen. Er packte einen großen Rucksack mit den nötigsten Kleidern und Utensilien zum Leben. Geld, das er für Unterkünfte, Kutsch- und Schifffahrten benötigte, lieh ihm sein Schwager, der Baron von Lichtenhaag. Zu seinem Schutz nahm er aber auch seine Pistole, die er aus seiner Soldatenzeit noch hatte, und seinen Degen mit.

Anna, die kleine Maria und zwei Knechte begleiteten ihn bis Geisenhausen in einer Kutsche. Dort verabschiedete er sich von seiner Familie und ritt auf seinem Pferd weiter in Richtung Landshut. Landshut war damals eine kleine, mittelalterliche Stadt, die sich um die alte Wittelsbacher Trutzburg Trausnitz herum gruppierte. Die Stadt selbst war von dicken Mauern umgeben, durch die man nur durch stark bewachte Tore hineingelangen konnte. Es bestanden damals bereits die Jodokkirche in der Freiung sowie die Martinskirche in der Altstadt. Von deren Backsteinturm sagt man, dass die Landshuter Bürger ihn deshalb so hoch bauten, weil sie dem Herzog auf der Trausnitz in die Suppenschüssel blicken wollten.

Joseph wollte sich in Landshut eine Unterkunft für die Nacht und eine Versorgungsstelle für sein Pferd suchen, um dann für den nächsten Tag eine Schiffspassage auf der Isar nach Deggendorf zu buchen. Dort entschloss er sich, über den bayerischen Wald zu reisen, um die alten Bauersleute zu besuchen, die ihnen drei Jahre lang so freundliche Unterkunft gegeben hatten.

In Deggendorf suchte er sich zuerst wieder einen Übernachtungsplatz. Am nächsten Morgen brach er früh auf, um den mühevollen Aufstieg durch die dichten Wälder des Berglandes bis nach Regen zu schaffen. Er folgte einem schmalen Pfad, der sich durch den Wald die Hänge hinaufwand. In Regen übernachtete er nochmals, um sich dann in Richtung kleinem Arbersee auf den Weg zu machen.

Als er gegen Abend auf dem Hof ankam, hatte er den Eindruck, dass alles ziemlich verwildert aussah. Er klopfte an die Türe. Von innen erklang eine ziemlich mürrische, unfreundliche Stimme. Als die Türe aufging, erschien nicht das bekannte Gesicht einer der Bauersleute, sondern ein derber, kantiger Kopf mit Vollbart und strähnigen Haaren. Eine barsche Stimme fragte nach seinem Begehren. Joseph erkannte das Gesicht sofort wieder. Es gehörte zu einem der vier Wegelagerer, die Anna und ihn überfallen hatten, als sie sich an einen Baum gelehnt von ihrer Wanderung ausruhten.

Joseph selbst hatte sich stark verändert durch seine neue Kleidung und sein gepflegtes Erscheinungsbild, so dass er von dem Strauchdieb nicht wiedererkannt wurde. Auf seine Frage nach den Bauersleuten antwortete der Mann, dass sie gestorben seien, weshalb er und sein Partner den Hof jetzt weiterführten. Ein weiteres Männergesicht erschien ebenfalls an der Türe, um den seltsamen Fremden, der zu so später Stunde an ihre Pforte klopfe, zu begutachten. Joseph erkannte in diesem Mann den anderen Räuber, die geflüchtet waren, nachdem Joseph damals ihre beiden Kumpane getötet hatte. Aber auch dieser schien sich an Joseph nicht zu erinnern. Er fragte sie, ob er hier übernachten dürfte, da es bereits zu spät zum Weiterreisen sei. Er würde selbstverständlich dafür bezahlen. Als er seinen Beutel herauszog, um ihnen daraus einige Münzen zur Bezahlung zu geben, bemerkte er, wie beide gierig seine Geldbörse anstarrten. Die beiden Männer versorgten sein Pferd, gaben ihm etwas zu essen und führten ihn in das Zimmer, das er vor Jahren mit seiner Frau Anna bewohnt hatte. Nach dem Essen ging er bald auf sein Zimmer, um sich schlafen zu legen. Joseph glaubte nicht, dass die Bauersleute eines natürlichen Todes gestorben sind. Er vermutete vielmehr, dass sie von den Strauchdieben ermordet wurden, um ihren Hof zu konfiszieren. Er erwartete auch, in der Nacht von den beiden überfallen, ausgeraubt und vielleicht ebenfalls getötet zu werden. Zumindest traute er ihnen diese Absicht zu.

Um sich vorzusehen, nahm Joseph Decken aus dem Schrank, die er damals vor ihrer Abreise selbst dort hineingetan hatte und breitete diese hinter der Türe aus. Unter der Bettdecke baute er einen Hügel, damit es aussah, als würde einer in dem Bett schlafen. Er selbst legte sich auf die Bettdecken hinter der

Tür, um so mögliche Angreifer auf das Bett beobachten zu können. Seine Pistole und seinen Degen hatte er griffbereit neben sich liegen. Obwohl er versuchte, wach zu bleiben, war er kurz eingenickt, als ihn ein Knarzen des Bodens weckte. Jemand hatte seine Schlafzimmertüre leise geöffnet und schlich sich auf das Bett zu. Plötzlich richtete sich die Gestalt auf, zückte ein Messer und schrie: „Stirb, Hund!" Er stieß das Messer mit aller Kraft in die Bettdecke, unter der er Joseph vermutete. In diesem Augenblick feuerte Joseph seine Pistole auf diese Gestalt ab. Der Mörder schrie laut auf. Blut spritzte aus einer klaffenden Wunde am Thorax. Dann brach die Gestalt zusammen. Eine zweite Gestalt, die hinter der ersten ebenfalls das Zimmer betreten hatte, wandte sich entsetzt zur Flucht, als Joseph ihm nachrief, er solle stehen bleiben. Als dieser in wilder Flucht die Treppe hinunterlief, verfolgte ihn Joseph mit dem Degen in seiner rechten Hand. Als sich der Mann in die Enge gedrängt sah, versuchte er sich mit Tiegeln und Stühlen, die er nach Joseph warf, zu verteidigen. Er schnappte sich ein Messer und stürzte sich auf Joseph, um es diesem in den Bauch zu rammen. Joseph als geübter Fechter wich dem Stoß geschickt aus und stieß seinerseits seinem Angreifer seinen Degen durch den rechten Oberschenkel. Dieser brach schmerzverzerrt zusammen. Joseph setzte ihm seinen Degen auf die Brust und fragte ihn, was mit den Bauersleuten geschehen sei. Er gestand völlig verängstigt, die alten Leute getötet und hinter dem Haus verscharrt zu haben. Die Wunde aus dem Oberschenkel blutete stark. Der Knochen schien gebrochen zu sein. Der Mann hatte starke Schmerzen. Joseph reichte ihm ein Laken, damit er sich selbst verbinden konnte.

Es graute bereits der Morgen, so dass genügend Licht durch die Fenster fiel, um das Zimmer gut überblicken zu können. Joseph stieg die Treppe nochmals hinauf und sah, dass der andere Mann bereits im Sterben lag. Er hatte durch seine Wunde am Thorax viel Blut verloren. Joseph erkannte, dass er ihm nicht mehr helfen konnte Er ging wieder hinunter und erklärte dem verwundeten Mörder, dass er ihn am Leben lassen werde. Er werde aber Sachen der alten Leute mitnehmen, das zweite Pferd damit beladen und diese Güter sowie beide Pferde in Regensburg verkaufen, um weiteres Geld für seine Reise zu bekommen.

Bevor er jedoch abreiste, stellte Joseph an der Stelle, die ihm der Strauchdieb als ihr Grab angegeben hatte, ein Kreuz für die ermordeten Bauersleute auf und sprach für sie ein paar Gebete, um ihnen wenigstens eine Art Beerdigung zukommen zu lassen. Als Joseph bereit war, loszureiten, jammerte der verwundete Räuber, er solle ihn mitnehmen, da er sonst sterben würde. Joseph meinte, er müsse sich selbst helfen, und kümmerte sich nicht weiter um diesen Mann.

Die Weiterreise nach Regensburg gestaltete sich ohne Zwischenfälle. Joseph musste noch einmal übernachten, bevor er diese Stadt erreichte. Regensburg war damals schon eine bedeutende Stadt mit riesigem gotischem Dom, großen Patrizierhäusern und einem mittelalterlichen Rathaus. Joseph verbrachte zwei Tage in dieser Stadt. Am zweiten Tag war Bauernmarkt. Dort konnte er seine beiden Pferde und die Güter, die er von den alten Bauersleuten mitgenommen hatte, verkaufen und sich für den Erlös eine Schiffspassage die Donau aufwärts bis Ingolstadt besorgen. Die Weiterreise mit einer Postkutsche nach Nürnberg und weiter zum Rhein verlief dann ohne größere Zwischenfälle.

DIE REISE NACH SCHWEDEN

Es war zur damaligen Zeit bereits ein begrenztes Postkutschensystem eingerichtet worden. Joseph nahm eine solche Kutsche in Richtung Rhein. Von dort wollte er mit einem Schiff bis zur Nordsee kommen, um dann wieder eine Kutsche zur Ostsee zu besteigen. Von Kiel aus konnte er dann ein Schiff über die Ostsee nach Stockholm nehmen, um von dort wieder eine Kutsche nach Uppsala zu besteigen, wo er seine Schwester vermutete, da er noch mitbekommen hatte, dass sie Kammerzofe von Veronika geworden war.

Bis er wieder zurückkäme, würde ein halbes Jahr vergehen. Anna müsste ihren Bruder bitten, dass dessen Knechte ihr bei der Bauernarbeit behilflich seien. Irgendwie verstand Anna Josephs Anliegen, weshalb sie ihn gehen ließ. Er wäre ansonsten nie glücklich geworden.

Joseph und sein Sohn Olaf sahen sich zuerst etwas befremdet, aber auch neugierig in die Augen, bis sie sich plötzlich fest umarmten und aneinanderdrückten. Joseph war einesteils überrascht, plötzlich einen Sohn zu haben, andernteils hatte er sich in diesen hübschen und netten, aufgeweckten Jungen auf Anhieb verliebt. Er hätte ihn um nichts auf der Welt mehr missen mögen. Olaf war stolz, endlich auch einen Vater zu haben, nachdem der Graf ihn längst verstoßen hatte. Joseph erklärte ihnen, sie nach Bayern mitnehmen zu wollen, wo er einen schönen Bauernhof habe. Theresa hatte Bedenken wegen Veronika, die sie nicht allein lassen mochte. Olaf hingegen war sofort bereit, mit diesem Mann mitzugehen, da er zu seiner Mutter, die nur apathisch in ihrem Stuhl saß und schon lange niemanden mehr erkannte, längst keine Beziehung mehr hatte. Theresa wusste, dass sie Veronika nicht mehr helfen konnte, da die Krankheit unaufhörlich fortschritt. Die Pflege würde sicherlich von den Dienern ihres Ehemanns übernommen. Mehr konnte sie für ihre Freundin nicht tun. Nach ihrem Tod, der bald zu erwarten war, würde Theresa aber vom Grafen verstoßen werden, da er für sie keine Verwendung mehr hätte. Sie würde mittellos auf der Straße stehen. Als ihr dies bewusstwurde, willigte auch Theresa in die Reise nach Bayern ein. Sie mussten aber sehr vorsichtig sein. Joseph durfte von niemandem gesehen werden. Er musste sich tagsüber vor der Dienerschaft verstecken. Sie beschlossen dann, dass Joseph zuerst allein nach Stockholm reisen sollte, um nicht aufzufallen. Olaf und Theresa würden dann zwei bis drei Tage später nachkommen.

Anna von Seyboldsdorf, die Gräfin und Bäuerin am späteren Oama-Hof, staunte nicht schlecht, als ihr Mann nach halbjähriger Abwesenheit nicht nur eine Schwester, sondern auch einen Sohn, von dem er bisher nichts gewusst haben soll, mitbrachte. Als sie aber diesen netten und aufgeweckten Jungen sah, akzeptiere sie, ihn wie ein eigenes Kind großzuziehen.

Theresa heiratete übrigens einige Jahre später einen Bauern aus der Umgebung und bekam selbst noch zwei Kinder. Anna gebar noch eine weitere Tochter, so dass sie um den Sohn, der sie bei der Arbeit fest unterstützte, sehr froh war. Auch ihr Bruder Alexander bekam noch einen Sohn, so dass auch das Geschlecht der Grafen von Seyboldsdorf und Lichtenhaag wieder weiter ging.

Das Seyboldsdorfer Schloss, das die Schweden aus Rache für den Tod ihres Grafen völlig zerstört hatten, wurde nie wieder aufgebaut. Die Grafen von Seyboldsdorf lebten fortan nur noch im Schloss zu Lichtenhaag. Das Schloss wurde in späteren Jahrhunderten verkauft, wohingegen die Nachkommenschaft von Joseph Johannson immer noch im Besitz des Oama-Hofes ist.

In Lichtenhaag lernte Joseph auch seinen Onkel Hans, den letzten noch verbliebenen Bruder seiner Mutter, und dessen zwei Töchter und Sohn, seine Cousinen Johanna, Magda und Cousin Anton kennen, mit denen er sich auf Anhieb gut verstand. Ein weiterer Bruder seiner Mutter war leider im Kampf gegen die Schweden gefallen. Hans war seinerseits sehr traurig, als er vom Tode seiner Schwester Maria erfuhr.

Es vergingen zwei weitere Jahre, bis sie die Nachricht aus Schweden vom Tode Veronikas erhielten. Obwohl sie niemanden mehr zu erkennen schien, hat sich der Verlauf ihrer Krankheit nach der Abreise von Theresa und Olaf nochmals stark beschleunigt, obwohl sie von ihrem Gatten eine professionelle Pflegekraft gestellt bekommen hat. Irgendwie scheint Veronika den Verlust ihrer wichtigsten Bezugspersonen doch gespürt zu haben. In seinem späteren Leben reiste Olaf noch einmal nach Schweden, um ans Grab seiner Mutter zu kommen.

Die Nachkommen

OLAF

Bei Olafs Geburt war noch alles völlig normal. Veronika hatte ziemliche Angst, weshalb sie die Wehen als besonders schmerzhaft empfand. Theresa hielt ihre Hand und versuchte, sie zu beruhigen. Die Hebamme unterstützte sie dabei tatkräftig, so dass es zwar zu einem etwas protrahierten, ansonsten aber völlig normalen Geburtsverlauf kam.

Eine kleine Dammschürfung wurde von einem zusätzlich hinzugezogenen, geburtshilflich erfahrenen Arzt versorgt.

Der Graf war glücklich, endlich einen Sohn und Erben bekommen zu haben. Er nannte ihn Olaf, weil es in seiner Familie Tradition war, Olaf zu heißen. Er selbst hatte den gleichen Vornamen.

Veronika empfand ein unglaubliches Glücksgefühl, als sie ihren Sohn zum ersten Mal in Händen hielt und an sich drückte. Sie sah in ihm ihren geliebten Joseph. Mit ihrem Ehemann hatte sie nur ein einziges Mal in der Hochzeitsnacht Geschlechtsverkehr gehabt, wobei sie damals so viel Alkohol getrunken hatte, dass sie sich kaum noch daran erinnern konnte. In der Folgezeit war ihr laufend schlecht, oder sie hatte Bauchschmerzen, so dass sie immer einen Grund fand, ihren Mann von sich fernzuhalten. In der Stillzeit und während des Wochenflusses wird sie ihren Gemahl weiter auf Distanz halten können. Doch dann wird irgendeinmal die Zeit kommen, wovor sie jetzt schon Angst hatte, zu der ihr gräflicher Ehemann seine ehelichen Rechte einfordern wird. Als es so weit war, versuchte sie alles, um ihm nicht zu zeigen, wie sehr es ihr vor ihm ekelte. Sie ließ alles mit sich geschehen, blieb aber steif und verkrampft wie eine verängstigte Hündin. Der Graf wirkte hinterher unzufrieden, sagte jedoch nichts. In den folgenden Wochen versuchte Veronika ihren Gemahl wieder durch 1.000 Ausreden von sich abzuhalten, wie über starke Blutungen, Schmerzen und vieles andere mehr, bis es ihm zu dumm wurde und er sie mit Gewalt nahm. Veronika versuchte, sich zu wehren. Er aber packte sie unsanft, schlug ihr mehrmals mit der Hand ins Gesicht, bis sie verängstigt nachgab, und er in sie eindringen konnte. Veronika war entsetzt. Sie wollte weg von diesem Mann. Nach Hause konnte sie nicht mehr, da dort nur noch Gustav lebte, der sie sofort wieder zurückschicken würde. So beschloss sie, mit ihrem Sohn, Theresa und zwei treuen Dienern in das Nachbarhaus neben dem Schloss zu ziehen. Geld hatte sie genug vom Erbe ihrer Eltern. Der Graf hat sie seither nie wieder aufgesucht. Bei zufälligen Begegnungen kam es naturgemäß zu heftigen Streitereien zwischen den beiden. Veronikas Mann suchte sich eine Mätresse in der Stadt, woraufhin er jegliches Interesse an seiner Frau verlor. Als Olaf sieben Jahre alt war, hielt der Graf Veronika vor, dass Olaf ihm überhaupt nicht ähnlichsähe, weshalb er nicht glaube, dass er sein Sohn sei.

Offensichtlich hatte ihn seine Mätresse, die mittlerweile auch von ihm schwanger war und ihm einen weiteren Sohn gebar, auf diese Idee gebracht. Veronika, wütend über ihren Mann und Peiniger, gestand, bei ihrer Hochzeit bereits schwanger gewesen zu sein, woraufhin der Graf Olaf offiziell enterbte und stattdessen seinen neuen Sohn als Erben einsetzte.

Olaf hatte nie verstanden, warum seine Eltern so böse aufeinander waren. Dass sein gräflicher Vater aber offensichtlich gar nicht sein Vater war, hatte er trotz seiner sieben Jahre schon kapiert. Olaf hatte in Theresa, die eigentlich nur Kammerzofe seiner Mutter war, immer seine Tante gesehen. Wie sich jetzt herausstellte, nachdem offenbar ihr jüngerer Bruder sein Vater war, war sie wirklich seine Tante.

Nachdem Veronika so nach und nach die Todesnachrichten ihrer ganzen Familie erhalten hatte und zuletzt auch noch erfahren musste, dass Joseph, ihre große Liebe, ihren Bruder hinterrücks erstochen hatte, wie es ihr berichtet wurde, begannen ihre schizophrenen Schübe. Sie bekam Halluzinationen. Sie musste sich gegen Angriffe verteidigen, die nur für sie vorhanden waren. Sie schrie und kämpfte gegen wilde Gestalten, die auf sie einfielen. Mit einem Messer hätte sie fast auf Olaf eingestochen, wenn dieser nicht noch rechtzeitig zur Seite gesprungen wäre. Theresa und Olaf bekamen Angst vor ihr. Wenn sie ihre Anfälle bekam, schlossen sie sie in ein Zimmer ein, das hinterher völlig verwüstet aussah. Mit Ausnahme der beiden Diener, die sie versorgten, hatten die drei fast keinen Kontakt mehr zur Außenwelt. Sie lebten vollkommen zurückgezogen. Der einzige Kontakt, den der kleine Olaf hatte, war seine Tante, die mit ihm spielte, ihn unterrichtete, aber auch viel von seinem Vater erzählte, von dem er nicht wusste, ob er ihn lieben oder hassen sollte, der wahrscheinlich überhaupt nichts von seiner Existenz wusste.

In seiner Verzweiflung schloss sich Olaf einer evangelischen Jugendgemeinde an, deren Pater ziemlich fanatisch über die verfluchten Katholiken schimpfte. Als Olaf begann, die fanatischen Meinungen seines Pfarrers zu übernehmen, erklärte ihm Theresa, dass seine Großmutter aus Bayern auch Katholikin gewesen sei, was Olaf ziemlich bestürzte. Theresa versuchte ihrem Neffen verständlich zu machen, dass ihr Vater ihr Toleranz zwischen den Religionen und Völkern als oberstes Prinzip gelehrt hatte. Daraufhin verließ Olaf die evangelische Gemeinde wieder.

Die Anfälle seiner Mutter wurden währenddessen immer schlimmer. Sie war mittlerweile völlig in ihrer zum Teil sehr grausamen Welt verschwunden, ohne ihre Angehörigen noch wirklich wahrzunehmen. Zu dieser Zeit war es dann auch, dass Joseph Weixelgartner, alias Joseph Johannson, in Olafs Leben trat. Dem Jungen erschien dieser Mann wie eine Erlösung aus seinem tristen, einsamen Dasein. Ohne großes Nachdenken war er sofort bereit, mit ihm nach Bayern zu gehen. Mit seiner Mutter konnte er keinen Kontakt mehr aufnehmen. Sie lebte in ihrer eigenen Welt. Ihre Tobsuchtsanfälle aber hatten nachgelassen. Sie war ruhiger geworden. Doch ihren eigenen Sohn schien sie nicht mehr zu erkennen. Theresa war anfänglich etwas zögerlich, da sie sich ihrer kranken Freundin gegenüber schuldig fühlte, entschloss sich dann aber auch, mitzukommen.

Seine neue Stiefmutter machte große, überraschte, etwas ungläubige Augen, als ihr Olaf als ihr neuer Sohn vorgestellt wurde. Olaf selbst hatte ziemliche Angst vor dem Moment der ersten Begegnung mit ihr. Doch nachdem sich die erste Überraschung gelegt hatte, schien sie ihn zumindest zu akzeptieren. Er glaubte sogar nach einiger Zeit, dass sie anfing, ihn aufrichtig zu lieben. Sie behandelte ihn jedenfalls nicht anders als ihre eigene Tochter Maria. Nachdem auch Annas zweites Kind wieder ein Mädchen war, wurde Olaf als Hoferbe festgesetzt, der die Dynastie der Weixelgartner fortführen sollte. Er erlernte von seinem Vater die bäuerliche Arbeit. Von Zeit zu Zeit machten die beiden Männer gemeinsame Ausflüge. Einer führte sie zum Chiemsee, wo sie sich die Inseln anschauten und auf einen der Berge stiegen, die sich südlich davon anschlossen.

Eine weitere Reise ging nach München, um endlich auch einmal die bayrische Hauptstadt kennen zu lernen. In Landshut verliebte sich Olaf in eine nette Bürgertochter, die später mit ihm auf den Bauernhof zog. Die Hochzeit fand mit vielen Gästen in Lichtenhaag statt. Katharina, wie seine Frau hieß, schenkte Olaf einen Sohn und eine Tochter, wobei der Sohn den Hof übernahm, wie es bei den Weixelgartners jahrhundertelang Tradition werden sollte.

Die größte Reise jedoch, die Olaf mit seinem Vater unternahm, führte die beiden Männer in den bayrischen Wald und nach Würzburg, wo Joseph seiner Vergangenheit nachgehen und das Grab seines Bruders Oskar suchen wollte.

Olafs Tante Theresa heiratete einen Bauern der Umgebung. Olav besuchte sie so oft er nur konnte. Seine Reise nach Schweden musste er ohne seinen Vater unternehmen.

Nach dem Tod der Eltern führte er den Hof mit seiner Frau und ihren Kindern weiter, und nach ihm wieder sein Sohn mit dessen Frau.

So geschah es fast bis zum heutigen Tag, als Georg Weixelgartner so verschuldet war, dass der Hof versteigert werden sollte. Zum ersten Mal in der 400-jährigen Geschichte kaufte die Schwester des Bauern ihrem Bruder den Hof ab, um der Versteigerung zu entgehen, weshalb zwar der Hof in der Familie blieb, aber der Name Weixelgartner nicht mehr weitergeführt werden konnte.

DAS AMULETT

Es waren mittlerweile über zehn Jahre vergangen. Joseph war bereits knappe 50 Jahre alt. Die Ehe zwischen ihm und Anna funktionierte gut. Olaf war schon erwachsen. Er half viel bei der Bauernarbeit mit.

Der Hof selbst florierte. Sie hatten Kühe, bekamen Milch, zogen Getreide. Joseph fuhr oft auf Märkte zum An- und Verkauf von Produkten und Tieren, Kühe wie Pferde. Dabei begleitete ihn normalerweise Olaf, der auch vorgesehen war, als einziger Sohn einmal den Hof zu übernehmen. Anna liebte ihn wie ein eigenes Kind, weshalb sie dagegen keine Einwände hatte. Die beiden Mädchen machten Ausbildungen als Schreibkräfte und Handwerkerinnen. Sonntags besuchte die Familie gemeinsam die Kirche.

Joseph war sehr glücklich über die Zustände, in denen sie lebten. Sie konnten sich sogar einen Knecht und eine Magd leisten, die sie bei der Arbeit auf dem Feld, im Stall und im Haushalt unterstützten. Mit seinem Schwager, dem Baron zu Lichtenhaag, ging Joseph auch oft auf die Jagd und zum Fischen in der Vils. Eigentlich hätten alle glücklich und zufrieden sein müssen.

Dennoch kam Joseph wieder einmal auf die Idee, verreisen zu wollen, worüber Anna gar nicht glücklich war. Er machte den Vorschlag, seinem Sohn den bayrischen Wald zu zeigen. Sie könnten auf die Berge wandern. Joseph wollte nochmals zur Hütte am See kommen, in der Anna und er einen Sommer verbracht hatten. Auch am Bauernhof, bei dem sie drei Jahre lang gelebt hatten, hatte er vor, nochmals vorbeizuschauen.

Nachdem Annas Einwürfe nichts halfen, machten sich die beiden Männer eines Tages auf den Weg, mit ihren Pferden in Richtung Landshut zu reiten. Von dort nahmen sie wieder ein Schiff nach Deggendorf. In Deggendorf suchten sie sich einen Übernachtungsplatz und einen Futterplatz für die Pferde. Am nächsten Tag ging es wieder die Anhöhen hinauf bis Regen. Nach einer weiteren Übernachtung kamen sie dann wieder zum kleinen Arbersee.

Joseph fand auch seine Hütte wieder. Nur neben der Hütte war ein großer Gasthof mit Biergarten entstanden. Es war ein schöner Sommertag. Die Sonne strahlte von einem fast wolkenlosen Himmel herab. Vater und Sohn setzten sich auf eine der Bierbänke, um Getränke und Speisen zu bestellen.

Als der Wirt herauskam, ein Mann mit grauen, bereits etwas schütteren Haaren im Alter von Joseph, schaute ihn dieser verwundert an. Aber auch der Wirt blickte etwas verdutzt auf Joseph, der auch bereits überwiegend graue Haare auf dem Kopf trug, aber noch lange nicht so viele Falten um die Augen hatte wie jener. Auch am Bauch merkte man, dass der Gastwirt ein großer Verehrer seines eigenen Bieres war. „Du kommst aus Schweden", sagte Joseph. „Du hast mir vom Tode meines Bruders berichtet", fuhr Joseph auf Schwedisch fort. Da auch Olaf, der ein ähnlich hübscher Junge geworden war wie sein Vater in seinem Alter, Schwedisch verstand, setzten sie ihre Unterhaltung in dieser Sprache fort. Wenn zwei Kriegsveteranen zusammentreffen, fangen sie irgendeinmal an, sich über ihre Kriegserlebnisse zu unterhalten. Dies war nach dem 30-jährigen Krieg nicht anders als nach dem Zweiten Weltkrieg.

Ähnlich wie sich viele Jahrhunderte später der Urahn jenes Joseph Weixelgartner in der Neuzeit mit gleichem Namen mit Dr. Theo Pöschel, meinem früheren Praxispartner, beim ersten Zusammentreffen stundenlang über ihre Kriegserfahrungen unterhalten hat, wobei der eine plötzlich nicht mehr Gynäkologe und der andere nicht mehr Bauer, sondern beide nur noch Soldaten waren, traf dies auch für diese beiden Veteranen zu.

Olaf, der selbst kaum etwas sagte, sondern nur zuhörte, erfuhr dabei viel über den Tod seines Onkels Oskar, dem älteren Bruder von Joseph. Der Wirt, der sich Hannes nannte, erzählte, dass er sich mit Oskar angefreundet hatte. Sie wurden oft gemeinsam auf Patrouille geschickt. Eines Tages, als sie sich im Maintal bei Würzburg aufhielten, gerieten sie in einen Pfeilbeschuss aus einem Hinterhalt heraus. Hannes konnte fliehen. Oskar fiel getroffen vom Pferd. Auf Josephs Frage, ob sein Bruder gleich tot war, konnte Hannes keine Antwort geben. Irgendwie bekam Joseph den Eindruck, als ob sein Bruder im Stich gelassen worden sei. Er stellte aber diesbezüglich keine Fragen an Hannes.

Da Hannes neben seiner Gastwirtschaft eine Schafzucht betrieb, bekamen sie gebratenes Hammelfleisch mit Brot und grünem Salat zum Abendessen. Der Wirt und Joseph unterhielten sich noch bis tief in die Nacht hinein über ihre vergangenen Erlebnisse. Hannes hat ein Mädchen aus Regen geheiratet und sich hier am kleinen Arbersee nach dem Krieg niedergelassen.

Am Ende ihrer Unterhaltung wusste Joseph nicht mehr recht, ob ihm sein Gesprächspartner überhaupt sympathisch sei, da er fast glaubte, dass er seinem Bruder nicht geholfen hat, dass dieser vielleicht gar nicht so schwer verwundet gewesen wäre und gerettet werden hätte können, wenn Hannes nicht einfach abgehauen wäre, um sich selbst in Sicherheit zu bringen. Vater und Sohn übernachteten in einem Doppelzimmer. Am nächsten Morgen brachen sie bald nach dem Frühstück auf, um bis zum Abend noch den Bauernhof zu erreichen.

Als die beiden Männer gegen Abend am Hof ankamen, trat ihnen ein Herr in Josephs Alter entgegen. Der Mann schien etwas zu humpeln. Er hatte sich offenbar vor längerer Zeit eine Verletzung am linken Oberschenkel zugezogen. Der Mann hatte lange graue Haare, keinen Bart mehr, dafür aber eine ziemlich gefältelte, ledrige Gesichtshaut. Joseph und er erkannten sich sofort wieder. Der Gesichtsausdruck des Bauern wirkte sehr angespannt, als er Joseph zur Begrüßung fragte, ob er gekommen sei, um auch ihn zu töten, nachdem er bereits seine drei Brüder vernichtet hatte. Erst jetzt kapierte Joseph, dass es sich bei den vier Strauchdieben um Brüder gehandelt hat.

„Wir wollen nur eine Übernachtung für eine Nacht, ohne überfallen und ausgeraubt zu werden“, erwiderte Joseph. Das Gesicht des Bauern hellte sich etwas auf. „Meine Frau und meine Kinder werden euch ein gutes Mahl bereiten. Ihr bekommt ein nettes Zimmer und müsst nichts bezahlen. Es waren sehr schlimme Zeiten damals im Krieg“, meinte der Mann und fügte die Bitte hinzu, nichts von den vergangenen Geschehnissen seiner Familie zu erzählen. Er leide sehr unter der Schuld, die er damals auf sich genommen habe. Joseph stieg vom Pferd und reichte seinem Gegenüber die Hand: „Man solle niemandem einen Neuanfang verwehren, falls er es mit der Besserung ernst meint", antwortete Joseph daraufhin. Der Bauer stellte den Weixelgartners seine Frau und die drei Kinder vor, einen sechsjährigen Sohn und zwei Mädchen im Alter von vier und zwei Jahren. Vater und Sohn wurden gut bewirtet und unterhielten sich bis tief in die Nacht hinein mit den Bauersleuten.

Beim Abschied am nächsten Morgen war Joseph der ehemalige Desperado viel sympathischer geworden als tags zuvor der Wirt, der bei ihm einen heimtückischen und hinterhältigen Eindruck hinterlassen hatte.

Das dritte Ziel ihrer Reise sollte das Maintal bei Würzburg sein. Joseph wollte an die Stelle kommen, an der sein Bruder gestorben war. Er wollte eines der Massengräber in der Umgebung aufsuchen, in dem möglicherweise sein Bruder begraben lag, um für ihn zu beten.

Er glich dabei seinem Nachkommen gleichen Namens, der, nachdem er das Grab seines Bruders Georg in Rumänien nicht auffinden konnte, eigens nach Stalingrad fuhr, um wenigstens an die Stelle des letzten großen Kampfes seines Bruders zu gelangen.

Irgendwie bekam Joseph Zweifel an den Darstellungen von Hannes über den Tod seines Bruders. Er hatte ihm überhaupt nicht sagen können, wie schwer Oskar durch den Pfeil verwundet wurde. Joseph entschloss sich deshalb, im Magistrat von Würzburg nachzufragen, ob ein Oskar Johannson bekannt sei. Ein etwas älterer, kleiner, fast schon ein wenig schrumpeliger Beamter sah Joseph mit großen Augen an und erklärte ihm, dass es höchstens im Hospital Unterlagen geben könnte, falls er dort behandelt worden sein sollte.

Die Schwester bei der Aufnahme im Hospital wollte ihn anfangs gleich wieder fortschicken. Erst als Joseph nicht nachgab, sondern vehement auf Akteneinsicht bestand, führte ihn die Schwester ins Archiv, um ihn dort vor einem riesigen Aktenberg mit Olaf allein zu lassen. Die beiden Männer durchwühlten verzweifelt den Haufen von Papieren, bis sie nach mehreren Stunden einen Hinweis auf einen Oskar Johannson fanden, der offensichtlich eine Woche nach Einlieferung an einer Stichwunde verstorben war. Hannes schien also gelogen zu haben. Nicht ein Pfeil, der aus dem Hinterhalt abgeschossen wurde, hat Oskar getötet, wie Hannes ihnen weismachen wollte, sondern ein Degenstich, den Hannes ihm möglicherweise selbst von hinten beigebracht hat. In Joseph stieg eine furchtbare Wut auf. Sollte sein Bruder vielleicht gar nicht im Krieg gefallen, sondern von seinem Begleiter feige ermordet worden sein? Was sollte er für einen Grund gehabt haben? Sie mussten nochmals zurück in den bayrischen Wald zum kleinen Arbersee.

Joseph nahm die Papiere von seinem Bruder an sich und verschwand mit Olaf aus dem Hospital.

Dem dicken Wirt schwante nichts Gutes, als er die beiden Männer, die er für immer loshaben wollte, plötzlich wieder in seinem Biergarten auftauchen sah.

Dieses Mal war das Wetter nicht mehr so freundlich und warm wie beim ersten Besuch, sondern eher kühl und regnerisch.

Josephs Tonfall war noch kühler als das Wetter, als er eine Unterredung mit Hannes verlangte. Die drei Männer gingen ins Haus. Hannes' Frau und zwei Mägde schauten sie verwundert an. Joseph legte die Krankenunterlagen von Oskar auf den Tisch. Als Hannes von der Stichwunde las, wurde er kreidebleich. Seine Frau hörte aufmerksam zu und stellte dann die überraschende Frage: „Die Brosche mit dem Rubin war von ihm?" Jetzt erst fiel Joseph das Familienerbstück, das sie von ihrer Mutter geerbt hatten, wieder ein.

Ihr Vater hatte Oskar offensichtlich den wertvollen Goldanhänger mit großem Rubin in der Mitte als Talisman mitgegeben, als dieser in den Krieg ziehen musste. Zu seinem Verderben hatte Oskar seinem Freund und Begleiter Hannes dieses wertvolle Erbstück gezeigt. Er musste dafür sterben. Wie sich aus dem weiteren Gespräch ergab, hatte Hannes mit dieser Brosche sein Anwesen am kleinen Arbersee erworben. Seine Frau, eine nicht allzu hübsche, aber biedere und rechtschaffene Bäuerin, war entsetzt, dass sie mit einem Mörder verheiratet war.

Kinder hatten sie keine bekommen, obwohl sie so gerne welche gehabt hätten.

Hannes saß kreidebleich, in sich zusammengesunken auf seinem Stuhl und sagte kein Wort mehr. Joseph stand auf, nahm seine Papiere und erklärte, diese Angelegenheit in Regen einem Richter übergeben zu wollen.

Als Olaf und er das Haus verließen, kamen Hannes' Frau und die beiden Mägde mit ihnen. Sie wollten nicht länger mit einem Mörder in einem Haus zusammen sein. Da die Frauen keine Pferde hatten, führten auch Joseph und Olaf ihre Tiere mit sich, ohne aufzusteigen.

Sie waren kaum 200 Meter unterwegs, als sie vom Haus her einen Schuss hörten. Sie liefen zurück und fanden Hannes sterbend am Boden liegen. Er hatte sich selbst gerichtet. Die Bäuerin kniete sich weinend neben ihren Mann. Wenn er auch ein Mörder war, so hatte sie ihn doch irgendwie geliebt. Joseph hatte Mitleid mit dieser Frau. Beim Abschied erklärte er ihr, keine Forderungen an sie stellen zu wollen. Sie könne ihren Hof behalten. Er werde auf seine Brosche verzichten. Dann machten sie sich auf den Rückweg.

Anna war froh, als sie ihre beiden Männer einige Wochen später wieder wohlbehalten zu Hause begrüßen durfte.

OLAFS REISE NACH SCHWEDEN

Im nächsten Jahr fuhr Olaf alleine nach Schweden. Er wollte das Grab seiner Mutter besuchen und sein Erbe als einziger Nachkomme des Grafen Gundifels einfordern. Ersteres erwies sich als problemlos. Sie hatten seine Mutter in der Familiengruft ihres Gemahls bestattet.

Veronikas Ehemann war bereits verstorben. Sein Erbe war der Sohn, den er von seiner Mätresse bekommen hatte. Dieser ließ sich nicht einmal herab, mit Olaf zu reden. Ein Bastard war kein geeigneter Gesprächspartner für einen Grafen.

So betete Olaf am Grab seiner Mutter für ihr Seelenheil. Ansonsten fuhr er unverrichteter Dinge wieder nach Hause. Das Thema Schweden war für ihn damit für immer abgeschlossen.

Wie erwähnt, unternahm Joseph in seinem späteren Leben noch zwei weitere Reisen. Die erste führte ihn zum Chiemsee, da er endlich den großen See mit den drei Inseln einmal sehen wollte, von dem ihm seine Frau so sehr vorgeschwärmt hatte. Die andere ging nach München, um endlich auch einmal die bayrische Hauptstadt zu besuchen. Ansonsten kam er kaum mehr über Landshut hinaus, da er sich auf seinem Hof im Kreise seiner Familie am wohlsten fühlte. Er zeigte auch damit große Ähnlichkeit zu seinem Nachkommen und Namensvetter Josef Weixelgartner im 20. Jahrhundert, der auch fest darauf bestand, bis zu seinem Tod am Hof leben zu dürfen.

Ein einziges Mal waren Olaf und Joseph jedoch aus geschäftlichen Gründen bis nach Rosenheim auf den Pferdemarkt gekommen, um solche Tiere zu erwerben, wobei sie Sebastian Schmidberger begegneten, dem sie einen ansässigen Pferdezüchter vorstellten, den Sebastian von früher her zu kennen glaubte, ohne dass dieser ihn wiedererkannt hätte. Doch wird davon später noch genauer zu berichten sein.

Eine Reise nach Oberitalien, wie seine Frau Anna es sich so sehr gewünscht hätte, lehnte Joseph jedoch kategorisch ab, so dass sie ohne ihn mit Sohn und Schwiegertochter einer Einladung zu einer solchen Reise folgen musste. Doch auch darüber wird an anderer Stelle noch eingehender zu sprechen sein.

Wo das Amulett mit dem großen, roten, in der Sonne stark glitzernden Rubin letztendlich herstammte, das auf so tragische Weise zum Tod von Oskar Johannson führte, obwohl es in der Familie Angermayer, aus der Maria stammte, als Glücksbringer angesehen wurde, ist völlig unklar. Es wurde seit Generationen in der Familie weitervererbt, wobei normalerweise immer die älteste Tochter das Kleinod bekam. Marias Familie lebt bis zum heutigen Tag auf ihrem Hof in Seyboldsdorf. Der jetzige Bauer ist ein Cousin von Olga. Die Familien der Weixelgartners und Angermayers hatten über die Jahrhunderte gesehen immer sehr enge Verbindungen, aus denen auch öfter

Eheschließungen zwischen den Söhnen und Töchtern hervorgingen. Der Seyboldsdorfer Hof ist offensichtlich noch um einiges älter als der Oama-Hof, da er bereits vor dem 30-jährigen Krieg existiert zu haben scheint.

Was nun das Amulett betrifft, so munkelte man, dass ein Vorfahre der Angermayers, der keinen Anspruch auf das Hoferbe hatte, sich als Söldner im osmanisch-türkischen Heer verdingt hatte. Er soll es aufgrund seiner Geschicklichkeit und Tapferkeit bis zur Leibgarde eines Großwesirs gebracht haben. Offensichtlich hat er dem Großwesir so treu gedient, dass der ihm bei seiner Entlassung dieses Kleinod als Abschiedsgeschenk geschenkt hat. Zur damaligen Zeit war es sicher sehr ungewöhnlich, dass ein christlicher Bauernsohn aus Niederbayern bis zur Leibgarde eines türkischen Großwesirs aufgestiegen ist. Anscheinend hat es in jedem Jahrhundert Abenteurer gegeben, die sich für Geld auf so gefährliche Unterfangen eingelassen haben. Jedenfalls scheint er überlebt zu haben, da er sonst das Amulett nicht hätte nach Hause bringen können. Seinen Lebensabend hat er offensichtlich wieder im bäuerlichen Anwesen seines Bruders verbracht. Eigene Nachkommen hat er offensichtlich nicht gehabt, da sonst der Anhänger nicht in den Familienbesitz des Hofinhabers übergegangen wäre.

Ob das Amulett noch existiert, ist nicht bekannt. Nachdem Oskars Mörder das Geschmeide zum Erwerb seines Grundstückes am kleinen Arbersee verkauft und Joseph Weixelgartner auf eine Entschädigung von Hannes' Frau verzichtet hatte, ist es aus der Geschichte der Weixelgartner verschwunden. Leider existiert auch keine Zeichnung, damit wir uns irgendwie vorstellen könnten, wie es ausgesehen haben mag. Wie solche Geschmeide in Vollendung aussehen können, haben Olga, Johanna, Andreas und ich in der Schatzkammer des Topkapi-Serailles in Istanbul auf unserer Türkeireise mit unserem Mercedeskleinbus bewundern können. Es ist jedoch nicht zu erwarten, dass man einem Bauernsohn aus Niederbayern ein solch bezauberndes Meisterwerk, wie man es in Istanbul bestaunen kann, als Abschiedsgeschenk für treue Dienste gegeben hat, selbst wenn er, wie man vermutet, einmal dem Großwesir das Leben gerettet haben soll.

Unklar bleibt auch, wie das Amulett in der Familie zu seinem Ruf als Glücksbringer gekommen ist. Seinen beiden letzten Besitzern hat es jedenfalls nicht geholfen. Maria musste nach ihrem Kaiserschnitt so früh sterben. Ihr ältester Sohn Oskar wurde sogar gerade wegen seines Glückstalismans ermordet. Vielleicht ist es gut, dass wir keine weitere Kunde von diesem Geschmeide haben. Wer weiß, welches Unheil es bei seinen Nachbesitzern noch angerichtet hat.

Das alte Bauernhaus

MARIA UND ANDREAS

Der Vollständigkeit halber sollte man an dieser Stelle vielleicht schon erwähnen, dass Maria, die ältere Tochter von Anna und Joseph Weixelgartner, Andreas, den Sohn von Theresia Habersetzer und deren Lebenspartner Markus, den Sohn des Müllers, alias Alessandro de Magro, geheiratet hat. Gemeinsam haben sie den Hof der Habersetzer weitergeführt, der bis zu den napoleonischen Kriegen Bestand haben sollte.

Die jüngere Tochter der Weixelgartner, Lena, ist ins Kloster Seligental eingetreten. Sie hat es bis zur Priorin gebracht. Ihre beste Freundin wurde Schwester Magdalena, die ihr als Priorin einmal nachfolgen sollte. Mit bürgerlichem Namen hieß Schwester Magdalena Maria Schmidberger. Sie war die Tochter von Sebastian Schmidberger und dessen Frau Johanna, die den Moosbauernhof in Velden erwarben. Sebastian und sein Sohn Johannes, der den genannten Hof in Velden einmal weiterführen sollte, haben wiederholt Joseph Weixelgartner mit Sohn Olaf auf verschiedenen Bauernmärkten getroffen, ohne wirkliche Freunde geworden zu sein. Jedenfalls sind sich die Familien Schmidberger und Weixelgartner bereits zur damaligen Zeit begegnet, wobei man wieder einmal erkennen kann, wie klein doch die Welt ist. An anderer Stelle wird jedoch darüber noch genauer zu berichten sein.

Maria und Andreas haben sich, seit sie sich bei der Hochzeit von Anna und Joseph kennengelernt hatten, immer wieder getroffen. In ihrer Kindheit sind sie häufig mit ihren Müttern mitgekommen, die oft gemeinsame Ausritte unternahmen. Später haben sie sich dann selbst zum Reiten verabredet. Manchmal sind sie gemeinsam nach Landshut gefahren, um auszugehen oder Einkäufe zu tätigen. Zeitweise haben sie auch Joseph und Olaf am Freitag begleitet, wenn diese zum Bauernmarkt nach Jodok fuhren, um ihre Produkte zum Verkauf anzubieten. Hin und wieder sind sie auch übers Wochenende in Landshut geblieben, indem sie sich in ein Hotel einmieteten, um zum Tanzen in Lokale zu gehen. Mit Olaf und dessen Freundin Katharina sind sie zu späteren Zeiten ebenfalls häufig ausgegangen. Für Maria und Andreas hat es nie andere Partner gegeben. Es war ihnen immer schon klar, dass sie zusammenbleiben wollen. Maria hat viel von ihrer Mutter geerbt, ihre rehbraunen Augen, ihre brünetten, gewellten Haare, ihr fein geschnittenes, ebenmäßiges Gesicht, aber auch ihre schlanke, sportliche Figur. Andreas hatte sich jedenfalls unsterblich in dieses Mädchen verliebt. Aber auch er selbst war ein stattlicher, gutaussehender Mann, der Maria von vorneherein tief beeindruckt hatte.

Ihre Hochzeit haben sie in dem kleinen, aber sehr malerischen Kirchlein zu Seyboldsdorf gefeiert. Selbst Anna-Maria-Lena ist eigens aus Italien gekommen, um Trauzeugin bei ihrem Bruder zu sein. Maria hat dazu ihren Bruder Olaf genommen. Selbst Lena, damals noch Novizin, hat sich von ihrem Klosterleben frei genommen, um bei ihrer Schwester zu sein, in deren schönsten Stunden. Maria und Andreas sind ein Leben lang zusammengeblieben. Da Andreas' Vater von seinem Vater, dem Grafen de Magro, viel Geld geerbt hatte, konnten sie sich Mägde und Knechte leisten, so dass sie selbst in der angenehmen Lage waren, ein bequemes Leben führen zu können. Es wurde allenthalben berichtet, dass sie großzügige und gerechte Chefs gewesen sein sollen. Sie haben zwei Kinder bekommen, einen Sohn und eine Tochter. Der Sohn hat, wie es zur damaligen Zeit üblich war, den Hof weitergeführt. Die Tochter hat einen Bauern aus Gerzen geheiratet. Ihre größten Reisen gingen nach Oberitalien, um Andreas' Halbschwester, Anna-Maria-Lena, zu besuchen. Bei deren zweiter Hochzeit mit Carlo war wiederum Andreas Trauzeuge. Leider ist Andreas bereits mit 60 Jahren verstorben. Maria hat ihn um 20 Jahre überlebt. Doch auch über seinen Tod hinaus ist sie ihm treu geblieben. Sie hat sich mit keinem anderen Mann mehr zusammengetan. Woran Andreas verstorben ist, ist nicht bekannt. Wahrscheinlich hatte er eine Pneumonie, eventuell auch ein Bronchialkarzinom bekommen. Er muss jedenfalls am Ende seines Lebens recht gelitten haben. Maria soll ihn aufopferungsvoll bis zum Tod gepflegt haben. Sie selbst ist 20 Jahre später an Altersschwäche verschieden. Sie ist einfach am Abend ins Bett gegangen und am Morgen nicht mehr aufgestanden. Unterstützt wurde Maria bei der Pflege ihres Mannes von ihrer Schwiegermutter Theresia Habersetzer, die sehr alt geworden ist. Die beiden Frauen haben sich im Alter gegenseitig geholfen.

MARKUS, DER SOHN DES MÜLLERS

Wann Markus, der Sohn des Müllers von Dietelskirchen, genau geboren wurde, wusste niemand wirklich genau zu sagen. Die Müllerin hatte ihn einfach irgendeinmal mit auf den Hof ihres Herrn, den Großbauern Habersetzer von Seyboldsdorf, gebracht. Eigentlich hatte niemand mitbekommen, dass sie überhaupt schwanger war. Zur Zeit des 30-jährigen Krieges war dies nicht sehr erstaunlich, da jeder damit beschäftigt war, für sein eigenes Auskommen zu sorgen. Die Not war so groß, dass viele nicht wussten, wie sie Essen für ihre Familie herbekommen sollten. Sich dabei noch um andere Familien zu kümmern, war nicht üblich.

Die Eheleute Anna und Anton Müller waren bereits um die 40 Jahre alt, als sie ihren Sohn bekamen. Für die damalige Zeit war dies ein sehr hohes Alter zum Kinderkriegen. Sie hatten schon seit vielen Jahren versucht, schwanger zu werden, was bisher nicht geklappt hatte.

So kann man gut verstehen, dass sie sehr glücklich und stolz waren, endlich doch noch einen Knaben bekommen zu haben.

Dietelskirchen liegt an der kleinen Vils, wenige Kilometer von Lichtenhaag entfernt, das den Lesern sicherlich von früheren Geschichten her bekannt sein dürfte.

Die kleine Vils ist ein Bächlein, das in vielen Windungen durch das malerische Tal läuft, das wiederum von sanft ansteigenden, bewaldeten Hängen begrenzt wird.

Das Dorf selbst bestand zur damaligen Zeit nur aus wenigen Häusern, in deren Mitte sich ein damals noch gotisches, mittlerweile aber barockisiertes Kirchlein befindet.

Die Mühle befand sich am Südufer der Vils, war also auf der rechten Seite des Dorfes gelegen.

Zum Oama-Hof, den es zu dieser Zeit noch gar nicht gab, führt heute ein Fußweg dem Vilsufer entlang.

Das Wasser des Flüsschens trieb ein großes Mühlrad an, das wiederum eine Mechanik in Gang setzte, wodurch Getreide zu Mehl verarbeitet wurde. Die Mühle selbst war ein Holzbau, bei dem an dem Arbeitsteil noch ein größeres Wohnschlafzimmer und eine kleine Küche angeschlossen waren.

Der Müller hatte das Anwesen von seinem Vater geerbt. Nachdem sie aber in finanzielle Nöte gekommen waren, da sie nur wenig Aufträge erhielten, wurde die Mühle vom Bauern Habersetzer übernommen. Der Müller und seine Frau, die Tochter eines Seyboldsdorfer Krämers, konnten als Angestellte oder Knechte weiter dort arbeiten.

Etwas oberhalb der Mühle bei Dietelskirchen befindet sich eine Brücke über die Vils. Vom Weg zwischen Geisenhausen und Gerzen, der dem nördlichen Vilsufer entlangführt, zweigt über diese Brücke ein weiterer Pfad nach Süden in Richtung Vilsbiburg ab, der durch Seyboldsdorf geht.

Gleich am Dorfeingang, auf einer Anhöhe gelegen, befand sich der Hof des Bauern Habersetzer. Von der Terrasse seines Wohnhauses aus hatte man einen herrlichen Blick über das ganze Tal bis weit in die bewaldeten Hänge auf der anderen Seite des Flusses hinein.

Habersetzer war zu dieser Zeit wohl der reichste Bauer in der Umgebung. Böse Zungen behaupteten, dass seine Ländereien und sein Einfluss größer waren als selbst diejenigen der Grafen von Seyboldsdorf und Lichtenhaag.

Die Hofstelle hatte enorme Ausmaße. Es waren viele Gesindehäuser, Stallungen und Scheunen neben dem großen, fast etwas protzig wirkenden Wohnhaus der Bauernfamilie vorhanden. Es handelte sich, wie in Niederbayern üblich, um einen Viereckhof.

Die Höfe zur damaligen Zeit waren vor allem Selbstversorger. Es musste zumindest so viel Nahrung erzeugt werden, dass die Angestellten, Knechte wie Dirnen, sowie deren Familien, einschließlich der Familie des Bauern ernährt werden konnten.

Nachdem sie ihre Mühle verkauft hatten, gehörten auch die Müllers zu den Angestellten dieses landwirtschaftlichen Großunternehmens.

Sie hatten ihre Mühle verkaufen müssen, nachdem sie nicht zuletzt auf Druck des einflussreichen Bauern Habersetzer keine Aufträge mehr erhalten hatten.

Anna und Anton Müller waren aber mit ihrem Leben recht zufrieden. Sie hatten Arbeit. Nach all den Jahren des Wartens haben sie zu guter Letzt doch noch einen Sohn bekommen.

Die Zugehörigkeit zum Habersetzer-Hof bedeutete auch eine gewisse Sicherheit vor Dieben und Überfällen. Da ihre Mühle circa zwei Kilometer von der Hofstelle entfernt war, konnten sie auch nach deren Verkauf ziemlich selbstständig weiterarbeiten, ohne beständig vom Bauern oder dessen Bäuerin angeschnauzt zu werden, wie es den Dirnen und Knechten am Hof selbst erging. Anton hatte ein Fuhrwerk mit großer Ladefläche, an dem man zwei Pferde einspannen konnte. Damit brachte er die Vilshänge hinauf die fertigen Mehlsäcke zum Hof, um von dort wieder Getreide zum Mahlen mitzunehmen.

Für den mittlerweile zehnjährigen Markus bedeutete es natürlich eine besondere Freude, neben seinem Vater auf der Kutsche sitzen und zum Hof mit hochfahren zu dürfen.

Auf der Hofstelle spielten viele Kinder der anderen Angestellten. Es war für Markus immer eine lustige Abwechslung, bei diesen Kindern sein zu dürfen, während sein Vater den Wagen ent- und wieder belud. Am Hof befand sich auch ein Gemeinschaftsraum, in dem sich die Dirnen und Knechte zusammensetzen und etwas trinken konnten. Anton nutzte selbstverständlich die Gelegenheit, mit den anderen Knechten reden und diskutieren zu können, wenn er einmal pro Woche zum Hof hochkam. Man erfuhr immer viele Neuigkeiten, wobei Anton auch kein Verächter einiger Maß Bier war, die gerne in ihn bei solchen Gelegenheiten hineinflossen.

Die Heimfahrt mit dem frisch geladenen Getreide auf ihrem Fuhrwerk gestaltete sich immer recht lustig. Zumindest war es dies für den Müller, der viel vor sich hin kicherte, wenn er nicht schon während der Fahrt einschlief und kräftig schnarchte. Für den zehnjährigen Markus gestaltete sich das Ganze nicht so fröhlich. Er hatte jeweils große Mühe, die Pferde die Abhänge das Vilstal hinunter zur Mühle zu bringen.

In früheren Zeiten waren die Fahrten zum Hof und zurück noch viel entspannter. Nachdem jetzt aber bereits seit mehreren Jahren Krieg herrschte, trieb sich allerlei Gesindel herum, so dass man Angst haben musste, überfallen zu werden.

Auch die Aufenthalte am Hof waren nicht mehr so entspannt wie früher. Es kam immer wieder vor, dass Landsknechtshorden vorbeikamen, sich dort niederließen und verköstigt werden wollten. Dabei floss auch viel Bier, so dass man froh sein durfte, wenn sie in ihrem Suff nicht anfingen zu randalieren.

Anna war jedes Mal ziemlich verärgert, wenn Anton in solch einem angetrunkenen Zustand zurückkam, etwas dagegen tun konnte sie allerdings nicht.

Markus freute sich bei ihren Ausflügen vor allem auch immer, Theresia zu treffen. Diese war die Tochter des Bauern Hermann Habersetzer. Mit ihren sieben Jahren war sie bereits eine kesse kleine Dame. Ihre rehbraunen Augen strahlten jedenfalls immer, wenn sie Markus auf seinem Pferdefuhrwerk in den Hof einbiegen sah. Sie wartete jeden Freitag sehnsüchtig darauf, dass sie endlich kamen. Die beiden Kinder spielten zusammen, machten Spaziergänge, wobei sie sich manchmal sogar schon bei den Händen hielten. Für sie war es immer schon klar, dass sie einmal heiraten würden. Wenn ihr Vater Hermann auch nur eine geringe Ahnung von solchen Hirngespinsten gehabt hätte, hätte es furchtbaren Krach gegeben, da er seine einzige Tochter nie mit dem Sohn seines leibeigenen Müllers verheiraten würde.

Doch gegen Kinderträume konnte nicht einmal der gestrenge Bauer etwas ausrichten.

Dass in Prag die Abgesandten des Kaisers vom Fenster des Rathauses geworfen wurden, um den Monarchen zu provozieren, war nun schon wieder viele Jahre her. Kaiser Ferdinand von Habsburg hat sich daraufhin im nächsten Frühjahr furchtbar gerächt. Der damals ausgerufene Gegenkönig wurde wieder vertrieben, was ihm den Beinamen Winterkönig einbrachte.

Auch Bayern war an diesem Krieg beteiligt. Herzog Maximilian hatte bei der Mutter Gottes von Altötting geschworen, die vom rechten Glauben abgefallenen Städte und Länder wieder zum wahren Glauben zurückzuführen. Er hatte dazu den Niederländer Johann Jerklas von Tilly zum Oberbefehlshaber über seine Truppen berufen. Diese haben Rothenburg ob der Tauber belagert, was im jährlichen Festspiel zu Pfingsten, im sogenannten Meistertrunk, bis zum heutigen Tag nachgespielt wird. Sogar Magdeburg, das damalige Zentrum des Protestantismus, soll von diesem Feldherrn eingenommen und grausam geplündert und zerstört worden sein.

Das kleine Vilstal lag so abgelegen, dass man bisher nur wenig von diesen furchtbaren, weltgeschichtlichen Ereignissen mitbekommen hatte, wenn man von einigen durchziehenden Landsknechtshorden absieht.

Dies war allerdings gerade dabei sich zu ändern, nachdem soeben Männer des Herzogs gekommen waren, um neue Soldaten für dessen Heer zu rekrutieren.

Markus war noch zu jung. Doch Johannes, der Sohn des Bauern, und einige seiner Knechte oder Söhne von Knechten hatten bereits das Alter, um eingezogen zu werden.

Überraschenderweise durfte Johannes dann doch wieder am Hof bleiben, obwohl er bereits zur Rekrutierung bestimmt war. Es hielt sich damals hartnäckig das Gerücht, der Bauer hätte den Abgesandten des Herzogs Geld gegeben, um seinen Sohn frei zu kaufen.

Normalerweise gehen die Leute von Seyboldsdorf am Sonntag in die Kirche von Seyboldsdorf, während die Leute von Dietelskirchen selbstverständlich ihre eigene Kirche besuchen. An bestimmten Tagen kann es aber schon einmal vorkommen, dass die Seyboldsdorfer runter nach Dietelskirchen, beziehungsweise jene hoch nach Seyboldsdorf kommen. Dies trifft vor allem dann zu, wenn in einem der beiden Orte ein Markt stattfindet. Die Leute kommen dann, um nach der Kirche und dem Frühschoppen auf den Markt zum Herumschauen und Einkaufen zu gehen. Man trifft dabei immer viele Leute, mit denen man sich unterhalten kann. Dies bringt Abwechslung in den ansonsten sehr eintönigen Alltag der Menschen.

Als nun wieder einmal in Dietelskirchen Marktsonntag war, wollte Theresia nach der Messe unbedingt Markus in seiner Mühle besuchen. Ihr Bruder Johannes hatte wenig Lust, zu diesem uninteressanten Sohn des Müllers zu gehen. Schließlich gab er den eindringlichen Bitten seiner Schwester nach. Markus war allein zu Hause. Seine Eltern waren auf dem Markt geblieben, um dort Freunde zu treffen und Einkäufe zu betätigen. Markus war nach der Kirche wieder nach Hause gegangen, da er hoffte, Theresia würde ihn besuchen kommen.

Eigentlich war er sogar etwas enttäuscht, als sie mit ihrem Bruder Johannes, von dem er ziemlich von oben herab behandelt wurde, bei ihm auftauchte.

Die drei Jugendlichen unterhielten sich. Er bot ihnen Wasser, Bier und etwas Brot zum Trinken und Essen an. Johannes rümpfte darüber etwas die Nase, sagte aber aus Rücksicht auf seine Schwester nichts. Als sie so am Tische saßen, aßen, tranken und sich unterhielten, fragte Johannes plötzlich, was auf dem Dachboden oberhalb von ihnen war. Da Markus bisher noch nie dort oben war, konnte er diese Frage nicht beantworten. Nachdem keine Treppe dort hinaufführte, konnte man nur über eine Leiter von außen dorthin gelangen. Es gab auch keine Türe. Man musste vielmehr zwei Bretter zur Seite schieben, um dort hineinzugelangen.

Markus wollte die beiden anderen davon abhalten, auf den Speicher zu steigen, da seine Eltern es ihm verboten hatten. Die Bretter wären morsch, haben sie als Begründung angegeben. Man könnte leicht durchbrechen und sich verletzen.

Johannes insistierte aber beharrlich darauf, dorthin zu steigen. Gegen Markus' Willen holte er sich vom Garten der Mühle eine Leiter, um sie an die Hauswand zu lehnen. Er kletterte hinauf, schob zwei lose Bretter zur Seite und gelangte so auf den Dachboden. Die anderen beiden folgten ihm. Man konnte sich dort oben in gebückter Haltung fortbewegen. Neben viel Staub, der sich im Laufe der Jahre angesammelt hatte, fanden die drei in der Mitte des Speichers eine Truhe stehen. Die Bretter waren fest. Die Gefahr einzubrechen, wie Markus' Eltern es gesagt hatten, bestand offenbar nicht.

Johannes, als Neugierigster von den dreien, war bereits bis zur Truhe vorgedrungen.

Nachdem diese fest verschlossen war, gelang es ihm nicht, sie zu öffnen. Er benötigte dazu ein Brecheisen. Trotz des Widerstandes von Theresia und Markus kletterte Johannes wieder hinab, um ein solches Werkzeug zu suchen. Da gute Werkzeuge zum Betreiben einer Mühle unentbehrlich sind, wurde er sehr bald fündig. Er stieg also wieder nach oben, um die Truhe trotz Markus' Widerstand aufzubrechen. Nachdem mit einiger Mühe das Schloss zerbrochen war, sprang der Deckel auf.

In der Truhe fanden sie, sorgfältig zusammengelegt, Babykleidung mit Brokat-Stickereien, wie sie Adelskinder trugen. Sie nahmen diese Kleidungsstücke aus der Truhe und entdeckten darunter eine kleine, schön verzierte Schatulle. Diese ließ sich leicht öffnen. Die drei staunten nicht schlecht, als sie darin eine mit Edelsteinen verzierte Brosche entdeckten, die eine Rose darstellte.

Johannes nahm dieses edle Schmuckstück sofort an sich. Ein so edles Geschmeide kann keiner Müllersfamilie gehören. Als die drei die Leiter wieder herabstiegen, kamen Markus' Eltern nach Hause. Sie wurden von Johannes sofort als Diebe beschimpft. Er beschuldigte sie, diesen Anhänger gestohlen zu haben. Er werde ihn jedenfalls mitnehmen, um ihn als Zierde im Bauernhof auszustellen.

Anna und Anton Müller sahen entsetzt, was geschehen war. Sie konnten keine Antwort auf die Frage geben, woher sie dieses Schmuckstück hatten. So nahm Johannes es also mit, indem er ihnen erklärte, dankbar sein zu müssen, dass er sie nicht bei der Polizei verklagte.

Theresia war sehr unglücklich über das Geschehen, konnte aber nichts dagegen machen. Johannes hängte den Anhänger in der Gaststube am Hof auf, damit alle sehen konnten, über welche Reichtümer sie verfügten.

DAS GESTÄNDNIS

Nachdem Theresia und Johannes verschwunden waren, schaute Markus seine Eltern fragend an. Die Falten in Antons Gesicht schienen sich noch zu vertiefen. Schweißtropfen perlten ihm von der hageren Stirn. Sein schütterer Haarkranz um seine Glatze war bereits ergraut. Als er so vor Markus stand, schien er plötzlich um Jahre gealtert.

Ähnlich betreten blickte Anna an Markus vorbei. Es hatte den Anschein, als würde sie sich nicht mehr trauen, ihm in die Augen zu schauen. Auch sie schien plötzlich gealtert zu sein. Um ihre müden Augen bildeten sich Tränensäcke. Ihre Haare hingen ihr in Strähnen vom Kopf herunter. Sie wirkte, als würde sie in sich zusammensinken. Dabei hatten beide doch zum sonntäglichen Kirchgang und Besuch des Marktes ihre besten Kleider angezogen. Doch plötzlich wirkten auch diese stumpf, alt und ungepflegt.

Markus, dem die Veränderung bewusstwurde, die an seinen Eltern vor sich ging, drängte darauf, endlich zu erfahren, was los war.

Anton meinte, sie sollen zuerst in die Mühle hinein gehen und sich hinsetzen, bevor er mit dem Erzählen beginnen werde.

Markus sah seine Eltern gespannt an, als sie um ihren Tisch herumsaßen und beide verlegen an ihm vorbei blickten.

Es dauerte einige Zeit, bis Anton seinen Blick hob, es wagte, seinem Sohn in die Augen zu schauen und mit seiner Erzählung begann.

Sie hätten es ihm sowieso sagen müssen, wenn er etwas älter geworden wäre, begann er, um gleich darauf wieder zu stocken. Was sie ihm denn hätten erzählen müssen, drängte ihn Markus, fortzufahren.

Sie hätten sehr viele Jahre versucht, ein Kind zu bekommen, meldete sich nun plötzlich Anna zu Wort, die sich vom ersten Schrecken langsam wieder erholt zu haben schien.

Als sie die Hoffnung bereits aufgegeben hatten, da sie eigentlich schon zu alt waren, um noch Kinder zu bekommen, geschah plötzlich ein Wunder. Sie unternahmen abends nach der Arbeit gerne Spaziergänge der Vils entlang, um sich etwas von der Anstrengung des Tages zu erholen.

Als sie wieder einmal an einem kühlen Herbstabend von einer Vilswanderung zurückkamen, sahen sie vor ihrer Haustüre eine Truhe stehen. Erstaunt öffneten sie den Deckel und fanden darin ein neugeborenes Kind, das sie mit großen Augen anschaute, in Brokatkleidern mit einer Schatulle neben sich.

Irgendjemand musste dieses Kind vor ihrer Türe abgesetzt haben, damit sie sich darum kümmerten. Sie konnten ihr Glück kaum fassen, endlich doch noch ein Kind bekommen zu haben.

Ihr größtes Problem war, wie sie das Kind ernähren sollten. Da sie selbst keine Milch hatte, musste sie eine Amme finden, die das Kind stillen konnte. Zufällig hatte eine Freundin von Anna wenige Wochen zuvor eine Tochter geboren. Zu ihr brachte sie zwei Mal am Tag den kleinen Markus. Sie wanderte dazu den Vilstalweg entlang bis zu der großen Scheune an dem Platz, wo später der Oama-Hof entstehen sollte. Sie musste dann nur noch circa 100 Meter eine Sandstraße hoch bis unterhalb der Kirche gehen, um zu ihrer Freundin zu gelangen.

Ihr hatte sie wie den anderen erzählt, dass sie ihren Sohn zu Hause ohne Hebamme zur Welt gebracht hat. Die Schwangerschaft hätte man ihr kaum angesehen, fügte sie beiläufig hinzu. Obwohl die Freundin etwas überrascht von den Ereignissen war, fragte sie nicht weiter nach. Getauft wurde der Knabe dann auf den Namen Markus Anton in der Kirche zu Seyboldsdorf.

Da sie nur wenige Freunde und schon gar kein Geld hatten, fand die Tauffeier im Aufenthaltsraum des Habersetzer-Hofes nur in sehr kleinem Rahmen statt. Was die Eheleute Anna und Anton Müller besonders freute, war, dass kurzzeitig sogar Maria von Seyboldsdorf, die Mutter Annas von Seyboldsdorf und Lichtenhaag, vorbeischaute, um ein kleines Geschenk zu bringen.

Damals konnte sich noch niemand vorstellen, dass Anna von Seyboldsdorf gemeinsam mit ihrem Mann Joseph Weixelgartner einmal den Oama-Hof bauen würde und dass sie einmal die beste Freundin von Theresia Habersetzer werden sollte.

Als Markus dies alles vernommen hatte, fing er an zu weinen. Er umarmte seine Eltern und fügte hinzu: „Wenn ich auch wahrscheinlich nie erfahren werde, wer meine leiblichen Eltern sind, so werdet ihr beide doch immer meine eigentlichen Eltern bleiben."

Anna versicherte Markus, dass sie vorhatten, ihm mit 18 Jahren die Brosche und seine Babykleider zu zeigen. Durch diese unglücklichen Ereignisse sei dieser Zeitpunkt jetzt leider vorverlegt worden. Dass Johannes Habersetzer Markus' Anhänger in der Gaststube seines Hauses aufgehängt hat, wo jeder Fremde, der vorbeikam, ihn sehen konnte, war den dreien natürlich nicht recht. Etwas dagegen tun konnten sie aber nicht.

Nach diesen Ereignissen waren bereits wieder einige Jahre vergangen. Markus Müller war mittlerweile 18 Jahre alt.

Sein Verhältnis zu Theresia war seither noch viel inniger geworden. Sie trafen sich abends nach der Arbeit oft im Wald. Wissen durfte niemand von ihrer Beziehung. Ihren Eltern erzählten sie einfach, noch etwas spazieren gehen zu wollen. Versteckt an einer kleinen Lichtung, wohin normalerweise niemand kommt, lagen sie dann oft gemeinsam unter einer großen Eiche, um den Vögeln über ihnen beim Fliegen zuzusehen, oder einfach nur um die Blätter des Baumes anzuschauen, wie sie sich im Wind bewegten. Sie sprachen von ewiger Liebe, davon, einmal heiraten und zusammen bleiben zu wollen. Wissen durfte niemand von ihrer Liebe, da sie sonst sofort unterbunden worden wäre. Der Sohn eines leibeigenen Müllers wäre sicherlich nicht die richtige Partie für die Tochter des Habersetzer-Bauern gewesen. Andererseits hätte das Ehepaar Müller mit Repressalien von Seiten ihres Bauern rechnen müssen, hätte dieser von der Liaison der beiden gewusst.

Johannes war manchmal skeptisch wegen der häufigen Spaziergänge seiner Schwester. Doch kannte auch er den wahren Grund dafür nicht. Einmal wollte er unbedingt mitgehen, was Theresia ihm nicht verwehren konnte. Markus wartete dieses Mal vergeblich auf seine Freundin.

In Kriegszeiten kam immer mehr Gesindel in die Gaststube des Habersetzer-Hofes. Häufig kamen Landsknechte und

Soldaten vorbei, die sich dann unentgeltlich verköstigen ließen. Es gab oft große Saufgelage, wobei viele in ihrem Suff zu randalieren begannen. Die Knechte des Bauern hatten oft alle Hände voll zu tun, um diese Leute wieder loszuwerden, ohne dass allzu viel kaputt gemacht wurde.

Auch den Anhänger an der Wand betrachteten manche mit begehrlichen Blicken, ohne dass ihn bisher jemand mitgenommen hätte.

Eines Tages war er jedoch verschwunden. Zwei schwarz gekleidete, große, breitschultrige Männer, die bisher noch nie am Hof gesehen worden waren, hatten auffällig viele Fragen nach der Herkunft dieses Schmuckstückes gestellt.

Zwei Tage später war der Anhänger verschwunden. Irgendjemand musste ihn nachts, als alle schliefen, entwendet haben.

Eines Abends, als sich Markus und Theresia wieder einmal an ihrer Eiche trafen, wirkte das Mädchen irgendwie traurig. Sie legten sich unter ihren Baum, zogen sich aus, wie sie es schon öfter gemacht hatten, küssten sich. Doch dieses Mal wollte Theresia mehr. Sie wollte mit Markus schlafen. Sie wollte, dass er in sie eindringt. Sie schliefen miteinander. Sie waren glücklich hinterher, bis Theresia Markus gestand, dass sie heiraten müsste.

Ihr Vater hätte einen reichen Bauernsohn für sie ausgesucht. Sie habe ihn bisher noch nicht kennengelernt. Er soll aber dick, hässlich und äußerst unsympathisch sein. So jedenfalls habe eine Freundin von Theresia ihn ihr beschrieben. Schon in einer Woche soll die Verlobungsfeier sein. Markus war entsetzt. Er schlug ihr vor, mit ihm zu fliehen. Sie wollten weit weg gehen. Er könnte als Knecht irgendwo arbeiten.

Da er lesen und schreiben konnte, wäre es vielleicht möglich, sich als Schreiber in einer Stadt zu verdingen. Zur damaligen Zeit konnten nur sehr wenige Leute lesen und schreiben, weshalb solche, die Briefe aufschreiben, aber auch vorlesen konnten, gefragt waren.

Markus hatte von Anna lesen, schreiben und rechnen gelernt. Als einzige Tochter eines Kramer-Ehepaars, deren kleines Geschäft in Dietelskirchen zeitweise relativ gut lief, bis es dann letztendlich doch pleiteging, wurde sie von ihren Eltern ins Internat nach Landshut ins Kloster Seligental geschickt. Von den Klosterschwestern lernte sie die Grundrechenarten sowie lesen und schreiben. Einen Schulabschluss konnte sie dann aber leider doch nicht mehr machen, da ihren Eltern das Geld ausgegangen war, weshalb Anna wieder nach Dietelskirchen zurückkehren musste.

Jedenfalls hat sie an Markus alles, was sie selbst von den Schwestern gelernt hat, versucht, weiterzugeben.

Auch Theresia selbst hatte über einen Privatlehrer, den ihr Vater für sie und Johannes organisiert hatte, eine gewisse Schulbildung genossen.

Die beiden Liebenden schmiedeten Pläne, wie sie am besten fliehen konnten. Sie überlegten, wohin sie gehen sollten, um nicht gefunden zu werden. Würden sie aufgegriffen werden, müsste zumindest Markus als Sohn eines leibeigenen und damit völlig rechtlosen Müllers mit schweren Strafen rechnen.

Sie mussten sehr vorsichtig sein. Die Verlobungsfeier konnten sie nicht mehr verhindern. Die Hochzeit würde Theresia versuchen, möglichst lange hinauszuzögern, in der Hoffnung, eine günstige Gelegenheit zur Flucht zu finden.

Die Verlobungsfeier wurde sehr pompös im Innenhof des Habersetzer-Anwesens abgehalten. Es floss viel Bier. Es gab gute Speisen. Die Mägde und Knechte beider Bauernhöfe freuten sich, so großzügig bewirtet zu werden.

Markus und seine Eltern waren auch gekommen. Er gratulierte dem Brautpaar selbstverständlich höflich, wobei er den Eindruck bekam, dass die Schilderung von Theresias Freundin, was den Bräutigam betrifft, noch sehr schmeichelhaft ausgefallen ist. Das einzig Schöne an diesem Mann schien sein Reichtum zu sein.

Wie Theresia Markus erklärt hat, schien auch der Habersetzer-Hof durch die Kriegswirren in finanzielle Schieflage geraten zu sein, so dass ihr Vater eine Hochzeit seiner Tochter mit einem reichen Bauern als einzigen Ausweg ansah, um seinen Hof zu retten. So jedenfalls scheint er es ihr erklärt zu haben, als sich Theresia gegen diese Verlobung zu wehren versuchte. Diese Begründung hat sie so an Markus weitergegeben.

Jeder konnte bei der Verlobungsfeier sehen, dass es sich um ein äußerst ungleiches Paar handelte. Theresia war mit ihren dunklen, tiefliegenden Rehaugen, ihren hohen Backenknochen, ihrem ovalen Gesicht mit den wallenden, brünetten Haaren, ihrer schlanken, aber muskulösen Gestalt eine ausgesprochen schön anzusehende Frau.

Ihr Verlobter hingegen war zwar ausgesprochen schön angezogen mit seinem vornehmen Anzug, dem breitkrempigen Hut mit angesteckter Fasanenfeder und seinen eleganten Schuhen.

Sein Gesicht mit den hervorstechenden Augen, seinem Doppelkinn, welches ohne abzusetzen in den Hals überging, erinnerte aber irgendwie an ein Mastschwein. Dazu passte auch der dicke Bauch, der sich an zwei etwas zu kurz geratene Beine anschloss.

Dennoch schien dieser Mann sehr von sich überzeugt zu sein. Seine Reden wirkten prahlerisch. Nach einigen Litern Bier, die im Laufe des Abends in ihn hineinliefen, wurden sie ausnehmend ausfallend, so dass Theresia sich frühzeitig in ihr Schlafzimmer zurückzog.

Markus hatte die beiden heimlich den ganzen Abend über beobachtet. Er hat richtig Mitleid mit seiner Freundin bekommen.

Ihr Vater hingegen schien von seinem künftigen Schwiegersohn sehr überzeugt zu sein. In seiner Ansprache, die er zu Ehren des Brautpaares hielt, lobte er ihn über allen Maßen.

Johannes saß bei seiner Freundin, einem recht hübschen Mädchen aus Vilsbiburg. Er schien von all dem nichts zu bemerken.

Theresias Mutter Maria wirkte an diesem Abend etwas unglücklich. Sie hatte ein schlechtes Gewissen, wenn sie zu ihrer Tochter hinüberschaute und feststellen musste, wie angeekelt diese von ihrem Verlobten zu sein schien. Obwohl sie wusste, wie sehr Theresia diese Verlobung ablehnte, hat sie sie dennoch dazu gedrängt, da sie keinen anderen Ausweg für ihren Hof, für ihre weitere Existenz sah als die Vermählung mit dem Sohn eines reichen Bauern.

Ihr Hof, der einst so glänzend dastand, war durch die vielen Landsknechtshorden, die sich im Laufe der langen Kriegsjahre immer wieder bei ihnen schadlos gehalten hatten, an den Rand des Ruins getrieben worden.

Ihren Ehemann Hermann schienen die Gefühle seiner Tochter nicht zu interessieren. Für ihn war nur die Verbindung mit einem reichen Bauern wichtig, um seinen eigenen Hof wieder zu sanieren.

DIE ERMORDUNG

Im Laufe des Abends mischten sich unbemerkt zwei fremde, etwas südländisch wirkende, schwarz gekleidete Männer unter die Gäste, die heimlich die Eheleute Müller und ihren Sohn Markus beobachteten.

Einige der Knechte hatten diese beiden Herren sogleich wiedererkannt, nachdem sie vor einigen Wochen bereits einmal hier waren, wobei sie besonderes Interesse an Markus' Anhänger gezeigt hatten. Wenige Tage, nachdem diese Männer wieder gegangen waren, war dieser dann auch plötzlich verschwunden.

Markus selbst hat erst an Theresias Verlobungstag erfahren, dass sein Anhänger gestohlen wurde. Als die Familie Müller kurze Zeit nach Mitternacht aufbrach, um heimzugehen, folgten ihnen diese beiden Männer kurz danach. Markus hatte seinen Kopf voller düsterer Gedanken. Seine Geliebte war verlobt und sein Anhänger gestohlen worden. Er wollte noch etwas spazieren gehen, um seine Gedanken zu ordnen.

Als er circa eine halbe Stunde später wieder auf ihre Mühle zuging, sah er, wie zwei Männer gewaltsam die Türe aufbrachen und hineinstürmten. Gleich darauf hörte er, wie zwei Schüsse abgefeuert wurden. Seine Eltern schrien vor Schmerz auf. Sie schienen getroffen zu sein. Markus konnte sich gerade noch hinter einem dicken Baum verstecken, als die Türe auch schon wieder aufging und die beiden Männer fluchend, in einer Sprache, die er nicht verstand, wieder herauskamen.

Irgendwie wusste er sofort, dass sie ihn suchten. Er war das Ziel ihres Überfalls. Vom Hause heraus konnte er hören, wie seine Eltern im Todeskampf aufschrien und dann bald verstummten. Er konnte ihnen nicht helfen, wollte er nicht das nächste Opfer dieser Killer werden, in denen er die beiden Männer erkannt hat, die am Ende der Feier am Hof erschienen waren.

Er hatte keine Erklärung für diesen Überfall. Doch war ihm klar, dass er unbemerkt verschwinden musste, wenn er nicht auch getötet werden wollte. Er schlich sich nach hinten gehend immer weiter von diesem Baum weg in die Dunkelheit, um nicht bemerkt zu werden.

Als er weit genug weg war, so dass sie ihn nicht mehr verfolgen konnten, hielt er erst einmal inne, um nachzudenken, was er weiter machen sollte.

Es war ihm klar, dass er aus dem kleinen Vilstal verschwinden musste. Hier war er nicht mehr sicher.

Er musste schnell weg von hier, ohne noch mit Theresia Kontakt aufnehmen zu können.

Zuerst wollte er nach Vilsbiburg gehen, um dort bei der Polizei Meldung über die Geschehnisse zu machen. Leider war bei der Polizeidienststelle alles dicht. Niemand war zu erreichen. So beschloss er, in Richtung München zu gehen, um sich für das Militär anwerben zu lassen. Auf diese Weise würde er sich am ehesten vor diesen Mördern sicher fühlen.

Instinktiv war ihm klar, dass sie alles daransetzen würden, um ihn aufzuspüren und zu töten. So marschierte er die ganze Nacht hindurch, an Vilsbiburg vorbei nach Südwesten, wo er irgendwo München vermutete.

Bei Tagesanbruch versteckte er sich in einer Scheune, weit oben im Heu, wo ihn keiner finden konnte.

Nach ein paar Stunden Schlaf machte er sich hungrig und durstig wieder auf den Weg, um an Velden vorbei nach Taufkirchen und von dort nach Erding zu gelangen.

Er war jedoch noch weit vor Velden, als er von einer Schar bayrischer Soldaten, die zufällig vorbeikamen, aufgegriffen und gleich rekrutiert wurde.

Es ist ihm nie bewusst geworden, dass ihm damit das Leben gerettet wurde. Der Tod in Gestalt zweier in schwarzen Anzügen gekleideter Männer, die auf seinen eigenen Kutschpferden ritten, war schon bis auf Sichtweite an ihn herangekommen.

Den beiden Killern war klar, dass er sich nur in Richtung Landshut oder München wenden konnte. Zu seinem Glück haben sie erst die falsche Richtung eingeschlagen. Als sie dies bemerkten, drehten sie nach Vilsbiburg um. Da sie weniger Schlaf benötigten als Markus, waren sie ihm schon ziemlich nahegekommen, als er von den Soldaten aufgegriffen wurde.

Die beiden Männer erkannten, dass sie ihre Strategie ändern mussten. Ihn einfach so abzuknallen, wie sie es mit seinen Eltern gemacht hatten, dürfte nicht mehr möglich sein.

So folgten sie dem Soldatentrupp in sicherem Abstand, um nicht entdeckt zu werden.

Ohne den Jungen getötet zu haben, konnten sie nicht über die Alpen zurück nach Italien kommen, wenn sie nicht Gefahr laufen wollten, selbst von ihrem Auftraggeber umgebracht zu werden. Mit Versagern würde man kurzen Prozess machen. Andererseits hatte Markus sie gesehen.

Er würde in der Präfektur Meldung machen, woraufhin sie damit rechnen mussten, plötzlich selbst von der bayrischen Militärpolizei gejagt zu werden.

Für sie war es deshalb das Beste, trotz aller Bedenken nach Italien zurückzukehren und ihren Auftraggeber davon zu überzeugen, neue Killer auf Markus anzusetzen.

Nachdem Markus die Ermordung seiner Eltern als Grund für seine Flucht sowie die Beschreibung der Täter bei der Militärleitung in Erding angegeben hatte, wurde sofort ein Stoßtrupp nach Vilsbiburg ausgesandt, um Kontakt mit den dortigen Behörden aufzunehmen.

Da die beiden Mörder aber bereits nach Süden aufgebrochen waren mit der Absicht, über die Alpen nach Italien zu gelangen, blieb die Suche nach ihnen erfolglos.

Olgas Mutter in ihrem Blumengarten

DIE HOCHZEIT

Theresia war frustriert, als sie sich von ihrer Verlobungsfeier schon recht bald zurückzog, um sich schlafen zu legen. Thomas Riedenauer, ihr Verlobter und künftiger Ehemann, feierte mit seinen Freunden noch lange weiter. Theresias Verschwinden schien er gar nicht richtig registriert zu haben. Er trank viel Bier, zwischendurch Schnaps, so dass er, nachdem die Gäste gegangen waren, ziemlich angetrunken in Theresias Schlafzimmer kam.

Als er seine Verlobte schlafend im Bett fand, warf er sich über sie, um sie zu küssen.

Da diese sich nur so gestellt hatte, als würde sie schlafen, um von ihm in Ruhe gelassen zu werden, versuchte sie erst einmal, ihn abzuwehren. Daraufhin fing Thomas in seinem Suff an, auf sie einzuschlagen, um sie gefügig zu machen. Er riss ihr die Kleider vom Körper, packte sie fest, damit sie sich nicht wehren konnte, und versuchte, sie zu küssen und mit seinem Penis in sie einzudringen.

Irgendwie schien ihn dabei aber der Schlaf zu übermannen. Während des Küssens rollte er von ihr herab auf den Rücken und fing heftig an zu schnarchen.

Theresia deckte ihn zu und legte sich selbst leise auf ihre Couch, sehr darauf bedacht, ihn nicht zu wecken.

Zu diesem Zeitpunkt war ihr noch nicht bewusst, dass sie später einmal behaupten würde, sie hätten bei dieser Gelegenheit zum ersten Mal miteinander geschlafen. Thomas konnte sich am nächsten Tag an nichts mehr erinnern.

Theresia klagte in den kommenden Wochen über starke Übelkeit. Ihre Periode war ausgeblieben, so dass ihr ziemlich bald klar wurde, dass sie schwanger sein dürfte.

Wie hätte sie sonst ihre Schwangerschaft begründen sollen, wenn sie nicht zugeben wollte, dass Markus der Vater war, wenn sie nicht behauptet hätte, an ihrem Verlobungsabend mit Thomas geschlafen zu haben?

Dieser war noch stolz darauf, Theresia so leicht flachgelegt zu haben und Vater zu werden.

Es sollte für lange Zeit das letzte Mal gewesen sein, dass sie zusammen Verkehr gehabt hatten, da es ihr die ganze Schwangerschaft über schlecht ging, ihr übel war, sie Schmerzen hatte und vieles mehr, um nicht mit ihm schlafen zu müssen.

Als am nächsten Tag nach der Verlobungsfeier ein Bauer aus Dietelskirchen in die Mühle kam, um Mehl zum Brotbacken sich zu besorgen, fand er die Türe zum Wohnraum offen. Verwundert trat er ein und sah Anna und Anton Müller leblos in einer riesigen Blutlache liegen. Ihre Gesichter waren vor Entsetzen und Schmerzen verzerrt, ihre Augen weit aufgerissen, als der Tod eintrat.

Der Bauer lief völlig verwirrt wieder hinaus und schrie um Hilfe, so dass viele Leute aus dem Dorf zusammenkamen, um die toten Müller zu sehen.

Von Markus war keine Spur zu finden. War auch er tot, oder war er entführt worden, fragten sich viele.

Für Theresia war die Nachricht von der Ermordung der Müller und dem Verschwinden ihres Geliebten schrecklich. Ihre Hoffnung auf Flucht und ein gemeinsames Leben mit Markus war vorbei. Sie sah sich völlig ihrem furchtbaren Thomas ausgeliefert.

Zu ihrem eigenen Schutz erfand sie die Geschichte, mit Thomas am Verlobungsabend geschlafen zu haben.

Beerdigt wurden die Müller drei Tage später auf dem Friedhof von Dietelskirchen, der um die Kirche herum innerhalb der Begrenzungsmauer angelegt war. Am Vorabend fand das Requiem statt. Zur Beerdigung am nächsten Vormittag waren überraschend viele Leute gekommen. Obwohl Anna und Anton leibeigen und arm waren, waren sie dennoch sehr beliebt. Der Hauptgrund, warum so viele Trauergäste gekommen waren, war sicherlich der Umstand ihres Todes. Ein Raubmord im kleinen, abgelegenen Vilstal war für die meisten Menschen unbegreiflich. Sie hatten Angst bekommen, ihnen könnte jederzeit das Gleiche passieren.

Unter den Trauergästen waren neben Leuten aus Dietelskirchen, Lichtenhaag, Seyboldsdorf, Dietmannskirchen und Gerzen auch die Grafenfamilie von Seyboldsdorf-Lichtenhaag sowie die Familie Habersetzer.

Anna von Seyboldsdorf und Theresia Habersetzer waren von Kindheit an gute Freundinnen. Sie hatten zusammengespielt, sind aber auch vom gleichen Hauslehrer im Lesen, Schreiben und Rechnen unterrichtet worden. Sie trafen sich jetzt wieder unter so traurigen Umständen. Anna war auch die einzige Person, der Theresia von ihrer Liebe zu Markus erzählt hatte.

Sie konnte deshalb am besten deren Trauer nicht nur über den Tod der Müller, sondern auch über den Verlust von Markus verstehen, von dem es bisher kein Lebenszeichen gab.

Es sollten noch Wochen vergehen, bis Theresia ein Brief von Markus erreichte, in dem er ihr die Vorkommnisse schilderte und ihr zugleich mitteilte, dass er mit der bayrischen Armee zum Kampf gegen die Schweden abkommandiert wurde.

Anna von Seyboldsdorf ahnte zu dieser Zeit noch nicht, dass auch ihrer Familie schwere Schicksalsschläge bevorstünden.

Ihre Mutter Maria, die übrigens bereits bei Markus' Taufe anwesend war, würde bald nach ihrer Reise zum Chiemsee auf Einladung des bayrischen Herzog Maximilian an einer Pneumonie sterben.

Ihr jüngerer Bruder würde im kaiserlichen Heer im Kampf gegen die Schweden fallen.

Ihr Vater würde von Gustav Graf zu Gundifels erstochen werden, als er sie vor dessen Vergewaltigung schützen wollte.

Sie würde bei dieser Gelegenheit aber auch ihren Retter, Geliebten und späteren Ehemann Joseph Johannson kennenlernen, der dann der Urahn der Weixelgartnerfamilie werden sollte.

Der Pfarrer von Dietelskirchen hielt eine Grabrede über die Schrecken der Zeit, in der sie alle leben. Es sei ein Werk des Satans, dass Menschen in ihren Wohnungen überfallen und ermordet werden. Schwere Prüfungen werden auf sie alle zukommen.

Hermann Habersetzer lud die Trauergäste nach der Beerdigung zu einem kleinen Leichenschmaus, einer Gremes, wie man in Niederbayern sagt, in seine Gaststube am Hof ein.

Anna von Seyboldsdorf und Theresia Habersetzer zogen sich nach dem Essen auf Theresias Zimmer zurück, um sich zu unterhalten,

Theresia gestand ihrer Freundin, dass sie von Markus schwanger sei.

Thomas, ihr Verlobter, könne nicht der Vater ihres Kindes sein, da sie noch nie mit ihm geschlafen habe.

Sie habe dennoch behauptet, am Abend nach ihrer Verlobung Verkehr mit ihm gehabt zu haben, um ihn als Vater angeben zu können. Sie habe eigentlich vorgehabt, mit Markus zu fliehen. Nachdem dieser aber verschwunden, vielleicht sogar tot ist, bleibe ihr keine andere Wahl mehr als Thomas zu heiraten, zumal auch ihr Bauernhof verschuldet sei.

Anna versprach ihr, zu ihrer Hochzeit im Frühjahr des folgenden Jahres nach Geisenhausen auf den Hof der Riedenauer zu kommen.

So vergingen die nächsten Monate, indem Theresias Bauch langsam größer wurde. Thomas freute sich auf sein Kind, wenn er auch öfter mit Theresia Verkehr haben wollte, was diese mit Rücksicht auf ihre Schwangerschaft ablehnte.

Außer den einen Brief hatte sie keine Nachricht mehr von Markus erhalten.

Er schien nicht einmal zu wissen, dass die beiden Mörder, von denen er in seinem Brief sprach, ihn mit ihren Kutschpferden verfolgt hatten. Sie wusste ihren Geliebten in Lebensgefahr, ohne ihm helfen zu können.

Theresias Hochzeit war sehr prunkvoll. Die Trauung fand in dem kleinen, gotischen Kirchlein von Geisenhausen statt. Theresia fiel es schwer, am Altar ihr Jawort zu geben. Doch sah sie für sich keinen anderen Ausweg. Ihre Schwangerschaft war schon ziemlich weit fortgeschritten.

Mit ihrem weißen Kleid und Schleier war sie eine wunderschöne Braut trotz ihres bereits ziemlich großen Schwangerenbauches. Ihre traurigen, braunen Augen und brünetten Haare bildeten einen beeindruckenden Kontrast zu ihrem Brautkleid. Thomas war stolz auf seine Frau, obwohl sie auf ihn unnahbar wirkte. Er freute sich auf sein Kind und vertraute fest darauf, ihre Abwehrhaltung ihm gegenüber zu durchbrechen, notfalls mit Gewalt, sobald das Kind zur Welt gekommen war.

Sie musste sich während der Hochzeitsfeier immer wieder hinlegen, da sie Bauchschmerzen und Wehen bekommen hat. Da ihr nicht sonderlich zum Feiern zu Mute war, war sie ganz froh darüber, einen Grund gefunden zu haben, sich zurückziehen zu können. Anna, ihre beste Freundin, setzte sich neben sie hin und betreute sie.

Nachdem Theresia und Anna sich zurückgezogen hatten, wurde es für Thomas erst richtig lustig.

Seine Kumpane und er soffen zusammen an Bier, Wein und Schnaps, was sie bekommen konnten.

Als er fast schon bei Morgengrauen in ihr Schlafzimmer kommend seine Frau schlafend vorfand – Anna von Seyboldsdorf war längst gegangen –, wollte er mit ihr schlafen, wie es sich für eine Hochzeitsnacht gehört. Er warf sich auf sie, versuchte sie zu küssen, zerriss ihre Kleider. Theresia wachte völlig verdutzt und verschlafen auf. Doch als sie merkte, was mit ihr geschah, war sie schlagartig hellwach. Sie versuchte, ihre Hände aus den seinen zu lösen, griff nach dem nächstbesten Gegenstand, einem hölzernen Kerzenständer, und schlug ihm diesen auf den Kopf. Obwohl der Schlag nicht sonderlich fest war, rutschte Thomas von ihr herab, kam auf dem Rücken zu liegen und fing sofort heftig zu schnarchen an, ähnlich wie nach ihrer Verlobungsfeier. Auch dieses Mal behauptete Theresia wieder, dass sie miteinander geschlafen hätten, eben wie es sich für eine Hochzeitsnacht gehörte.

Am nächsten Tag hatte Thomas einen furchtbaren Brummschädel und konnte sich an nichts mehr erinnern.

Die Entbindung des kleinen Andreas gestaltete sich unproblematisch. Theresia wurde von einer Hebamme betreut, die dafür eigens aus Vilsbiburg gekommen war.

Als Theresia ihren Sohn zum ersten Mal in die Arme nehmen konnte, fühlte sie sich plötzlich so glücklich wie schon lange nicht mehr. Was immer auch mit Markus geschehen sollte, sie hat wenigsten einen Sohn von ihm.

Thomas ahnte nichts davon, dass er nicht der Vater des Kindes war.

Die neue Familie richtete sich eine Wohnung auf dem Hof der Riedenauers ein.

Sie hätten ein glückliches Paar sein können, wäre da nicht die fehlende Bereitschaft von Theresia zur sexuellen Hingabe gewesen, die immer wieder für Streit zwischen den Eheleuten sorgte. Sie begründete ihre Zurückhaltung mit Stillen und Wochenbett, was Thomas zwangsläufig akzeptieren musste.

In dieser schwierigen Zeit traf sich Theresia oft mit Anna.

Da beide gute Reiterinnen waren, vereinbarten sie, sich irgendwo in der Mitte zwischen Seyboldsdorf und Geisenhausen zu begegnen, um dann gemeinsam auszureiten. Meist setzten sich die beiden Freundinnen dann irgendwann unter einem Baum auf eine Decke, um ein Picknick zu machen und sich zu unterhalten.

Für die beiden Frauen waren diese gemeinsamen, wenigen Stunden, die sie zusammen hatten, eine Erholung in ihrer ansonsten schwierigen Umgebung. Auch für Anna von Seyboldsdorf war bereits ein adliger Bräutigam bestimmt, den sie bisher geschickt abzuwehren verstanden hatte. Ihr Vater war gutmütiger und weniger bestimmend als Hermann Habersetzer, an dessen herrischer Art Theresias Versuche, die Hochzeit zu vermeiden, gescheitert sind.

Allzu viel Zeit konnte Theresia nicht mit Anna verbringen, da sie bald wieder zurück zu ihrem Sohn zum Stillen musste. Während ihrer Abwesenheit musste sich ihre Schwiegermutter um das Kind kümmern, da Thomas und sein Vater mit ihrer Bauernarbeit beschäftigt waren.

Diese Verhältnisse zogen sich so lange hin, bis die Ruhe im kleinen Vilstal schlagartig durch den Ansturm der Schweden unterbrochen wurde.

DER KRIEG

Markus war von seiner neuen Einheit zuerst in eine große Kaserne nach Erding gebracht worden. Der Herzog benötigte dringend frische Truppen, da sein Vormarsch nach Norden durch die Ankunft der Schweden ins Stocken geraten war. Die Schweden hatten bereits begonnen, seine Soldaten wieder nach Süden zurückzudrängen.

Tillys bisheriger großer Siegeszug war zu Ende gegangen. Er selbst fiel in einer der nächsten Schlachten.

Wie bei solchen Gelegenheiten üblich, bekam Markus eine viel zu kurze Ausbildung, um für den Kampf gegen die Schweden ausreichend ausgebildet zu sein.

Geplant war, ihn als Infanterist in den vorderen Reihen zu verheizen. Nachdem seine vorgesetzten Offiziere aber erkannt hatten, dass er ein guter Reiter war und zusätzlich noch lesen, schreiben und rechnen konnte, wurde er zur Kavallerie versetzt. Er wurde benötigt, um Briefe lesen, schreiben und weitergeben zu können. Nachdem selbst unter den Offizieren zur damaligen Zeit viele Analphabeten waren, wurden Leute mit Schreibkenntnissen dringend gesucht.

Nachdem Markus' Ziehvater Anton immer Pferde zum Ziehen seines Fuhrwerks hatte, versuchte Markus bereits als Kind, auf diesen zu reiten. Als er größer wurde, lernte er viel von Theresia, die Reitunterricht und bessere Pferde hatte. Schon als Kinder und erst recht als Jugendliche sind die beiden zusammen ausgeritten. Sie haben sich bereits als Kinder gut verstanden. Theresia konnte Markus viel beibringen, was sie selbst von ihrem Reitlehrer gelernt hatte. Als dritte gesellte sich auch noch gerne Anna von Seyboldsdorf zu den beiden. Sie ritten gemeinsam aus, machten zusammen Picknick, wobei ihr Standesunterschied damals noch keine Rolle spielte.

Anna bemerkte bald, dass die beiden sich immer mehr ineinander verliebten. Sie versuchte, ihnen zu helfen, zusammen zu kommen. Nachdem sie feststellen musste, wie unglücklich Theresia mit der aus finanziellen Gründen erzwungenen Hochzeit war, beschloss sie für sich, dem Drängen ihres Vaters nicht nachzugeben, diesen für sie ausgesuchten Mann zu heiraten, nur weil er adlig und reich war.

Markus wurde also in den Kampf gegen die Schweden geschickt, wobei er aber nicht direkt an die Front zum Kämpfen musste. Seine Aufgabe bestand vielmehr darin, im Hintergrund Befehle in Empfang zu nehmen und an die richtigen Stellen weiterzuleiten.

Nach mehreren Niederlagen musste die bayrische Armee letztendlich kapitulieren.

Der Herzog suchte Schutz in Wien. Gustav Adolf zog mit seinem Heer in München ein. Markus geriet in Gefangenschaft. Er wurde von den Schweden den mit ihnen verbundenen Franzosen übergeben, woran man sehen kann, dass dieser Krieg zu dieser Zeit nicht mehr viel mit Religion zu tun hatte, wenn sich das katholische Frankreich mit den evangelischen Ländern Dänemark und Schweden gegen das wiederum katholische Haus Habsburg vereint hatten.

Die Schweden besetzten natürlich auch das kleine Vilstal, was zu großen Veränderungen in dieser Region führte.

Am Hofe der Habersetzers in Seyboldsdorf stand eine neue Verlobungsfeier an.

Johannes, Theresias Bruder, der Sohn von Hermann und Maria Habersetzer, wollte sich mit seiner Monika, der Tochter eines Polizisten aus Vilsbiburg, verloben.

Für den Hoferben war eine noch viel größere Feier vorgesehen als für Theresia und ihren Thomas.

Diese beiden hatten sich selbst gefunden. Die Verlobung wurde nicht wie bei den beiden anderen von den Eltern arrangiert.

Natürlich waren auch Theresia und Thomas gekommen, sowie dessen Eltern Marianne und Rheinhard Riedenauer.

Ebenfalls geladen war Anna von Seyboldsdorf mit ihren beiden Brüdern.

Anna kam eigentlich nur, um die Gelegenheit zu nutzen, sich mit Theresia zu unterhalten. Johannes mochte sie nicht sonderlich, nachdem er sie früher einmal verehrt hatte, sie ihm aber von vorneherein zu verstehen gegeben hatte, dass sie nichts von ihm wissen wollte. Annas Brüder sind nicht zur Verlobungsfeier gekommen.

Für Thomas, aber auch für Johannes, war die Feier eine gute Gelegenheit, sich mit viel Alkohol volllaufen zu lassen. Am Ende des Abends waren beide so besoffen, dass man sie in ihre Zimmer geleiten musste, da sie selbst nicht mehr hinfanden.

Theresia und ihr Mann übernachteten wieder in ihrem alten Zimmer.

Theresia und Anna hatten sich schon Stunden zuvor in das Zimmer zurückgezogen, um miteinander zu reden. Als Thomas dann endlich kam, ging Anna den kurzen Weg bis zum Schloss allein zurück.

Für Monika gestaltete sich der Abend etwas langweilig, da sie niemanden recht hatte, mit dem sie sich unterhalten konnte, obwohl sich die Habersetzers, ihre künftigen Schwiegereltern, sehr um sie bemühten.

Als die beiden Bräutigame endlich zu ihren Frauen bereits bei Morgengrauen zurückkamen, waren sie beide so betrunken, dass sie sich nur noch hinlegten und sofort einschliefen, wobei sie beide fürchterlich schnarchten.

Es vergingen nur noch wenige Wochen, bis die Schweden kamen. Den Hof der Riedenauers in Geisenhausen nahmen sie als Hauptquartier. Die Insassen des Hofes warfen sie einfach hinaus, so dass diese in einer Scheune in der Nähe nächtigen mussten.

In Seyboldsdorf wollte Gustav zu Gundifels Anna vergewaltigen, wobei er selbst den Tod durch den Degen von Joseph Johannson fand. Annas Vater kam dabei ums Leben. Ihre Mutter war wenige Wochen zuvor an einer Lungenentzündung verstorben, was Anna sehr schwer getroffen hat.

Zu ihrer Beerdigung waren damals auf den Friedhof von Seyboldsdorf viele Trauergäste gekommen. Zu dieser Gelegenheit musste Theresia ihre Freundin trösten, nachdem bisher Anna Theresia getröstet hatte wegen ihrer unerfüllten Liebe zu Markus und ihrer unglücklichen Ehe mit Thomas.

Ihre größte Freude war es, mit ihrem Sohn Andreas zu spielen, der bereits ein Jahr alt geworden war und begonnen hatte, zu laufen.

Gustav zu Gundifels hatte Seyboldsdorf zur Plünderung und alle Frauen des Dorfes zur Vergewaltigung freigegeben, da er selbst über Anna herfallen wollte.

Als sich ein Trupp Soldaten über den Hof der Habersetzers hermachte, stellten sich ihnen Vater und Sohn, Hermann und Johannes, mit Dreschschlegel entgegen. Sie wollten ihren Hof und ihre Frauen verteidigen, was sich für sie aber leider als schwerer Fehler herausstellen sollte. Sie glaubten, die Soldaten einschüchtern zu können. Doch diese prügelten auf die beiden ein, bis sie zu Boden gingen. Als sie wehrlos am Boden lagen, machten sie sich einen Spaß daraus, beide wie ein Stück Vieh abzuschlachten, indem sie ihnen ihre Degen in den Brustkorb rammten.

Die beiden Frauen mussten hilflos zusehen, wie ihre Männer umgebracht wurden.

Als sie sahen, was geschehen war, versuchten sie zu fliehen. Die Soldaten liefen ihnen hinterher. Sie verprügelten sie, rissen ihnen die Kleider vom Leib, vergewaltigten sie und ließen sie letztendlich blutend und geschändet im Dreck liegen.

Zum Schluss nahmen die Soldaten alles mit, was sie irgendwie gebrauchen konnten.

Thomas, Theresia, ihre Schwiegereltern sowie die Knechte und Dirnen des Hauses kamen wenigstens mit dem Leben davon, nachdem vom Hof selbst nicht mehr viel übrigblieb, da die Schweden vor ihrem Abzug alles niederbrannten.

In Seyboldsdorf wurde das Schloss abgebrannt und zerstört, sobald die Schweden erkannt hatten, dass ihr Anführer erstochen worden war.

Der Hof der Habersetzers selbst blieb, zumindest was die Gebäude betrifft, verschont, so dass letztendlich Theresia und ihre Familie dort Unterschlupf fanden.

Zu essen gab es praktisch nichts mehr, da die Schweden alles mitgenommen hatten.

An Lichtenhaag sind die Schweden vorbeigezogen, ohne allzu große Verwüstungen angerichtet zu haben. In Gerzen hingegen haben sie wieder volle Arbeit geleistet.

Theresia war jetzt plötzlich Chefin. Ihr Vater und ihr Bruder waren tot, ihre Mutter schwer krank vor Kummer, Demütigung, aber auch körperlich mit gebrochenen Rippen und vielen Hämatomen nach der Vergewaltigung durch die Schweden.

Monika erging es nicht besser. Ihr Verlobter war tot, sie selbst vergewaltigt und gedemütigt. Sie war verprügelt worden. Ihre Glieder schmerzten.

Als Theresia, Thomas und seine Eltern auf den Habersetzer-Hof kamen, hatten sich die beiden Frauen in die Küche zurückgezogen. Sie hatten angefangen, ihre Wunden zu verbinden.

Die Schweden waren erst vor kurzem abgezogen. Die Frauen waren verängstigt, als sie Schritte hörten, die auf sie zukamen. Theresia trug ihren mittlerweile einjährigen Sohn Andreas auf ihren Armen. Als sie die Türe öffnete, um in die Küche hineinzugehen, sahen sie die zwei Frauen mit großen verängstigten Augen an. Doch dann schrie Maria laut auf, lief ihrer Tochter mit ausgebreiteten Armen entgegen und umarmte weinend Tochter und Enkel. Nur unter Tränen gelang es ihr zu erzählen, was geschehen war.

Als sich alle wieder beruhigt hatten, beriet man erst einmal, was zu tun war.

Die toten Männer mussten von der Einfahrt weggeschafft und beerdigt werden.

Der Pfarrer musste verständigt werden. Den Riedenauers wies Theresia ihre Zimmer zu, eines für die Schwiegereltern und eines für Thomas. Theresia nahm für sich und Andreas ihr altes Zimmer wieder. Sie wollte nicht mehr mit Thomas zusammen sein.

Monika ging zurück zu ihren Eltern nach Vilsbiburg. Theresia war plötzlich Chefin. Sie gab die Anordnungen, was die anderen zu tun hatten. Ihre Mutter war völlig gebrochen. Sie sagte fast nichts mehr.

Die Riedenauers mussten sich fügen. Man suchte nach Essensresten, die die Schweden übriggelassen hatten, um wenigstens den schlimmsten Hunger zu stillen.

Die wenigen Felder, die noch nicht zerstört waren, mussten geerntet werden. Die Mühle musste wieder in Betrieb genommen werden.

Nach der Beerdigung nicht nur der beiden Männer, sondern auch noch vieler anderer Dorfbewohner, wie der alte Graf von Seyboldsdorf und andere mehr, die an diesem unseligen Tag den Tod gefunden hatten, musste wieder ein Gemeinschaftsleben im Dorf organisiert werden, um ein weiteres Zusammenleben zu ermöglichen.

Theresia kristallisierte sich in dieser schweren Zeit als Führungskraft heraus, die versuchte, wieder eine gewisse Ordnung im Dorf einkehren zu lassen.

Sie wurde deshalb auch zur Bürgermeisterin ernannt.

Thomas, der selbst wenig Initiative gezeigt hatte, fügte sich wortlos ihren Anordnungen.

Theresia musste nicht nur über den Tod ihres Vaters und ihres Bruders sowie den Verlust ihres Geliebten Markus, nach dem sie sich in dieser schweren Zeit besonders sehnte, hinwegkommen. Jetzt hatte sie auch noch ihre beste Freundin Anna von Seyboldsdorf verlassen, die nach der Tötung des schwedischen Grafen mit einem anderen Schweden geflohen war. Sie war seit dem Weggang von Markus die einzige Person, mit der sie frei reden konnte.

Ihren ungeliebten Ehemann, den sie insgeheim verachtete, hat sie in ein anderes Zimmer abgeschoben. Ihn behandelte sie fortan nur noch wie einen Knecht, was dieser mangels eigener Persönlichkeit widerspruchslos mit sich geschehen ließ.

Seine Eltern, bisher reiche Bauern, waren plötzlich verarmt. Sie waren alt und wirkten an ihrem Unglück zerbrochen.

Allein Theresia versuchte wieder Ordnung zu schaffen und ein neues Leben aufzubauen.

Sie war nicht nur eine wunderschöne, sondern auch eine sehr starke Frau, die für ihren Sohn wieder eine Existenz schaffen wollte. Insgeheim träumte sie auch davon, dass Markus wieder zurückkehren würde. Die Hoffnung und den Glauben daran hat sie nie wirklich aufgegeben, wenn sie jetzt auch schon seit fast drei Jahre nichts mehr von ihm gehört hatte.

Was sie nach Markus' Rückkehr mit ihrem Ehemann Thomas machen sollte, wo doch Scheidung in der katholischen Kirche nicht möglich ist, war ihr auch nicht klar. Doch darüber wollte sie gar nicht nachdenken.

DIE GEFANGENSCHAFT

Markus' Einheit wurde von den Schweden und Dänen aufgerieben. Die meisten starben. Nur wenige gerieten in Gefangenschaft. Der größere Teil wurde nach Skandinavien gebracht. Ein paar wenige Gefangene übergaben die Schweden den Franzosen, die mit ihnen verbündet waren.

So wie es Jahrhunderte später Josef Weixelgartner erging, der nach dem Zweiten Weltkrieg von den Amerikanern an Frankreich ausgeliefert wurde, so erging es jetzt auch Markus. Er wurde mit ein paar anderen Gefangenen nach Frankreich transportiert.

Zuerst wurden sie den Rhein entlang bis Basel mit Schiffen gebracht.

Teils zu Fuß, teils auf Viehwägen wurden sie über die Alpen bis ins Rhonetal überführt.

Von dort wiederum wurden Markus und zwei weitere Männer mit Schiffen bis zur Camargue gefahren, wo sie dann auf verschiedene Bauernhöfe zum Arbeitsdienst verteilt wurden.

Markus war speziell dafür ausgesucht worden, da er als guter Reiter bekannt war.

Im Rhonedelta gab es viele Sümpfe. Die Viehherden wurden dort von berittenen Hirten kontrolliert, ähnlich wie man es von den amerikanischen Cowboys kennt.

Zuerst wurden sie jedoch bei Arles in ein Gefangenenlager gesperrt, um dann weiter aufgeteilt zu werden.

Zur damaligen Zeit quälten die Franzosen ihre Gefangenen noch nicht so, wie es Josef Weixelgartner bei Brive in der Dordonne erleben musste. Sie bekamen Essen, Decken und einen Schlafplatz und mussten dann auf ihren nächsten Einsatzort warten.

Markus kam zu einem dieser Viehbauern. Es war ein kleiner Familienbetrieb. Die Eltern dürften Mitte 40 gewesen sein, der Sohn 17, die Tochter 15 Jahre.

Als Markus ankam, verstand er nichts. Bisher hat er nur Bayrisch gelernt. Er hat weder die Dänen noch die Schweden und schon gar nicht die Franzosen verstanden.

Trotz seiner zerlumpten Kleidung war er mit seinen 21 Jahren ein sehr hübscher und sympathischer Mann.

Zumindest war Marie, die Tochter des Hauses, sehr angetan von seiner Erscheinung, als er durch die Türe ins Wohnzimmer des Farmhauses trat. Als er sie mit seinen strahlend blauen, tiefliegenden Augen anschaute, lief Marie übers ganze Gesicht rot an.

Markus hatte gewellte, brünette Haare, ein ovales, ebenmäßiges Gesicht, eine mittelgroße, muskulöse Figur mit breiten Schultern. Er war eine sehr ansehnliche Erscheinung, der auf ein 15-jähriges Mädchen schon einen starken Eindruck machen konnte.

Der Bauer und seine Frau begrüßten ihn mit Handschlag, wobei sie etwas sagten, das er nicht verstand. Er zuckte nur verständnislos mit seinen Schultern. Auch Marie und ihr Bruder Rene streckten ihm ihre Hände entgegen.

Der Bauer mit Namen Georg führte ihn eine Treppe hinauf, um ihm sein Zimmer zu zeigen, einen einfach eingerichteten Raum mit Bett und Schrank und einem Fenster mit Blick zum Hof.

Georgs Frau Jeanne richtete ihm eine Brotzeit mit Käse, Weißbrot und Tomaten her, die er mit Appetit verzehrte, da er völlig ausgehungert war.

Marie und Rene zeigten ihm die Hofstelle mit den Stallungen für die fünf weißen Pferde, die so typisch für diese Gegend waren.

Viele Jahrhunderte später habe auch ich einmal als Student einen Ausritt auf einem solchen Schimmel mitgemacht, was mir immer noch in sehr schöner Erinnerung geblieben ist.

Die beiden Jugendlichen ritten mit Markus über ihr Land. Die Rinder standen frei auf den Wiesen. Begrenzungen waren häufig Kanäle und Flussarme der Rhone. Markus sah zum ersten Mal in seinem Leben Flamingos, die in kleinen Teichen nach Futter suchten. Irgendwie begeisterte ihn diese wildromantische Gegend.

Anfangs verstand er überhaupt nichts von der Unterhaltung, die die Familienmitglieder untereinander führten. Doch es ging überraschend schnell, sodass er immer mehr Worte wie bei einem Puzzlespiel zusammensetzte. Nach einigen Wochen konnte er schon gut mit den anderen mitreden. Er fühlte sich eigentlich recht wohl in dieser Familie. Es waren alle recht freundlich zu ihm, die kleine Marie sogar ein bisschen verliebt in ihn.

Er musste schon öfter an zu Hause, das kleine Vilstal und vor allem an Theresia denken. Doch wusste er auch, dass dies nicht mehr seine Heimat war. Seine Eltern waren tot, Theresia mit diesem unsympathischen Thomas verheiratet. Wahrscheinlich hatte sie schon ein oder vielleicht sogar mehrere Kinder von ihm. Ihr gemeinsamer Lebensplan, ihr Traum von Flucht und Leben in der Fremde hatte sich als reine Illusion herausgestellt.

Was also sollte er noch mit dem kleinen Vilstal zu tun haben? Er würde versuchen, sich hier in der Camargue ein neues Leben aufzubauen. So vergingen zwei Jahre. Markus hatte sich gut in der Familie eingelebt. Er gehörte eigentlich schon richtig dazu.

Mittlerweile hatte er auch ihre Sprache, wenn auch noch mit Akzent, gut gelernt. Sie ritten oft mit ihren weißen Pferden über die Wiesen, trieben Rinder zusammen, um sie einzufangen, zu brandmarken, manchmal aber auch um sie zu schlachten oder zu verkaufen. Sie halfen auch oft mit, wenn Kälbchen zur Welt kamen.

Als sie eines Tages wieder auf den Weiden unterwegs waren, sahen sie, wie offensichtlich ein Pferd mit einer Reiterin durchging. Die Frau schrie um Hilfe. Sie konnte sich kaum mehr auf dem Tier halten. Markus drehte sein Pferd und ritt dieser Frau in vollem Galopp nach.

Als er sie schon fast erreicht hatte, sah er, wie sie vom Pferd stürzte. Markus hielt sein Tier an, sprang herab, um der Frau beizustehen.

Als er sich zu ihr herunterbeugen wollte, blickte sie auf und schaute ihn mit ihren großen, strahlend schönen, braunen Augen an. Markus wirkte irgendwie betroffen von der Ausstrahlung und Anziehungskraft, die diese Frau auf ihn ausstrahlte. Sie mochte gut 20 Jahre alt sein. Ihre gewellten, schwarzen Haare strahlten im Sonnenlicht. Markus glaubte im ersten Moment, noch nie eine so schöne Frau gesehen zu haben. Natürlich musste er immer noch oft an Theresia denken. Doch dieses Mädchen hatte etwas Besonderes an sich, das ihn in ihren Bann zog.

Als er ihr aufhelfen wollte, konnte sie nicht auf ihr rechtes Bein auftreten. Offensichtlich hatte sie sich ihren rechten Knöchel verstaucht. Gebrochen schien jedenfalls nichts zu sein.

Gemeinsam halfen sie dem Mädchen auf, das sich mit Lucia vorstellte.

Sie sei eigentlich Italienerin. Nachdem ihr Vater ihre Mutter verlassen hatte, habe diese einen Franzosen kennengelernt, der sie beide mit nach Frankreich nahm. Die Freundschaft ist wieder auseinander gegangen, ihre Mutter wieder nach Italien zurückgekehrt. Lucia selbst wollte in Frankreich bleiben. Dieses Pferd und das Gepäck, das sie dabeihabe, seien ihr ganzer Besitz. Sie suche eine Stelle als Hausmädchen.

Die drei Männer nahmen die junge Frau mit zum Bauernhof, um ihren Fuß zu verbinden. Sie könne vorerst hierbleiben, hat der Familienrat dann beschlossen, müsse aber die Bäuerin und Marie bei der Hausarbeit unterstützen und andere Arbeiten am Hof verrichten.

Lucia willigte freudig ein.

Ganz oben auf dem Dachboden war noch ein Zimmer frei. Markus wurde dort untergebracht. Lucia bekam sein Zimmer, was Markus doch recht ärgerte.

Frühstück wurde gemeinsam eingenommen. Die Männer gingen dann in den Stall, um die Pferde zu satteln und sich um die Rinder zu kümmern.

Die Frauen blieben auf dem Hof. Sie versorgten ihren Haushalt oder kümmerten sich um die Gemüsebeete.

Samstags, nachdem die Tiere versorgt waren, gingen manche zum Angeln zur Rhone.

Sie hatten dort ein Ruderboot, mit dem man auf den Fluss hinaus paddeln konnte, um weiter draußen seine Angel auszuwerfen.

Zum Abendessen gab es dann häufig gebackenen oder gegrillten Fisch.

Lucias Fuß heilte schnell. Sie konnte ihn bald wieder voll belasten.

Sonntags fuhr die ganze Familie – Lucia und Markus gehörten bald voll dazu – mit Pferdekutschen nach Arles, in die große Stadt, um zur Kirche zu gehen, und die Männer vor allem zum Besuch diverser Gaststätten. Die Frauen fuhren meist eher wieder heim, um das Abendessen herzurichten.

Lucia ging gerne mit zum Angeln. Sie war sehr nett zu Markus, so dass der ihr den Zimmertausch bald vergeben hatte.

Nachdem sie am ersten gemeinsamen Sonntag in Arles die Messe in dieser großartigen, romanischen Kathedrale mit dem Reliefbild des Kaisers Barbarossa über dem Eingangsportal besucht hatten, drängte Lucia energisch darauf, bald wieder nach Hause zurückzufahren.

Besonders wichtig schien es ihr zu sein, dass Markus sie begleitete.

Am nächsten Sonntag weigerte sie sich, mit nach Arles zu fahren und versuchte Markus zu überreden, bei ihr am Hof zu bleiben. Dieser verstand zwar nicht, warum er dies machen sollte, war aber so in Lucia verliebt, dass er ihr diesen Gefallen nicht ausschlagen konnte.

Nachdem die anderen weg waren, nahm Lucia Markus bei der Hand. Gemeinsam spazierten sie über den Hof auf die angrenzenden Wiesen. Es war Frühling. Die Wiesenblumen standen in voller Blüte. In der Nähe des Hofes streckte eine alte Eiche ihre knorrigen Äste aus, deren hellgrüne Blätter im Wind rauschten.

Lucia führte Markus zu diesem riesigen Baum, um sich unter dessen Blätterdach zu legen. Markus setzte sich neben sie. Sie schaute ihm tief in die Augen. Ihre strahlenden, braunen Augen drangen tief in ihn ein. Als er sie so nah bei sich sah, war er wahnsinnig in sie verliebt.

Sie nahm sein Gesicht in ihre Hände und küsste ihn auf den Mund. Markus küsste sie zurück. Er umarmte sie. Sie begann sich auszuziehen. Er sah ihre glatte, makellose Haut, ihre kleinen, aber wunderschönen Brüste. Markus fühlte sich wie benommen.

Er hatte zum zweiten Mal in seinem Leben Geschlechtsverkehr. Er hat mit zwei wunderbaren Frauen geschlafen, mit Theresia, die er tief in seinem Inneren immer noch liebte, und jetzt mit Lucia, von der er wahnsinnig fasziniert war.

Sie lagen noch lange nackt nebeneinander unter der Eiche und sahen den Blättern zu, wie sie sich im Wind hin und her bewegten.

Dann gingen sie zurück zum Hof, wo sie sich um die Pferde kümmern und das Abendessen herrichten mussten.

Als die anderen zurückkamen, waren sie alle vier etwas angetrunken. Sie stürzten sich auf das Essen, lachten und kicherten. Hinterher waren alle recht müde, weshalb sie sich sehr bald schlafen legten.

Lucia und Markus spülten das Geschirr ab und räumten auf.

Nachdem draußen eine wunderbare, sternenklare Nacht war, mochten beide noch einen Spaziergang machen. Sie schritten über die Wiesen bis hinüber zur Rhone, wo das Boot befestigt war. Lucia hatte die Idee, noch etwas auf den Fluss hinauszupaddeln. Sie hatten kaum abgelegt, als sie plötzlich Schüsse hörten, die vom Hof zu kommen schienen.

„Diese Wahnsinnigen sind gekommen“, schrie Lucia entsetzt auf. „Wir müssen schnell weg“, sagte sie noch zu Markus und fing verzweifelt an zu rudern.

Markus schaute sie verständnislos an, als man auch schon in der Ferne Flammen auflodern sehen konnte. Der Hof schien in Brand geraten zu sein.

„Wir müssen zurück und helfen“, warf Markus in seiner Verzweiflung ein.

Doch Lucia gab ihm zu verstehen, dass sie keine Chance gegen die Mörder hätten und beide sterben würden, sollten sie zurückkehren.

Markus gestand ihr, eine ähnliche Situation bereits einmal erlebt zu haben, als zwei schwarz gekleidete Männer seine Eltern im kleinen Vilstal erschossen haben. Er sei nur mit Glück entkommen, da er gerade einen Spaziergang gemacht hatte.

Lucia gestand ihm, dass ihr richtiger Name Lucia Comtessa de Brocculi sei. Sie komme aus Italien vom Iseosee.

Die beiden schwarz gekleideten Mörder, es seien die gleichen, wie damals im Vilstal, seien ihre Onkel Massimo und Josefo de Brocculi. Sie seien gekommen, um Alessandro Conte de Magro zu töten.

Er sei jetzt zum dritten Mal den Mördern durch Flucht und Glück entkommen.

Doch sie müssten schnell rudern, um weit von ihnen weg zu kommen.

Sie würden ihre Fährte erneut aufnehmen. Sie selbst stünde nun auf ihrer Abschussliste, nachdem sie ihm geholfen hat, zu entkommen.

Ihre Aufgabe wäre es gewesen, ihn zu verführen und in Arles in einen Hinterhalt zu locken, wo sie ihn hätten abknallen können.

Nachdem sie sich aber in Markus verliebt hatte, habe sie versucht, ihn von Arles fernzuhalten, um ihn vor den Mördern zu beschützen. Sie hätte nicht geglaubt, dass sie so schnell kommen würden, um, ähnlich wie damals im Vilstal, alles, was sich ihnen in den Weg stellt, einfach niederzuschießen.

Sie sei eine gute Reiterin. Ihr würden keine Pferde durchgehen. Der Sturz, der verstauchte Knöchel, war alles nur gestellt, um an Markus, den sie Alessandro nannte, heranzukommen.

Während sie mit aller Kraft auf dem Fluss ruderten, sahen sie in der Ferne, wie zwei schwarz gekleidete Männer ans Ufer herankamen und ihnen nachschauten.

Während Markus in seiner Verzweiflung und Todesangst mit aller Kraft ruderte, fuhr Lucia fort, ihre unheilvolle Geschichte zu erzählen.

Markus' Mutter Maria Samiano, eine Bürgerliche, war die Geliebte des Grafen Antonio de Magro. Nachdem der Graf aber eine Adlige, ihre Tante Barbara de Brocculi, heiraten musste, fürchtete Maria um das Leben ihres neugeborenen Sohnes Alessandro, da dieser als Sohn des Grafen erbberechtigt wäre, falls der Graf ihn als seinen Sohn anerkannt hätte, was dieser wiederum sicher getan hätte, da er Maria immer noch liebte.

Barbara setzte also ihre beiden Brüder Massimo und Josefo auf das Kind an, um es zu töten. Maria kam ihnen aber zuvor, indem sie ihre Freundin und Zofe Marianne beauftragte, Alessandro verschwinden zu lassen. Das Kind sei angeblich gestorben. Maria behauptete, eine Totgeburt gehabt zu haben.

Es fand auch eine Beerdigung statt.

Niemand bemerkte die zeitweise Abwesenheit von Marianne.

Barbara de Brocculi, mittlerweile Barbara de Magro, gebar auch einen Sohn namens Francesco. Dieser war jetzt der einzige Erbe des Grafen Antonio de Magro.

„Meine Mutter Francisca", fuhr Lucia fort, „ist die Schwester von Barbara und den Brüdern Massimo und Josefo. Wir entstammen einem alten, aber verarmten Adel. Unser aller Wohlstand hängt vom Wohlwollen des Grafen Antonio de Magro ab."

Hätte er von Maria einen Sohn und Erben bekommen, wäre ihr Lebensstil in Gefahr gewesen. Nachdem Alessandro tot war, bestand keine Gefahr mehr.

Maria bekam ein kleines Anwesen in der Nähe des Ledrosees, hoch in den Bergen gelegen. Sie lebt dort seit vielen Jahren mit ihrer Freundin Marianne von einer kleinen Rente, die ihr der Graf auf Lebenszeit versprochen hat.

„Angesichts des riesigen Besitzes des Grafen de Magro war dies für unsere Familie kein Problem. Unsere Welt war so lange in Ordnung, bis jemand aus unserer Grafschaft zufällig ins kleine Vilstal zum Hof der Habersetzers kam und die teure Brosche mit der Rose im Zentrum, dem Emblem des Grafen de Magro, in der Gaststube hängen sah."

Nachdem Barbara dies erfahren hatte, schickte sie ihre Brüder, um dem nachzugehen.

Die weiteren Ereignisse, meinte Lucia, wären Markus bekannt.

Nachdem Markus aber in schwedische Gefangenschaft geraten war, hätten sie seine Spur verloren. Ihre beiden Onkel haben zwei Jahre nach ihm gefahndet, bis sie ihn endlich hier in der Camargue aufgespürt hatten.

Um ein ähnliches Fiasko wie damals im Vilstal, wo die Brüder die falschen Leute umgebracht haben, zu verhindern, musste sie, Lucia, hinzukommen. Sie sollte, wie bereits erwähnt, ihn, Alessandro, in einen Hinterhalt bei Arles locken.

Nachdem sie ihn aber von Arles ferngehalten hatte, seien ihre Onkel offensichtlich durchgedreht, weshalb sie, wie es aussieht, ein erneutes Massaker angerichtet haben.

Lucia fügte hinzu, deren Aggressivität unterschätzt zu haben. Sie habe nicht mit einer solchen Wahnsinnstat gerechnet.

Sie selbst sei jetzt sicherlich auch auf der Abschussliste ihrer Onkel.

Der Graf selbst und auch sein Sohn Francesco würden von all dem nichts wissen, fügte Lucia noch hinzu.

Markus war entsetzt. Eine Geliebte, die auf ihn angesetzt war, um ihn zu töten, und ihn unter Einsatz ihres Lebens rettete, ein anderer Name, eine andere Identität, neue Eltern, dies alles musste er erst verarbeiten, bevor er entscheiden könne, was weiter zu tun sei.

Olga und Gerhard beim Wandern im Karwendel

DIE FLUCHT

Sie sollten die Rhone bis zur Mündung entlangfahren, um von dort den nächsten Hafen zu erreichen. Dort müssten sie versuchen, eine Schiffspassage nach Italien zu bekommen. In Italien hätte sie Freunde, die ihnen helfen würden, sich zu verstecken, meinte Lucia.

Nachdem Markus auch nicht wusste, wohin er sich wenden sollte, stimmte er diesem Vorschlag zu.

Eigentlich sollte er zur französischen Polizei gehen, um dieser alles zu erzählen. Doch würden sie ihm, dem deutschen Kriegsgefangenen, wahrscheinlich nicht glauben. Sie würden eher meinen, er hätte die Bauernfamilie umgebracht und den Hof in Brand gesteckt.

Er musste Frankreich jedenfalls so schnell wie möglich verlassen, wenn er nicht riskieren wollte, wegen Mordes angeklagt zu werden.

Irgendwie wusste er auch nicht mehr, was er von dieser Frau halten sollte, die ihn verführt, belogen und dann doch wieder gerettet hatte. Es war ihm auch nicht klar, inwieweit er sie für die Ermordung der Familie mitverantwortlich machen sollte.

Er war sicherlich fasziniert von ihr. Doch konnte er sich im Augenblick nicht vorstellen, sie jemals wieder körperlich anzurühren.

Beim Morgengrauen gelangten sie an die Mündung ins Meer. Sie fuhren weiter der Küste entlang bis zum nächsten Hafen.

Obwohl sie abwechselnd ruderten, waren sie bei der Ankunft ziemlich erschöpft.

Sie erkundigten sich nach einem Schiff, das nach Italien abfahren würde.

Sie hatten Glück und fanden ein solches, das noch innerhalb der nächsten Stunde ablegen sollte.

Da Lucia immer etwas Geld bei sich trug, das sie noch von Italien hatte, konnte sie für sie beide eine Passage bis San Remo buchen.

Sie hatten für sich eine kleine Kammer ganz unten im Rumpf des Bootes bekommen.

Als einzige Beleuchtung diente ihnen eine brennende Kerze. Fenster war keines vorhanden.

Die Überfahrt dauerte drei Tage. Das Schiff musste gegen den Wind kreuzen.

Als sie sich in ihrer Kammer niederließen, waren beide völlig am Ende. Sie legten sich übereinander auf ihr Stufenbett, Lucia oben, Markus unten, und sagten erst einmal lange Zeit kein Wort. „Du bist entsetzt über das, was du von mir erfahren hast?“, fragte ihn Lucia.

Da er immer noch nicht antwortete, glitt sie von ihrem oberen Bett zu ihm herab.

Sie nahm, wie sie es beim allerersten Mal getan hatte, sein Gesicht in ihre Hände, drehte es zu ihr und schaute ihm tief in die Augen. „Du liebst mich nicht mehr?“, war ihre erste Frage.

Er schüttelte verzweifelt den Kopf. Er wusste nicht mehr, was er denken sollte.

Doch konnte er auch ihrem Blick, ihren Augen, die ganz weit in ihn eindrangen, nicht widerstehen. Er küsste sie und umarmte sie. Er konnte nicht anders. Ganz im Hintergrund seines Gehirnes leuchtete noch matt das Bild von Theresia auf. Doch diese war für ihn unerreichbar geworden. Dieses Mädchen vor ihm war reell. Sie hatte sich ausgezogen, saß nackt neben ihm. Sie war wunderschön. Er küsste und umarmte sie wieder. Sie schliefen miteinander. Markus wollte nicht mehr über das Gehörte nachdenken. Er nahm einfach alles, wie es kam. Er begehrte dieses Mädchen. Irgendwie liebte er sie auch, wenn er auch nicht mehr wusste, was er von ihr halten sollte, nachdem sie eigentlich gekommen war, um mitzuhelfen, ihn zu töten, ihn dann aber im letzten Moment noch gerettet hatte.

Während der drei Tage Überfahrt verbrachten sie ihre Zeit hauptsächlich in ihrer Kajüte, indem sie sich liebten, umarmten und küssten. Vielleicht sollten es die schönsten Tage ihres Lebens gewesen sein.

Nach ihrer Ankunft in San Remo erklärte Lucia, hier Freunde zu haben, bei denen sie vorerst unterkommen könnten.

Sie bezahlten ihre Schiffspassage, gingen von Bord und marschierten weg von der Küste in Richtung Berge. Es waren an die zehn Stunden Fußmarsch, die sie vor sich hatten. Sie machten viele Pausen, getrauten sich aber nicht jemanden zu fragen, ob sie mitfahren könnten, da sie sonst befürchten müssten, Lucias Onkel würden sie zu schnell aufspüren.

In der Mittagshitze legten sie sich kurzzeitig unter eine große Buche in deren Schatten.

Doch dann mussten sie rasch wieder weiter, weg von der Küste, wo sicherlich bald Massimo und Josefo eintreffen und versuchen würden, erneut ihre Fährte aufzunehmen.

Abends waren sie gut 20 Kilometer vorangekommen. Übernachtet haben sie an einem kleinen Bächlein, um wenigstens Wasser zum Trinken zu haben. Ihren Hunger besänftigten sie etwas mit Beeren und anderen Waldfrüchten.

Es waren nur noch ungefähr 12 Kilometer bis zu dem einsamen Gehöft ihres ehemaligen Verehrers Georgio, von dem ihre Onkel nichts wissen dürften, da sie damals ihre kurze und harmlose Affäre geheim zu halten versucht hatte.

Ziemlich müde und ausgehungert kamen sie am frühen Nachmittag des nächsten Tages bei Georgio an.

Dieser versorgte mit seiner Schwester ihr kleines Anwesen. Sie hatten ein paar Kühe und Pferde und wenige Hektar Land, das gerade ausreichte, um die Tiere und sich selbst zu versorgen.

Georgio war nicht wenig überrascht, als er Lucia plötzlich nach so langer Zeit mit einem Begleiter bei ihnen auftauchen sah. Lucia ist einmal seine große Liebe gewesen. Er hätte alles für sie getan. Doch hat sie ihn als ihren Liebhaber leider nie ganz ernst genommen.

Wenn sie auch einen Begleiter bei sich hatte, freute er sich dennoch, Lucia nach so vielen Jahren wieder zu sehen.

Maria, seine Schwester, hieß die beiden ebenfalls herzlich willkommen.

Als sie sahen, wie ausgehungert beide waren, richtete sie sofort etwas zu essen her.

Nachdem der erste Hunger gestillt war, begannen Lucia und Markus, ihre Geschichte zu erzählen. Maria und Georgio hörten aufmerksam zu, wobei sie hinterher nur verständnislos den Kopf schüttelten, als die beiden mit ihrer Geschichte zu Ende waren.

Man muss vielleicht sagen, dass hauptsächlich Lucia erzählte, da Markus zwar mittlerweile ganz gut Französisch sprach, mit dem Italienischen aber noch rechte Schwierigkeiten hatte, obwohl er das meiste bereits ziemlich gut verstand.

Georgio meinte hinterher, dass sie sicherlich vorerst hierbleiben könnten, dass man aber damit rechnen müsse, die Mörder würden sie in absehbarer Zeit auch hier auffinden.

So vergingen zwei Wochen, in denen sich sowohl Lucia als auch Markus am Hof und auch im Haushalt nützlich zu machen versuchten, um die Gastfreundschaft nicht über zu strapazieren. Lucia hatte auch noch einen kleinen Rest des Geldes übrig, das sie ihren Gastgebern überreichte. Während ihres Aufenthaltes klagte sie zunehmend über Übelkeit. Morgens musste sie sich häufig übergeben. Nachdem die Periode schon eine Woche ausgeblieben war, wurde ihnen mit Schrecken bewusst, dass sie vielleicht schwanger sein könnte, was ihre missliche Lage sicherlich noch erheblich erschweren dürfte.

Da damit zu rechnen war, dass die verbrecherischen Brüder sie bald aufspüren würden, entschlossen sie sich, weiterzuziehen, zumal sie auch ihre Gastgeber nicht gefährden wollten.

Lucia hatte die Idee, Markus', besser gesagt Alessandros Mutter in den Bergen am Ledrosee aufzusuchen. Wahrscheinlich würden ihre Onkel sie hier am wenigsten vermuten.

Sie brauchten einen sicheren Ort, wo Lucia ihre Schwangerschaft austragen und ihr Kind zur Welt bringen könnte. Eine Abtreibung kam für sie trotz der widrigen Umstände nicht in Frage.

Georgio lieh ihnen zwei Pferde und versorgte sie mit ausreichend Lebensmittel und Kleidung, damit sie ihre beschwerliche Reise antreten konnten. Ihr Ziel verriet sie ihm jedoch nicht, um ihn nicht in Verlegenheit zu bringen, ihren Zufluchtsort zu verraten, falls ihre Onkel bei Georgio und Maria auftauchten.

Er würde alles wieder zurückbekommen, hat Lucia ihm bei der Abreise noch versprochen. Die Reise war anstrengend. Sie ritten trotz Lucias Schwangerschaft oft den ganzen Tag mit nur kurzen Verschnaufpausen zum Essen. Übernachtet haben sie in Scheunen, manchmal auch im Freien, was bei dieser trockenen und warmen Jahreszeit nicht weiter schlimm war.

Die Pferde fanden auch ausreichend Gras, um ihren Hunger stillen zu können.

ALESSANDROS MUTTER

Nach einer Woche anstrengenden Ritts waren sie am Ledrosee angekommen.

Das Anwesen seiner Mutter lag am Nordende des Sees auf einer Anhöhe mit Zugang zum See den Abhang hinunter.

Maria Samiano war nicht wenig überrascht, als sie dieses junge Paar bei ihr ankommen sah. Sobald sie Lucia als Nichte ihrer größten Feindin Barbara de Magro erkannt hatte, wurde sie wütend.

„Von deiner verfluchten Familie kommt mir niemand ins Haus", schrie sie sie an.

„Dies ist Alessandro, dein Sohn", antwortete Lucia daraufhin ganz ruhig.

Maria war bestürzt. Dieser Mann sollte ihr Kind sein, das sie vor nunmehr bereits 25 Jahren gleich nach der Geburt weggegeben hat, um sein Leben zu schützen?

Nur sie und ihre Freundin Marianne wussten, dass er im kleinen Vilstal in Niederbayern lebt. Sie hat im Laufe der Jahre immer wieder versucht, Nachricht von ihm zu erhalten, ohne dass jemand Verdacht schöpfen würde, was ihr nur unzureichend gelang.

Sie wusste eigentlich nur, dass er als Sohn der Müller am Hof der Habersetzer lebte.

Nachdem die erste Überraschung vorbei war und Maria sich wieder etwas beruhigt hatte, bat sie das junge Paar zu sich herein in ihr großes und doch recht schönes Landhaus, das völlig einsam auf der Anhöhe stand mit herrlichem Blick über den See. Auf der Rückseite wurde es von einem Laubwald begrenzt, der sich einen Berg hinaufzog. Der nächste Ort befand sich am entgegengesetzten Ufer des Sees.

Nachdem sie einen kurzen Gang passiert hatten, kamen sie in einen großen, vornehmen, mit antiken Möbeln eingerichteten Wohnraum. In der Mitte stand ein großer Tisch. An einer Seite befand sich ein schöner, alter Schrank. Im hinteren Teil des Zimmers konnte man eine riesige Polstercouch mit schwarzem Leder sehen. Darauf saß eine andere Dame, die etwa im gleichen Alter wie Maria gewesen sein dürfte.

Marianne blickte überrascht auf, als Maria diesen jungen, gutaussehenden Herrn als ihren Sohn Alessandro vorstellte. Im ersten Moment schüttelte sie nur ungläubig den Kopf, zumal, nachdem sie Lucia als die Nichte dieser verfluchten Barbara erkannt hatte, durch deren unheilvollen Einfluss sie hierher in die Einöde verbannt worden waren.

Den jungen Leuten wurden Stühle angeboten. Die beiden älteren Damen, die beide circa 50 Jahre alt gewesen sein dürften und bereits einige Falten auf ihren ansonsten recht hübschen Gesichtern aufwiesen, schauten diese fragend an.

Nachdem Markus schlecht Italienisch sprach, begann Lucia zu erzählen.

Die Gesichter der beiden älteren Damen, die dezent, aber vornehm gekleidet waren, wurden immer angespannter und ungläubiger, je weiter Lucia mit ihrer Geschichte fortfuhr.

Nachdem diese ihre Erzählung beendet hatte, blieben die beiden älteren Damen erst einmal still auf ihrer Couch sitzen, um das Gehörte zu realisieren.

Irgendwann stand Maria auf, umarmte Alessandro und küsste ihn. Sie umarmte aber auch Lucia, die ihren Sohn gerettet hatte und ihr Enkelkind in sich trug.

Marianne brauchte etwas länger, um alles zu begreifen. Doch dann stand auch sie auf, umarmte und küsste die beiden.

Sodann ging sie in die Küche, um Essen und Getränke zu holen. Sie sahen, dass die beiden ausgehungert waren. Nachdem sie ausgiebig gespeist hatten, richteten die beiden Damen ein schönes, großes Zimmer für das junge Paar her. „Ihr müsst euch erst ausschlafen", meinte daraufhin Maria: „Morgen werden wir überlegen, was weiter geschehen soll!"

ANNA-MARIA-LENA

Am nächsten Morgen trafen sich alle vier beim Frühstück. Marianne hatte Eier, selbst gebackenes Brot, Käse und Schinken aufgetischt.

Maria lenkte das Gespräch sehr bald auf die Zukunft, wie sie den Anschlägen der mordenden Brüder entgehen könnten.

Nach ihrer Meinung wäre es für das junge Paar viel zu gefährlich, hier in dem Landhaus zu bleiben. Sie hätte weit oben in den Bergen, mitten im Wald, eine Jagdhütte, die nur Marianne, ihr und dem Grafen Antonio de Magro bekannt sei. Diese Hütte sei ihr Liebesnest gewesen. Alessandro selbst sei hier gezeugt worden.

Maria und der Graf hätten sich hier regelmäßig getroffen.

Sie haben sich geschworen, niemandem von der Hütte zu erzählen.

Dort hinauf sollte das Liebespaar gehen. Dort wären sie in Sicherheit vor den Nachstellungen der mordenden Brüder.

Alessandro könnte zwei Mal pro Woche herabsteigen bis zur Waldgrenze, wo niemand ihn sehen könnte, um Essen abzuholen, das Marianne für sie mitbesorgen würde.

Sie selbst werde ab und zu hinaufsteigen, um sie zu besuchen. Sie müssten aber sehr vorsichtig sein, damit niemand Verdacht schöpfte. Sie werde ihnen auch Waffen, Musketen und Säbel mitgeben, damit sie sich im Notfall verteidigen könnten.

Die Brüder Massimo und Josefo werden sicherlich bereits fieberhaft nach ihnen suchen, da sie selbst mit Bestrafung rechnen müssen, falls ihre Identität auffliegen würde.

Am wichtigsten ist es jetzt, für das Kind zu sorgen, das in Lucias Bauch heranwächst.

Nach der Geburt möchte sie versuchen, den Grafen de Magro über die Ereignisse zu informieren.

Sie war sich sicher, dass er von all dem keine Ahnung hatte.

Sie müssen aber sehr vorsichtig sein, da sonst ihr Geheimnis vorzeitig auffliegen könnte, was tödlich ausgehen dürfte.

Diesen Tag verbrachten die beiden noch im Landhaus von Maria.

In aller Frühe am nächsten Morgen stiegen Lucia und Markus mit Marianne durch den Wald den Berg hinauf zur Jagdhütte.

Diese war erheblich kleiner als das Landhaus, aber ganz gemütlich eingerichtet. Sie hatten einen Holzofen, mit dem sie kochen und einheizen konnten. Es war sogar noch relativ viel Holz vor dem Haus gestapelt. Dennoch würde Markus zeitweise in den Wald gehen müssen, um Bäume zu fällen und Holz für den Ofen zu besorgen. Für jemanden, der auf einem Bauernhof aufgewachsen ist, sollte dies aber kein Problem sein. Ein kleines Bächlein lief in der Nähe des Hauses vorbei, sodass sie auch keinen Wassermangel bekommen dürften. Das Haus bestand aus zwei Zimmern, einem Schlafzimmer und einem Wohnraum mit Küche.

Lucia hat sich auf Anhieb in ihre kleine Wohnung verliebt. Hier konnte sie sich vor den Nachstellungen ihrer Onkel sicher fühlen.

Wenn sie beide dort auch sehr einsam waren, genossen sie dies mehr, als dass sie davon belastet wurden.

Lucias Übelkeit und Erbrechen sistierten relativ bald, nachdem sie dort oben eingezogen waren. Sie machten viele gemeinsame Spaziergänge. Markus stieg zwei Mal die Woche hinab zum Landhaus, um Essen zu holen, das Marianne für sie besorgte. Es musste dabei sehr vorsichtig sein, um nicht entdeckt zu werden. Maria jedenfalls war sich sicher, dass ihr Haus von Spionen der Gräfin Barbara überwacht würde.

So vergingen die Monate, ohne dass es besondere Zwischenfälle gegeben hätte. Lucia hatte eine relativ unproblematische Schwangerschaft.

Irgendeinmal, viele Monate später, bekam sie Bauchkrämpfe. Plötzlich lief klares Wasser aus ihr heraus. Sie hatte keine Ahnung, was mit ihr geschah, da sie noch nie etwas von Blasensprung, Fruchtwasser und Geburtswehen gehört hatte. Sie bekam Angst und schrie nach Markus, der gerade in den Wald zum Baumfällen gegangen war. Als Markus ihre Schreie hörte, lief er sofort zur Hütte, wobei er Lucia vor Schmerz gekrümmt auf ihrem Bett sitzend vorfand. Er streichelte und beruhigte sie. Sie bekam immer wieder krampfartige Schmerzen.

Eigentlich hatte Markus Marianne zu Hilfe rufen wollen. Doch war dies nicht mehr möglich, da er Lucia in dieser Situation unmöglich allein lassen konnte.

Diese Schmerzzustände gingen über Stunden, bis Lucia plötzlich starken Pressdrang verspürte. Sie hatte das Gefühl, einen harten Stuhlgang hinaus pressen zu müssen. Markus unterstützte sie so gut er konnte. Irgendeinmal hatte sie das Gefühl, ihr Damm würde zerreißen, als plötzlich ein kleines Mädchen geboren wurde.

Markus hob das Kind auf, streichelte es, umwickelte es mit Tüchern, um es zu wärmen, und reichte es Lucia. Diese liebkoste ihr Kind, so dass dieses gleich aufhörte zu schreien und sich eng an seine Mutter schmiegte. Lucia bedeutete Markus, er müsse die Nabelschnur abbinden und durchtrennen. Nach einiger Zeit bekam Lucia erneut Wehen und Pressdrang, als die Nachgeburt kam. Lucia blutete verstärkt aus einer Wunde am Damm, wobei sich Markus nicht besser zu helfen wusste, als fest auf die Wunde zu drücken, um die Blutung zu beheben.

Lucia klemmte viele Tücher zwischen ihre Oberschenkel ein, um die Blutung zum Stillstand zu bringen, was letztendlich auch erfolgreich war.

Nachdem alles vorbei war, war auch Mitternacht schon vorübergegangen.

Als Licht hatten sie mehrere Kerzen, die das Zimmer nur notdürftig erhellten.

Erschöpft legten sich alle drei nebeneinander in ihr Bett, das Markus erst neu beziehen musste, da die Betttücher mit Blut und Fruchtwasser getränkt waren.

Am nächsten Morgen begann Lucia bereits ihre Tochter anzulegen, da diese aus Hunger ziemlich quengelig wurde.

In der Frühe stieg Markus den Berg hinab, um seiner Mutter und ihrer Freundin die frohe Nachricht von der Geburt ihrer Enkelin zu überbringen. Maria wollte sofort mit hinauf zur Jagdhütte. Marianne musste vorsichtshalber im Landhaus Stellung halten, damit niemand Verdacht schöpfte.

Maria brachte selbstgestrickte Kleidchen für das Kind mit, die die beiden älteren Damen im Lauf der letzten Monate angefertigt hatten.

Lucia bekam Gott sei Dank ausreichend Milch, um das Kind ernähren zu können.

So vergingen ungefähr zwei Wochen, bis Marianne wieder einmal einen Besuch im Schloss der de Magros absolvierte. Dies war nichts Besonderes, da sie öfter einmal dorthin musste, um Geld zu holen, oder um Angelegenheiten, die die beiden Damen betrafen, mit dem Grafen zu besprechen. Barbara war nicht sehr angetan von diesen Besuchen, konnte aber nichts dagegen machen.

Dieses Mal forderte Marianne wieder einmal, zum Grafen vorgelassen zu werden, was Barbara wiederum überhaupt nicht recht war.

Sie schickte sofort jemanden, der an der Türe horchen sollte, um zu erfahren, was die beiden zu besprechen hätten.

Nachdem sich Marianne aber dessen bewusst war, dass sie abgehört wurde, zeigte sie dem Grafen nur eine kurze, auf einem Zettel geschriebene Botschaft von Maria, wonach dieser zur üblichen Zeit zur Jagdhütte kommen sollte.

Nachdem der Graf Marias Botschaft gelesen und seine Zustimmung signalisiert hatte, vernichtete Marianne den Zettel, indem sie ihn ins offene Feuer warf.

Barbaras Dienerin konnte durch das Schlüsselloch diese Szene beobachten, ohne Marias Botschaft lesen zu können.

Nach einem kurzen, belanglosen Wortwechsel verabschiedete sich Marianne wieder, um mit ihrer Kutsche die Heimfahrt anzutreten.

DIE ABRECHNUNG

Es vergingen einige Tage, bis der Graf geschäftlich nach Bergamo, der nächsten größeren Stadt, aufbrach. Nachdem er aber außer Sichtweite war, wendete er sein Pferd in Richtung Marias Landhaus. Dort angekommen brachte er das Pferd in den Stall und ging ins Haus, wo Maria auf ihn wartete. Er begrüßte seine frühere Freundin mit einem flüchtigen Kuss auf die Wange und schaute sie fragend an.

Ohne ein Wort zu sagen, bedeutete sie ihm, ihr zu folgen. Während Marianne im Haus blieb, um aufzupassen, machten sich die beiden auf den eineinhalbstündigen Aufstieg zur Jagdhütte. Als sie ziemlich erschöpft dort ankamen und eintraten, sahen sie zwei junge Eltern mit einem neugeborenen Kind im Wohnzimmer sitzen.

Maria schaute den Grafen fest an, deutete auf Markus und erklärte ihrem früheren Geliebten, dass dies sein Sohn Alessandro und das Kind seine Enkelin Anna-Maria-Lena seien.

Der Graf wiederum blickte Maria verdutzt an. Soweit ihm bekannt war, starb sein Sohn Alessandro bei der Geburt und wurde in der Familiengruft begraben.

Ihm war von den anwesenden Personen nur Lucia, seine Nichte bekannt, wobei er bisher keine Ahnung hatte, dass sie schwanger war.

Maria bedeutete ihm, sich auf einen der herumstehenden Stühle zu setzen, und begann zu erzählen. Nachdem sie lange Zeit später geendet hatte, blieb der Graf zuerst regungslos sitzen. Er musste erst verarbeiten, was er eben vernommen hatte.

Dass seine Frau Barbara seine Schwager, ihre Brüder Massimo und Josefo, beauftragt haben soll, seinen Sohn Alessandro aus Habgier zu ermorden, und dass diese aus Unfähigkeit und Brutalität mehrere Massaker angerichtet haben sollen, konnte er fast nicht glauben.

Ebenso wenig konnte er begreifen, dass sein totgeglaubter Sohn plötzlich nach 25 Jahren vor ihm sitzen und ihn zum Großvater gemacht haben soll.

In seiner Verzweiflung blickte er auf Lucia, um von ihr, Barbaras Nichte, zu erfahren, dass dies alles Unsinn sei. Doch als auch diese ihm die Geschichte bestätigte, begann er langsam zu begreifen, was er jetzt gehört hatte.

Zuerst umarmte und küsste er seinen Sohn und die Mutter seiner Enkelin. Dann berührte er vorsichtig das Kind.

Dann schaute er kopfschüttelnd Maria an und fragte sie, warum sie ihm nicht eher von all dem berichtet habe.

Als diese ihm darauf keine Antwort gab, setzte er sich wieder auf seinen Stuhl.

„Ihr müsst mit aufs Schloss kommen. Wir müssen Barbara zur Rede stellen", sagte er nach langem Nachdenken. „Ihr könnt unbesorgt mitkommen. Ich habe genügend treue Diener, die sofort einschritten, wenn Barbara und ihre Brüder etwas aushecken würden."

Nachdem es schon spät war, übernachteten alle in der Jagdhütte.

Barbara machte sich keine Sorgen, dass ihr Mann nicht heimkam, da sie glaubte, er würde in seiner Wohnung in Bergamo übernachten.

Als sie am nächsten Tag ihren Mann mit Maria, Marianne, Lucia und einem ihr unbekannten, gutaussehenden jungen Mann, der ein neugeborenes Kind trug, ankommen sah, schwante ihr nichts Gutes.

Die Ankömmlinge gingen in den großen Rittersaal mit dem offenen Kaminfeuer. Antonio ließ nach ihr und Francesco, seinem zweiten Sohn, rufen.

Sie standen alle in einem Kreis.

Maria begann zu erzählen. Lucia bestätigte ihre Geschichte. Barbaras Gesichtszüge wurden immer härter, je weiter die Geschichte fortschritt.

Francesco hörte kreidebleich und entsetzt zu. Er hatte von all dem keine Ahnung.

Plötzlich sprang Barbara auf. Sie hatte plötzlich ein langes, spitzes Messer in ihrer Hand.

„Du Hure und Nestbeschmutzerin“, schrie sie, stürzte sich auf Lucia und rammte ihr das Messer mit brutaler Gewalt durch den Brustkorb mitten ins Herz.

In ihrer anderen Hand hielt sie eine Kapsel, die sie in den Mund schob und zerbiss.

Lucia riss entsetzt ihre Augen auf und brach im nächsten Augenblick tot zusammen.

Barbara lief blau an, begann zu röcheln und brach ebenfalls zusammen. Das Zyankali hatte sofort zu wirken begonnen.

Markus, der immer noch seine Tochter in seinen Händen hielt, stürzte sich auf Lucia, umarmte sie und begann erbärmlich zu weinen, ohne seine Tochter dabei fallen zu lassen.

Francesco beugte sich über seine sterbende Mutter und fing ebenfalls zu weinen an.

Antonio wirkte wie versteinert. Er rührte sich lange Zeit nicht von der Stelle, bis auch ihm die Tränen in die Augen traten.

Die Beerdigung der beiden Frauen war sehr traurig. Sie wurden beide in der Familiengruft der de Magros beigesetzt.

Die Brüder Massimo und Josefo versuchten, durch Flucht ihrer Strafe zu entrinnen. Sie wurden aber beide gefangen, verhaftet, vor Gericht gestellt und zum Tode durch Erhängen verurteilt.

Die Hinrichtung fand nur wenige Tage nach der Urteilsverkündung im Gefängnis von Bergamo statt.

Antonio de Magro wirkte nach diesen Ereignissen gebrochen. Er konnte so nicht mehr weitermachen.

Er übergab seinem Sohn Francesco den Titel des Conte de Magro und seinen ganzen Besitz. Seinem zweiten Sohn Alessandro übergab er sein ganzes Bargeld, den Familienschmuck und alles Gold, das im Schloss zu finden war.

Selbst fragte er Maria, ob sie ihn in ihrem Landhaus aufnehmen würde.

Maria, Marianne und Antonio lebten noch lange Zeit glücklich in ihrem Landhaus zusammen.

Antonio hatte für sich eine Apanage ausbedungen, mit der alle drei gut leben konnten.

Nach ihrem Tod erbte Alessandro den ganzen Besitz mit Landhaus und Jagdhütte. Markus, plötzlich reich geworden, hatte ein Kind, aber keine Mutter dazu.

Er verbrachte noch fast ein Jahr in dem Landhaus am Ledrosee mit seinen Eltern, Marianne und Tochter Anna-Maria-Lena.

Nachdem seine Tochter beinahe ein Jahr alt war und schon begonnen hatte, an der Hand zu gehen, wollte er aber wieder aufbrechen. Er gehörte nicht hierher.

Er war im kleinem Vilstal aufgewachsen. Dies war seine Heimat. Er wollte dorthin zurückkehren, um sich mit dem Geld, das er geerbt hatte, ein Anwesen, wie die Habersetzer es besaßen, zu kaufen.

In Deutschland war der Krieg mittlerweile zu Ende gegangen. In Westfalen war ein Friedensvertrag unterzeichnet worden, der wieder ein normales Leben ermöglichte.

ZURÜCK IN DER HEIMAT

Er buchte eine Kutschenfahrt über die Alpen bis Landshut. Dort kaufte er sich ein Pferd, um damit nach Seyboldsdorf ins kleine Vilstal zu gelangen. Seine kleine Tochter hatte er in einer Kraxe auf seinem Rücken, während er auf dem Pferd ritt. Er wollte zum Hof der Habersetzers. Er wollte Theresia wiedersehen, sie fragen, ob sie einen Hof wüsste, den er kaufen könnte.

Als er zum Hof der Habersetzers kam, der ziemlich heruntergekommen zu sein schien, kam ihm als Erstes ein ungefähr sechs Jahre alter Knabe entgegen.

Der Junge blickte Markus mit großen, fragenden Augen an. Irgendwie gefiel ihm dieser aufgeweckte Bub, der mit seinen blauen Augen, seinem hübschen, etwas spitzbübischen Gesicht, seinen gewellten blonden Haaren einen sehr sympathischen Eindruck hinterließ.

Auf seine Frage nach Theresia Riedenauer bezeichnet der Junge sie als seine Mutter.

Er könne sie in der Küche finden, fügte er hinzu.

Markus öffnete die Tür zur Küche. Als Theresia die Tür aufgehen hörte, drehte sie sich um und stand plötzlich vor dem Mann, den sie vor langer Zeit für ihre große Liebe gehalten hat.

Er hielt ein Kleinkind in seinen Armen.

Markus reichte Theresia die Hand, wobei er sie mit einem freundlichen Lächeln begrüßte, so dass man seine ebenmäßigen weißen Zähne sehen konnte.

Theresia streckte ihm auch ihre Hand entgegen und sah fragend auf das Kind, das sich eng an seinen Vater schmiegte.

Dies sei seine Tochter Anna-Maria-Lena, beantwortete Markus Theresias stumme Frage.

Ihre Mutter sei vor wenigen Monaten ermordet worden, fügte er traurig weiter hinzu.

Theresia ging ins Wohnzimmer und bedeutete Markus, sich zu setzen. Sie wolle Tee aufbrühen, fuhr Theresia fort, wobei sie wieder in der Küche verschwand.

Markus setzte sich auf die gepolsterte Couch und wartete, bis Theresia ihren Tee brachte.

Wo ihr Mann Thomas Riedenauer und Bruder Johannes und die anderen seien, fragte Markus, nachdem Theresia mit ihrer Teekanne zurückgekommen war.

Johannes und ihre Eltern seien tot, beantwortete Theresia seine Frage. Die beiden seien von den Schweden ermordet worden, ihre Mutter aus Gram bald darauf verstorben.

Ihr Ehemann Thomas habe seinen Hof in Geisenhausen wieder aufgebaut, den die Schweden zerstört hatten, und sei mit seinen Eltern wieder dorthin zurückgekehrt, nachdem sie festgestellt hatten, dass sie nicht zusammenleben konnten.

Vor allem, als Thomas erfahren hatte, dass Andreas, der Knabe, den Markus bei seiner Ankunft gesehen hatte, nicht sein Sohn sei, gab es für ihn keinen Grund mehr zu bleiben.

Daraufhin schaut wiederum Markus seine frühere Freundin verdutzt und fragend an.

„Du bist sein Vater, Markus“, beantwortete nun wiederum Theresia dessen unausgesprochene Frage. „Nachdem ich Thomas erzählt hatte, dass wir an unserem Verlobungstag, dem Tag, an dem er geglaubt hatte, Andreas gezeugt zu haben, nicht miteinander geschlafen hatten, da er zuvor in seinem Rausch eingeschlafen ist, ich dafür aber am Tag davor mit dir Verkehr hatte, zog er aus, zurück zu seinen Eltern.“

Markus musste erst einmal tief Luft holen, um das Gehörte zu verarbeiten.

Er habe erwartet, dass Theresia seit Jahren mit Thomas verheiratet sei und schon viele Kinder von ihm habe, begann Markus seine Erzählung und fuhr fort, indem er Theresia berichtete, dass er eigentlich Alessandro de Magro heiße und der Sohn des Grafen Antonio de Magro sei. Er habe aber nie ganz aufgehört, sie zu lieben, gestand Markus, obwohl er in Lucia eine wunderbare Frau gefunden hatte.

Er habe einfach geglaubt, dass Theresia für ihn nicht mehr zu haben sei.

Wenn er Theresia so anschaute, erinnerte sie ihn sehr an Lucia. Irgendwie waren sich die beiden Frauen sehr ähnlich, zumindest in ihrem Äußeren, aber eigentlich auch wieder in ihren Einstellungen und inneren Werten.

Dies war ihm eigentlich bisher noch nie so klar geworden wie jetzt, als er neben Theresia saß, sich mit ihr unterhielt und sie ihn so sehr an Lucia erinnerte.

Theresia sah ihm tief in die Augen und schüttelte verzweifelt den Kopf. Sie wusste nicht mehr, was sie von diesem Mann halten sollte, den sie einst so sehr geliebt hatte, der jetzt mit einer Tochter von einer anderen Frau vor ihr saß.

Sie wechselte das Thema, indem sie ihm erklärte, dass Anna von Seyboldsorf wieder nach langer Abwesenheit mit ihrer großen Liebe Joseph Johannson zurückgekehrt sei.

Sie wollten heiraten. Die Hochzeit fände in zwei Wochen statt. Sie, Theresia, sei eingeladen. Wenn er, Markus, wolle, könne er sie begleiten. Dieser willigte in die Einladung ein, bevor er mit seinem langen Bericht über seine Erlebnisse fortfuhr.

Nachdem er zum Ende gekommen war, meinte er noch, er sei ins kleine Vilstal zurückgekehrt, um sich hier ein Anwesen mit dem Geld, das er geerbt hatte, zu kaufen, da er hier in seiner Heimat leben wolle.

Theresia gestand ihm, dass sie einen großen Teil des ehemaligen Habersetzer-Hofes, einschließlich der Mühle, habe verkaufen müssen, um ihre Schulden zu bezahlen.

Sie besäße jetzt nur noch ein kleines Anwesen, das gerade ausreicht, um ihren Sohn und sie selbst zu ernähren.

Er wollte sie fragen, ob sie ein Anwesen wüsste, das er kaufen könnte, was Theresia allerdings verneinen musste.

Sie habe mehrere Gästezimmer, meinte Theresia und fuhr fort, ihm vorzuschlagen, dass er vorerst mit seiner Tochter hier wohnen könnte, bis er eine andere Unterkunft gefunden hätte.

Anna-Maria-Lena war fast schon ein Jahr alt. Sie machte bereits ihre ersten Gehversuche, wenn sie an der Hand geführt wurde.

Andreas war begeistert von dem kleinen Mädchen, mit dem er gerne spielte.

Theresia und Markus haben es bisher noch nicht gewagt, Andreas zu sagen, dass Markus sein Vater war. Markus wollte den Jungen erst etwas besser kennenlernen.

Er habe seine Brosche wieder bekommen, die Johannes in der Gaststube aufgehängt hatte, wodurch die mörderischen Brüder erst auf Markus aufmerksam geworden sind, erwähnte Markus beiläufig und zeigte sie Theresia.

So verbrachten Markus und Anna-Maria-Lena die zwei Wochen bis zur Hochzeit von Anna von Seyboldsdorf mit Joseph Johannson in Theresias Haus. Sie hatten ein eigenes Zimmer bekommen. Die Mahlzeiten, die sie gemeinsam herrichteten, nahmen sie auch gemeinsam ein.

Markus half Theresia bei ihrer Bauernarbeit im Stall und auf dem Feld.

Abends unternahmen sie öfter gemeinsame Spaziergänge mit ihren Kindern, die sie alle vier sehr genossen.

Andreas, Markus, Anna-Maria-Lena und Theresia haben sich auf diese Weise richtig angefreundet.

Irgendeinmal hatten sie es auch gewagt, Andreas zu gestehen, dass Markus sein richtiger Vater sei, woraufhin dieser so glücklich war, dass er kaum mehr aufhörte, Markus zu umarmen und zu küssen.

Für den Tag der Hochzeit hatten sie sich alle schön angezogen und hergerichtet.

Theresia sah in ihrem rosa-gesprenkelten Kleid wunderschön aus.

Markus war bei ihrem Anblick wahnsinnig in sie verliebt, getraute sich aber nicht, ihr dies zu gestehen, da sie immer noch ziemlich sauer war, dass er sich in seiner Abwesenheit in eine andere Frau verliebt und von ihr sogar ein Kind bekommen hatte.

Es half ihm dabei auch wenig das Argument, dass sie selbst geheiratet hätte, und er geglaubt hatte, dass sie sicherlich schon mehrere Kinder von Thomas bekommen hätte.

Am Hochzeitstag herrschte strahlender Sonnenschein. Die Sonne strahlte so warm von einem wolkenlosen Himmel herab, dass man den Eindruck hätte bekommen können, sie freute sich selbst über dieses schöne Fest, das nach dem Ende des langen Krieges die Herzen der Menschen endlich wieder glücklich machte.

Das Brautpaar war wunderschön anzusehen. Anna konnte man ihr Glück richtig ansehen.

Theresia freute sich für sie. Sie hat ihrer Freundin auch beim Aussuchen und Anprobieren ihres Brautkleides geholfen.

Die dreijährige Maria, Annas Tochter, tanzte mit den Erwachsenen im Reigen. Andreas fasste sie bei der Hand und drehte sich mit ihr im Kreise herum.

Man konnte den Gästen ansehen, dass sie glücklich und befreit waren, nach diesem furchtbaren Krieg endlich wieder richtig feiern zu dürfen.

An diesem Tage begann auch die Kinder- und Jugendfreundschaft zwischen Maria und Andreas, die sich später ineinander verlieben sollten.

Zwei Jahrzehnte später heirateten diese beiden auf dem Hofe der Habersetzers, den sie einmal erben und leiten würden.

Theresia und Markus tanzten viel an diesem Abend zusammen.

Irgendwie begannen sie auch wieder, sich zu umarmen und zu küssen.

Theresia versuchte anfangs noch, sich gegen Markus' Annäherungsversuche zur Wehr zu setzen. Doch versagte ihr Widerstand ziemlich schnell, da sie diesen Mann immer noch aufrichtig liebte. Diese beiden konnten nicht mehr heiraten, da Theresia bereits einmal verheiratet war und eine Scheidung zur damaligen Zeit einfach nicht möglich war.

So verbrachten sie ihr gemeinsames Leben ohne Trauschein, was ihnen anfangs missbilligende Bemerkungen der anderen Dorfbewohner einbrachte.

Mit der Zeit hatte man sich aber an diesen Zustand gewöhnt. Nachdem bekannt wurde, dass Markus gräflicher Abstammung war, getraute man sich sowieso nichts mehr gegen ihre Liaison zu sagen, da Adlige andere Freiheiten genossen als normale Bürger.

Markus hatte sein Erbe dazu verwandt, den Hof der Habersetzers massiv zu vergrößern. Er kaufte seine Mühle, in der er aufgewachsen war, zurück und alle Ländereien, die Theresia in ihrer Not hatte hergeben müssen, so wie noch viel mehr Land, da er über ein großes Erbe verfügte. Sie konnten sich viele Angestellte leisten, die die schwere Arbeit verrichteten, so dass sie selbst sich mehr um das Geschäftliche und den Handel kümmern konnten.

Es war kaum ein Jahr vergangen, als plötzlich eine Einladungskarte zur Hochzeit von Antonio de Magro mit Maria Semiano am Ledrosee mit der Post hereinkam.

Die kleine Familie reiste in einer vierspännigen Kutsche mit Kutscher und mehreren Dienern über die Alpen zum Ledrosee.

Im Landhaus über dem See angekommen, stellte Alessandro, wie er hier wieder hieß, seinen Eltern seine neue Lebenspartnerin und seine beiden Kinder vor.

Antonio und Maria waren nicht wenig überrascht, plötzlich zwei Enkelkinder und eine neue Schwiegertochter zu haben.

Sie hatten seit Markus' Abfahrt nichts mehr von ihm gehört.

Die Hochzeit fand prunkvoll im Schloss der de Magros am Iseosee statt. Gastgeber war Francesco, der neue Graf, der bei dieser Gelegenheit auch seine künftige Gräfin vorstellte.

Alessandro und seine Familie blieben drei Wochen in Italien.

Die Brüder Alessandro und Francesco hatten so auch Gelegenheit, sich besser kennen zu lernen und anzufreunden, nachdem ihre erste Begegnung doch recht traurig geendet hatte.

Die Hochzeitsgesellschaft unternahm auch einen Jagdausflug auf die Insel des großen Sees, an deren höchsten Punkt ein altes Marienheiligtum zu bewundern ist. Dort fand auch der Abschluss-Gottesdienst am Ende der Jagd statt.

Die kirchliche Trauung war übrigens in der eigenen Kapelle des Schlosses vorgenommen worden.

Die Hochzeitsfeier fand in eher kleinem Kreise im Landhaus am Ledrosee statt.

Das Brautpaar wirkte sehr glücklich. Wenn die beiden Eheleute auch nicht mehr ganz jung waren, stellten sie dennoch ein stattliches, gutaussehendes Paar dar.

Maria trug ein hellgrünes Kleid, das ihr sehr gut stand. Der alte Graf hatte seine Jugendliebe wieder gefunden und strahlte vor Glück.

Nach drei Wochen reiste Markus mit seiner Familie wieder zurück ins kleine Vilstal zu ihrem Hof. Für die folgenden Jahre wurde es Tradition, dass die Familie in den Sommerferien drei Wochen nach Italien zum Ledrosee reiste.

Anna-Maria-Lena wollte eines Tages nicht mehr nach Deutschland zurückkehren.

Sie verlangte, bei ihren Großeltern am Ledrosee leben zu dürfen.

Sie war Italienerin geworden und wollte in Italien ihr Leben verbringen.

Sie erbte auch einmal das Landhaus am Ledrosee mit der Jagdhütte und den dazu gehörigen Ländereien von ihren Großeltern.

Sie heiratete auch einmal einen Italiener. Ihren Vater, Bruder und Stiefmutter sah sie nur noch einmal im Jahr, wenn die Familie im Urlaub hierherreiste.

Nach Deutschland ist sie nur noch einmal zur Hochzeit ihres Halbbruders Andreas mit Maria Weixelgartner, wie diese mittlerweile hieß, gekommen. Deren Trauung fand in dem kleinen, schönen, gotischen Kirchlein von Seyboldsdorf statt.

Ihre gemeinsamen, wöchentlichen Treffen und Ausritte setzten die beiden Freundinnen Anna Weixelgartner und Theresia de Magro noch viele Jahrzehnte fort.

Auch ihre Männer verstanden sich leidlich gut, wurden aber nie richtige Freunde, da sie dafür zu unterschiedlich waren, allein schon geographisch, der eine aus dem hohen Norden, der andere aus Italien.

Nach Italien zum Ledrosee, wie es ihnen die de Magros einmal vorgeschlagen haben, sind die Weixelgartners jedenfalls nie mitgekommen, obwohl Anna sich schon gerne einmal dazu überreden lassen hätte können. Für Joseph kam dies aber überhaupt nicht in Frage.

Die Alpen waren für ihn eine magische Grenze. Was hinter den Bergen lag, interessierte ihn nicht. Vollständigkeitshalber sei noch erwähnt, dass auch Thomas Riedenauer eine Frau gefunden hat, die mit ihm ohne Trauschein zusammenlebte. Von ihr hat er zwei Kinder bekommen, die auch seinen Hof wieder weiterführten.

Olga und ich sind übrigens auch einmal an einem sonnigen Frühlingstag auf dieser wunderschönen, großen Insel des Iseosees gewandert.

Unsere beiden Kinder hatten an diesem Wochenende eigene Ausflüge. Andreas fuhr mit seiner Schulklasse nach Prag, Johanna mit ihrer Ministrantengruppe zum Bodensee.

Olga und ich waren an diesem Wochenende also allein.

Auch ich wollte weg. So machten wir uns am Samstag auf den Weg, um über den Brennerpass zum Gardasee zu gelangen. Nachdem wir an dessen Ostküste entlanggefahren und an die Westküste gelangt waren, nahmen wir die Abzweigung in Richtung Berge zum Ledrosee.

An dessen Ufer unternahmen wir einen kleinen Spaziergang, um die Schönheit dieses Sees auf uns wirken zu lassen. Anschließend fuhren wir weiter zum Iseosee, wo wir uns ein Hotelzimmer mieteten.

Nach dem Frühstück am nächsten Morgen entschlossen wir uns, auf dieser großen, schönen, bergigen Insel des Sees zu wandern. Vom Festland gelangt man schnell mit einem der Ausflugsboote dort hinüber.

Wir gingen vom Hafen weg, um den Berg zu besteigen, an dessen Gipfel sich das immer noch gut erhaltene, romanische Marienheiligtum befindet. Es dürfte sich seit der Hochzeit des Grafen de Magro nicht viel verändert haben.

Ich kann mich noch gut daran erinnern, dass bei unserer Wanderung durch den Wald, den Berg hinauf, laufend geschossen wurde, da offensichtlich gerade Jagdsaison war.

Olga hatte ziemliche Angst, wir könnten getroffen werden. Gott sei Dank ist dies aber nicht passiert. Das Kirchlein selbst, von dem aus man einen herrlichen Blick über den See und dessen Ufer hat, habe ich als sehr schön und sehenswert in Erinnerung.

Nachdem wir uns nach unserer Rückkehr zum Festland noch Bergamo angesehen und dort Kaffee getrunken hatten, sind wir auf der Autobahn geradewegs wieder nach Hause zurückgekehrt, gerade noch rechtzeitig, um unsere Kinder nach ihren jeweiligen Ausflügen abzuholen.

Es ist eigentlich kaum nötig zu erwähnen, dass Markus gleich nach seiner Wiederkehr in Seyboldsdorf ans Grab seiner Pflegeeltern Anna und Anton Müller ging, das er bisher noch gar nicht gekannt hatte. In der Folgezeit ist er immer wieder einmal an dieses Grab gekommen, in dem zwei Menschen bestattet lagen, die ihm so viel Liebe entgegengebracht hatten, obwohl sie nicht mit ihm verwandt waren, die vor allem aber wegen ihm hatten sterben müssen.

Anna und Joseph Weixelgartner hatten drei Kinder. Als ältester und einziger Sohn hat Olaf den Hof nach dem Tod seiner Eltern übernommen. Obwohl seine Mutter eigentlich Veronika von Gundifels war, hat ihn Anna wie ihren eigenen Sohn geliebt, weshalb sie auch keine Einwände äußerte, als er zum Hoferben ernannt wurde.

Maria, ihre älteste Tochter, hat sich in Andreas, den Sohn von Theresia Riedenauer und Markus de Magro, verliebt. Die beiden haben sich bereits bei der Hochzeit von Marias Eltern kennengelernt, auf der sie schon als Kinder zusammen tanzten.

Für die beiden stand seit langer Zeit fest, dass sie zusammenbleiben und heiraten werden. Ihre Eltern waren sehr glücklich darüber, da ihre Mütter Theresia und Anna von Kindheit an beste Freundinnen waren.

Maria und Andreas nahmen wieder den ursprünglichen Namen des Hofes, Habersetzer, zu ihrem Familiennamen.

Der Habersetzer-Hof existierte bis zu den napoleonischen Kriegen. Während der französischen Besatzungszeit soll er, so wird jedenfalls berichtet, abgebrannt sein. Man glaubte damals allgemein, dass es Brandstiftung war, der er zum Opfer fiel. Ein Täter konnte aber nie ermittelt werden.

Die Familie Habersetzer nahm dabei ein tragisches Ende, nachdem sowohl das Bauernehepaar als auch ihre beiden Kinder bei dem Brand umgekommen sein sollen.

Es wurde gemunkelt, dass möglicherweise Nachbarn sich des Grundes der Habersetzers bemächtigen wollten. Der Hof wurde jedenfalls niemals wieder aufgebaut.

Der Bauernhof, aus dem Josephs Mutter, Maria, geborene Angermayer, stammte, besteht bis zum heutigen Tag in Seyboldsdorf. Es gibt immer noch verwandtschaftliche Bande zwischen den Bauersleuten dieses Hofes und Olga.

Die jüngere Tochter von Anna und Joseph hieß Lena. Sie war ein sehr aufgewecktes, aber auch frommes Kind. Die Leute behaupteten, dass sie Anna besonders ähnlichgesehen haben soll. Zur Erstkommunion in ihrem weißen Kleid soll sie jedenfalls wunderschön ausgesehen haben. Lena wurde von ihren Eltern ins Internat des Klosters Seligental nach Landshut geschickt. Sie sollte eine besondere Ausbildung bekommen. Lena wurde eine gute Schülerin. Ihr gefiel es bei den barmherzigen Schulschwestern so gut, dass sie sich entschloss, als Novizin ins Kloster einzutreten. Einige Zeit später legte sie ihre Ordensgelübde ab, um ihr Leben ganz dem Gebet, ihren Ordensschwestern und ihren Schülerinnen zu weihen. In ihrem späteren Leben übernahm sie als Priorin die Leitung der Schule.

Nach Lichtenhaag kam sie nur noch einmal im Jahr, wenn sie ein paar Wochen Urlaub machte. Sie besuchte dann ihre Eltern und ihren Bruder Olaf, wobei sie immer auch ein paar Tage in Seyboldsdorf bei ihrer Schwester Maria verbrachte.

Wenn ihre Eltern und Geschwister sie öfter sehen wollten, mussten sie sie in Landshut besuchen kommen, was diese auch von Zeit zu Zeit machten.

Im Laufe der Jahrhunderte sind immer wieder Frauen und Männer der Familie Weixelgartner in geistige Berufe eingetreten, sei es, dass sie in Klöster eintraten oder Priester wurden.

Als Letzter dieser Reihe ist uns jener Georg Weixelgartner bekannt geworden, der als Pfarrer von Gerzen die Ahnenforschung unternommen hatte, die dieses Buch erst ermöglichte.

Vielleicht sollte man an dieser Stelle bereits einmal erwähnen, dass Maria, die Tochter des Schmiedeehepaars Johanna und Sebastian, die später einmal die Besitzer des Moosbauernhofes in Velden werden sollten, die Lieblingsschülerin und in der Folgezeit die beste Freundin von Schwester Lena werden sollte. Auch Maria ist ins Kloster Seligental eingetreten, um Gott ihr weiteres Leben zu weihen. Auch sie wurde

Lehrerin. Da sie eine große Verehrerin Jesu Gefährtin Maria-Magdalena war, nannte sie sich fortan Schwester Magdalena. Doch wird an anderer Stelle darüber noch ausführlicher berichtet werden.

DE CONTES ERINNERUNGEN

Antonio de Magro ließ seine Nichte und Ehefrau, Lucia und Barbara, in der Familiengruft der de Magros in Bergamo bestatten. Seit vielen Jahrzehnten musste er dazu wieder die Stufen zu diesem unterirdischen Raum hinabsteigen, den er so abgrundtief hasste. Hier lagen die Särge seiner Eltern, Susanna und Ludovico de Magro, sowie der seines Halbbruders Alberto. Als er die Treppen hinab ging, kamen ihm wieder Erinnerungen hoch, die er längst abgelegt zu haben glaubte. Sie waren aber nur verdrängt, da sie so furchtbar waren, dass man sie nicht wirklich vergessen konnte. In den letzten Jahren kam Antonio nur noch zu Fronleichnam an den Friedhof, aber ohne in die Gruft hinunterzugehen. Als Conte war es seine Pflicht, an Fronleichnam zum Grab seiner Familie zu kommen, auch wenn er es noch so ungern tat. Der Pfarrer hielt eine furchtbare Grabrede, in der immer wieder die Worte Mörder und Selbstmörder zu hören waren. Gottes Strafe und Fegefeuer sowie ewige Verdammnis kamen darin vor. Dass Barbara überhaupt kirchlich beerdigt wurde, war nur der gesellschaftlichen Stellung des Grafen und dessen massivem Druck zu verdanken. Die Halbbrüder Alessandro und Francesco standen neben ihm und weinten, jeder um einen anderen Menschen, der eine um seine Geliebte und Mutter seiner Tochter, der andere um seine Mutter. Antonio war froh, als er zum Ende der Zeremonie wieder diesen unseligen Raum verlassen konnte. Seine Söhne sahen ihm an, dass er kreidebleich geworden war. Sie erkannten, dass es nicht diese Beerdigung war, die ihren Vater so sehr bewegte.

Zurück im Schloss, als sie allein im großen Salon am offenen Kamin bei knisterndem Feuer saßen, fragten sie ihn nach dem Grund seiner Unpässlichkeit. Der Conte blickte seine Söhne mit großen Augen an, überlegte kurz und fing an zu erzählen. Er berichtete über Ereignisse, die er noch nie einem Menschen zuvor in solcher Ausführlichkeit erzählt hatte. Er begann mit seiner Kindheit und Jugend, die eigentlich sehr glücklich waren. Seine Eltern und er lebten im Schloss der de Magros. Es war vor allem die Liebe seiner Mutter, die ihm in so angenehmer Erinnerung blieb.

Seinen Vater fürchtete er etwas wegen seiner aufbrausenden, cholerischen Art. Er war ein äußert gutaussehender, dunkelhaariger Mann, in den sich eine hübsche Comtesse, wie es seine Mutter war, durchaus verlieben konnte. Susanna, wie seine Mutter hieß, schien anfangs auch sehr von diesem Mann fasziniert gewesen zu sein, bis sie immer mehr Probleme miteinander zu bekommen schienen. Sein Vater, Ludovico, war wenig zuvorkommend zu ihr. Es gab immer wieder Streitigkeiten zwischen den beiden.

Susanna schien immer mehr zu der Überzeugung zu gelangen, dass sie nur ihres Geldes wegen geheiratet worden war. Als Antonio 15 Jahre alt war, endete seine glückliche Jugend abrupt durch den unerwarteten Tod seiner Mutter. Es war beim Abendessen, als sie plötzlich anfing zu röcheln. Sie sprang auf, griff sich an den Hals, als ob sie keine Luft mehr bekäme, schüttelte sich und sackte tot in sich zusammen. Antonio, der neben ihr saß, warf sich über seine Mutter, um sie zu rütteln. Doch diese regte sich nicht mehr. Antonio glaubte den Geruch von bitteren Mandeln aus ihrem Mund zu verspüren. Da er zu dieser Zeit noch keine Ahnung von Giften hatte, machte er sich damals keine großen Gedanken darüber. Er glaubte der Diagnose eines Herzinfarktes, die der rasch herbei geholte Leibarzt des Grafen, der diesem sehr ergeben war, stellte. Der Arzt wurde vom Grafen für seine Dienste immer reichlich belohnt.

Zweifel an dieser Diagnose kamen ihm erst sehr viel später, als er bereits erwachsen war. Er erfuhr, dass es in italienischen Adelsfamilien öfter Giftmorde mit Blausäure geben sollte. Es fiel ihm dabei wieder der seltsame bittere Geruch ein, den seine Mutter bei ihrem Tod verströmte, den offensichtlich nur er bemerkt hatte. Auch erinnerte er sich, dass seine Eltern in den Tagen vor Susannas Ableben einen heftigen Streit hatten. Antonio litt sehr unter dem Tod seiner Mutter, wohingegen Ludovico nicht sonderlich um seine Frau zu trauern schien. Es dauerte nicht lange, bis eine andere Frau namens Maria ins Schloss einzog. Ihr Sohn Alberto, der ein paar Jahre älter als Antonio war, wurde bald darauf von Ludovico als sein eigener Sohn anerkannt. Antonio bekam plötzlich einen Halbbruder, von dem er bisher keine Ahnung hatte. Seine Umgebung schien seine Trauer gar nicht zu bemerken. Ludovico und Maria wirkten recht glücklich und heirateten bald. Antonio fühlte sich allein und verlassen. Es war die Zeit, als er seine Maria kennenlernte.

Sie war die Tochter des Verwalters. Sie hatten zusammen getanzt bei einem Ball. Antonio war verzückt von ihren dunklen, tiefliegenden Augen. Wenn sie ihn mit ihren großen Augen ansah, überkam ihn ein Gefühl, als ob sie in sein tiefstes Inneres eindringen würde.

Nach der Trauer um seine Mutter schien ihm Maria wieder etwas Hoffnung und Freude am Leben zu geben. Sie zu umarmen und zu küssen, tat ihm unheimlich wohl. Sie trafen sich immer öfter heimlich zu Spaziergängen. Maria war seine erste, wahrscheinlich auch seine einzige wirkliche Liebe im Leben. Als sie älter wurden, übernachteten sie manchmal heimlich in der Berghütte, in der seine spätere Nichte Lucia seine Enkelin Maria-Anna-Lena einmal zur Welt bringen sollte. Auf den Verdacht, dass seine Mutter vielleicht doch keines natürlichen Todes gestorben sei, brachte ihn eigentlich Maria, die ihm von dem Gerede der Leute erzählte, die immer wieder behaupteten, Susanna sei vergiftet worden. Antonio war bereits 21 Jahre alt, als er mit einem befreundeten Arzt heimlich in die Gruft seiner Vorfahren stieg, um den Sarg seiner Mutter zu öffnen. Er musste Gewissheit haben. Sollte sie wirklich an einer Arsenvergiftung gestorben sein, würde der Arzt es vielleicht nachweisen können.

Von Maria hat er auch erfahren, dass seine Eltern wenige Tage vor Susannas Tod einen heftigen Streit hatten, weil diese erkannt hatte, dass Ludovico einen unehelichen Sohn hatte. Ihr war klar geworden, dass sie nur wegen ihres Geldes geheiratet worden war. Ihr Ehemann liebte eine andere Frau, von der er einen Sohn bekommen hatte. Susanna drohte, wieder zurück zu ihrem Bruder nach Mailand gehen zu wollen. Dies musste Ludovico um jeden Preis verhindern, da er sonst wieder völlig mittellos geworden wäre. Die Beziehung zwischen den beiden Halbbrüdern Antonio und Alberto war denkbar schlecht.

Sie gingen sich so weit wie möglich aus dem Weg. Von seinem Vater schien Antonio kaum noch bemerkt zu werden. Seine Stiefmutter hingegen versuchte ihn zu schikanieren, wo immer sie es konnte.

Da er aber einen mächtigen, reichen Onkel in Mailand hatte, wagten sie es nicht wirklich, Antonio zu schaden. Jedenfalls wollte Antonio endlich Gewissheit haben, ob sein Vater wirklich so weit gegangen ist, dass er Susanna hat vergiften lassen. Sollte sich dieser Verdacht bestätigen, würde er seinen Vater öffentlich anklagen.

Der Arzt und Antonio waren gerade dabei, den Deckel vom Sarg seiner Mutter zu heben, als sich die Tür zur Gruft öffnete und drei Männer hereintraten. Den ersten erkannte Antonio als seinen Bruder Alberto. Die beiden anderen Männer waren ihm unbekannt. Als die beiden Grabschänder erstaunt aufblickten, zückten die drei Herren ihre Säbel und stellten sich drohend vor den beiden auf. Auch diese hatten sofort ihre Waffen gezogen. Alberto fragte seinen Bruder, was er hier zu schaffen habe. Dieser erklärte, nachweisen zu wollen, dass seine Mutter vergiftet worden sei.

Dies wurde wiederum von Alberto ohne Umschweife bestätigt. Die Hure habe weggemusst, ohne dass sie ihr Geld mitnehmen hätten können, um für seine Mutter Platz zu machen. Er könne ihm dies jetzt problemlos sagen, da es das Letzte sein wird, was er jemals erfahren werde.

Indem er dies sagte, sprang er vor und versuchte, seinen Degen in den Körper von Antonio zu rammen. Dieser parierte jedoch den Stoß, um seinerseits zuzustoßen. Dieser Stoß wurde aber wiederum von Alberto abgewehrt. Der Kampf wog hin und her, wobei einmal der eine, ein anderes Mal der andere die Oberhand zu gewinnen schien. Die drei anderen Herren schauten so fasziniert diesem Kampf zu, dass sie selbst vergaßen, einzugreifen. Wahrscheinlich hatte ihnen Alberto auch aufgetragen, Antonio ihm zu überlassen. Er war sich seiner Überlegenheit völlig sicher.

Nicht gerechnet hat Alberto aber mit der Dunkelheit, die in dieser Gruft herrschte. Antonio wich unter den mächtigen Schlägen seines Bruders immer mehr zurück, wobei er an einem losen Stein vorbeimusste, der am Boden lag. Alberto hatte diesen anscheinend nicht gesehen. Beim Zurückweichen schubste Antonio den Stein mit dem Fuß in Richtung Alberto, so dass dieser plötzlich ins Stolpern kam. Einen Augenblick lang vergaß Alberto seine Deckung. Dies reichte Antonio aus, um seinen Degen voll in den Brustkorb seines Bruders zu rammen. Dieser blickte verdutzt auf, röchelte, wollte nochmals zum Schlag ausholen und brach sterbend in sich zusammen. Die anderen Herren waren so geschockt von dem Verlauf des Kampfes, dass sie erst zu spät reagierten, als Antonio vorschnellte und erneut zustieß. Dieses Mal traf er einen der beiden Killer, die seinen Bruder begleitet hatten. Der dritte hatte sich über den Arzt hergemacht und diesen niedergestochen. Zum Schluss standen sich Antonio und der letzte Mörder allein gegenüber. Dieser schaute Antonio an, wie dieser seinen Degen hob und drohend auf ihn zukam. Irgendwie schien er nach dem Tod seines Anführers keinen Sinn mehr in dem Kampf zu sehen. Jedenfalls drehte er sich um und verschwand. Antonio schaute ihm nach, blickte noch ein letztes Mal auf die drei sterbenden Männer um ihn herum und verließ ebenfalls fluchtartig die Gruft.

Er war in Panik. Er wusste nicht, was zu tun war. Wie in Trance setzte er sich auf ein Pferd seiner Gegner und ritt los. Er wollte nur weg, weit weg von hier, wo ihm der sichere Tod drohte. Es war ihm bewusst, dass ihn sein Vater, nachdem was er erfahren hatte, nicht länger am Leben lassen konnte. In Italien war es zu gefährlich für ihn geworden. Er wandte sich nach Norden. In Deutschland, hatte er gehört, würden sie Soldaten suchen.

Er könnte ins bayrische Heer eintreten. Die Reise über die Alpen war mühsam. Glücklicherweise war es Sommer, so dass die Nächte nicht zu kalt wurden. Von einigen Bauern bekam er aus Mitleid unterwegs Lebensmittel. Von anderen nahm er sich mit Gewalt, was er brauchte. So schlug er sich bis München durch.

Er meldete sich beim Militär. So kam es, dass er mit dem großen Feldherrn Tilly zu dessen Erfolgen, aber zu guter Letzt auch zu seinen Niederlagen zog.

Antonio hatte es aufgrund seines Wissens und Könnens bald zum Offizier gebracht. Nach einiger Zeit hatte er sich mit dem Feldherrn angefreundet und wurde sein Berater. Sie kämpften gemeinsam in Rothenburg ob der Tauber, wo die Trinkfestigkeit ihres Bürgermeisters die Stadt vor der Zerstörung rettete, aber auch in Magdeburg, das sie grausam plündern ließen. Auch als sein Feldherr fiel, war er dabei. Er vernahm seine letzten Worte. Es waren mittlerweile fünf Jahre vergangen, seit Antonio Italien verlassen hatte. Er war ein mächtiger Krieger und Kämpfer geworden. Es wurde langsam Zeit, nach Italien zurückzukehren und um seine Besitztümer und seinen Adelstitel zu kämpfen.

50 Mann, alles erprobte und erfahrene Soldaten, scharte er um sich, die mit ihm nach Italien ziehen sollten, um mit ihm um sein Erbe zu streiten. Sie hatten genügend Vorräte dabei, um unbeschwert über die Alpen zu kommen.

Sie zogen zum Iseosee, zum Schloss seines Vaters. Dieser war bestürzt, als er die Streitmacht auf sich zukommen sah. Er ritt seinem Sohn mit seinen Mannen entgegen. Diese waren allerdings unerfahrene Leute, die noch niemals gekämpft hatten. Gegen erfahrene Kämpfer, wie Antonio sie befehligte, hatten sie sicherlich keine Chance. Ludovico ritt voran, um den gegnerischen Anführer zum Verhandeln aufzufordern.

Vollkommen entsetzt war er jedoch, als er in diesem seinen vermissten und tot geglaubten Sohn wiedererkannte. Er wolle den Mord an seiner Mutter rächen und seinen Besitz und Titel einfordern, erklärte ihm Antonio ohne Umschweife. Ludovico, der sich seiner Unterlegenheit bewusst war, willigte ein, seinem Sohn seinen Titel und seine Besitztümer zu überlassen. Er wolle mit Maria in einem Nebenschloss den Rest seines Lebens verbringen. Als Bedingung stellte er, dass Antonio eine Nichte von Maria heiraten müsste, womit sich dieser einverstanden erklärte. Eigentlich wollte Antonio seinen Vater wegen Mordes an seiner Mutter anklagen, ihn hängen sehen. Doch als er jetzt diesen gebrochenen Mann vor sich sah, den das Leben und die Selbstvorwürfe gezeichnet zu haben schienen, bekam er Mitleid mit ihm. Schließlich war es sein Vater, der ihm gegenüberstand. Unter den Männern seines Vaters erkannte er auch den dritten Killer, der aus der Gruft entkommen war. Dieser wurde kreidebleich, als er Antonio erblickte. Er wurde später von Antonio angeklagt wegen Mordes an dem Arzt und zum Tode durch den Strang verurteilt. Dieser Strafe versuchte er sich jedoch durch Flucht zu entziehen, wobei er allerdings erschossen wurde.

So kam es auch, dass er Barbara ehelichte. Die Hochzeit wurde mit viel Pomp gefeiert. Barbara war eine sehr hübsche Braut.

Vielleicht wäre Antonio an diesem Tag und mit dieser Ehe sogar glücklich geworden, wenn er unter den Gästen nicht seine Maria wiedererkannt hätte. Er hatte sie unter den vielen Schlachten, die er durchgemacht hatte, fast vergessen.

Doch wie er sie jetzt vor ihm stehen sah, wie sie ihn mit ihren großen, dunklen Augen anblickte, war er plötzlich wieder unglaublich in sie verliebt. Dabei war sie nur gekommen, um ihm zur Hochzeit zu gratulieren. Wie er bald herausfand, war Maria allein geblieben. Die Hochzeit wurde eine sehr gelungene Feier, die allen viel Spaß bereitete.

Es vergingen mehrere Tage, bis Antonio Maria, die als Tochter des Verwalters in einem Nebenhaus wohnte, wieder begegnete. Sie grüßte ihn höflich und wollte an ihm vorbeigehen, als er sich ihr in den Weg stellte. Was er noch von ihr wolle, fragte sie, wo er doch erst geheiratet hätte. Irgendwie gelang es ihm doch, sie zu überzeugen, mit ihm zu reden. Sie trafen sich dazu wieder in ihrer Hütte in den Bergen, wo irgendwann auch Alessandro gezeugt wurde.

Barbara jedoch war sehr schlau und misstrauisch. Sie ist durch ihre Spione sehr bald hinter das Geheimnis der beiden gekommen. Die beiden Damen wurden fast zur gleichen Zeit schwanger, Barbara mit Francesco und Maria mit Alessandro. Glücklicherweise für Barbara bekam Maria eine Totgeburt. Wäre es anders gekommen, hätte sie einen Weg gefunden, das Kind zu beseitigen. Francesco musste der Alleinerbe der Besitztümer werden. Nachdem Francesco lebte und es Alessandro nicht mehr gab, nie gegeben hatte, zwang Barbara ihren Ehemann, auf Maria zu verzichten.

Wie bereits bekannt, bekam sie mit ihrer Freundin und Dienerin ein Landhaus am Ledrosee und eine monatliche Apanage, so dass sie gut leben konnten. Gesehen hat Antonio seine Maria nur noch selten und nur in geschäftlichen Angelegenheiten. Barbara wachte streng über beide.

Ludovico fand man eines Tages erhängt im Wohnzimmer seines Landhauses. Er war mit seinem Leben, seiner Schuld nicht mehr zu Rande gekommen. Seine Frau Maria wurde daraufhin von Antonio aus ihrem Haus vertrieben. Sie wurde bis zu ihrem Tod heimlich von ihrer Nichte Barbara versorgt, indem sie ihr Geld und Essen zukommen ließ. Auch hatte sie für sie eine kleine Hütte besorgt, in der sie ihren Lebensabend verbringen konnte. Antonio hat zwar bald davon erfahren, sich aber nicht eingemischt.

Der Graf hat ohne aufzuschauen oder seine Söhne anzuschauen ununterbrochen geredet, als ob ein Uhrwerk ablaufen würde. Er schien seine Söhne fast vergessen zu haben. Aufgestaute, verdrängte Erinnerungen kamen plötzlich zum Vorschein. Antonio redete sich seine Sorgen, seine innersten Ängste und Selbstvorwürfe von der Seele.

Er wirkte fast erleichtert, als er geendet hatte und seine Söhne wieder anblickte. Es wäre ihm ganz wichtig, fügte er hinzu, dass der Streit nicht wieder zwischen den Söhnen weiterginge. Das Morden, die Verbrechen, die Intrigen müssten endlich ein Ende nehmen. Wie schon erwähnt, teilte er seine Besitztümer gerecht unter seinen Söhnen auf, so dass diese nicht mehr darum kämpfen mussten. Er verbrachte seinen Lebensabend glücklich und zufrieden mit seiner Maria und deren Freundin in ihrem Landhaus am Ledrosee.

ZWISCHENBERICHT

Mit meiner Schwester Sieglinde und ihrem Ehemann Wolfgang sind Olga und ich öfter auf sehr festliche Faschingsbälle in Rosenheim gegangen. Am Rosenball hat die Oberbürgermeisterin alle Jahre wieder ihren Rathausschlüssel dem neuen Prinzenpaar für die närrische Zeit übergeben. Das Paar wurde inthronisiert, das letztjährige verabschiedet. Die Prinzengarde tanzte. Die Debütantinnen drehten sich im Kreis bei ihrer Polonaise.

Bisweilen spielte die Bigband auch für uns flotte Musik zum Tanzen. Es war immer alles sehr feierlich. Die Frauen kamen im Abendkleid, die Männer im schwarzen Anzug oder Smoking.

Der Stadt- und Landball war nicht ganz so vornehm. Bei ihm kamen die Garden aus dem gesamten Landkreis, um ihre Aufführungen darzubieten.

Wir hatten jedes Mal sehr viel Spaß bei diesen Bällen. Zwischen den Darbietungen und Tanzrunden entwickelten sich manchmal aber auch recht interessante Gespräche unter uns. Irgendeinmal erzählte uns Sieglinde, dass der Hof in Babing gar nicht der ursprüngliche Bauernhof der Schmidberger Familie gewesen sei.

Einer unserer Vorfahren hätte sein Wohnhaus versehentlich abgebrannt, wobei nicht nur er selbst ums Leben kam, sondern auch viele Goldtaler vernichtet wurden. Aus Geldnot heraus musste sein Sohn diesen Hof verkaufen, um mit dem Erlös den viel kleineren Bauernhof in Babing zu erwerben. Auf meine Frage, wo denn dieser ursprüngliche Stammsitz der Schmidberger gewesen sei, antwortete Sieglinde nach kurzem Nachdenken: „Soweit ich mich erinnere, hat unser Vater einmal Velden in Niederbayern als Ursprungsort der Schmidbergers bezeichnet."

Offensichtlich waren die Anwesen der Schmidbergers und Weixelgartners in früheren Zeiten viel näher beieinander, als dies später der Fall war. Daher ist es auch nicht verwunderlich, dass es zur damaligen Zeit bereits vereinzelt zu Kontakten zwischen beiden Familien gekommen ist.

Rosenball 2013

SEBASTIAN SCHMIDBERGER

Wenn schon Velden der Ursprungsort der Schmidbergers sein dürfte, dann müsste dort auch der Berg gewesen sein, auf dem die Schmiede stand, die unseren Namen geprägt hat. Der Name Weixelgartner stammt von den vielen Sauerkirsch-Weixelbäumen, die Joseph Johannson vor seinem Wohnhaus gepflanzt hatte.

Der Name Schmidberger müsste sich also von einer Schmiede ableiten. Verfolgt in den Kirchenanalen hat Georg Schmidberger aber die Namen von Bauern, die einen Hof wahrscheinlich bei Velden hatten. Irgendwie müsste der Schmied also zum Bauernhof gekommen sein. Offensichtlich hat der Schmied einen so großen Eindruck hinterlassen, dass das Schmied in unserem Namen geblieben ist, und nicht durch Bauer ersetzt wurde, obwohl unsere Vorfahren doch Bauern waren. Velden liegt auf einer Anhöhe. Es ist von daher gesehen schon viel prädestinierter für einen Schmied am Berg als Babing, das in der Ebene liegt. Mein Großvater, Andreas Schmidberger, war schließlich der „Müller **dsB**abing" und kein Schmied. Wie also ist der Schmied zum Bauern geworden? Vielleicht waren es einfach zwei Brüder, von denen der Bauer keine Erben hatte. Der Schmied könnte den Hof einfach geerbt haben. Dass der Schmied den Bauernhof käuflich erworben hat, dürfte eher unwahrscheinlich sein, da Schmieden keinen solchen Profit abwerfen, um Bauernhöfe damit erwerben zu können. Möglicherweise ist die Schmiede in den Zeiten des 30-jährigen Krieges entstanden. Vielleicht hat ein vorüberziehender Söldner einfach eine Schmiede auf einem Berg aufgebaut, der zu einem Bauernhof gehört hatte. Damit wäre natürlich ein Streit vorprogrammiert gewesen, da der Bauer sich den Berg nicht einfach wegnehmen lassen hätte. Angenommen, der Söldner, den wir der Einfachheit halber Sebastian nennen, stammte aus Magdeburg, das vom bayrischen Heer unter Tilly geplündert worden ist, so kann Sebastian sich dem Heer der Schweden angeschlossen haben und mit diesem nach Velden gekommen sein. Sebastians Familie ist möglicherweise beim Kampf um

Magdeburg sowie bei der anschließenden Eroberung und Zerstörung umgekommen, wodurch sich bei ihm ein ziemlicher Hass auf Bayern aufgestaut haben dürfte.

Sebastian war erst 12 Jahre alt, als er mitansehen musste, wie seine Eltern und Geschwister von bayrischen Soldaten erschlagen, seine jüngere Schwester jedoch entführt wurde.

Er hatte sich damals im hintersten Winkel des Kellers versteckt, wo die Soldaten ihn nicht gefunden haben. Anschließend irrte er in seiner Verzweiflung durch die zerstörten Straßen seiner Heimatstadt.

Ein Ehepaar, das selbst keine Kinder hatte, nahm ihn als Knecht in ihrer Schmiede auf. Für Kost und Logis musste er hart arbeiten. Auf diese Weise erlernte er das Schmiedehandwerk. Es ging ihm dabei nicht wirklich schlecht. Dennoch fühlte er sich von den Leuten ausgenützt. Als die Schweden dann durch Magdeburg zogen und um Soldaten warben, ließ er sich freiwillig von ihnen anheuern.

Es wird berichtet, dass er in der Einheit von Graf Gundifels gedient hatte. Er hat diesen als äußerst freundlichen und netten Vorgesetzten kennengelernt. Anfangs hatte er etwas Verständigungsprobleme, da er kein Schwedisch verstand. Doch war er recht bald so weit, dass er ihren Gesprächen gut folgen konnte.

Sebastian war auch mit dabei, als Graf Gundifels bei Weltenburg in den Hinterhalt der Bayern geriet. Anfangs verschanzte er sich hinter Biertischen. Er versuchte dabei auch den Grafen abzudecken. Als der Ansturm der Bayern dann zu heftig wurde, sprang auch er in die Donau, ähnlich wie sein Vorgesetzter. Während Graf Gundifels an dem Felsen strandete, an dem ihm beim Hochklettern ein bayrischer Pfeil traf, schwamm Sebastian hinter ihm her. Es gelang Sebastian, an dem Felsen vorbei ans andere Ufer zu kommen, wobei er versuchte, den Körper seines Grafen zu fassen. Er schleppte den schwer verwundeten Mann an den Armen aus dem Wasser. Den Pfeil hatte er ihm bereits herausgezogen. Sebastian schaute sich um, ob ein Angreifer ihn beobachtete, wobei er feststellte, dass die Felswand ihn vor den Blicken der bayrischen Soldaten schützte. Er postierte den sterbenden Mann hinter einem Strauch, so dass er sicher sein konnte, vom gegenüberliegenden Ufer nicht beobachtet werden zu können. Der Graf blickte ihn mit großen Augen an, wobei er etwas auf Schwedisch zu murmeln begann, von dem Sebastian nur die Namen Anna, Gustav und Veronika heraushören konnte. Anscheinend sprach er noch ein kurzes Gebet, bevor sein Blick starr wurde. Sebastian schloss die Augenlider des Toten. Mit seinen Händen grub er eine kleine Kuhle in dem lehmigen Boden aus, um den Leichnam darin zu beerdigen, als ihm auffiel, dass der Graf mehrere teure Ringe mit Edelsteinen und Diamanten besetzt an den Fingern trug. Diese zog er ihm ab, um sie in seine eigene Tasche zu stecken. Ebenso verfuhr er mit der Halskette des Grafen, deren Anhänger mit Rubinen bestückt war. In die Gürtelschnalle war ein Saphir eingearbeitet. In der Tasche des Toten fand er einen Beutel mit vielen Goldtalern. Sebastian nahm alles an sich. Selbst dessen Schuhe schienen ihm zu passen, so dass er seine durchgetretenen Latschen damit ersetzen konnte. Auch des Grafen Hose und Jacke, die keine militärischen Abzeichen trugen, nahm er ihm ab, ebenso dessen Degen und Gewehr.

Sodann bestattete er den Leichnam in der ausgehobenen Kuhle, bedeckte ihn mit Erde, sprach ein paar Gebete für dessen Seelenfrieden und stieg die Anhöhe bis zum Wald hinauf, um sich dort erst einmal erschöpft hinzulegen. Nachdem er sich wieder etwas erholt hatte, begann er langsam nachzudenken, was weiter geschehen sollte. Ins Heer zurück wollte er nicht mehr. Es gab zu viele Gräueltaten, die er erlebt hatte, als dass er so weitermachen wollte. Sebastian war mittlerweile 22 Jahre alt. Er war hochgewachsen, hatte eine kräftige Statur mit breitem Brustkorb. Er war als guter Kämpfer bekannt. Sein Traum war es, eine eigene Schmiede zu erwerben und als Schmied seinen Lebensunterhalt zu verdienen. Eigentlich war er ein recht hübscher Junge mit seinen blonden Haaren, seinen blauen, tiefliegenden Augen, seinem ovalen Gesicht und kräftigen Kinn. Sebastian wanderte oberhalb des Donaudurchbruchs nach Kehlheim. Da er nun Geld hatte, konnte er sich eine Unterkunft zur Übernachtung und etwas zum Essen besorgen. Seine schwedische Uniform hatte er bereits im Wald mit der Kleidung des Grafen ausgetauscht, um nicht als feindlicher Soldat aufzufallen. Glücklicherweise war Sommer, so dass er trotz seiner nassen Kleider nicht frieren musste. Auch wenn die Jacke des Grafen ein Loch durch den Pfeil aufwies und leicht blutverschmiert war, wirkte sie noch viel vornehmer als die alten Lumpen, die Sebastian bisher getragen hatte.

Am nächsten Tag, als er sich wieder erholt hatte, kaufte er sich eine weitere Hose und Jacke zum Anziehen. Zur Fortbewegung besorgte er sich ein Pferd, wozu ein einziges Goldstück des Grafen ausreichte. Sebastian wollte weiter nach Süden reiten, um möglichst weit vom schwedischen Heer weg zu kommen.

Da seine Vorgesetzten ihn sicherlich für tot hielten, würde niemand auf die Idee kommen, ihn zu suchen. So wanderte er nach Süden. Zeitweise blieb er einige Zeit an manchen Orten, um als Knecht etwas Geld zu verdienen. Schließlich gelangte er nach Velden, wo er auf einer Anhöhe eine einsame, verlassene, ziemlich heruntergekommene Schmiede stehen sah. Er erkundigte sich bei den Leuten, wem diese Schmiede gehörte. So kam er letztendlich zum Hof der Moosbauern. Dem alten Moosbauern gehörte diese verlassene Schmiede, deren bisherige Betreiber in den Kriegswirren ums Leben gekommen sind. Sebastian erkundigte sich bei dem alten Moosbauern, der auf den Namen Hans hörte, ob er diese Schmiede kaufen könne, da er das Schmiedehandwerk erlernt hätte. Hans war entzückt, als ihm Sebastian zwei Goldstücke für diese heruntergekommene Schmiede bot, weshalb er sofort mit dem Kauf einverstanden war.

Als sie gerade dabei waren, ihren Kauf mit einem Glas Bier zu besiegeln, traten der Sohn und die Tochter des Bauern herein. Deren Mutter war bereits vor einigen Jahren verstorben. Herrmann, wie der Sohn hieß, war mit dem Verkauf der Schmiede überhaupt nicht einverstanden. Vater und Sohn gerieten darüber fast in einen heftigen Streit, bis der Moosbauer Hans seinem Sohn klar machte, dass der Hof durch die Kriegswirren stark verschuldet sei, weshalb sie jeden Gulden benötigten, um nicht pleite zu gehen. Johanna, die Tochter des Hauses, hörte schweigend zu, wie sich Vater und Bruder fast die Köpfe einschlugen. Sie schaute dabei den Neuankömmling fragend an. Wie er denn heiße und woher er komme, wollte sie wissen. Er erklärte ihr, aus Magdeburg zu stammen und Schmied zu sein. Sie wolle ihm die Schmiede zeigen, fügte Johanna hinzu, wobei sie aufstand und in Richtung Schmiede voran ging. Die zurückgebliebenen Streithähne blickten den beiden verdutzt nach. Die Türe war nur angelehnt, als die beiden die Schmiede betraten.

Im Innenraum herrschte ein ziemliches Durcheinander. Überall lag Dreck herum. Johanna versprach Sebastian, ihm beim Putzen helfen zu wollen. Sie kam auch täglich in der Frühe, brachte etwas zu essen mit und half Sebastian beim Aufräumen und bei der Einrichtung der Schmiede. Die junge, 20-jährige Frau mit ihren hübschen brünetten Haaren und braunen Augen schien dem Schmied sichtlich gut zu gefallen. Herrmann war noch ziemlich mufflig, hatte sich mit dem Verkauf der Schmiede letztendlich aber abfinden müssen.

Die Leute im Dorf hatten schon gehofft, die schwedische Armee wäre an Velden vorbeigezogen, als plötzlich doch noch eine Abteilung vor ihren Toren auftauchte. Sie suchten Lebensmittel zur Versorgung ihrer Soldaten. Alles, was an Tieren, Pferden, Kühen, Schafen sowie Getreide und Brot vorhanden war, nahmen die Schweden mit. Als eine Abordnung zum Moosbauern kam, stellte sich dieser mit Mistgabel und Schrotflinte vor sie hin, um sein Hab und Gut zu verteidigen. Sebastian hat dies von seiner Schmiede aus zu spät bemerkt, weshalb er den armen Bauern nicht von dieser Dummheit abhalten konnte. Hans glaubte, den Schweden drohen zu können. Diese schossen ihn einfach nieder, so dass er sterbend vor seinem Haus zusammenbrach. Die Soldaten beachteten ihn nicht einmal. Sie drangen an ihm vorbei ins Haus ein. Als Johanna und Herrmann dies gesehen hatten, versuchten sie, über die Hintertüre zu entkommen und zur Schmiede den Berg hochzulaufen. Leider wurden sie dabei von zwei Schweden beobachtet, die ihnen nachliefen. Einer schoss, wobei er glücklicherweise nicht traf. Die Geschwister flüchteten weiter nach oben, wurden aber von den Schweden verfolgt. Als ein Soldat Johanna schon fast eingeholt hatte, zog er seinen Degen, um sie niederzustechen. In diesem Moment trat Sebastian von dem Baum hervor, hinter dem er sich versteckt hatte, um alles zu beobachten. Er zog Graf Gundifels' Gewehr und feuerte einen Schuss auf den Angreifer ab. Dieser blickte überrascht auf den neuen Gegner und brach in den Bauch getroffen zusammen. Der andere Soldat wandte sich Sebastian zu, um auf ihn einzustechen. Dieser jedoch parierte den Stoß, wich zur Seite, um seinerseits zuzustechen, wobei der Soldat in die Brust getroffen in sich zusammensackte. Glücklicherweise hatte niemand von den anderen Schweden diesen Kampf bemerkt, so dass keine weiteren Angriffe stattfanden.

Johanna fiel in ihrem Schreck ihrem Retter um den Hals. Dieser umarmte und drückte sie fest an sich. Anschließend küsste er sie auf den Mund. Johanna blickte ihm überrascht tief in die Augen und küsste ihn wieder. Sie hielten sich lange fest umarmt, bis Herrmann sie drängte, die beiden Leichen zu entfernen. Die Schweden würden sicherlich ihre Kameraden suchen. Sollten sie sie erschossen und erstochen vor der Schmiede liegen sehen, würden sie diese zerstören. Die Leichen mussten beseitigt werden. Die drei schleppten sie in eine Scheune neben der Schmiede, wo sie sie ganz an der Wand, hinter einem alten Schrank, versteckten und mit einem Tuch zudeckten. Mit etwas Glück würden ihre Kameraden sie dort nicht finden.

Die drei Freunde versteckten sich in dem Wald, der sich der Schmiede anschloss. Sie gingen tiefer hinein, um nicht von den Schweden entdeckt zu werden. So verbrachten sie die Nacht gemeinsam unter einem Baum. Glücklicherweise war es Sommer, weshalb die Nächte warm waren. Johanna und Sebastian kuschelten sich eng aneinander. Herrmann schaute ihnen etwas neidisch, aber nicht unfreundlich zu.

Jetzt erst wurde er sich bewusst, dass sein Vater ermordet worden war, weshalb er leise vor sich hin zu weinen begann. Auch Johanna schluchzte beinahe lautlos, als ihr der Tod ihres Vaters in Erinnerung trat. Als sie am Morgen wieder zur Schmiede zurückkehrten, sahen sie, dass die Schweden abgezogen waren, den Hof aber angezündet hatten. Er stand völlig in Flammen. An Löschen war nicht zu denken. Bis zum Abend war die gesamte Hofstelle vernichtet. Ihren Vater konnten sie, halb verkohlt, unter den Trümmern herausholen. Gemeinsam mit den beiden Schweden wurde er drei Tage später auf dem Dorffriedhof beerdigt. Übernachtet haben die drei Freunde in der Schmiede. Auf dem Hof war beinahe alles vernichtet.

Nachdem der Bauernhof zuvor bereits verschuldet war, betrieben die Gläubiger die Versteigerung des Anwesens. Sie hatten auch bereits einen Käufer bestimmt, der den Hof möglichst billig ersteigern sollte. Für nur wenige Goldstücke würde der gesamte Bauernhof seinen Besitzer wechseln. So jedenfalls war die Planung der Gläubiger.

Damit, dass plötzlich Sebastian aufstand und mit dem Geld, das er Graf Gundifels abgenommen hatte, den bestimmten Käufer überbot, hatten sie nicht gerechnet. Sebastian ersteigerte den gesamten Hof. Herrmann lernte er als Schmied an. Um auch die Hofstelle wieder aufzubauen, musste er die ganzen Preziosen, Ringe, Gürtelschnalle und Halskette des Grafen verkaufen. Dies gelang ihm aber erst, als die Schweden wieder aus München abgezogen beziehungsweise vertrieben waren durch die Truppen von Wallenstein.

Jetzt erst konnte er diese Wertsachen bei einem Münchner Juwelier an den Mann bringen. So lange mussten die drei in der Schmiede ausharren, wobei für einen Schmied genügend Arbeit vorhanden war, nachdem im Dorf durch den Überfall der Schweden vieles zerstört war. Johanna und Sebastian hatten sich ineinander verliebt. Sie beschlossen, so bald als möglich zu heiraten. Dass Sebastian eigentlich evangelischen Glaubens war, verschwieg er einfach, so dass einer Ehe nichts im Wege stand. Herrmann musste als Trauzeuge herhalten. Die Trauung fand in dem netten, gotischen Kirchlein statt, das dem Dorf seinen besonderen Charakter verleiht.

Sebastian, der Schmied, wurde Bauer, während Herrmann, der Bauer, zum Schmied wurde. Der Name Schmied am Berg blieb dem Ehepaar Johanna und Sebastian Schmidberger aber erhalten. Sie bekamen zwei Kinder, die sie Maria und Johannes nannten.

Letzterer übernahm den Hof und führte den Namen Schmidberger weiter, bis zu dem Vorfahren, der mit seiner Zigarre sein Wohnhaus anzündete und vom eigenen Tresor in seinem Suff erschlagen wurde.

Dessen Sohn verkaufte das Anwesen, um den Hof in Babing zu erwerben. Dort ist der Name Schmidberger bis zu meinem Großvater Andreas Schmidberger zu verfolgen. Letzterer endete als Gastwirt in Haag, nachdem er enterbt worden war.

Vollständigkeitshalber soll noch erwähnt werden, dass auch Herrmann geheiratet hat. Seine Nachkommen leben bis zum heutigen Tag in Velden. Wenn es also wahrscheinlich bereits in so früher Vorzeit über den Grafen Gundifels Beziehungen zwischen den Familien Weixelgartner und Schmidberger gegeben haben dürfte, so haben jedenfalls weder Joseph beziehungsweise Olaf Weixelgartner, noch Sebastian Schmidberger jemals davon erfahren. Andererseits haben sich Olaf und Joseph Weixelgartner mit Sebastian und Johannes Schmidberger wiederholt auf Bauern- und Pferdemärkten zufällig getroffen und kennengelernt, zuletzt auf dem Pferdemarkt von Rosenheim, wo Joseph Weixelgartner Sebastian Schmidberger einen einheimischen, großen Pferdezüchter vorgestellt hatte, was zu gefährlichen Ereignissen führen sollte.

Ob der Bauernhof in Velden auch ein Oama-, also ein freier Hof war, wie der in Lichtenhaag es im 17. Jahrhundert geworden ist, nachdem der damalige Bauer mit seinem Gesinde dem Baron von Seyboldsdorf bei einem Überfall von Räubern und Mördern zu Hilfe gekommen ist, oder ob er doch noch im Besitz des Veldener Grafen war, ist uns nicht bekannt, dürfte aber auch nachträglich gesehen von keiner großen Bedeutung mehr sein.

Maria, die Tochter von Johanna und Sebastian Schmidberger, soll ein sehr frommes Mädchen gewesen sein. Schon bei ihrer Erstkommunion und später bei der Firmung fiel sie durch besonderen religiösen Eifer auf. Sie wurde Schreibkraft für die Gemeindeverwaltung von Velden. Geheiratet hat sie nicht. Mit 20 Jahren trat sie als Novizin ins Kloster Seligental in Landshut ein, in dem sie Lena, der Tochter von Anna und Joseph Weixelgartner, zugeteilt wurde, die zu dieser Zeit bereits als Priorin das Kloster leitete. Zwei Jahre später wurde Maria als Nonne vereidigt. Die beiden Frauen sollen im Laufe ihres Lebens enge Freundinnen geworden sein. Ähnlich wie bei der Familie Weixelgartner wandten sich auch bei der Familie Schmidberger im Laufe der Jahrhunderte einzelne Personen immer wieder geistigen Berufen zu, sei es als Nonnen, Pfarrersköchinnen, Mönche oder Mesner.

Dass jemand studierte und Priester beziehungsweise Pfarrer wurde, wie jener Georg Weixelgartner, durch dessen Ahnenforschung dieses Buch erst ermöglicht wurde, ist bei der Familie Schmidberger nicht bekannt.

Georg Schmidberger sollte der Erste sein, der dazu bestimmt war. Glücklicherweise verliebte er sich schon in jungen Jahren in Elisabeth Karl, so dass die Existenz von Sieglinde und mir, und letztendlich auch von meinen Kindern Johanna und Andreas erst ermöglicht wurde. Ahnenforschung betrieb aber auch er, was ebenfalls Bedeutung für dieses Buch erlangte. Johanna und Sebastian Schmidberger, wie sie mittlerweile genannt wurden, lebten und arbeiteten ohne große Vorkommnisse, wenn man von der Geburt ihrer beiden Kinder absieht, auf ihrem Bauernhof. Sie vermehrten ihren Besitz im Laufe der Jahre, so dass man sie bald als gut situiert bezeichnen konnte. Erst als Sebastian Johannes einmal zum Pferdemarkt nach Rosenheim mitnahm, ergaben sich plötzlich wieder einschneidende Ereignisse, die man unbedingt berichten muss.

Genannt hat sich Maria, wie bereits an anderer Stelle schon einmal erwähnt, Schwester Magdalena, da sie Maria-Magdalena von allen Heiligen am meisten verehrte.

Sebastian handelte mit Pferden. Manches Mal kam er bis Rosenheim, wenn dort der jährliche große Pferdemarkt stattfand. Sobald sein Sohn Johannes 15 Jahre alt war, nahm er ihn zu solchen Märkten immer mit, da er sein Handwerk als künftiger Bauer und Pferdehändler erlernen sollte. Sie brauchten zwei Tage, um nach Rosenheim zu kommen. Meistens übernachteten sie auf der Durchreise in einem Hotel in Haag.

Als sie nun wieder einmal in Rosenheim auf dem Pferdemarkt waren, der im Zentrum der Stadt auf dem späteren Max-

Joseph-Platz abgehalten wurde, sah er plötzlich dieses brutale, derbe Gesicht wieder, das ihn jahrelang in seinen Träumen verfolgt hatte. Es war nur älter geworden. Diese grässliche Narbe, die sich über die linke Wange zog, war nicht zu übersehen. Sebastian war bleich geworden, als er den Mann wiedererkannte, der seine Familie ausgelöscht hatte. Plötzlich waren die Erinnerungen an seine Kindheit wieder da, die er längst vergessen geglaubt hatte. Von seinem Versteck aus musste Sebastian damals mitansehen, wie dieser Mann mit seiner Axt in ihr Haus einbrach, seine Eltern und seinen älteren Bruder erschlug und seine jüngere Schwester Maria mit sich nahm. Sebastian getraute sich damals lange nicht aus seinem Versteck heraus. Als er dann doch endlich seinen Mut zusammengenommen hatte und hervorgekrochen war, fand er nur noch die verstümmelten Leichen seiner Angehörigen in einem riesigen Blutsee auf dem Fußboden liegen. Nur seine Schwester fehlte. Die hatte der brutale Killer anscheinend mit sich genommen. Sebastian hatte nicht viel Zeit, bei seinen Verwandten zu verweilen, da die plündernden bayrischen Soldaten das Haus angezündet hatten. Die Flammen loderten bereits ins Zimmer herein. Sebastian lief auf die Straße und irrte dort ziellos umher, bis er von dem Ehepaar aufgegriffen wurde, das ihm das Schmiedehandwerk beibrachte. Sebastians Vater war bei der Stadt angestellt, wodurch er viel Geld verdiente. Die drei Kinder hatten deshalb ein relativ sorgenfreies Leben bis zu dem Tag, als das bayrische Heer unter dem Feldherrn Tilly Magdeburg erstürmte und plünderte.

Dieser hünenhafte, breitschultrige Mörder scheint ein angesehener Bauer geworden sein. Er unterhielt sich mit einem weiteren niederbayrischen Bauern, den Sebastian bereits einmal bei einem früheren Pferdemarkt kennengelernt hatte. Er erinnerte sich dunkel, dass dieser sich damals mit Joseph Weixelgartner und Sohn Olaf vorgestellt hatte. Sebastian ging hin, um Joseph Weixelgartner zu begrüßen und vor allem um über diesen verhassten Menschen Näheres zu erfahren. Am liebsten hätte er ihn auf der Stelle zum Duell herausgefordert, was aufgrund des großen Altersunterschiedes ein ungleicher

Kampf geworden wäre. Sebastian war mit seinen gut 50 Jahren noch ziemlich fit und durchtrainiert, wohingegen der andere Mann bereits die 70 gut überschritten haben dürfte. Er wirkte auf Sebastian jedenfalls schon etwas gebrechlich. Vor allem wollte Sebastian aber etwas über den Verbleib seiner Schwester Maria von diesem Mann erfahren. Joseph Weixelgartner stellte ihm diesen Herrn als den Großbauern Hubermeier vor, der sein Anwesen bei Riedering in der Nähe des Simsees hatte. Johannes blickte seinen Vater verdutzt an, als er bemerkt hatte, wie bleich dieser beim Anblick des fremden Mannes geworden war. Er wollte schon fragen, woher er ihn kenne, als Sebastian schon auf Joseph zuging, um ihn zu begrüßen. Er ließ sich die Pferde des Herrn Anton Hubermeier zeigen. Dieser erklärte ihm, noch bessere zu Hause auf seinem Hof zu haben. Als Sebastian Interesse daran gezeigt hatte, lud dieser ihn und Johannes zu sich nach Riedering ein. Von den Weixelgartners, die bereits Pferde eingekauft und ihren Handel abgeschlossen hatten, verabschiedeten sich Johannes und Sebastian, um mit Anton auf seinen Hof zu kommen.

Dieser witterte ein gutes Geschäft, nachdem Sebastian durchblicken lassen hatte, dass er einen größeren Kauf von Pferden plane. Als Johannes seinen Vater fragend ansah, erklärte ihm der, dass dieser Herr seine Großeltern und seinen Onkel in unglaublich brutaler Weise getötet hatte. Seine Tante Maria sei von ihm entführt worden. Er würde gerne mehr über deren Verbleib erfahren, fügte Sebastian noch hinzu.

Vater und Sohn wurden in ein wunderschönes Gehöft mit vornehmem Wohnhaus, großzügigen Stallungen und einer gepflegten Hofstelle geführt. Anton zeigte seinen Gästen voller Stolz sein Anwesen. Er stellte ihnen seine Frau Eva, eine vornehm wirkende Frau Mitte sechzig, und seine Bediensteten vor. Kinder schienen sie nicht zu haben.

Unter den Dirnen glaubte Sebastian seine Schwester Maria wieder zu erkennen, wenn sie auch mittlerweile 40 Jahre älter war. Im ersten Moment glaubte Sebastian, diese Frau würde sich auch an ihn erinnern. Doch dann schien sie ihn nicht weiter zu beachten.

Zum Abendessen war neben den beiden Gästen das Bauernehepaar mit dem gesamten Gesinde an einer riesigen Tafel versammelt. Die Gäste wurden großartig bewirtet. Zum Schluss zeigte man ihnen ihr Zimmer. Am nächsten Tag wollte man ihnen die Pferde vorführen.

Es dürfte bereits nach Mitternacht gewesen sein, als sie ein leises Klopfen an ihrer Tür vernahmen. Johannes öffnete diese, um nachzuschauen, wer zu so später Stunde bei ihnen noch Einlass begehrte. Es stand diese Frau davor, die Sebastian möglicherweise als seine Schwester identifiziert hatte. Nachdem sie eingetreten war und die Türe hinter sich wieder verschlossen hatte, schaute sie Sebastian fragend an. Dieser wiederum fragte sie direkt, ob sie Maria heiße und seine Schwester sein könnte. Diese errötete über das ganze Gesicht, sagte leise „Sebastian“ und fiel ihrem Bruder um den Hals. Der Bauer dürfe nicht erfahren, dass sie sich kennen, fügte Maria hinzu. Andernfalls würden sie den Hof nicht mehr lebend verlassen. Sie werde seit Jahrzehnten wie eine Sklavin gehalten. Einmal hätte sie einen Fluchtversuch unternommen, sei jedoch gefasst und ausgepeitscht worden. Nach dem kurzen Wortwechsel verabschiedete sie sich wieder, um nicht aufzufallen. Sebastian hat ihr noch kurz versprochen, dass er wiederkommen und sie herausholen werde.

Am nächsten Tag, nach dem Frühstück, wurden ihnen die Pferde vorgeführt. Sie kauften drei schöne, aber auch sehr teure Tiere. Beim Frühstück saßen sie auf einer wunderschönen, sonnigen Terrasse mit herrlichem Blick über Antons Ländereien, die bis zum Simsee reichten. Bedient wurden sie von Maria, die Sebastian keines Blickes würdigte, um keinen Verdacht aufkommen zu lassen, dass sie sich kannten.

Aus dem Gespräch heraus lud Anton seine Gäste zu einer Angeltour auf dem See ein. Er habe ein Seegrundstück mit Bootshaus, ließ er sie wissen. Antons Frau Eva, die auch mit am Tisch saß, sprach nur sehr wenig. Die Gespräche der Männer schienen sie zu langweilen.

Maria konnte sie offensichtlich nicht recht ausstehen. Jedenfalls fuhr sie sie mehrmals giftig an. Wie Sebastian aus dem

Gespräch heraushörte, hatten die Eheleute anscheinend keine Kinder bekommen, obwohl sie welche gewollt hätten. Eva war, wie sich aus der Unterhaltung ergab, die Tochter eines Rosenheimers Stadtrats.

Auf diese Weise bekam Anton Zugang zur vornehmen Gesellschaft in der Stadt. Anton gab Jagdeinladungen in seine Wälder. Einmal soll sogar der Sohn des bayrischen Herzogs daran teilgenommen haben. Ebenfalls mit am Tisch saß ein breitschultriger, grobschlächtiger Mann, den sie Hans nannten. Sebastian war schon am Vortag aufgefallen, dass Hans praktisch nie von Antons Seite wich. Er führte offenbar die Funktion eines Leibwächters aus.

Anfangs hatten sie wenig Glück beim Angeln, bis dann doch zwei größere Karpfen anbissen. Was Sebastian am meisten ärgerte, war, dass Anton bei ihrer Angeltour damit zu prahlen begann, dass er seinen Reichtum durch die Plünderung von Magdeburg erlangt hatte. Er war richtig stolz darauf, diesen evangelischen Ketzern ihren Besitz weggenommen zu haben. Sebastian musste sich sehr zusammennehmen, um sich nicht zu verraten. Ansonsten wäre es eine wunderschöne Bootsfahrt bei strahlendem Sonnenschein in herrlicher Landschaft geworden. Besonders, als sich die Abendsonne auf dem Wasser spiegelte, schien sich die Umgebung um sie herum in eine fast märchenhafte Traumwelt zu verwandeln.

Trotz der Animositäten, die sie diesem Anton gegenüber verspürten, genossen Sebastian und Johannes dieses traumhaft schöne Naturschauspiel, wie die Sonne ihre Umgebung rosa verfärbte; die Bäume am gegenüberliegenden Ufer aber im Schatten schwarz erschienen. Nachdem sie doch spät von ihrem Angelausflug zurückgekommen waren, entschlossen sich Johannes und Sebastian, noch eine Nacht zu bleiben. Um circa ein Uhr nachts klopfte es erneut an ihrer Tür. Johannes fand wieder Maria vor, die dieses Mal in Begleitung eines ungefähr 30-jährigen Mannes war. Maria stellte ihn als ihren Sohn Otto vor. Sein Vater sei Anton, fügte Maria hinzu. Sie sei früher wiederholt von ihm vergewaltigt worden. Sie sei drei Mal schwanger von ihm gewesen. Zwei Mal habe sie Anton zur Abtreibung gezwungen. Nur Otto durfte sie austragen. Ihre Herrin Eva hasst sie deshalb, weil sie ein Kind von Anton hatte, während sie keine eigenen Kinder bekommen konnte. Otto hatte zwar nicht diese brutalen Gesichtszüge seines Vaters. Dennoch ließ sich eine gewisse Ähnlichkeit mit Anton nicht verleugnen. Auch dieses Mal zogen sich die beiden Eindringlinge rasch wieder zurück, um nicht bemerkt zu werden.

Bei der Verabschiedung von dem Bauernehepaar am nächsten Morgen wurde gleich eine erneute Einladung zu Antons 70. Geburtstag in zwei Monaten ausgesprochen.

Wieder zu Hause wandte sich Sebastian an den Amtsrichter von Vilsbiburg, um ihm die Geschehnisse zu berichten. Dieser erklärte aber, in dieser Angelegenheit nichts unternehmen zu können, da die Morde bereits 40 Jahre zurück lägen und damit verjährt seien.

Zudem seien sie im Krieg begangen worden, in dem andere Gesetze herrschten. Er fügte noch hinzu, dass Herr Hubermeier ein sehr mächtiger Mann mit großem Einfluss sei, der bis zum Herzog reicht, weshalb er auch für Maria nichts unternehmen könne.

Der große Feldherr Tilly hätte damals Magdeburg zur Plünderung freigegeben, was auch Ermordung und Vergewaltigung miteinschließt. Anton hatte in diesem Sinne praktisch mit der Erlaubnis der Obrigkeit gehandelt. Als die zwei Monate vorbei waren, machte sich Sebastian mit seinem Sohn Johannes und seiner Frau Johanna auf den Weg nach Riedering zur Feier des 70. Geburtstages von Anton.

Sebastian reiste mit gemischten Gefühlen. Einesteils freute er sich, seine Schwester Maria und deren Sohn Otto wiederzusehen, anderenteils verabscheute er es, den Mörder seiner Eltern und seines Bruders erneut zu treffen. Er hatte auch keine Vorstellung, was er gegen ihn ausrichten sollte, ob er überhaupt etwas gegen ihn unternehmen könnte.

Johannes und er wechselten sich auf dem Kutschbock ab. Der jeweils andere reiste mit Johanna in der Kutsche. Übernachtet haben sie wieder einmal in Haag in Oberbayern. Johannas Bruder Herrmann leitete in ihrer Abwesenheit mit zwei

Knechten den Hof. Empfangen wurden sie von Anton und seiner Frau Eva in ungewöhnlich herzlicher Weise, so dass sich Sebastian fast etwas unwohl dabei fühlte.

Maria freute sich unheimlich darauf, ihren Bruder und Neffen wiederzusehen und ihre Schwägerin kennen zu lernen. Sie durfte ihre Freude aber nicht offen zeigen, damit Anton keinen Verdacht schöpfte. Nachts trafen sie sich heimlich im Zimmer von Sebastian und Johanna. Zu ihren Treffen kam auch Otto dazu, der stolz darauf war, plötzlich einen Cousin zu haben.

Zu den Feierlichkeiten waren prominente Gäste geladen. Fast der gesamte Stadtrat aus Rosenheim war vertreten. Es gab auserlesene Speisen.

Johanna und Sebastian wurden von Anton richtig hofiert, was in Sebastian ein unbehagliches Gefühl aufkommen ließ. Er wusste nicht recht, was er davon halten sollte.

Die Feierlichkeiten zogen sich über drei Tage. Den Abschluss bildete ein Jagdausflug zum Samerberg, wo Anton offensichtlich auch Ländereien besaß.

Einmal bedeutete Anton Sebastian, ihm zu folgen. Er führte ihn immer tiefer in den Wald hinein. Sebastian fühlte sich langsam unheimlich, da sie bereits weit weg von den anderen waren. Rings um sie herum lagen mächtige Felsbrocken, die zwischen den riesigen Buchen und Eichen eingestreut waren. Dieser Ort hatte etwas Magisches, aber auch Bedrohliches an sich. Sein Sohn Johannes war zu Hause bei seiner Mutter und den Frauen geblieben. Als sie weit in den Wald eingedrungen waren, tauchte plötzlich wie aus dem Nichts Hans auf, der ihnen heimlich gefolgt war. „Sebastian", sagte Anton plötzlich, „lass dein Gewehr fallen." Er hatte seines auf ihn angelegt. „Du räudiger Hund hast dich damals im Schrank versteckt, als ich deine Familie massakriert habe. Du glaubtest wohl, du könntest mich einfach anzeigen. Dein Richter aus Vilsbiburg hat diese Angelegenheit bei einem Treffen einem Richter aus Rosenheim erzählt, um dessen Rat zu erfragen. Letzterer jedoch steht in meinem Sold. Er hat mich vor dir gewarnt. Ich werde jetzt nachholen, was ich vor 40 Jahren versäumt hatte." Als er so sprach, legte er sein Gewehr auf Sebastian an. „Es wird aussehen wie ein Jagdunfall", fuhr Anton fort. Doch da mischte sich Hans plötzlich in das Gespräch ein. „Mich hast du damals wohl gar nicht gesehen! Ich habe deine Mutter vergewaltigt und danach erschlagen. Die Hure hat sich furchtbar gewehrt, was mir umso mehr Spaß bereitete", fuhr Hans fort und lachte dabei schallend. „Wir werden dir eine standesgemäße Beerdigung bereiten", ließ Anton sich noch einmal hören, wobei er sein Gewehr in Anschlag brachte, um abzudrücken. Sofort krachte ein lauter Schuss. Anton ließ sein Gewehr fallen, schaute verdutzt zur Seite, wo soeben Otto aus dem Dickicht hervorgetreten war, und brach zusammen. „Lass dein Gewehr fallen", schrie Otto Hans an, als dieser sein Gewehr anlegen wollte. Er ließ es aber wieder fallen, als er erkannt hatte, dass Otto sonst erneut abdrücken würde. Sebastian hatte sein Gewehr wieder aufgehoben und hielt es ebenfalls auf Hans im Anschlag. Er solle sich auf den Boden legen, herrschte Otto ihn an. Hans gehorchte und legte sich flach auf den Boden, so dass Sebastian ihm die Hände auf dem Rücken zusammenbinden konnte. Anton lag sterbend in einer riesigen Blutlache am Boden. „Du bist zwar mein Erzeuger, aber dennoch ein räudiger Hund", schrie ihn Otto an, als seine Augen brachen. Otto berichtete, dass er bemerkt hatte, wie Anton Sebastian ins Abseits lockte, wobei Hans ihnen heimlich folgte. Otto ging ihnen nach, weshalb er hinter einem Strauch die ganze Szene beobachten konnte, wodurch er im richtigen Moment in der Lage war, einzuschreiten. Die beiden haben sich durch ihre Verbrechen jahrzehntelang gegenseitig erpresst. Otto fing an, Antons Taschen auszuleeren, seine Ringe vom Finger und seine Ketten vom Hals zu nehmen. Sebastian schaute ihm verdutzt zu. Er steckte Geld und alles andere, was irgendwie wertvoll erschien, in einen Sack. Sebastian glaubte schon, Otto würde seinen toten Vater bestehlen. Dieser hatte aber einen anderen Plan. „Wir müssen um Hilfe rufen", sagte er zu Sebastian. „Wir haben Hans überrascht, wie er seinen Herrn erschossen hat, um ihn zu berauben", fuhr Otto fort. „Leider haben wir Anton nicht mehr retten können. Den Mörder und Dieb haben wir aber auf frischer Tat ertappt und überwältigt. Anstelle der Morde, die er wirklich begangen hat, wird Hans für einen Mord gehängt werden, für den er nicht verantwortlich ist." Der Gescholtene schrie laut auf, als ihm seine Ohnmacht bewusstwurde. „Jeder wird glauben, dass Hans endlich vom Joch seines Herrn loskommen und seinen eigenen Besitz aufbauen wollte. Nachdem alle wissen, wie brutal Hans sein kann, wird sich keiner über seine Tat wundern. Alle werden uns glauben, zumal wir den Sack mit Preziosen bei ihm gefunden haben", schloss Otto seinen Plan ab. Sebastian musste daran denken, wie Hans ihm eben noch die Vergewaltigung und Ermordung seiner Mutter genussvoll geschildert hatte. Er stimmte deshalb Ottos Plan sofort zu.

Die anderen Jagdmitglieder wurden durch die Rufe herbeigelockt. Sie waren entsetzt über den Tod ihres Gastgebers, aber ebenso sehr auch über die perfide Tat von Hans. Dessen Protesten wurde keine Beachtung geschenkt. Hans wurde abgeführt und ins Provinzgefängnis von Rosenheim überführt. Die Jagd wurde abgeblasen. Die Jagdgesellschaft kehrte niedergeschlagen zum Hof zurück, wo einer die schwierige Aufgabe übernehmen musste, Eva vom Tod ihres Mannes zu berichten. Diese schien gar nicht so traurig über diese Nachricht zu sein. Schließlich gehörte ihr der Hof jetzt allein. Man hätte fast den Eindruck gewinnen können, Eva wirkte erleichtert, den Quälgeist von Ehemann los zu sein.

Die Gäste reisten sofort ab. Maria und Otto gingen mit der Familie Schmidberger mit.

Sie lebten und arbeiteten fortan auf deren Hof. Otto heiratete später eine Bürgertochter aus Landshut. Er übersiedelte in das Haus seiner Frau. Er machte eine Ausbildung zum Gerichtsschreiber und arbeitete als solcher am Amtsgericht zu Landshut.

Hans wurde der Prozess gemacht. Otto und Sebastian wurden als Zeugen geladen. Da ihre Aussagen übereinstimmten, hegte keiner Zweifel an ihrer Wahrheit. Trotz heftigen Protestes von Hans, der alles abstritt, wurde er zum Tode durch den Strang verurteilt. Dieses Urteil wurde kurze Zeit später auf dem Hof des Rosenheimer Gefängnisses vollstreckt. Es war eigens dafür ein Schafott aufgebaut worden.

Johannes heiratete eine Bauerntochter aus einem Nachbarort. Der Hof der Schmidberger wurde dadurch noch einmal vergrößert.

Joseph Weixelgartner und dessen Sohn Olaf trafen Sebastian und Johannes noch ein weiteres Mal auf einem Pferdemarkt, ohne dass sie engere Freunde geworden wären.

SCHULD UND SÜHNE

Im Alter musste Joseph Weixelgartner immer öfter an die von ihm getöteten Menschen denken. Es waren dies vor allem die drei Brüder aus dem bayrischen Wald sowie mehrere im Kampf von ihm erschlagene Soldaten. Besonders aber trat ihm immer wieder das Bild von Gustav vor die Augen, wie er erstochen, blutend vor ihm lag. Joseph fragte sich dabei immer häufiger, ob es wirklich nötig war, ihn zu töten, oder ob es nicht gereicht hätte, ihn, wie den vierten der Brüder, nur am Oberschenkel zu verletzen, um ihn kampfunfähig zu machen. Er war in seiner Jugend ein guter Fechter. Zugleich war er Gustav körperlich so weit überlegen, dass es für ihn kein großes Problem gewesen wäre, ihn einfach nur zu verwunden. Ursache für seine Tötung war sicherlich eher der Hass, den er diesem Menschen gegenüber empfand, als nur einfach Notwehr. Er wollte diesen Menschen töten, da er ihn für den Tod seines Vaters und Bruders verantwortlich machte. Gustav hatte mutwillig seine bis dahin heile Welt zerstört. Wenn sie auch von frühester Kindheit an heftig stritten, waren sie doch wie Brüder aufgewachsen. Zugleich war Gustav auch noch der Onkel seines Sohnes Olaf. Niemand aus seiner Umgebung würde ihn für den Tod von Gustav verantwortlich machen. Alle sehen in ihm den Helden, der seine spätere Frau Anna gerettet hat. Nur er, Joseph, verspürt eine große Schuld in sich wegen der Tötung von Gustav aufsteigen, die ihn im Laufe der Jahre immer mehr bedrückte. Er ging viel in die Kirche, um zu beten. Er versuchte, Vergebung vor Gott und vor sich selbst zu finden.

Er ähnelte in dieser Beziehung auch seinem späteren Nachkommen gleichen Namens aus dem 20. Jahrhundert, Josef Weixelgartner, den der Gedanke an die fünf Soldaten, die er im Nahkampf getötet hatte, schwer belastete. Er beschrieb immer wieder von Neuem das Bild des russischen Soldaten, dem es die Beine weggerissen hatte, nachdem Josef ihm zuvor eine Handgranate vor die Füße geworfen hatte. Dieser habe ihn, ein Bild von seiner Familie vor seine Augen haltend, angefleht, ihn vollständig zu erschießen, was wiederum Josef nicht fertigbrachte.

Er war fünf Mal schneller als sein Gegenüber, weshalb er überlebte und der Gegner starb. Von seiner Heerführung wurde er damals wegen besonderer Tapferkeit im Nahkampf ausgezeichnet.

Niemand hätte auch in seinem späteren Leben jemals daran gedacht, ihm deshalb Vorwürfe zu machen. Nur er selbst fühlte sich schuldig, weshalb er uns, seinen engsten Verwandten, immer von Neuem diese Vorfälle schilderte, wie um von uns Vergebung für diese Taten zu erbitten, die wir ihm aber nicht geben konnten, da wir keine Schuld in ihm erkennen konnten. Auch dieser Josef Weixelgartner ging regelmäßig zur Kirche, um Gott seine Sünden zu beichten und von ihm Vergebung zu erflehen.

Nachdem nun beide Josefs bereits vor ihren letzten Richter getreten sind, wissen sie beide schon, wie Gott ihre Taten beurteilt. Wir werden es, solange wir leben, niemals erfahren. Weder für die Soldaten des 30-jährigen Krieges noch für die des Zweiten Weltkrieges hat es jemals psychologische Betreuung gegeben, weshalb diese Menschen mit ihren Kriegserlebnissen allein zurechtkommen mussten. Menschen wie die beiden, Josef und Joseph, haben jedenfalls zeit ihres Lebens darunter gelitten.

DER KLAUSENBERG

Hauptgesprächsstoff in Landshut war derzeit der erneute Freispruch von Martin Oberlehrer. Herr Oberlehrer war der Besitzer des sehr ansehnlichen Etablissements am Klausenberg.

Man hat von dort oben einen herrlichen Blick auf die Isar, deren grünes Wasser direkt unterhalb ruhig dahinfließt, aber auch auf die alte Trutzburg Trausnitz, die auf dem Hofberg stehend den Klausenberg noch um einiges überragt, wie auch auf den Turm der Martins-Kathedrale, die vor der Burg aufragt.

In der Öffentlichkeit zeigte sich Herr Oberlehrer meist in Begleitung seines jugendlichen, sehr attraktiven Barkeepers oder einer seiner fast noch attraktiveren Bardamen.

An bestimmten Abenden spielte eine Band recht ansehnliche, rhythmische Lieder, während einige der Bardamen dazu tanzten und so nach und nach ihre Hüllen fallen ließen. Einige dieser Damen bedienten im Lokal mit nacktem Oberkörper. Man konnte sich auch, wenn man genügend Geld besaß, mit der einen oder anderen Dame in ein Zimmer für intimere Handlungen zurückziehen. Gemunkelt wurde auch, dass es im Keller dieses Etablissements Räume für verbotenes Glücksspiel – Roulette oder Karten –, aber auch Möglichkeiten zum Opiumgenuss und -erwerb gab.

Eine Bürgerinitiative vornehmer Landshuter Damen, deren Männer zu ihrem Leidwesen in diesem Lokal verkehrten, hatte wieder einmal vergeblich versucht, Herrn Oberlehrer vor Gericht anzuklagen. Dieser wurde jeweils mangels Beweise freigesprochen.

Razzien, die wiederholt abgehalten worden waren, verliefen jeweils im Sande, weshalb der Verdacht aufgekommen war, dass Herr Oberlehrer jedes Mal rechtzeitig vorher gewarnt worden sei. Man vermutete deshalb einen Verräter innerhalb der Landshuter Polizei. Jedenfalls war dies auch der Gesprächsstoff der neun Personen, die am Donnerstagabend in der Wohnstube des Oama-Hofes beim Abendessen zusammensaßen. Als Einzige unter den Frauen verteidigte Anna Weixelgartner die Anklage gegen Herrn Oberlehrer, während ihr Stiefsohn Olaf und ihr Ehemann Joseph sich eher neutral verhielten. Die beiden Knechte hingegen ergriffen vehement die Partei von Herrn Oberlehrer und dessen Mannschaft, wobei jeder im Raum wusste, dass beide bereits das eine oder andere Mal ihren geringen Lohn am Klausenberg ausgegeben hatten.

Anna und Josephs Töchter Maria und Lena sowie die beiden Dirnen beteiligten sich jedoch kaum an diesem Gespräch, da sie anderweitige Interessen hatten.

Maria plante schließlich bereits ihre Hochzeit mit Andreas de Magro, dem Sohn von Markus und Theresia, die in wenigen Wochen stattfinden sollte.

Dazu ist sogar Anna-Maria-Lena eigens vom Gardasee angereist, um bei der Hochzeit ihres Bruders dabei zu sein. Deren Ehemann Ludovico ist allerdings nicht mitgekommen. Er hatte kein Interesse an diesen seltsamen deutschen Verwandten, mit denen man nicht einmal vernünftig reden konnte, da sie kein Italienisch verstanden.

Dafür sind aber Andreas' Großeltern vom Ledrosee gekommen, um ihrem Enkelsohn zu gratulieren. Es soll jedenfalls eine sehr schöne Hochzeit gewesen sein.

Lena dagegen spielte bereits mit dem Gedanken, ins Kloster Seligental einzutreten, weshalb man sicherlich verstehen kann, warum diese beiden Damen andere Probleme hatten, als über eine Gerichtsverhandlung eines Bordellbesitzers vom Klausenberg zu diskutieren. Wie bereits einmal erwähnt, hat Lena im Kloster auch Maria Schmidberger kennengelernt, die sich dann Schwester Magdalena nannte. Man kann daran wieder einmal erkennen, dass es bereits zu so früher Zeit Verbindungen zwischen den Familien Weixelgartner und Schmidberger gegeben hatte.

OLAFS RAUSCH

Für Olaf war das Gespräch über Herrn Oberlehrer und das Lokal am Klausenberg fast etwas peinlich, da seine Stiefmutter Anna nicht wissen durfte, dass er mit 17 Jahren einmal in diesem Etablissement gewesen ist. Sein Vater Joseph hat ihm versprochen, Anna nichts von seinem Rausch, der ihm dort aufgehängt worden war, zu erzählen. Einer der Knechte hatte damals zufällig auch Olafs Missgeschick mitgekriegt, hielt aber ebenfalls dicht.

Olaf hatte mit seinen 17 Jahren noch nie eine nackte Frau gesehen. Wie alle jungen Männer, die noch kaum der Pubertät entwachsen waren, träumte er von hübschen Mädchen. Als Joseph und er an einem Freitagabend auf dem Wochenmarkt erst spät ihre letzten Sachen verkauft hatten, fuhren sie nicht mehr nach Lichtenhaag zurück, sondern übernachteten in einer Gaststätte, wo sie billig schlafen und essen konnten. Joseph trank nach dem Essen sein Bier aus und wollte gerade schlafen gehen, als Olaf ihm verkündete, er wolle noch in Landshut ausgehen. Die mahnenden Worte von Joseph, nicht zu spät zurückzukommen, hörte Olaf bereits nicht mehr, da er schon die Wirtsstube verlassen hatte.

Die Knechte hatten ihm zu Hause vom Klausenberg erzählt. Dort sollen Mädchen mit nacktem Oberkörper bedienen. Dort wollte er hin. Zu Fuß spazierte er durch halb Landshut, stieg zum Klausenberg hoch und begehrte an der Tür Einlass.

Eigentlich war der Türsteher bereits dabei, ihn abzuweisen, weil er zu jung für dieses Lokal sei, als ein vornehm gekleideter, gutaussehender Herr mit gewellten blonden Haaren ihm bedeutete, Olaf hereinzulassen. Dieser hatte durch den Verkauf seiner Produkte recht viel Geld mit dabei. Kaum war Olaf eingetreten, als auch schon eine hübsche Dame mit nacktem Oberkörper auf ihn zukam und ihm einen Stuhl an einem freien Tisch anbot. Die Dame setzte sich sogleich zu ihm und bestellte für sie beide eine Flasche Sekt mit zwei Gläsern. Olaf hatte nur Augen für ihre prallen Brüste. Nachdem sie zum wiederholten Male mit ihren Sektgläsern angestoßen hatten, nahm Sissi, wie sich die Dame nannte, Olafs Hand und ließ sie über ihre Brüste streichen. Olaf war so benommen vom Sekt, von den schönen Brüsten, den roten Lippen, von der Musik, die eine Band auf einem Podium spielte, dass er kaum noch bemerkte, dass seine Begleiterin bereits die dritte Flasche Sekt für ihn bestellt hatte. Nach der vierten Flasche war Olaf schon ziemlich beschwipst. Vor allem war ihm das Geld ausgegangen. Er konnte sie nicht mehr bezahlen. Jetzt verhielt sich seine schöne Tischdame plötzlich gar nicht mehr so nett zu ihm. Sie wandte sich an den eleganten Herrn, der ihn zu Beginn des Abends hereingelassen hatte. Doch auch dieser vornehme Herr war keineswegs mehr freundlich zu ihm. Er sei ein Zechpreller, beschimpfte er ihn. Man solle die Polizei rufen und ihn verhaften lassen, befahl er seinen Angestellten. Einer von Josephs Knechten hatte diese Szene zufällig mitbekommen. Er wollte sich bei Herrn Oberlehrer für Olaf verwenden. Doch dieser kümmerte sich nicht um ihn. Es waren zwei Polizisten gekommen, die Olaf abführten.

Die beiden Polizisten, von denen einer ziemlich lang und dürr, der andere hingegen eher klein und dicklich war, behandelten den angetrunkenen Olaf, der sich schon ausgesprochen dusslig im Kopf fühlte und eine starke Übelkeit verspürte, ausnehmend rüde. Der Lange mit seinem unschönen und brutal aussehenden Gesicht packte Olaf bei der Schulter und zog ihn unsanft nach oben, wobei der andere ihn sofort nach vorne stieß. „Los, auf geht's", schrie er ihn an.

Olaf torkelte in seinem benommenen Zustand nach draußen und musste sich vor der Türe erst einmal übergeben, sodass sich sein Mageninhalt vor dem Eingang zum Lokal ergoss.

Die Polizisten stießen ihn weiter grob und fast schon brutal vor sich her.

Hans, der Knecht, beglich seine Zeche und folgte ihnen verstohlen nach draußen, wobei er ihnen bis zum Gefängnis, das unterhalb vom Klausenberg in Richtung Stadt lag, nachging und mitansehen musste, wie die Polizisten Olaf durch die Gefängnistüre nach innen schleppten. Vermutlich würden sie ihn in die Ausnüchterungszelle bringen, dachte sich Hans und beschloss, in das Hotel zu gehen, in dem normalerweise die Weixelgartner übernachteten.

Joseph war bereits recht beunruhigt, nachdem Olaf um zwei Uhr nachts noch nicht zurückgekommen war. Als es jetzt an der Türe klopfte, sprang er voller Erleichterung auf, um Olaf hereinzulassen, war aber umso entsetzter, als er stattdessen Hans vor der Türe erkannte und dessen Bericht hörte.

Statt Olaf übernachtete Hans bei Josef. Früh am nächsten Morgen marschierten beide zum Gefängnis, um Olaf wieder abzuholen.

Zuerst mussten sie ziemlich lange warten, bis endlich ein sehr vornehm bekleideter, bereits etwas älterer Herr mit grau melierten Haaren und einem ausgesprochen fein geschnittenen Gesicht auf sie zukam und sich als Amtsrichter vorstellte.

Olaf, der mittlerweile wieder nüchtern war, wurde hereingeführt. Vom Richter musste er sich einige vorwurfsvolle Sätze anhören.

Nach Intervention von Joseph einigte man sich darauf, dass die Weixelgartner an Herrn Oberlehrer die geschuldete Zeche und an die Stadt den Polizeieinsatz bezahlen mussten und dass dafür von einer Anklage wegen Betrugs und Zechprellerei abgesehen würde.

Joseph war entsetzt, als er erkannte, dass er für diese Zahlung ihre gesamten Einnahmen vom Vortag aufwenden musste, sie also die ganze letzte Woche umsonst gearbeitet hätten. Seinen Einwand, wonach Olaf von der Dame im Lokal bewusst mit viel Alkohol, den er nicht bezahlen konnte, abgefüllt wurde, ließ der Richter nicht gelten.

Nachdem Olaf versprochen hatte, nie wieder so viel Alkohol zu trinken, beschloss man, zu Hause niemandem, vor allem Anna nicht, von Olafs nächtlicher Eskapade zu erzählen.

Die Stimmung bei der Heimfahrt war, wie man sich denken kann, ausgesprochen bedrückt. Olaf war ziemlich kleinlaut. Er hätte Kopfschmerzen. Es sei ihm übel, klagte er. Er werde nie wieder so viel trinken, sich nie wieder so übers Ohr hauen lassen und überhaupt nie wieder in ein solches Lokal gehen. Joseph war recht niedergeschlagen wegen des Verlustes des gesamten Geldes, das sie für ihre Waren bekommen hatten. Doch tat ihm Olaf leid. Er und der Knecht versprachen Olaf, nichts von diesen Ereignissen zu Hause zu erzählen. Olaf hat in seinem weiteren Leben nie wieder so viel Alkohol auf einmal getrunken und nie wieder einen Vollrausch bekommen.

Auch ich habe in Olafs Alter einmal einen solch furchtbaren Rausch gehabt, so dass ich erst am nächsten Tag wieder mit starken Kopfschmerzen und furchtbarer Übelkeit aufgewacht bin.

Ähnlich ist es meinem Sohn Andreas ergangen. Er ist damals wegen Magenbluten gleich auf die Intensivstation des Schongauer Krankenhauses gebracht worden, wo ich ihn am nächsten Tag, als ich auf meiner Station Visite gemacht hatte, wieder abgeholt habe. Für uns alle drei war dies eine Lehre. Keiner von uns hat je wieder so viel Alkohol auf einmal getrunken.

Dieses Gespräch über Herrn Oberlehrer und das Lokal am Klausenberg, das in Lichtenhaag geführt wurde, war Olaf sichtlich peinlich, ohne dass außer Joseph und dem Knecht jemand den Grund dafür gekannt hätte. Es ist deshalb nur zu gut verständlich, dass sowohl Joseph als auch Olaf sich möglichst aus dem Gespräch herausgehalten haben.

Zu dieser Zeit ahnten beide noch nicht, dass sie mit Herrn Oberlehrer und auch mit dem Amtsrichter Dr. Hans Obermeister noch mehr zu tun bekommen würden.

DIE KUTSCHE

Freitags fand in Landshut immer ein freier Bauernmarkt statt, an dem Platz vor der Jodokkirche, an dem später einmal in der Adventszeit der Christkindlmarkt abgehalten werden sollte.

Im letzten Jahr besuchten Olga und ich mit Sabina und Andreas diesen Markt, der besonders abends mit seinen vielen Lichtern und der leise erklingende Musik in romantischer Weise die Weihnachtszeit ankündigen soll.

In der Zeit nach dem 30-jährigen Krieg, als die Leute durch die langjährigen Kriegshandlungen verarmt waren und kaum wussten, wie sie ihre Familie ernähren sollten, hatte dieser

Markt allerdings nichts mit Romantik zu tun. Er war für viele Bauern, die aus allen Richtungen herankamen, um ihre Waren zu verkaufen, eine wichtige Existenzgrundlage. Dies galt natürlich auch für Joseph und Olaf Weixelgartner.

Sie mussten ihre Waren auf diesem Markt an den Mann bringen, um Geld für andere wichtige Dinge des Lebens zu erhalten. Da der Markt bereits um neun Uhr Früh öffnete, mussten die Weixelgartner schon vor fünf Uhr aufbrechen, um rechtzeitig anzukommen. Der Wagen mit ihren Waren wurde bereits am Abend zuvor beladen, um am nächsten Morgen sofort aufbrechen zu können. Kartoffel, Äpfel, Getreide, Gemüse, aber auch Fleisch und Brot, das sie selbst gebacken hatten, schleppten sie mit nach Landshut, um es dort zu verkaufen oder aber auch für andere Sachen, die sie dringend benötigten, einzutauschen. Der Wagen mit ihren Produkten wurde von zwei Pferden gezogen. Joseph und Olaf ritten jeweils auf ihren eigenen Pferden. Zum Schutz vor Wegelagerern und Dieben hatte jeder einen Säbel, eine Pistole und ein Gewehr mit dabei. Sie hatten sich bereits mehrmals auf ihrem Weg nach Landshut gegen Banditen, die sie überfallen wollten, zur Wehr setzen müssen. Da sie beide aber gut trainiert und geübt im Umgang mit Waffen waren, war es ihnen jedes Mal gelungen, die Angreifer in die Flucht zu schlagen.

Zurück auf dem Hof blieben Anna mit ihren zwei Töchtern sowie die beiden Dirnen und die zwei Knechte, die mit auf dem Hof lebten und arbeiteten. Vater und Sohn waren heute gut vorangekommen. Um sechs Uhr bogen sie bereits in die Verbindungsstraße zwischen Vilsbiburg und Landshut ein. In der Ferne sahen sie eine Kutsche auf sie zukommen. Diese war mit gelber und roter Farbe bestrichen. Sie wurde von vier Pferden gezogen. Der Kutscher saß mit Peitsche und Zügel in der Hand auf dem Kutschbock, um seine Pferde zu dirigieren. Die Passagiere reisten in der Kutsche.

Kurz nach Ende des 30-jährigen Krieges war schon eine gute Verbindung mit Kutschen für den Personenverkehr zwischen einzelnen Städten eingerichtet worden. Die Kutsche kam rasch näher, als plötzlich aus einem Wald heraus fünf vermummte

Reiter auf sie zu galoppierten. Der vorderste schoss auf den Kutscher. Dieser fiel kopfüber von seinem Kutschbock auf den Boden. Aus der Kutsche heraus wurde ebenfalls ein Schuss abgefeuert, der einen der Angreifer traf. Dieser fiel leblos vom Pferd. Die anderen waren bereits heran. Einer stoppte die vier Pferde, die die Kutsche zogen. Die anderen feuerten Gewehrsalven auf die Kutsche ab. Als das Gefährt zum Stehen gekommen war, riss einer der Banditen die Türe auf. Von den vier Insassen schienen drei schwer verwundet zu sein. Eine junge Frau zerrten sie aus der Kutsche, die offensichtlich unverletzt geblieben war. Sie trug eine Kette mit einem großen Diamanten, der mit Gold eingefasst war, um ihren Hals, die ihr einer der vermummten Strauchdiebe abriss und einschob. Ein weiterer legte sein Gewehr auf die Frau an, um sie zu erschießen. Joseph und Olaf hatten das Geschehen von der Ferne beobachtet. Sie hatten ihre Pferde angetrieben, um den Überfallenen zu Hilfe zu eilen. Als sie sahen, wie einer das junge Mädchen erschießen wollte, feuerten sie beide ihre Gewehre auf diesen Mann ab. Der sackte getroffen zu Boden. Die drei anderen waren mittlerweile in die Kutsche eingedrungen, hatten eine Geldkassette herausgenommen und waren anschließend wieder auf ihre Pferde gesprungen, um in Richtung Wald, woher sie gekommen waren, zu galoppieren. Die Weixelgartner waren währenddessen an der Kutsche angekommen. Die junge Frau blickte sie verblüfft an. Die beiden hielten ihre Pferde an und stiegen ab. Vor ihnen lagen drei Männer auf dem Boden. Zwei waren bereits tot; einer lag im Sterben. Einer der Männer schien zur Bewachung der Kutsche mitgefahren zu sein. Dieser hatte offensichtlich auch aus der Kutsche herausgeschossen und einen Angreifer getötet. Er war von zwei Kugeln getroffen worden.

Die Frau beugte sich weinend über den Mann, der am Boden liegend anscheinend noch lebte. Sie versuchte, die Blutung aus dem Bauchraum zu komprimieren, indem sie fest draufdrückte. „Papa“, schluchzte sie: „Bleib bei mir, stirb nicht.“ Der Mann bemühte sich, ihr noch etwas ins Ohr zu flüstern, bevor seine Augen brachen. Olaf fasste die junge Dame vorsichtig bei den Schultern, um sie aufzurichten. Diese blickte nach oben und schaute ihrem Retter fest in die Augen. Sie wollte sich bei ihm bedanken. Olaf sah ihre schönen, braunen Augen, wie sie tief in ihn eindrangen. Er wollte etwas sagen, brachte aber vor Staunen kein Wort hervor. Noch nie, glaubte er, ein so schönes Mädchen gesehen zu haben. Er war wie verzaubert. Sein Vater blickte ihn erstaunt an. Er erkannte, dass sein Sohn ähnlich fasziniert von dieser Frau war, wie er selbst es war, als er zum ersten Mal seine Anna erblickt hatte. Das Mädchen drückte weinend ihren leblosen Vater an sich. Olaf hob sie hoch, umarmte sie und gab ihr einen Kuss auf die Wange. Er handelte so, ohne nachzudenken, wie aus einem inneren Zwang heraus. Die junge Frau, die höchstens anfangs 20 gewesen sein dürfte, ließ es wortlos mit sich geschehen. Sie bedankte sich bei ihren Rettern. Plötzlich hörten sie ein Geräusch hinter sich. Der Mann, der die Frau erschießen wollte, war offensichtlich nur am Oberschenkel getroffen. Er hatte sich heimlich aufgerichtet, sich auf sein Pferd gezogen und ritt im gestreckten Galopp seinen Kumpanen in den Wald hinterher. Bis die beiden Weixelgartner kapiert hatten, was geschehen war, war er schon darin verschwunden. An eine Verfolgung war nicht zu denken. Sie spannten die Kutschpferde aus, beluden die Tiere mit den Leichen und machten sich mit ihren eigenen Pferden und ihrem Wagen wieder auf den Weg nach Landshut. Der Leiche des Banditen hatten sie zuvor die Maske vom Gesicht gezogen. Sie fanden ein unschönes, bärtiges Gesicht mit breiter Nase, hervorstehenden Augen und einer von Aknenarben durchsetzten Haut.

Die junge Frau, die sich mit Katharina Niederreiter vorstellte, hatte ebenfalls eines der Kutschpferde bestiegen, um ihnen zu folgen. Die Leichen lieferten sie am Friedhof ab. Die junge Dame, die nicht nur sehr hübsch anzusehen, sondern auch recht vornehm gekleidet war, geleiteten sie bis zu ihrer Wohnung in der Altstadt nahe der Martinskirche.

Sie trug elegante, braune Lederschuhe, einen fleischfarbenen Rock, darüber eine Bluse mit Brokat-Verzierungen. Die schön geschnittene Jacke war ebenfalls in Brauntönen gehalten. Ihre brünetten Haare fielen ihr in leichten Wellen bis zu den Schultern herab.

Dagegen wirkten die beiden Weixelgartners in ihren Arbeitsanzügen recht einfach bekleidet. Anschließend beeilten sich Vater und Sohn, endlich zu ihrem Markt am Jodokplatz zu kommen, um doch noch ihre Naturalien zu verkaufen.

Am späteren Nachmittag, als sie ihre Vorräte fast zur Gänze bereits losgebracht hatten, kam plötzlich ein sehr vornehm gekleideter, etwas älterer Herr in Begleitung mehrerer Polizisten und zweier Damen auf sie zu. In einer der Frauen erkannten sie Katharina wieder. Die andere, etwas ältere Dame, schien unverkennbar ihre Mutter zu sein. Sie hatte ein ähnlich ebenmäßiges, gut geschnittenes Gesicht wie ihre Tochter, nur um 30 Jahre älter. Auch Katharinas Mutter war ähnlich wie die Tochter sehr elegant gekleidet. Durch ihre schlanke Figur wirkte sie trotz ihrer knapp 50 Jahre noch recht jugendlich und attraktiv.

Der vornehme Herr stellte sich als Amtsrichter Dr. Hans Obermeister von Landshut vor. Der Richter dürfte ungefähr 60 Jahre alt gewesen sein. Seine Haare waren ergraut, die eigentlich fein gezeichneten Gesichtszüge bereits von einigen Falten durchzogen. Seinem Anzug sah man an, dass er maßgeschneidert war.

Er benötige ihre Zeugenaussage wegen des Überfalls in der Frühe. Die beiden Damen hätten ihm die Vorgänge bereits geschildert. Es bedürfe deshalb nur noch ihrer Bestätigung. Der tote Bandit sei der Sohn eines Handwerkers aus Geisenhausen, fuhr der Richter fort. Er arbeitete als Maurer. Er wäre unverheiratet, habe keine Kinder und galt als Eigenbrötler, erklärte Dr. Hans Obermeister weiter. Er wollte wissen, ob ihnen an den anderen Verbrechern etwas aufgefallen sei, was zu ihrer Identifizierung dienen könnte. Olaf und Joseph mussten mit zur Polizeiwache kommen.

Ihr Wagen und ihre Pferde wurden währenddessen von einem Polizisten bewacht. Die beiden Damen folgten ihnen ebenfalls. Im Präsidium erwartete sie bereits der Polizeipräsident von Landshut, ein Herr namens Fischer Johann. Dieser war ein recht gutaussehender Mann von circa 55 Jahren. Die beiden Damen, die zwar traurig, aber gefasst erschienen, bedankten sich nochmals bei den Weixelgartners für die Rettung von Katharina und luden sie zur Beerdigung ihres Vaters und Ehemannes, der bisher als zweiter Bürgermeister von Landshut residiert hatte, in drei Tagen mit nachfolgendem Leichenschmaus ein.

Als der Richter gerade mitten in der Befragung war, öffnete sich plötzlich die Türe zum Befragungsraum. Herein trat ein gut gekleideter, junger, relativ gutaussehender Herr. Der Richter blickte ihn etwas konsterniert an, wobei er sagte: „Rudolf, wenn du auch der Sohn vom Oberbürgermeister bist, so hast du doch nicht das Recht, in eine amtliche Befragung hereinzuplatzen." Doch der Neuankömmling kümmerte sich nicht um die Worte des Richters, sondern ging geradewegs auf die beiden Damen zu, küsste Katharina auf die Wange und meinte, dass er soeben erst von den Geschehnissen erfahren hätte und dass ihm alles furchtbar leidtäte. Katharina konnte man ansehen, dass ihr die Situation etwas peinlich war. Rudolf verließ daraufhin den Befragungsraum wieder, nicht ohne zuvor noch darauf hingewiesen zu haben, dass man sich später noch sehen werde. Vielleicht sollte man an dieser Stelle noch erwähnen, dass die beiden Weixelgartners den Richter in keiner guten Erinnerung hatten, da dieser ihnen nach Olafs Rausch ihre gesamten Einnahmen des vergangenen Tages abgenommen hatte, um sie Herrn Oberlehrer zurückzuerstatten. Der Amtsrichter konnte sich jedoch an die beiden Bauern nicht mehr erinnern.

Zur Beerdigung war auch Anna mit nach Landshut gekommen. Sie sah in ihrem schwarzen Kostüm immer noch sehr attraktiv aus.

Es war der gesamte Stadtrat mit Oberbürgermeister und allen denkbaren Honoratioren der Stadt gekommen. Selbstverständlich war auch Rudolf, der Sohn des Oberbürgermeisters, unter den Trauergästen. Er versuchte immer, sich in der Nähe von Katharina aufzuhalten, was dieser gar nicht so angenehm zu sein schien. Katharina hingegen unterhielt sich lange mit Olaf. Sie stellte ihm auch ihren Bruder aus Vilsbiburg vor, den sie und ihr Vater eigentlich besuchen wollten, weshalb sie in der Kutsche saßen.

Ihr Bruder Theodor war mit seiner Frau und seinen beiden Töchtern zur Beerdigung angereist. Er arbeitete als städtischer

Beamter in Vilsbiburg. Es gab ein ausgezeichnetes Essen mit mehreren Gängen. Bevor sich die Weixelgartners verabschiedeten, drängte Olaf darauf, Katharina wieder zu treffen. Diese erklärte, dass sie zurzeit Semesterferien hätte und 14 Tage zu ihrem Bruder nach Vilsbiburg gehen wolle. Dort könne sie Olaf besuchen kommen. Am nächsten Tag, nachdem Katharina bei ihrem Bruder und ihrer Schwägerin angekommen war, war Olaf bereits zur Stelle, um sie abzuholen. Sie ritten beide nach Lichtenhaag.

Olaf zeigte ihr seinen Bauernhof, was Katharina sehr zu beeindrucken schien.

Bei einem Spaziergang dem Vilsufer entlang, das auf beiden Seiten von Buchen und Erlen begrenzt wurde, zwischen denen Büsche und Brennnessel wuchsen, so dass man nur an wenigen Stellen zum Fluss durchkommen konnte, nahm er ihre Hand. Er legte seinen Arm um sie, was sie widerstandslos geschehen ließ. Katharina nahm sein Gesicht in ihre Hände, drehte es zu sich und küsste Olaf auf den Mund. Dieser küsste sie zurück. Sie umarmten sich und drückten sich fest aneinander. Beim nächsten Mal, als Olaf Katharina wieder abholte, nahm er sie mit auf sein Zimmer. Sie zogen sich gegenseitig aus, küssten und liebten sich. Olaf fühlte sich so glücklich, wie nie zuvor in seinem Leben. Ein ähnliches Glücksgefühl hatte er bisher nur empfunden, als er seinem Vater in Uppsala zum ersten Mal begegnet ist und dieser ihm vorgeschlagen hat, mit nach Bayern zu kommen.

Aber auch auf Katharina, die mit ihren 22 Jahren bisher noch wenig Erfahrung mit Männerbekanntschaften hatte, hat dieser hübsche, kräftige, muskulöse, groß gewachsene Olaf einen großen Eindruck hinterlassen. Sie trafen sich, solange Katharina in Vilsbiburg weilte, jeden Tag. Einmal saßen sie am Vilsufer unterhalb des Hofes. Olaf hatte seinen Arm um ihre Schulter gelegt und wollte sie gerade küssen, als wie aus dem Nichts plötzlich drei Männer vor ihnen auftauchten. In einem erkannte Olaf Rudolf wieder. Katharina war entsetzt aufgesprungen und fragte Rudolf: „Was willst du hier?“

„Du glaubst doch nicht, dass ich mir von so einem dahergelaufenen Bauernlümmel mein Mädchen ausspannen lasse“, gab dieser zur Antwort, wobei er versuchte, Olaf mit der Faust ins Gesicht zu schlagen. Dieser duckte sich rechtzeitig weg und schlug seinerseits zu, so dass Rudolf erst einmal zu Boden ging. „Worauf wartet ihr?", schrie dieser noch im Fallen seinen Kumpanen zu. „Schlagt endlich auf ihn ein." Doch Katharina stellte sich den beiden in den Weg. „Zuerst müsst ihr mich fertig machen, bevor ihr Olaf bekommt", schrie sie die etwas verlegen blickenden Jungen an. Joseph Weixelgartner hatte vom Hof aus die Szene beobachtet. Er kam Olaf und Katharina nun mit einem Stock in der Hand zu Hilfe.

Als die drei Aggressoren erkannt hatten, dass sie es mit einer weiteren Person zu tun hatten, verzogen sie sich kleinlaut. Katharina entschuldigte sich bei Olaf wegen ihrer seltsamen Freunde. Dieser aber zeigte nur große Bewunderung für den Mut und die Tapferkeit seiner Freundin, die sich den Aggressoren einfach entgegengestellt hatte, um ihn zu schützen. Vor allem aber hatte sie großartig ausgesehen, wie sie mit ihren wallenden, brünetten Haaren dastand und mit ihren schönen, braunen Augen die beiden Herren anfunkelte. Olaf jedenfalls war wahnsinnig in sie verliebt. Aber auch von Rudolf kamen bewundernde Blicke.

Zu Semesterbeginn musste sie wieder zurück nach Landshut. Katharina studierte Wirtschaft. Sie hatte noch zwei Semester zu überstehen. In Landshut konnten sich die beiden Liebenden nur noch am Freitag und Samstag treffen, wenn Olaf und Joseph ihre Waren zum Markt brachten. Meistens übernachteten sie dann in Landshut, so dass Katharina und Olaf abends ausgehen konnten. Joseph versorgte währenddessen die Pferde und lief in der Stadt spazieren. Olaf hatte schon seit längerer Zeit vorgehabt, sie zu fragen, ob sie nicht seine Frau werden wolle. Doch hatte er sich bisher nicht getraut, ihr diese Frage zu stellen.

An einem Samstag, bevor sie wieder nach Hause fuhren, hat sein Vater, der genau wusste, was in seinem Sohn vorging, ihn einfach mit zu einem Juwelier in der Altstadt von Landshut genommen. Sie kauften für Katharina einen schönen Ring mit einem kleinen Brillanten, der von goldenen Strängen eingefasst war. „Wenn wir nächste Woche wiederkommen, lädst du Katharina zum Essen ein und gibst ihr dabei diesen Ring", schlug Joseph seinem Sohn vor, während sie auf ihren Pferden saßen und sich bereits wieder kurz vor Geisenhausen befanden. Olaf war in dieser Woche, bevor sie wieder nach Landshut ritten, sehr nervös. Er konnte es kaum erwarten, bis es wieder Freitag wurde. Wie immer klingelte er, nachdem sie ihre Waren verkauft hatten, an der Türe der Altstadtwohnung von Katharina und ihrer Mutter. Magdalena öffnete ihm, erklärte aber, dass Katharina zum Abschlussfest ihres Studiums gegangen wäre. Dieses fände im Bernlocher Saal statt. Wenn er sich beeile, könne er sie vielleicht noch erreichen. Der Türsteher wollte ihn anfangs nicht hereinlassen. Doch brachte Olaf sein Begehren, hereinkommen zu müssen, so ernsthaft und nachdrücklich vor, dass dieser schließlich nachgab und ihn durchließ. Als er eintrat, hielt Katharina gerade eine Rede zur Verabschiedung ihrer Mitstudenten, wobei sie sich bei den Professoren für die gute Betreuung bedankte. Sobald sie Olaf erblickte, lief sie im Gesicht rot an, was ihr sichtlich peinlich war. Nach der Rede ging sie auf Olaf zu und entschuldigte sich bei ihm, dass sie ihm nichts von der Abschiedsfeier erzählt hatte, da diese erst in der letzten Woche beschlossen worden war. Olaf war so nervös, dass er kein Wort herausbrachte, sondern ihr einfach den Ring an den Finger steckte. Katharina umarmte und küsste ihn, wobei sie zu ihm sagte, dass sie sich schon länger gedacht habe, wann er sie endlich fragen würde, ob sie seine Frau werden wolle.

So also kam es, dass sie sich nach Abschluss von Katharinas Studium zur Hochzeit entschlossen. Die standesamtliche Trauung wurde vom Oberbürgermeister persönlich vorgenommen. Schließlich war Katharinas Vater einer seiner besten Freunde. Etwas Wehmut bestand nur, da Katharina nicht seinen eigenen Sohn, wie zwischen den Eltern ursprünglich vereinbart, geheiratet hatte. Doch auch Rudolf hatte sich wieder gefangen und entschuldigte sich bei dem Brautpaar für sein Verhalten. Er hatte bei der Hochzeit ein recht hübsches Mädchen dabei, das ihn schon längere Zeit verehrte, dem er sich aber, in der Hoffnung Katharina zu bekommen, bisher verweigert hatte.

Die heilige Messe zur kirchlichen Hochzeit fand in der schönen, gotischen Kathedrale von Landshut statt. Dass Olaf eigentlich evangelisch getauft war, verschwieg er einfach. Die beiden

Mütter Anna Weixelgartner, ursprünglich Anna von Seyboldsdorf, und Magdalena Niederreiter verstanden sich auf Anhieb. Ihre Wohnung bezog das Brautpaar auf dem Bauernhof in Lichtenhaag. Gefeiert haben sie in einem der renommiertesten Lokale in Landshut. Es waren viele Gäste gekommen. Alle schienen hinterher mit der Feier zufrieden gewesen zu sein. Katharina sah wunderschön aus in ihrem weißen Kleid. Ihre brünetten Haare hatte sie hochgesteckt und unter einem eleganten Hut verborgen. Olafs beide Schwestern trugen als Kranzljungfern die lange Schärpe. Olaf war mächtig stolz auf seine Braut.

Aber auch Katharina war ihr Glück anzusehen. Ihr Mann machte eine stattliche Figur in seinem traditionellen Bauernkostüm. Die Trauung vollzog der Propst der Martinskirche zu Landshut. Was die Untersuchung bezüglich des Überfalls auf die Kutsche und die Ermordung der Insassen und des Kutschers betrifft, so ergab sich nichts Neues. Die Spur des getöteten Banditen führte nach Geisenhausen. Die Ermittler kamen aber nicht weiter, da sich ihnen eine Mauer des Schweigens entgegenstellte. Obwohl sich der Polizeipräsident als enger Freund des ermordeten Bürgermeisters persönlich in die Aufdeckung des Falls einschaltete, stellte sich kein Erfolg ein. Erwähnt sollte noch werden, dass zwei Wochen nach dem Überfall auf die Kutsche eine männliche Leiche aus der Isar gezogen wurde, die sich als ehemaliger Bauer von Geisenhausen herausstellte, der seit dem Tag des Verbrechens vermisst wurde. Gestorben war dieser Mann durch einen Schuss in die Lunge. Sein Mörder hatte ihn nach der Tat offensichtlich in den Fluss geworfen. Aber auch bei diesem Mord ist die Polizei nicht weitergekommen.

Es war an einem Abend ungefähr zwei Wochen nach dem Überfall auf die Kutsche, als ein Fischer bei Ohu, einem kleinen Dorf gut zehn Kilometer nördlich von Landshut, am Ufer der Isar beim Angeln auf einem kleinen Hocker saß. Seit einer Stunde war er bereits hier, ohne dass etwas angebissen hätte. Wie er so, auf seinem Stuhl sitzend, vor sich hinträumte, fühlte er sich plötzlich durch eine Unruhe im Schilf in seinen Gedanken gestört. Der Angler stand von seinem Stuhl auf, um nachzusehen, was im Schilf los sei. Als er sich näherte, bemerkte er einen üblen Verwesungsgeruch, der immer penetranter wurde, je näher er an das Schilf herankam. Als er die Stelle erreichte, von der die Unruhe ausging, flog mit einem Mal eine Schar Raben auf, die an einem verwesenden, menschlichen Körper herumgefressen hatten. Der Angler fasste den Toten am Bein und zog ihn aus dem Schilf heraus. Es bot sich ihm ein furchtbarer Anblick einer halb zerfressenen und verwesenden männlichen Leiche. Am Brustkorb klaffte eine riesige Wunde, die offensichtlich von einem Einschuss herrührte. Der Fischer ließ seine Angel liegen, drehte sich um und lief, wild gestikulierend, zum Dorf. Dort verständigte er den Dorfpolizisten. Dieser vermutete, dass der Tote erschossen worden sei. Er schickte einen Boten nach Landshut zum Polizeipräsidium. Der Polizeipräsident schickte einen Beamten nach Ohu, der die Leiche untersuchen und nach Landshut bringen sollte. Sie wurde auch dem Richter vorgeführt. Dieser entschied, dass eine Untersuchung wegen Mordes eingeleitet werden sollte. Vorrangig war jetzt, herauszufinden, wer der Tote war. In Landshut und Umgebung wurden Plakate mit einer recht guten Portrait-Zeichnung aufgehängt mit der Fragestellung, ob jemand den Toten kenne. Ein Beamter wurde auch zu dieser Bäuerin nach Geisenhausen geschickt, um sie wegen ihres vermissten Mannes zu befragen. Es stellte sich heraus, dass der Bauer seit dem Tag abging, an dem auch die Kutsche überfallen wurde. Die Bäuerin musste mit nach Landshut kommen, um die Leiche zu identifizieren. Als sie ihren halb verwesten und zerfressenen Mann vor sich liegen sah, brach die Frau, die ungefähr 40 Jahre alt gewesen sein dürfte, in Tränen aus. Sie bestätigte jedenfalls, dass es sich bei dem Toten um ihren Mann handelte. Ein Arzt hatte als Todesursache einen Schuss in den Thorax festgestellt, weswegen der Richter eine Untersuchung wegen Mordes angeordnet hatte. Die Kugel steckte noch in der Wirbelsäule. Sie konnte entfernt werden. Sie passte zu einem Gewehr, wie es Soldaten damals trugen. Da solche Gewehre zu hunderten im Umlauf waren, konnte man davon nicht auf den Besitzer des Gewehres, also auf den Mörder, schließen. Der Tote wurde drei Tage später in Geisenhausen, nahe dem erschossenen Räuber, der beim Überfall auf die Kutsche ums Leben gekommen war, beigesetzt. Man ging davon aus, dass der Mann in Landshut erschossen und in die Isar geworfen worden war. Es wurden Passanten befragt, die zur vermuteten Tatzeit an der Isar spazieren gingen. Leider ergab sich daraus keine Spur, die einen Hinweis auf den Täter erbracht hätte. Es stellte sich nun die Frage, ob die beiden Toten etwas miteinander zu tun hatten. Schließlich stammten sowohl der Räuber, der beim Überfall auf die Kutsche erschossen worden war, als auch der Tote aus der Isar aus Geisenhausen. Der Überfall auf die Kutsche hatte am gleichen Tag stattgefunden, an dem auch der Tote aus der Isar erschossen worden sein müsste. Es wurden die Angehörigen beider in Geisenhausen befragt. Der Räuber der Kutsche war ledig. Seine Eltern hatten eine Schreinerei in Geisenhausen. Wie ihr Sohn zu der Beteiligung am Überfall gekommen war, war ihnen völlig schleierhaft. Ob er den Bauern kannte, den sie aus der Isar gezogen hatten, wussten sie ebenso wenig.

Ähnlich erging es der Polizei mit dem toten Bauern. Seine Angehörigen wussten von nichts. Sie hatten keine Ahnung, warum er ermordet worden war, oder ob er den Sohn der Schreiner gekannt hatte. Eine Beteiligung an dem Überfall war jedoch völlig undenkbar. Die Polizei fand keine Möglichkeit, die Wand des Schweigens, die ihnen entgegentrat, zu durchbrechen. Niemand wusste auch nur etwas von irgendetwas. Obwohl sich Fischer, der Polizeipräsident persönlich, in die Ermittlungen eingeschaltet hatte, kamen sie zu keinem erfolgreichen Abschluss. Nach einiger Zeit vergeblicher Nachforschung wurden die Akten der Leiche aus der Isar, ebenso wie die Akten über den Überfall auf die Kutsche einfach geschlossen und zu dem großen Stapel der ungeklärten Kriminalfälle gelegt.

Ohu sollte übrigens Jahrhunderte später durch die beiden Atomkraftwerke Isar 1 und Isar 2 bekannt werden, die an den Ufern des Flusses errichtet worden waren. Die Weixelgartner haben von dem Toten aus der Isar nur zufällig von Erzählungen anderer erfahren. Die polizeilichen Ermittlungsergebnisse kannten sie nicht. Ebenso wenig stellten sie einen Zusammenhang her zwischen diesem Toten und dem Überfall auf die Kutsche. Bei der Hochzeit waren diese Verbrechen bereits ein

Jahr her. Die Ermittlungen waren längst eingestellt. Es seien damals auch die Direktoren beider Banken, sowohl der in Landshut, von der das Geld stammte, als auch der in Vilsbiburg, wohin das Geld mit der Kutsche gebracht werden sollte, befragt worden, ohne dass sich weitere Erkenntnisse ergeben hätten.

Nur diese jeweils drei Direktoren jeder Bank hatten Wissen über den Geldtransport. Zusätzlich wussten die beiden Sekretärinnen beider Banken, die die Verträge dazu aufgesetzt hatten, über den Transport Bescheid, ebenso das Wachpersonal, von denen einer den Transport begleitet hatte, wie auch möglicherweise der Kutscher selbst. Dennoch erbrachten die Befragungen dieser Personen, wobei der Kutscher als Mordopfer natürlich ausfiel, keine größeren Ergebnisse.

Katharina war sehr traurig darüber, dass sie niemals erfahren sollte, wer ihren Vater getötet hatte.

Besonders seltsam erschien, dass die Mörder offensichtlich wussten, dass gerade bei diesem Transport ungefähr drei Mal so viel Geld befördert werden sollte, wie gewöhnlich. Woher sie dieses Wissen haben konnten, war nicht zu eruieren. An Zufall glaubte indes niemand.

Herr Fischer hat sich persönlich bei Magdalena Niederreiter damals entschuldigt, dass sie den Mörder ihres Mannes nicht ermitteln konnten. Der vierte Insasse der Kutsche war ein älterer Herr, der gar nicht von einer der Kugeln getroffen worden war. Er war an den Folgen eines Herzinfarktes, ausgelöst durch den Stress bei dem Angriff, verstorben.

Irgendeinmal hatte Olaf Katharina gefragt, warum sie am Tag des Verbrechens so spät befragt worden seien. Sie selbst wären froh darüber gewesen, da sie so genügend Zeit hatten, ihre Produkte zu verkaufen. Ihre Mutter sei sofort, nachdem sie von dem Verbrechen erfahren hatte, zum Polizeichef, dem Freund ihres Mannes, gegangen. Beide hätten sich dann gleich an den Richter zu wenden versucht. Dieser sei aber nicht auffindbar gewesen. Er hätte eine lange, anstrengende Nacht hinter sich gehabt, weshalb er erst so spät ins Amt gekommen ist, begründete dieser seine Säumnis. Daher habe sich auch ihre Befragung so verspätet.

Olga in Rosenheim vor dem Mittertor, in dessen Nähe in früheren Zeiten die großen Rossmärkte abgehalten wurden, wo Sebastian den Mörder seiner Eltern und seines Bruders wiedererkannt hatte

Zu den wichtigsten Gästen bei der Hochzeit von Katharina und Olaf zählten neben Katharinas Bruder Theodor mit Familie und ihrer Mutter Magdalena natürlich auch Olafs Eltern sowie seine beiden Schwestern, aber auch Annas Freundin Theresia Riedenauer, geborene Habersetzer, mit Sohn Andreas und ihrem Lebenspartner Markus, der eigentlich Alessandro de Magro hieß. Die drei Frauen, Magdalena, Anna und Theresia, waren alle sehr vornehm und feierlich gekleidet. Obwohl sie alle bereits gut Mitte 40 waren, zeigten sie sich noch von einem ausgesprochen attraktiven Äußerem. Sie verstanden sich untereinander gut, so dass Magdalena auch schnell in den Freundschaftsbund der beiden anderen aufgenommen wurde.

Lichtenhaag früher und heute

Katharinas Trauzeuge war natürlich ihr Bruder Theodor.

Olaf hatte sich als Trauzeugin seine Tante Theresa, die mit Ehemann und beiden Kindern zur Hochzeit gekommen war, ausgesucht, zu der er eine sehr intensive Beziehung pflegte, nachdem sie ihn in Schweden praktisch wie eine Mutter aufgezogen hatte. Seine eigene Mutter, Veronika, war ja sehr bald durch ihre Geisteskrankheit als Erzieherin ausgefallen, so dass Theresa ihren Part übernehmen musste.

Olaf hatte seine Tante und deren Familie im Laufe der Jahre immer wieder auf ihrem Bauernhof besucht. Er pflegte auch eine sehr gute Beziehung zu deren Kindern, seiner Cousine und seinem Cousin, sowie zu ihrem Ehemann.

Katharina war einmal völlig konsterniert, als sie Theresa und Olaf untereinander Schwedisch reden hörte. In diesem Moment wurde ihr erst richtig klar, dass Schwedisch Olafs Muttersprache war.

Zusätzlich gekommen war fast der gesamte Magistrat der Stadt Landshut, einschließlich deren Oberbürgermeister, der anlässlich der standesamtlichen Trauung auch eine ergreifende Rede für das Brautpaar hielt.

Eine noch längere Ansprache aber, wie übrigens auch schon einmal vor langer Zeit bei Annas und Josephs Hochzeit, hielt Annas älterer Bruder Alexander, Graf von Seyboldsdorf und Lichtenhaag. Doch auch diesem Herrn sah man an, dass die Jahre nicht spurlos an ihm vorübergegangen waren.

Auf dem Kopf hatte er nur noch wenige, graue, schüttere Haare, dafür umso mehr Falten im Gesicht. Seine Familie war natürlich ebenfalls gekommen. Die Leute waren hinterher alle enorm begeistert von dieser großartigen Feier. Nachdem bis in die Morgenstunden gefeiert worden war, haben die Gäste entweder bei Privatleuten in Landshut oder in Hotels übernachtet. Nach Lichtenhaag sind die Weixelgartner erst am nächsten Tag wieder aufgebrochen.

DIE HOCHZEIT

Bei der Hochzeit saßen sich die Brautmutter, Magdalena Niederreiter, und der Polizeipräsident, Johann Fischer, am Tisch gegenüber. Wie die Ermittlungen bezüglich des Mordes an ihrem Mann stünden, wollte Magdalena von Johann wissen. Dieser vertrat die Theorie, dass der Tote aus der Isar der Anführer des Überfallkommandos gewesen sein dürfte. Unter den Banditen befänden sich sicherlich noch weitere Leute aus Geisenhausen. Im Ort stieß die Polizei auf eine Wand des Schweigens. Niemand hatte von irgendetwas eine Ahnung. Es müsse aber einen Auftraggeber gegeben haben, der Insiderwissen gehabt hatte, da es kein Zufall gewesen sein konnte, dass gerade an diesem Freitag ein Vielfaches der normalen Goldmenge transportiert worden ist. Sie seien diesbezüglich bereits mehreren Spuren nachgegangen, die sich leider immer wieder als Sackgasse erwiesen hätten. Johann Fischer war der Ansicht, dass der Auftraggeber den Toten aus der Isar erschossen habe, um einen Mitwisser zu beseitigen und das ganze Geld für sich behalten zu können.

Zum Tanzen forderte Johann Magdalena gleich mehrmals auf, was dieser viel Spaß zu bereiten schien. Wieder zurück am Tisch, fuhr Johann mit seinen Ausführungen fort. Er erklärte, dass sie darauf warteten, dass die Goldstücke in Umlauf kämen, damit sie ihre Spuren zurückverfolgen könnten. Leider waren bisher noch keine dieser Münzen aufgetaucht. Anscheinend war sich der Hintermann, der die ganzen Goldstücke gehortet haben dürfte, auch dieser Tatsache bewusst. Johann Fischer war außerdem der Meinung, dass der Besitzer des Etablissements vom Klausenberg, Martin Oberlehrer, irgendwie in diese Angelegenheit verstrickt sei, ohne ihm eine direkte Beteiligung nachweisen zu können. Befragungen und Razzien hätten bisher zu keinem Ergebnis geführt, weshalb er auch einen Maulwurf bei der Polizei vermutete.

Die Hochzeit war eine tolle Feier. Eine Band spielte rhythmische, schöne Tanzmusik. Die Gäste drehten sich vergnügt im Kreis.

Etwas peinlich fiel jedoch der Brautwalzer aus, da Olaf offensichtlich nicht gut tanzen konnte. Seine Schritte wirkten ziemlich holprig, was in Katharina den Entschluss reifen ließ, mit ihm in Vilsbiburg einen Tanzkurs zu absolvieren.

Die Hochzeitstorte war riesig. Beim Anschneiden klatschten die Zuschauer Beifall. Das Essen war hervorragend, so dass die Leute begeistert davon schwärmten. Am Tisch neben Johann Fischer saß auch seine einzige Tochter, Barbara, mit ihrem Ehemann Fritz.

Barbara war Katharinas beste Freundin. Die beiden Mädchen waren zusammen aufgewachsen. Sie hatten sich immer schon ihre innigsten Geheimnisse anvertraut. Barbara war auch die Erste, der Katharina ihre Liebe zu Olaf gestanden hatte.

Rechts neben dem Polizeipräsidenten saß sein Chef, der Amtsrichter, Dr. Hans Obermeister. Er war, ähnlich wie Johann, einer der besten Freunde und Anglerkollegen von Katharinas Vater. Der Richter hörte sich die Ausführungen des Präsidenten bezüglich des Standes der Ermittlungen im Mordfall Niederreiter an, ohne selbst etwas dazu beizutragen.

Auch er tanzte einmal mit Magdalena, die er, ähnlich wie Johann, schon seit längerer Zeit heimlich verehrte. Nachdem ihn vor einigen Jahren seine Frau wegen eines anderen Mannes verlassen hatte, war er allein geblieben. Er schien seither völlig in seiner Arbeit aufzugehen. Kinder hatte er keine. Die Leute erzählten sich untereinander, dass der Richter einmal eher nach Hause gekommen sei, da eine Gerichtssitzung ausgefallen ist, und seine Frau mit einem anderen Mann im Bett überrascht habe. Er soll sehr wütend gewesen sein. Jedenfalls hatte sie ihn wegen diesem Mann einige Wochen später verlassen. Angeblich lebten sie in Regensburg und hätten ein Kind zusammen bekommen, was für den Richter besonders peinlich sei, da er immer behauptet habe, dass seine Frau keine Kinder bekommen könne. So könnte man fast zu der Ansicht gelangen, dass er die Ursache für die Sterilität in ihrer Ehe gewesen sein dürfte. Sie soll eine wunderschöne Frau gewesen sein, behaupteten jedenfalls die Leute. Dass der Richter sehr unter diesem Verlust gelitten hat, scheint jedenfalls außer Zweifel zu stehen. Der Richter war ein exzellenter Tänzer. Trotzdem machte es Magdalena mit Johann mehr Spaß zu tanzen, da er ihr einfach viel sympathischer war.

Olga und Gerhards Hochzeit, standesamtlich und kirchlich

Nachdem es zur Zeit von Katharina und Olaf noch keine Fotografien gab, kann man nur das Hochzeitsbild einer späteren Nachfahrin der beiden zeigen. Der Bräutigam auf diesem Bild ist übrigens ein ebenso späterer Nachfahre von Sebastian Schmidberger, der als Adjutant des Grafen Gundifels bereits einmal Erwähnung gefunden hat, wobei der Name Schmidberger zu dieser Zeit überhaupt noch nicht existierte. Sebastian wusste damals noch nichts von der Schmiede am Berg bei Velden, die einmal namensgebend für die Schmidberger werden sollte.

DAS LOKAL

Als der Familienrat wieder einmal beim Abendessen zusammensaß und über den Mordfall „Niederreiter" diskutierte, hatte Joseph plötzlich einen Einfall, den Katharina und Anna gar nicht gut fanden. Joseph meinte: „Wenn schon nach Johann Fischers Ansicht das Etablissement am Klausenberg irgendwie im Zusammenhang mit dem Mord stehen dürfte, sollten Olaf und ich diesem Lokal einmal einen Besuch abstatten."

„Anscheinend leistet sich dieser Oberlehrer einen Spitzel bei der Polizei, dem er sicherlich viel Geld bezahlt", fuhr Joseph weiter fort. „Vielleicht ist er der Hintermann, den Fischer sucht." Trotz Katharinas Entsetzen war Olaf sofort Feuer und Flamme für diesen Vorschlag. So kam es also, dass Olaf und Joseph an einem Freitag, nachdem sie wieder einmal ihre Waren auf dem Markt in Landshut verkauft hatten, mit ihrem Pferdefuhrwerk hoch zum Klausenberg fuhren. Die Pferde wurden dort in einem eigens für Kunden bereitstehenden Stall versorgt. Als sie an der Pforte klopften, wollte sie der Türwächter schon gar nicht hereinlassen. Erst als sie erklärten, die Chefs der beiden Knechte vom Oama-Hof zu sein, die hier bereits bekannt wären, ließ man sie passieren. Im Lokal wurden sie von einer hübschen Dame, mit nacktem Oberkörper, empfangen, die sie zu einem freien Tisch führte. Sie setzte sich zu den beiden und bestellte drei Flaschen Sekt. Den Älteren der beiden, der mehr Geld zu besitzen schien, forderte sie anschließend zum Tanzen auf. Während sie sich im Kreis drehten, schmiegte sie sich eng an Joseph, dem dies gar nicht so schlecht zu gefallen schien. Als sie sich wieder hingesetzt hatten, fragte sie Joseph, ob er mit ihr aufs Zimmer kommen wolle, was Olaf jedoch für seinen Vater verneinte. Sie seien eigentlich gekommen, um mit Herrn Oberlehrer zu sprechen, erklärte Olaf weiter. Die Bardame blickte Joseph überrascht an, der fasziniert den tanzenden Damen zusah, wie sie sich langsam ihrer Kleider entblößten. Dieser bestätigte jedoch dieses Ansinnen. Die Dame stand auf, um ihren Chef zu holen. Dieser war ein Respekt einflößender Herr von circa 55 Jahren. Er hatte ein hübsches Gesicht, das trotz der beginnenden Stirnglatze noch recht attraktiv wirkte. Herr Oberlehrer war ein großer, stämmiger Mann, dem auch der beginnende Bauchansatz nichts von seiner beeindruckenden Wirkung nahm. Was die beiden Herren von ihm wollten, fragte er, gleich nachdem er sich zu ihnen gesetzt hatte. Olaf erklärte, Informationen über den Überfall auf die Kutsche, bei dem sein Schwiegervater ums Leben gekommen sei, zu sammeln. Herr Oberlehrer blickte die beiden erstaunt an, wobei er berichtete, dass die Polizei ihm bereits diese Fragen gestellt hätte. Soweit ihm bekannt sei, wäre dieser Fall schon abgeschlossen. Nachdem Olaf fortfuhr, weitere Fragen zu stellen, wurde Martin Oberlehrer ungehalten. Er verlangte, dass sie sofort sein Lokal verließen, wobei er mehrere Security-Männer herbeiwinkte, die die beiden Weixelgartners unmissverständlich hinausgeleiteten. Aufgefallen war Joseph, dass einige Männer unter den Gästen, die offensichtlich nicht erkannt werden wollten, Gesichtsmasken trugen. Bevor sie das Lokal ganz verlassen hatten, wurde ihnen noch Geld für die drei Flaschen Sekt abgenommen, was ungefähr die Hälfte des Erlöses ihrer Waren für diese Woche ausmachte. Joseph war indessen zu der Ansicht gelangt, dass Herr Oberlehrer mehr über den Überfall auf die Kutsche wusste, als er gegenüber der Polizei zugegeben hatte. Wenn er schon nicht selbst der Auftraggeber für den Überfall gewesen sei, so dürfte er möglicherweise die Vermittlungsrolle zwischen dem Chef des Überfallkommandos und dem Hintermann übernommen haben. In beiden Fällen müsste er den Mörder kennen. Olaf hingegen war weniger zufrieden mit dem

Ergebnis ihrer Ermittlungen, als sie ihr Pferdefuhrwerk abholten und sich auf den Heimweg machten. Anna und Katharina waren jedenfalls froh, ihre beiden Männer wieder heil zurückbekommen zu haben.

DIE REISE NACH ITALIEN

Zur Hochzeit hat das Brautpaar von Olafs Schwester Maria eine Reise nach Italien zu den Großeltern von Andreas am Ledrosee geschenkt bekommen. Maria und Andreas wollten sie begleiten. Neben seinen Großeltern hatte Andreas auch vor, seinen Onkel, den Grafen de Magro, am Iseosee, sowie seine Schwester Anna-Maria-Lena, die mittlerweile in Sirmione am Gardasee verheiratet war, zu besuchen. Zu deren Hochzeit vor zwei Jahren hatte er damals nicht kommen können, da er sich um den Bauernhof hatte kümmern müssen. Da Andreas' Eltern Theresia und Markus zu ihrer Hochzeit gereist waren, hatten Maria und Andreas zu Hause bleiben müssen, um die Tiere auf dem Bauernhof zu versorgen. Dieses Mal sollte es umgekehrt sein, die Jungen wollten reisen, weshalb die Alten daheim zu bleiben hatten. Trotz allem wäre Anna so gerne mitgekommen, da sie, infolge der Weigerung von Joseph, dorthin zu fahren, noch niemals nach Italien gekommen war. Doch auch sie musste zu Hause bleiben. Katharina war schon sehr neugierig auf dieses Wunderland, in dem Orangen und Zitronen wachsen sollen und von dem sie schon viele fantastische Berichte gehört hatte.

Die beiden Paare fuhren in Kutschen. Solche Verbindungen gab es damals bereits zwischen einzelnen Städten. Die Reise ging von Landshut nach Rosenheim, Kufstein, dem Inntal entlang bis Innsbruck. Übernachtet haben sie jeweils in Herbergen, die entlang der Kutschlinien eingerichtet waren. Von Innsbruck mussten sie die Berge hinauf über den Brennerpass, wodurch die Etappen kürzer wurden. Als sie von den Bergen endlich wieder herabgekommen waren, wurde das Wetter plötzlich warm und sonnig. Sie erholten sich erst einmal mehrere Tage in einem Hotel am Kalterer See, wo sie in herrlich warmem Wasser baden konnten.

Katharina hat es in dieser wunderbaren Gegend, die mit Weinhängen und blühenden Obstgärten überzogen war, so gut gefallen, dass sie am liebsten für immer hiergeblieben wäre. Die Reise fand im Mai statt, wenn alle Bäume und Blumen im ganzen Land in allen Farben erblühen.

Beim Baden stellte sich allerdings heraus, dass Katharina als Einzige von den vier Leuten nicht schwimmen konnte. Während die anderen den See bis ans gegenüberliegende Ufer durchquerten und von drüben herüberwinkten, dabei alberten und es sich gutgehen ließen, konnte Katharina nur neidisch vom diesseitigen Ufer auszusehen. Als dann Olaf, nachdem er wieder zurückgekommen war, auch noch anfing, sie deswegen zu hänseln, reagierte Katharina ziemlich wütend. Wenn Olaf nicht schnell eingelenkt und ihr fest versprochen hätte, ihr noch in diesem Urlaub das Schwimmen beizubringen, hätte es beinahe den ersten richtigen Ehekrach geben können. So aber beruhigte sich Katharina rasch wieder. Es ging ihr jetzt so, wie es Jahrzehnte zuvor bereits einmal Anna von Seyboldsdorf ergangen war, als sie und Joseph in ihrer Hütte am kleinen Arbersee gelebt haben. In den drei Tagen, die sie am Kalterer See verbrachten, gelang es Olaf nicht, seiner Frau das Schwimmen beizubringen.

Jedoch später am Gardasee, in der Woche, die sie bei Andreas' Schwester Anna-Maria-Lena in Sirmione verweilten, sollte sie das Schwimmen erlernen. Am Tag davor hatten sie Bozen besichtigt. Sie waren alle begeistert von den schönen Häusern und der barocken Kirche. Da es gerade Sonntag war, besuchten sie die heilige Messe in dieser Kirche. Bevor sie nach Bozen gekommen waren, hatten sie auch einmal eine dieser vielen Burgen, die das Etschtal in Südtirol säumten, besucht. Sie waren einfach hochgestiegen. Leider war ihnen der Eingang zur Burg verwehrt geblieben, obwohl sie um Einlass gebeten hatten. Ihre Fahrt ging weiter nach Trient, wo sie in einem Hotel inmitten der Altstadt übernachteten. Auch diese Stadt hat ihnen sehr gut gefallen. Von Trient aus kamen sie wieder in die Berge. Sie fuhren an einem kleinen See vorbei, an dessen Ufer ein Schloss zu bewundern war, bis sie endlich von oben auf Riva de Garda und den gesamten See blicken konnten. Sie waren begeistert von diesem überwältigenden Anblick. Der See erschien ihnen so riesig, dass er sich bis zum Horizont hinzog, ohne dass sie das südliche Ufer erblicken konnten. Er liegt eingebettet inmitten von hohen Bergen. Die Sonne strahlte warm vom wolkenlosen Himmel, der sich im Blau des Sees widerspiegelte.

Bevor sie bei Anna-Maria-Lena in Sirmione ankamen, hatten sie noch eine Übernachtung in Garda, einem malerischen Fischerdorf, das direkt am See liegt. Vor ihrer Abreise am Morgen bekamen sie die Gelegenheit, die Fischerboote in den kleinen, mit Ziegelsteinen befestigten Hafen hereinfahren zu sehen. Die Fischer hatten nachts ihre Netze ausgeworfen und brachten ihren Fang in der Frühe auf den Markt.

Als sie endlich nach Sirmione gekommen waren, wartete Anna-Maria-Lena bereits auf sie am Eingang der Stadt vor den Toren der mächtigen Festungsanlage. Sie zeigte ihren Gästen die Stadt mit ihren vielen vornehmen Patrizierhäusern, von denen sie selbst mit ihrem Ehemann zusammen und natürlich mit ihrer einjährigen Tochter eines bewohnte. Ihr Mann gehörte der reichen Handelsgilde der Stadt an. Er hatte einen Sitz im Magistrat. Die beiden Paare waren tief beeindruckt von dem Reichtum, der überall zur Schau gestellt wurde.

Katharina und Anna-Maria-Lena verstanden sich auf Anhieb recht gut. Im Gespräch gestand ihr die Gastgeberin, dass sie gar nicht so glücklich war, wie es den Anschein zu haben schien. Ihr vornehmer Ehemann hätte neben ihr auch noch andere Frauenbekanntschaften. Sie bliebe nur wegen ihrer Tochter Julia bei ihm. Eine Scheidung wäre in Italien von der katholischen Kirche ausgehend sowieso nicht möglich. Wenn man seinen Mann loswerden möchte, müsste man ihn schon erschlagen oder vergiften, fügte Anna-Maria-Lena scherzhaft noch hinzu.

Ihr Mann würde zudem vermehrt Alkohol trinken und Opium rauchen, fuhr sie etwas frustriert fort. Manchmal, wenn er im Rausch oder im Suff oder in beidem heimkommt, versuche er über sie herzufallen, um sie zum Sex zu zwingen. Er sei brutal und rechthaberisch. Glücklicherweise schlafe er aber meistens gleich ein. Manchmal würde er auch gewalttätig und wolle auf sie einschlagen. Dagegen verstünde sie es aber gut, sich zur Wehr zu setzen.

Katharina hingegen berichtete ihr, dass sie noch sehr um ihren Vater trauerte. Vor allem aber war sie auch wütend, dass sie, wie sie damals noch glaubte, nie erfahren werde, wer ihren Vater ermordet hat. Der Sommernachtsball, der die Aufklärung erst in Gang bringen sollte, fand erst nach ihrer Rückkehr statt. Nachmittags gingen sie täglich für zwei bis drei Stunden zum Baden, wodurch Olaf sein Versprechen einlösen konnte, seiner Frau das Schwimmen beizubringen. Katharina hielt sich einfach an seinen Schultern fest, wenn er auf den See hinausschwamm, und machte die froschförmigen Beinbewegungen mit. Nach einiger Zeit ließ sie seine Schultern los und vollführte auch die entsprechenden Armbewegungen, so dass sie plötzlich selbstständig im Wasser schwebte. So ähnlich habe ich Jahrhunderte später auch meiner Tochter Johanna das Schwimmen beigebracht.

Eines Abends waren Anna-Maria-Lena und Katharina allein zu Hause. Die anderen waren irgendwo in Sirmione unterwegs. Die beiden saßen auf einer bequemen Polstercouch, tranken Wein und unterhielten sich anfangs über belanglose Dinge. Dieser sogenannte Salon, der eher einem Prunkzimmer eines Schlosses als einem normalen Wohnzimmer glich, war mit sehr teuren Möbeln eingerichtet. Die Vorhänge waren aus Brokatstoffen gefertigt. Bunte Perserteppiche lagen auf dem Boden herum. Man konnte sehen, dass Ludovico seinen Reichtum gerne zeigen wollte.

Der Raum war matt mit Kerzenlicht erleuchtet. Die beiden Damen fühlten sich sichtlich wohl in diesem romantischen Ambiente, bis die Hausherrin plötzlich sehr ernst und fast traurig wurde. Ihr Mann hätte schon andere Frauenbekanntschaften gehabt, gestand sie Katharina. Sie hätte dies zwangsläufig tolerieren müssen. In letzter Zeit scheint er aber eine feste Beziehung zu einer anderen Frau zu haben. Eine Tochter aus einem der vornehmen Patrizierhäuser scheint sich ihm an den Hals geworfen zu haben. Ob Ludovico sie wirklich liebt, konnte Anna-Maria-Lena nicht sagen. Er scheint es jedenfalls auf ihr Geld abgesehen zu haben. Bei seinem aufwändigen Lebenswandel sind offenbar Schulden aufgetreten, von denen sie erst kürzlich erfahren hatte und deren Höhe sie nicht benennen konnte. Jedenfalls zeigt Ludovico seine neue Freundin bereits offen her. Er sei sogar mit ihr bei einer Magistratssitzung erschienen. Sie selbst befürchtet, abgeschoben zu werden. Da es im katholischen Italien keine Scheidung gibt, müsste die Ehefrau irgendwie beseitigt werden, wenn man erneut heiraten möchte. Die Hausherrin gestand Katharina, dass sie manchmal glaubt, um ihr Leben fürchten zu müssen. Sie bilde sich ein, dass sie schon öfter von zwei Männern verfolgt worden sei, die sie zu beobachten schienen. Vielleicht sei das Ganze auch nur ein Trugschluss, eine unsinnige Wahnvorstellung, die sie verfolgt. Jedenfalls habe sie oft Angst um ihr Leben und das ihrer Tochter, die ebenfalls als Hindernis zwischen dem neuen Liebespaar stehen würde. Manchmal glaube sie, die beiden Männer würden nur auf eine Gelegenheit warten, um ihr ein Unglück zustoßen zu lassen, das wie ein Unfall aussehen sollte. Ein anderes Mal meinte sie, sie würde sich das Ganze nur einbilden. Zeitweise waren die beiden Männer wieder verschwunden, so dass sie schon glaubte, sich geirrt zu haben. Dann waren sie plötzlich wieder da. Vielleicht war alles nur Zufall.

Anna-Maria-Lena war auf alle Fälle sehr besorgt. Dies hätte sie bisher noch niemandem anvertraut, da sie zu keinem Menschen in ihrer Umgebung wirklich Vertrauen habe. Katharina sei die Erste, der sie von ihrem Verdacht berichtete. Sie wisse manchmal gar nicht mehr, was sie denken und wie sie sich verhalten sollte. Katharina wusste auch nicht recht, was sie ihrer Freundin raten solle. Vielleicht wäre es das Beste, einfach weg zu gehen und ihre Tochter mitzunehmen. Sie bot ihr an, gemeinsam mit ihrer Tochter nach Niederbayern zu kommen. Doch so kampflos wollte sie ihren Besitz und ihre Stellung hier auch nicht aufgeben. Als die beiden Damen sich tief in der Nacht zum Schlafen verabschiedeten, gingen beiden ziemlich ernste und trübe Gedanken durch den Kopf.

Am nächsten Morgen beim Frühstück, als alle wieder zusammensaßen, wurden die Probleme der vergangenen Nacht nicht mehr erwähnt. Die Gespräche drehten sich um belanglose Dinge.

Zwei Tage später reisten Katharina und Olaf wieder ab, ohne dass dieses traurige Thema noch einmal erwähnt worden wäre.

Ludovico, Anna-Maria-Lenas Ehemann, haben sie in der ganzen Woche nur drei Mal zu Gesicht bekommen. Unter tags musste er arbeiten. Abends ging er aus. Die wenigen Male, die er nach Hause kam, zeigte er sich ziemlich gelangweilt von diesem einfältigen, deutschen Besuch. Er war sehr vornehm gekleidet, hatte ein hübsches Gesicht und eine sportliche Figur. Er war einfach ein toller Mann, wie er selbst von sich glaubte. Nach einer Woche verabschiedeten sich die Gäste wieder von Anna-Maria-Lena und ihrer Tochter, aber nicht von Ludovico, da der nicht auffindbar war.

Ihr nächstes Reiseziel war der Iseosee, wo sie Andreas' Onkel, den Grafen de Magro, besuchen wollten. Dieser hat sie freundlich empfangen, aufgenommen und seiner Familie vorgestellt, ohne dass man den Eindruck bekam, dass er besonderes Interesse an diesen primitiven, deutschen Gästen hätte. Man verabschiedete sich deshalb nach drei Tagen wieder in gutem Einvernehmen. Richtig gefreut über das Wiedersehen mit Enkel Andreas und seinen Angehörigen haben sich eigentlich nur der alte Graf de Magro und seine Frau Maria Samiano in ihrer Villa am Ledrosee.

Hier verweilten die Gäste 14 Tage. Katharina konnte in dem kühlen Gebirgswasser schwimmen üben. Ihre Gastgeber zeigten ihnen die Umgebung um den See herum, oder gingen mit ihnen in der nächsten Stadt einkaufen.

Als sie nach dieser wundervollen Zeit wieder abreisen mussten, waren alle recht traurig. Im nächsten Jahr waren wieder die Alten, Theresia und Markus, an der Reihe, nach Italien zu reisen. Die Jungen mussten am Hof bleiben.

Dieses Mal setzte auch Anna durch, dass sie endlich einmal mitfahren durfte. Sie war nach ihrer Rückkehr auch unglaublich begeistert von diesem Land. Joseph aber war stur zu Hause geblieben. Als sie wieder zurückgekommen waren, zeigte sich Markus glücklich, wieder Großvater zu werden.

Anna-Maria-Lena sei erneut schwanger geworden, berichtete er voller Stolz. Katharina war überrascht, da sie nach allem, was sie von Anna-Maria-Lena über Ludovico erfahren hatte, nicht geglaubt hätte, dass sie nochmals ein Kind von ihm bekommen möchte, ließ sich aber nichts anmerken.

Die Geburt würde in circa vier Monaten stattfinden. Kaum waren zwei weitere Monate vergangen, als die furchtbare Nachricht vom Tod Ludovicos im Vilstal eintraf. Alle waren bestürzt. Er wäre an einem plötzlichen Herzinfarkt verstorben. Ludovicos Sohn Ludovico, benannt nach seinem verstorbenen Vater, kam wiederum zwei Monate später zur Welt. Die Geburt sei komplikationslos verlaufen. Im nächsten Jahr besuchten wieder Markus und Theresia ihren Enkel in Sirmione. Anna-Maria-Lena habe die Geschäfte ihres verstorbenen Mannes übernommen, erfolgreich weitergeführt und noch deutlich ausgebaut, berichteten sie nach ihrer Rückkehr voller Stolz. Sie war eine gute Geschäftsfrau geworden.

SOMMERNACHTSBALL

Katharina war eine passionierte Tänzerin. Olaf hatte vom Tanzen natürlich überhaupt keine Ahnung. So setzte seine Ehefrau durch, dass sie beide in Vilsbiburg einen Tanzkurs absolvierten. Nebenbei konnte sie dann gleich öfter ihrem Bruder einen Besuch abstatten. Mit der Zeit hatte auch Olaf Spaß am Tanzen bekommen. So jedenfalls kam es, dass sie nach einem Jahr Ehe im Juli, an einem warmen Sommertag, in Geisenhausen auf einen Sommernachtsball zum Tanzen gingen. Katharina hatte sich dazu geschminkt und wunderschön hergerichtet. Sie trug ein dunkelblaues Abendkleid, das ihr vorzüglich stand. Olaf war sichtlich stolz auf seine Frau.

Es war ein lauer Sommerabend. Die Veranstaltung fand im Freien statt. Die Leute saßen auf ihren Bänken, tranken Bier, oder aßen ihre Brotzeit. Manche bewegten sich auf der Tanzfläche. Eine Band spielte Volkslieder, zu deren Rhythmus man sich angenehm drehen konnte. Katharina und Olaf waren noch so verliebt ineinander, dass sie kaum von der Tanzfläche gingen. Sie drehten und bewegten sich. Sie drückten sich fest aneinander und küssten sich, bis Katharina plötzlich völlig blass wurde. „Ich muss mich hinsetzen", sagte sie auf einmal. Was denn los sei, fragte sie Olaf. „Diese Frau dort drüben", fuhr Katharina fort „trägt meine Kette. Ich kenne sie genau. Es ist ein altes Familienerbstück, ein Unikat. Der Brillant in der Goldfassung ist in dieser Form einmalig", antwortete ihm seine Frau. „Der Mann neben ihr scheint zu hinken", glaubte Katharina gesehen zu haben. „Er hat offensichtlich eine Verletzung am linken Oberschenkel." Olaf verstand, worauf seine Frau hinauswollte. Dieser Mann musste einer der Strauchdiebe sein, genau derjenige, der Katharina erschießen wollte, den er in den Oberschenkel geschossen hatte, der dann mit seinem Pferd abgehauen ist. „Hoffentlich hat er uns nicht erkannt. Wir müssen vorsichtig sein", beeilte sich Katharina zu sagen. „Wir machen einfach weiter und tun so, als ob wir nichts bemerkt hätten", wandte Olaf wieder ein. Sie vereinbarten, dass sie einfach weiter tanzten, als ob nichts geschehen sei, den beiden aber, wenn sie sich aufmachten, den Tanzboden zu verlassen, zu folgen, um festzustellen, wo sie wohnten. Es war um ein Uhr Früh, als die beiden Verdächtigen sich auf den Nachhauseweg begaben. Katharina und Olaf folgten ihnen in achtsamer Entfernung, um nicht entdeckt zu werden. Es handelte sich bei den beiden offenbar um ein Schreinerehepaar, da sie ins Haus bei der Schreinerei gingen. Irgendwie erinnerte sich Olaf, dass der Vater des getöteten Desperados eine Schreinerei besitzen sollte. Sollten also Vater und Sohn beim Überfall beteiligt gewesen sein? Nachdem dieses Ehepaar bereits etwas älter zu sein schien, würde es vom Alter her passen.

Katharina und Olaf übernachteten bei Freunden in Geisenhausen, um am nächsten Tag, nach dem Frühstück, wieder in Richtung Lichtenhaag aufzubrechen. Dort besprachen sie sich mit Anna und Joseph. Schnell wurde ein Plan gefasst. Zwei Tage später erschienen um zwei Uhr nachts drei vermummte Gestalten vor der Schreinerei in Geisenhausen.

Die beiden Vorderen waren groß und kräftig gebaut. Sie trugen als Waffen jeder einen Säbel und eine Pistole mit sich. Die hintere Gestalt war von zierlicher Figur und unbewaffnet. Der Erste fummelte mit einem Draht an der Haustüre herum, bis diese aufsprang. Sie verschwanden alle drei in dem Haus. Im ersten Stock hörten sie schon ein mächtiges Geschnarche. Sie schlichen sich nach oben und betraten leise das Schlafzimmer des Ehepaars. Die größeren Gestalten zogen ihre Pistolen und setzten sie auf den Kopf der Schläfer. „Aufwachen, liebe Leute", ließ sich die kleinere Gestalt mit einer klaren, weiblichen Stimme vernehmen. Sie hatte eine Öllampe entzündet. „Wenn ihr schreit, schießen meine beiden Begleiter eure Köpfe weg", fuhr die Dame fort. Wo die Kette mit dem Brillanten sei, fragte die Frau weiter. Die von der Pistole bedrohte Frau antwortete mit vor Angst und Schrecken weit aufgerissenen Augen, dass diese in der Schmuckschatulle im Schrank liege. Die vermummte Einbrecherin öffnete die Schranktüre und holte die Kette aus der Schatulle. „Sie stammt aus dem Überfall auf die Kutsche", ließ sich diese Frau erneut vernehmen. „Du verdammter Hund wolltest mich erschießen", brach es aus der Frau plötzlich wütend hervor. Der Einbrecher, der seine Pistole auf den Ehemann gerichtet hatte, fragte, wer seine weiteren Kumpane seien, wer den Tipp mit dem Geldtransporter gegeben habe. Der verängstigte Mann nannte die Namen seiner beiden Mittäter. Sie hatten ebenfalls Handwerksbetriebe. Der Vierte sei tot, fügte der Mann hinzu. Er wäre ihr Anführer gewesen. Er als Einziger kannte den Auftraggeber. Er habe die erbeutete Schatulle nach dem Raub zu ihm gebracht, um wie vereinbart alles aufzuteilen. Der Auftraggeber sollte die Hälfte, sie fünf die andere Hälfte bekommen. Ihr Anführer sei nie wieder zurückgekommen. Seine Leiche wurde zwei

Wochen später aus der Isar gefischt. Der Auftraggeber hätte ihren Anführer in die Lunge geschossen und anschließend in die Isar geworfen. Sie haben nie etwas von dem Geld gesehen. Diese Kette sei ihre einzige Beute gewesen. Ihr Anführer wäre der Bauer aus Geisenhausen gewesen, dessen Leiche in der Isar gefunden worden war. Die drei Einbrecher verließen das Haus, nicht ohne den beiden Zurückgebliebenen gedroht zu haben, zurückzukommen und sie zu erschießen, falls sie sich nicht ruhig verhielten. Diese waren vollkommen verängstigt und getrauten sich keinen Mucks von sich zu geben. Die Einbrecher verschwanden in der Dunkelheit. Ihre Pferde hatten sie weiter weg angebunden. Katharina, Olaf und Joseph Weixelgartner, um diese drei handelte es sich natürlich, berieten sich kurz, bevor sie ihre Pferde bestiegen. Sie entschlossen sich, geradewegs nach Landshut zu reiten, um Magdalena Niederreiter zu verständigen, über das, was sie in Erfahrung gebracht hatten. Gemeinsam würden sie dann zu Johann Fischer, dem Polizeipräsidenten gehen, um auf Wunsch von Joseph Weixelgartner die Vernehmungsprotokolle über die bisherigen Untersuchungen einzusehen.

Nach einigem Zögern und unter Druck von Magdalena händigte Johann Fischer sie ihm aus. Er wolle sie zu Hause in Ruhe studieren, sagte Joseph noch und verschwand mit den Protokollen nach draußen. Bis der Polizeipräsident kapiert hatte, was geschehen sei, war Joseph mit den Protokollen bereits um die nächste Ecke verschwunden. Fischer beschwor Magdalena, dass niemand davon erfahren dürfe, da er sonst seine Stelle verlieren würde.

Beim Durchlesen der Vernehmungsprotokolle stellte sich heraus, dass die Ermittler der Polizei zumindest einen Anfangsverdacht gegen den stellvertretenden Leiter des Geldhauses in Vilsbiburg, wohin das Geld gebracht werden sollte, gehegt hatten. Er scheint über seine finanziellen Verhältnisse zu leben, ein riesiges, pompöses Haus zu besitzen, sowie eine Frau zu haben, die allem Anschein nach ziemlich großzügig mit dem Geld ihres Ehemanns umgeht. Dieser Herr namens Schmiedbauer hatte für den Tag des Überfalls kein Alibi.

Er war an diesem Tag offensichtlich nicht auffindbar, ohne dass er vernünftige Angaben über seinen Verbleib machen hätte können. Er hatte sich in der Bank einfach krankgemeldet. Nach seiner Aussage wäre er mit Erkältung zu Hause im Bett gelegen, wofür es wiederum keine Zeugen gab, da seine Frau zu der Zeit zu Besuch bei ihren Eltern in Erding weilte. Kinder hatte dieses Paar keine. Nachdem die Polizei diesem Herrn Schmiedbauer aber keine Beteiligung an dem Überfall nachweisen hatte können, wurden die Ermittlungen gegen ihn wieder eingestellt.

Als die Weixelgartners dies gelesen hatten, beschlossen Olaf und Katharina, mit diesem Mann einmal zu reden. Da sich ein stellvertretender Bankdirektor nicht ohne weiteres mit einfachen Bauern zur Unterhaltung herablässt, musste dies unter Vermittlung von Katharinas Bruder Theodor geschehen. Dem Ersuchen nach einer Unterredung eines höheren Beamten der Stadt Vilsbiburg konnte sich auch ein Bankdirektor nicht entziehen.

Alle drei, Katharina, Theodor und Olaf, wurden am vereinbarten Termin im Privathaus des Bankdirektorehepaars vorstellig. Die Türe wurde ihnen von einer Dienstmagd geöffnet, die sie aufforderte, einzutreten. Nachdem sie ihre Mäntel in der Diele abgelegt hatten, wurden sie ins Wohnzimmer geführt, wo sie die Herrin des Hauses begrüßte.

Das Wohnzimmer war überaus prunkvoll eingerichtet mit Brokatvorhängen, Ledersesseln, alten Schränken mit teuren Einlegearbeiten und vielem mehr, wie man es sonst nur von Adelsschlössern her kennt. Frau Schmiedbauer Eleonore, wie sie sich nannte, war eine sehr attraktive, vornehm gekleidete Frau Mitte 40. Sie begrüßte die Ankömmlinge freundlich lächelnd, wobei sie ihnen Tee anbot. Nachdem sich alle gesetzt hatten, fragte sie nach dem Grund des Besuches. Währenddessen war auch Herr Schmiedbauer Anton hinzugestoßen.

Nach kurzer Begrüßung fragte auch er nach ihrem Begehren. Theodor ergriff als Erster das Wort. Er stellte sich und seine beiden Begleiter vor. Sie seien die Kinder des Bürgermeisters von Landshut, der beim Überfall auf den Geldtransport ums

Leben gekommen ist. Sie kämen im Auftrage des Polizeipräsidenten von Landshut, was selbstverständlich gelogen war, um nochmals alle Personen zu befragen, die von dem Geldtransport wussten. Laut Protokoll sei er, Herr Schmiedbauer, am fraglichen Tag nicht in der Bank erschienen, da er krank im Bett gelegen sei, fuhr Theodor fort. Jetzt meldete sich Eleonore zu Wort, die ihren Mann erstaunt anschaute. „Ich wusste gar nicht, dass du damals krank warst. Es war doch an dem Tag, als ich zu meinen Eltern nach Erding gefahren bin. Am Morgen warst du doch noch ganz gesund." „Es ging mir nicht gut", antwortete ihr Anton. Jetzt wurde der Ton von seiner Frau langsam lauter und ärgerlicher, obwohl sie ihr Mann verzweifelt zu beruhigen versuchte „Du betrügst mich immer noch mit dieser Frau. Ich lasse mir dies nicht länger bieten. Ich verlasse dich", fuhr Eleonore fast brüllend fort. „So sei doch still", schrie nun auch ihr Mann, was seine Frau nur noch wütender machte. „Ich lasse mir von dir nicht länger den Mund verbieten. Du glaubst wohl, ich hätte deine Betrügereien und Unterschlagungen gegenüber deiner eigenen Bank nicht schon längst bemerkt. Ich werde alles aufdecken und dich vernichten." In dem Moment, als ihr dies herausgerutscht war, erkannte Frau Schmiedbauer, dass sie mit dem, was sie gesagt hatte, nicht nur ihren Mann in den Ruin trieb, sondern sich auch selbst beschuldigte. Sie war plötzlich still und blass geworden. Ihr Mann blickte sie mit großen, verzweifelten Augen an. Die Gäste standen gemeinsam auf, verabschiedeten sich und gingen zur Tür, die ihnen vom Dienstmädchen automatisch geöffnet wurde. Kaum waren sie draußen, als auch schon Olaf das Wort ergriff, indem er meinte, dass diese Menschen zwar Verbrecher seien, mit dem Tod ihres Vaters aber nichts zu tun hätten. Sie müssten mit ihren Nachforschungen also wieder von Neuem beginnen. Nachdem Theodor seine Erkenntnisse über das Finanzgebaren von Herrn Schmiedbauer an den Polizeichef von Vilsbiburg weitergegeben hatte, wurde von der Staatsanwaltschaft ein Ermittlungsverfahren wegen Betrugs und Unterschlagung eröffnet. Anton Schmiedbauer wurde zu einer Gefängnisstrafe von zwei Jahren verurteilt. Seine Frau hingegen freigesprochen. Ein Teil ihres

Besitzes wurde ebenfalls konfisziert. Sie soll sich auch schnell wieder mit einem anderen Mann getröstet haben.

Katharina, Theodor, Olaf, Joseph und Anna überprüften die vorhandenen Vernehmungsprotokolle erneut, ohne dass sie irgendetwas Auffälliges entdecken hätten können, bis Joseph die Verträge zwischen den Banken über die Auslieferung des Geldes genauer in Augenschein nahm. Dort hatte noch eine weitere Person unterschrieben, von der bisher keine Stellungnahme vorhanden war. Die vier gingen wieder zum Polizeipräsidenten und machten ihn darauf aufmerksam. Dieser blickte sie mit großen, ungläubigen Augen an. Dennoch versprach er, dieser Spur nachzugehen. Am nächsten Tag fuhr der Präsident nach München, um längere Gespräche mit Vorgesetzten zu führen. Trotz Androhung, seine Stelle zu verlieren, falls sein Verdacht unbegründet sein sollte, setzte sich der Polizeipräsident von Landshut mit seiner Forderung nach einem Hausdurchsuchungsbefehl durch.

Der Amtsrichter Dr. Hans Obermeister war gerade dabei, sein Haus zu verlassen, um in sein Amt zu gehen. Er fühlte sich wohl. Alle seine Pläne hätten bisher gut geklappt. Seine Spielschulden könne er jetzt endlich begleichen. Die Gläubiger würden bereits ziemlich drängen. Durch die Scheidung von seiner Frau habe er zusätzlich viel Geld verloren. Diese blöde Kuh habe ihn wegen eines anderen Mannes verlassen. Sie lebte mit diesem jetzt zusammen. Kinder hatten sie keine bekommen. Beim Abschied hatte sie ihm erklärt, dass sie ihn für egoistisch, grausam und kaltherzig halte. Er fühlte sich in seiner Rolle als Monster recht wohl. Dass zufällig der Bürgermeister mit in der Kutsche saß, mit dem er etwas befreundet war, hatte er schließlich nicht ahnen können. Geändert hätte aber auch dies nichts, da er die Kutsche überfallen lassen musste, wenn am meisten Geld transportiert wurde. Den dummen Bauern, der ihm das Geld brachte, musste er erschießen, damit keine Spur mehr zu ihm führte. Vor allem aber wollte er nicht teilen. Dummerweise spritzte das Blut durch den Schuss in den Brustkorb so sehr, dass seine Jacke einen kleinen Blutfleck erhielt. Blöd verlief auch, dass die Leiche, die er nach der Ermordung in die Isar geworfen hatte, nach zehn Kilometern am Ufer hängen geblieben ist, anstellte in die Donau gespült zu werden, wo niemand mehr eine Verbindung zu Landshut hätte herstellen können. Diesen dummen Polizeipräsidenten von Fischer hatte er bei den Ermittlungen leicht manipulieren können. Der hatte dies nicht einmal bemerkt. Leider hatte er keine.

Georg Weixelgartner

Auf dem untenstehenden Bild erkennt man Georg Weixelgartner, Olgas Onkel, der während des Zweiten Weltkrieges mit 22 Jahren in Rumänien bei einem russischen Fliegerangriff erschossen worden war. Olgas Vater, Josef Weixelgartner, Georgs Bruder, hat zeit seines Lebens versucht, das Grab seines Bruders zu finden, um dort für ihn zu beten. Nachdem in Rumänien der kommunistische Diktator, Ceausescu, erschossen worden war, wandte sich Josef an die rumänischen Behörden, die ihm mitteilten, dass sein Bruder wahrscheinlich in einem der Massengräber im Osten ihres Landes liegen dürfte.

Josef Weixelgartner der Neuzeit ähnelte darin seinem Vorfahren gleichen Namens, der ebenfalls vergeblich nach dem Grab seines Bruders, Oskar, gesucht hatte, der bei Würzburg im Kampf gegen die bayrische Armee von seinem eigenen Kameraden ermordet worden ist.

Zeit mehr, die Kleidung zu wechseln, da er schon viel zu spät dran war, so dass er wegen des Blutfleckes erklären hatte müssen, sich selbst verletzt zu haben. An Geld würde trotz seiner Schulden bei den Gläubigern auch für ihn noch genug übrigbleiben, um ein sorgenfreies Leben führen zu können.

Die Sorgen standen aber schon vor seiner Türe. Sobald er seine Haustüre öffnete, sah er Johann Fischer, der ihm ein großes Schreiben entgegenhielt. Darauf stand zu lesen: „Hausdurchsuchungsbefehl bei Dr. Hans Obermeister." Unterschrieben vom Oberstaatsanwalt in München, Obermeisters Vorgesetztem. Zuerst reagierte Dr. Obermeister mit Erstaunen. Dann begann er wütend zu werden. Er drohte Johann Fischer mit ernsthaften Konsequenzen für seine berufliche Zukunft. Zugleich versuchte er, die Beamten daran zu hindern, sein Haus zu betreten. All das half ihm nichts. Man bedeutete ihm, sich hinzusetzen und Ruhe zu geben.

Als Joseph Weixelgartner Johann Fischer die Unterschrift des Richters unter dem Vertrag demonstrierte, zeigte sich dieser zuerst überrascht und entsetzt über dessen Ansinnen, den Richter zu beschuldigen. Sollte sich dieser als unschuldig erweisen, wäre Johann seine Stelle als Polizeichef sicher los. Andererseits erinnerte er sich an den Zustand des Richters am Tag des Überfalls auf die Kutsche, als dieser erst zwei Stunden später zur Arbeit kam, ohne eine vernünftige Erklärung dafür abgeben zu können. Des weiteren war sein Anzug zerzaust und verknittert. Was aber noch viel belastender sein dürfte: Auf seinem Anzug war ein kleiner roter Blutfleck, von dem der Richter von sich ausgesagt hat, dass er sich verletzt habe. Er hätte aber keine Zeit mehr gehabt, sich umzuziehen. Je mehr Johann über das Verhalten des Richters nachdachte, umso mehr erschienen ihm die Verdächtigungen von Joseph Weixelgartner plausibel, vor allem, weil er während der gesamten Ermittlungen das Gefühl nicht los wurde, der Richter würde seine Untersuchungen eher bremsen als fördern. So hat er sich doch schweren Herzens entschlossen, nach München zu fahren, um von seinen Vorgesetzten diesen Durchsuchungsbefehl zu erlangen.

Anfangs waren die Sucher erfolglos. Johann fürchtete schon, versagt zu haben, als plötzlich ein Polizist im Keller in den hintersten Schubladen eines Schrankes fündig wurde. Er hatte eine Geldkassette gefunden. Es war genau die Kassette, die bei dem Überfall der Kutsche gestohlen worden war. Der Richter wurde kreidebleich, als er diese Kassette sah. Johann Fischer legte dem Richter persönlich Handschellen an und sagte: „Ich verhafte Sie wegen Mordes an dem Bauern Habermeier von Geisenhausen und Anstiftung zur Ermordung der Kutscheninsassen und des Kutschers sowie schweren Raubes der Geldkassette." Der Richter wurde anschließend ins Gefängnis nach Landshut überführt, wo er auf seinen Prozess wartete. Das Urteil lautete: lebenslänglich Gefängnis. Katharina und ihre Mutter waren zwar traurig über den Tod ihres Vaters und Ehemannes, dennoch erleichtert, dass der Mörder endlich gefasst und verurteilt worden war. Die Mittäter aus Geisenhausen wurden ebenfalls verhaftet und verurteilt.

Als Joseph und Anna älter geworden waren, bauten sie sich hinter den Stallungen ein kleines Austragshaus für ihren gemeinsamen Lebensabend, das später unter den Namen Dewe-Haus in die Familiengeschichte eingegangen ist, benannt nach einem langjährigen Knecht der Familie.

Katharina und Olaf bekamen zwei Kinder, eine Tochter und einen Sohn. Letzterer übernahm später, wie es bei den Weixelgartners Tradition ist, den Bauernhof. Die Tochter heiratete einen Bauern aus Gerzen.

Magdalena Niederreiter kam öfter auf Besuch zum Hof. Manchmal brachte sie auch Johann Fischer mit, mit dem sie sich, wie man munkelte, etwas angefreundet haben soll. Johann hatte nur eine Tochter, die mit einem Handwerker aus Landshut verheiratet war. Aus dieser Ehe sind zwei Kinder hervorgegangen, eine Tochter und ein Sohn.

Johann Fischers Frau war bei ihrer zweiten Entbindung gestorben. Es hatte sich die Nachgeburt vorzeitig gelöst. Die Patientin hatte eine starke vaginale Blutung bekommen. Zur damaligen Zeit getraute sich niemand, einen Notkaiserschnitt bei ihr vorzunehmen. Das Kind starb. Sie versuchten, es von unten zu entfernen, ebenso die Plazenta. Nachdem die Blutung immer stärker geworden war, nahmen sie eine Ausschabung vor, um mögliche Plazentareste herauszubekommen. Die Blutung hatte aufgrund der Atonie und der Hyperfibrinolyse noch mehr zugenommen. Sie versuchten die Gebärmutter zu komprimieren. Eine Nothysterektomie vorzunehmen, waren sie ebenfalls nicht in der Lage. Den damaligen Geburtshelfern standen keine Kontraktionsmittel und auch keine Gesinnungsfaktoren oder Blutkonserven zum Ersatz zur Verfügung. Die Patientin hatte keine Chance. Sie verblutete vor den Augen ihrer Geburtshelfer.

Letztes Wochenende nahm ich bei einer Patientin mit starker Blutung und Plazentalösung eine Notsectio vor. Das Kind überlebte. Es erholte sich nach kurzer Beatmung rasch. Die Gerinnungsstörung und die atonische Nachblutung ließen sich durch Gabe von Fibrin und Firinolysehemmern sowie Naladorinfusionen beherrschen. Zur besseren Überwachung verlegte ich die Patientin für eine Nacht auf die Intensivstation. Postoperativ bekam die Patientin für mehrere Tage Ileus-ähnliche Zustände, bis der Darm durch abführende Maßnahmen richtig in Schwung kam. Anstelle eines Dankeschöns dafür, dass ich mehrere Stunden am Sonntagabend um ihr Leben gekämpft hatte, musste ich mir wegen der Darmprobleme Vorwürfe anhören.

Seit dem Tod seiner Frau lebte Johann Fischer allein. Mit Magdalenas Ehemann war er befreundet. Sie gingen zusammen fischen an der Isar. Um seine schöne Frau hatte er seinen Freund immer schon beneidet. Nach dessen gewaltsamem Tod lag es nahe, dass Johann sich um Magdalena bemühte. Anfangs stand sie seinem Werben etwas zögerlich gegenüber. Nachdem einige Zeit verstrichen war, gab sie seinem Drängen nach. So verbrachten sie noch viele gemeinsame, zumindest zufriedene Jahre zusammen.

Bei dem Prozess, der wegen mehrfachen Mordes und schweren Raubes gegen Dr. Hans Obermeister geführt wurde, stellte sich ziemlich schnell heraus, dass der Richter ein Doppelleben geführt hatte. Untertags war er der Saubermann, der über andere zu Gericht saß. Nachts trieb er sich häufig in Puffs mit Nutten herum, oder verlor sein Geld mit illegalem Glücksspiel. Da er auf diese Weise ziemlich viele Schulden angesammelt hatte, stand er unter großem Druck von Seiten seiner Gläubiger. Sie drohten, ihn auffliegen zu lassen, wenn er seine Schulden nicht begleichen würde, was sein berufliches Ende bedeutet hätte.

Er war dadurch erpressbar geworden. Seine Gläubiger hatten ihn wiederholt gezwungen, öfter ein Auge zuzudrücken, über vieles hinweg zu sehen, oder sogar Urkunden und Aussagen so hinzudrehen, dass die Falschen beschuldigt wurden. Der eine Prozess zog einen Rattenschwanz an weiteren Prozessen gegen seine Gläubiger, gegen Puffbesitzer und Glücksspielbetreiber nach sich. Mit dem Überfall auf die Kutsche wollte er seine Schulden begleichen, um endlich aus diesem Sumpf herauszukommen. Eine Zeit lang hatte es wirklich so ausgesehen, als ob er Erfolg damit gehabt hätte. Nur der Beharrlichkeit von Joseph Weixelgartner ist es zu verdanken, dass dieser Sumpf großteils trockengelegt werden konnte und natürlich der Eitelkeit und Dummheit der Frau des Schreiners, die unbedingt diese Halskette mit dem glänzenden Brillanten in der Mitte tragen wollte, wodurch die Lösung des Falles erst ins Rollen kam.

Vernünftiger wäre es natürlich gewesen, dieses Geschmeide zu verkaufen, um wenigstens dafür Geld aus dem Überfall zu erhalten. Gegen die Eitelkeit seiner Frau hatte der Schreiner jedoch keine Chance, sich durchzusetzen.

Rudolf und seine neue Freundin haben übrigens ein halbes Jahr nach Katharina und Olaf geheiratet. Nachdem er doch der Sohn des Oberbürgermeisters war, soll diese Hochzeit außergewöhnlich pompös gewesen sein. Die jungen Weixelgartners waren ebenfalls eingeladen und natürlich auch gekommen.

Rudolf war Student der Jurisprudenz. Er ist später einmal selbst Amtsrichter in Landshut geworden. Man sagt, er soll ein milder, aber gerechter Richter gewesen sein.

Die Stelle von Dr. Hans Obermeister ist nach dessen überraschendem, plötzlichem Ausscheiden längere Zeit vakant geblieben, bis Rudolf sie übernehmen konnte. Die beiden Familien von Rudolf und Olaf sollen im weiteren Leben gut befreundet gewesen sein, so dass man öfter zu Besuch gekommen ist, entweder nach Lichtenhaag oder nach Landshut.

Vielleicht sollte man noch erwähnen, dass Katharina sicherlich sehr stolz war, ihren Brillantanhänger mit Goldfassung wieder bekommen zu haben. Dennoch konnte sie sich lange Zeit nicht überwinden, ihn zu tragen, da er sie immer an den gewaltsamen Tod ihres Vaters erinnerte. Nur bei besonderen Festen zeigte sie sich deshalb mit dem Schmuckstück, das ihr so hervorragend stand, wenn sie es um den Hals hängen hatte.

Zum ersten Mal trug sie dieses Geschmeide wieder zur zweiten Hochzeit von Anna-Maria-Lena. Von diesem Ereignis wird anschließen zu berichten sein. Katharina wollte damit ihre Verbundenheit zu dieser Frau zum Ausdruck bringen.

Als der Maulwurf, der das Etablissement von Herrn Martin Oberlehrer immer rechtzeitig vor den Razzien der Polizei gewarnt hatte, stellte sich also der Richter selbst heraus. Die Beweise gegen den Lokalbesitzer drehte der Richter jeweils so hin, dass es zu keiner Verurteilung gekommen war. Im Gegenzug stundete ihm dieser seine Spielschulden, bis er das Gold des Überfalls verwenden hätte können Am Klausenberg sei der Richter unter einem anderen Namen verkehrt, um sein Doppelleben nicht auffliegen zu lassen. Bei dem Gespräch mit dem Bauern aus Geisenhausen habe er zusätzlich noch eine Gesichtsmaske getragen, damit dieser ihn nicht wieder erkennen würde.

Der habe aber von einer der Damen, die mit ihm Geschlechtsverkehr hatten, die wahre Identität des Richters erfahren. Diesem wurde dies wiederum von Herrn Oberlehrer zugetragen, so dass für den Richter sehr bald klar war, dass er den Bauern beseitigen müsse, um nicht selbst verraten zu werden.

Zum Prozess von Martin Oberlehrer sind Olaf und Joseph Weixelgartner eigens nach Landshut gefahren, um diesem eingebildeten Herrn, der sie aus seinem Lokal hatte werfen lassen, in die Augen zu schauen, wenn er nicht mehr von vielen Security-Männern abgeschirmt wurde.

Jedenfalls wurde er wegen Zuhälterei, illegalem Glücksspiel und Rauschgifthandel zu vielen Jahren Gefängnis verurteilt. Alle seine Verbrechen, zu denen sicherlich auch Morde zählten, wenn er auch den Überfall auf die Kutsche nicht selbst veranlasst hatte, konnten ihm hingegen nicht nachgewiesen werden.

Als Hauptbelastungszeuge gegen ihn trat letztendlich sein geliebter Barkeeper auf, den er zu homosexuellen Handlungen mit ihm gezwungen hatte. Diesem wurde Straffreiheit zugesichert, wenn er gegen Herrn Oberlehrer aussagt. Dieser hatte zwar offensichtlich auch Geschlechtsverkehr mit allen seinen Bardamen. Sein Lieblingssexobjekt scheint aber der Barmann gewesen zu sein. Obwohl dieser keine homosexuellen Neigungen gezeigt hatte, wurde er von seinem Chef dazu gezwungen. Irgendwie wollte sich der Barmann an seinem früheren Chef rächen für jahrelange Nötigung, indem er gegen diesen alles, was er wusste, beim Prozess offenlegte. Es kam dadurch zur Aufklärung vieler Verbrechen, die unter der Rubrik unaufgeklärt abgelegt worden waren. Auch die Bardamen trugen bei ihren Verhören zur Aufdeckung einiger bisher ungeklärten Fälle bei, wodurch eine beträchtliche Anzahl an Vergehen zusammenkam, die Herrn Oberlehrer zur Last gelegt werden konnten.

Seine Strafe fiel dementsprechend hoch aus.

Die Landshuter Damenwelt war dieses Mal zufrieden mit dem Ausgang des Prozesses, nicht ganz so sehr ihre Ehemänner, die gerne ab und zu in das Lokal am Klausenberg gegangen sind. Doch diese getrauten sich das nicht einzugestehen. Natürlich wurden auch Opiumkonsumenten aufgegriffen. Viel wichtiger aber war es, dass man die Zulieferer, die Herrn Oberlehrer das Opium brachten, um es weiter zu verteilen, aufdeckte und verhaften konnte. Auf diese Weise kam eine ganze Anzahl an Prozessen zustande, die sich über längere Zeit hinzogen.

Es verging wieder ein Jahr, als plötzlich eine Einladung zu Anna-Maria-Lenas zweiter Hochzeit in Niederbayern einging. Dieses Mal waren wieder die Jüngeren an der Reihe, zum Gardasee zu reisen. Die Hochzeit wurde ausgesprochen schlicht gefeiert, im Gegensatz zu Anna-Maria-Lenas erster Hochzeit, die sehr pompös gewesen sein soll. Die Braut sah wunderschön aus in ihrem einfach gehaltenen, hellgrünen Kleid. Katharina und Olaf sowie Maria und Andreas freuten sich aufrichtig für sie, dass sie doch so schnell wieder einen viel netteren Ehemann gefunden hatte, als Ludovico es jemals gewesen sein dürfte. Wenn Carlo auch nicht das tolle Aussehen wie Letzterer hatte, so war er doch viel freundlicher und liebenswerter als Ludovico sich je gezeigt hatte. Der kleine Ludovico war mittlerweile bereits zwei Jahre alt. „Wenn ich es nicht besser wüsste", sagte Katharina einmal in den Tagen nach der Hochzeit zu Anna-Maria-Lena, „würde ich fast meinen, der kleine Ludovico sähe eher Carlo als seinem Vater ähnlich". „Man kann nie wissen", antwortete ihr Anna-Maria-Lena zweideutig. „Ich habe dir doch bei eurem letzten Besuch gesagt, in Italien kann man einen Mann nur loswerden, wenn man ihn entweder erschlägt oder vergiftet. Einen besoffenen Ehemann, der zusätzlich mit Opium vollgekifft ist, zu vergiften, ohne dass jemand es merkt, ist nicht schwer", fuhr sie bedeutungsvoll fort. Als Katharina sie erstaunt anblickte, meinte Anna-Maria-Lena nur, dass dies nicht heißen soll, dass sie es wirklich so gemacht hätte. Carlo jedenfalls habe sie schon länger gekannt. Natürlich habe sie ein Trauerjahr einhalten müssen, bis sie ihn zum ersten Mal in der Öffentlichkeit zeigen durfte. Ein weiteres Jahr sollte dann noch bis zur Hochzeit vergehen, um keinen Verdacht aufkommen zu lassen.

Auf Katharinas Frage: „Verdacht worauf?“, bekam sie von Anna-Maria-Lena keine Antwort mehr. Woran Ludovico wirklich gestorben ist, ob eines natürlichen Todes oder ob doch nachgeholfen worden war, wird man nicht mehr wirklich eruieren können. Ludovicos Verwandte hatten natürlich versucht, eine Mordtheorie aufzubauen, was aber bei dem bekannten Alkohol- und Drogenkonsum als völlig absurd beschieden worden war. Katharina dachte nun bei sich, dass sie es eigentlich gar nicht genau wissen wolle, was wirklich geschehen sei, da es sonst eventuell nur ihr Gewissen belasten würde. Sie erzählte ihrer Gesprächspartnerin jedenfalls, dass sie froh sei, dass der Mörder ihres Vaters gefunden werden konnte.

Auf Katharinas Frage, was mit den beiden Männern geschehen sei, von denen ihre Gastgeberin sich bei ihrem letzten Besuch bedroht gefühlt hatte, antwortete diese nur, dass sie sich doch wohl getäuscht hätte, dass es nur harmlose Zufälle gewesen wären, wenn sie mit diesen Herren zusammengetroffen sei. Sie habe sie jedenfalls seit Ludovicos Tod nicht mehr gesehen. Seine damalige Freundin hätte bereits einen anderen Mann geheiratet. Katharina konnte sich des Gefühls nicht erwehren, dass Anna-Maria-Lena ihrem ersten Mann zuvorgekommen sei, dass vielleicht anstatt er sie, sie ihn umgebracht hätte. Doch Katharina schwieg über ihren Verdacht und versuchte, das Gespräch auf ein anderes Thema zu lenken.

Bei der Heimfahrt reisten sie nicht mehr zum Iseosee, sondern nur noch zum Ledrosee zu Andreas’ Großeltern, die sich wiederum sehr über ihren Besuch freuten. Um den Weg zum Gardasee nach Sirmione zur Hochzeit ihrer Enkeltochter auf sich zu nehmen, waren sie bereits zu alt und gebrechlich, weshalb sie sich umso mehr freuten, so eindringliche Berichte davon zu erhalten. Die Heimreise nach Niederbayern verlief ohne größere Zwischenfälle.

Julia und Ludovico sollen sich übrigens Zeit ihres Lebens gut verstanden haben. Als sie älter wurden, sind sie beide in den Betrieb ihrer Mutter eingestiegen, den sie später einmal als gleichberechtigte Chefs übernehmen sollten. Ihren Wohlstand haben sie gemeinsam noch deutlich vermehrt. Dass sie möglicherweise unterschiedliche Väter gehabt haben könnten, ist ihnen niemals bewusst geworden, nachdem Carlo sie beide wie seine eigenen Kinder erzogen hatte. Als Ludovico, Julias Vater starb, war Ludovico überhaupt noch nicht geboren, wohingegen Julia zu diesem Zeitpunkt erst zwei Jahre alt war. Anna-Maria-Lena hatte weder jemals wieder von ihrem ersten Ehemann gesprochen noch irgendeinen Kontakt zu dessen Verwandten gepflegt, so dass ihre Kinder von seiner Existenz nichts erfahren haben. Aufgrund der weiten Entfernung sind die Verbindungen nach Niederbayern im Laufe der folgenden Jahrzehnte abgebrochen und bei den Nachkommen von Katharina und Olaf ebenso wie bei denen von Maria und Andreas langsam in Vergessenheit geraten. Nachdem es auch keine Fotos oder andere Bilder von diesen Reisen gab, verblasste sehr bald die Vorstellung bei den Leuten im kleinen Vilstal von diesen wunderschönen, oberitalienischen Seen.

Aber auch bei den Italienern wurden die Verwandten jenseits der Alpen im fernen Bayern sehr bald vergessen. Dennoch hielt sich ein vages Gerücht von dieser Zeit in der Erinnerung der Weixelgartners, das mystisch verzerrt von Generation zu Generation weitergegeben wurde. Jedenfalls hat mir mein Schwiegervater, als er mir die alten Geschichten erzählte, auch eine diesbezügliche Erwähnung gegeben, ohne dass er mir Genaueres hätte berichten können.

Anna-Maria-Lena ist 65 Jahre alt geworden. Sie hatte ein gutes Leben, war reich, führte eine glückliche Ehe mit Carlo. Ihre Kinder haben sie in ihrem Betrieb unterstützt, so gut sie konnten. Die letzten zehn Jahre hatten sie die Leitung ihrer Firma übernommen, so dass Anna-Maria-Lena sich immer mehr zurückziehen konnte, um mit ihrem Ehemann ein schönes Leben zu führen. Im Sommer gingen sie häufig zum Baden im Gardasee oder lagen einfach am Strand herum.

Hinter den römischen Grundfesten, die dort überall zu sehen sind, hatten sie für sich allein ein verstecktes Plätzchen, das sie gerne aufsuchten. Zur damaligen Zeit gab es nur wenige Badegäste am Gardasee. Heute sind die glatten Felsen des sogenannten Karibikstrandes, die eingebettet von Schatten spendenden Sträuchern an sonnigen Sommertagen Südsee-Gefühle aufkommen lassen, von Gästen so überlaufen, dass man im Sommer als Normalbürger kaum einen Zugang zu dieser traumhaften Gegend bekommt.

Anna-Maria-Lena hatte sich auch im Alter eine gute Figur bewahrt. Sie war nicht so adipös wie viele ihrer Freundinnen geworden, weshalb sie bis ins hohe Alter als schöne Frau galt. Nur im letzten Jahr, als sie durch ihr Rektumkarzinom langsam verfiel, wurde sie mehr und mehr kachektisch. Ihr Glück wäre sicherlich vollkommen gewesen, hätten sie nicht im Laufe der Jahre zunehmend ihre Gewissensbisse wegen der Ermordung Ludovicos geplagt. Als sie bereits krank und bettlägerig war, beichtete sie ihrem Pfarrer das Verbrechen, worüber dieser völlig entsetzt war. Sie müsse sich der Polizei stellen, forderte dieser sie auf, was sie natürlich unterließ.

Noch am Sterbebett erleichterte sie ihr Gewissen, indem sie ihrer Tochter, Julia, die mittlerweile Mitte 40 war, gestand, dass sie ihren Vater, von dessen Existenz diese bisher keine Ahnung hatte, mit seinem eigenen Opiat vergiftet hatte. Als Ludovico wieder einmal völlig zugedröhnt nach Hause gekommen war, hatte sie dem benommenen Mann einfach seine ganzen Opiumvorräte in den Mund geschoben und ihn zum Runterschlucken gezwungen, so dass er an einer Überdosis verstorben ist. Niemand konnte ihr hinterher nachweisen, dass sie ihm diese hohe Dosis im Suff verabreicht hatte, weshalb kein Strafverfahren eröffnet wurde.

Nur Carlo, den sie zu dieser Zeit bereits kannte, der offensichtlich auch Ludovicos Vater war, wusste von ihrem Verbrechen, was die beiden noch fester zusammenschmiedete. Carlo selbst war an der Ermordung nicht beteiligt, weshalb er auch nach Anna-Maria-Lenas Tod nicht belangt werden konnte. Aufgrund seines Beichtgeheimnisses musste sie der Pfarrer sogar kirchlich beerdigen, obwohl er ihr keine Absolution erteilt hatte. Julia war zwar entsetzt über das, was sie von ihrer

Mutter erfahren hatte, liebte diese aber so sehr, dass sie ihr spontan vergab, so dass sie wenigstens von dieser Seite her beruhigt sterben konnte.

KLOSTERLEBEN

Die Schmidbergers und Weixelgartners sind naturgemäß keine Freunde geworden, da allein die Entfernung zwischen Lichtenhaag und Velden für die damaligen Verkehrsmittel viel zu groß gewesen wäre, um sich regelmäßig zu treffen. Anders verhält es sich bei den Töchtern, Lena und Maria, die beide als Schwestern ins Kloster Seligental bei Landshut eingetreten sind. Olga und ich haben uns die schöne, barocke Kirche des Klosters Seligental eigens einmal angeschaut. Olgas Freundin Marianne Huber hat in dieser Schule sogar ihr Abitur absolviert. Die Klosterschule ist bis zum heutigen Tag ein begehrtes Gymnasium sowohl für ambulante Schülerinnen als auch für solche, die sich im Internat befinden.

Ähnliches gilt auch für das Domgymnasium in Freising, in dem mein Vater als Internatsschüler vor langer Zeit einmal sein Abitur abgelegt hat. Lena, die jüngste Tochter von Anna und Joseph Weixelgartner, war circa zehn Jahre älter als Maria, die Tochter von Johanna und Sebastian Schmidberger. Sie ist daher auch zehn Jahre früher als Novizin ins Kloster eingetreten. Zu dieser Zeit herrschte noch eine sehr gestrenge Schwester Adalberta über Schule und Kloster als Priorin. Lena und Adalberta waren sich von vorneherein gegenseitig unsympathisch, weshalb Letztere Lena noch viel mehr zu schikanieren versuchte, als sie es mit den anderen Novizinnen schon machte. Im ersten Jahr ihrer Novizinnenzeit hatte Lena deshalb häufig darüber nachgedacht, ob sie das Kloster wieder verlassen sollte. Doch sah sie letztendlich die Schikanen ihrer Priorin als Prüfungen an, die Gott ihr auferlegt hatte, um ihre Festigkeit im Glauben zu prüfen.

Als einmal der Bischof zu Besuch kam, musste alles perfekt hergerichtet sein, damit Schwester Adalberta gut bei ihm dastand. Die Novizinnen waren bei der großen Tafel, die zu Ehren des Bischofs und seines Sekretärs abgehalten wurde, als Bedienungen eingeteilt. Es gab erlesene Speisen, die in mehreren Gängen gereicht wurden. Schwester Adalberta versuchte ein gelehrtes Gespräch mit dem Bischof zu führen, wozu dieser aber offensichtlich überhaupt keine Lust hatte. Als Lena dies ziemlich schnell erkannt hatte, sagte sie einmal zu ihrer Priorin, sie solle seine Eminenz doch nicht länger mit Angelegenheiten quälen, wenn dieser offensichtlich keine Lust auf solch tiefgreifende Gespräche habe. Dem Bischof schien dieser Einwand richtig gut gefallen zu haben. Er fing einfach zu lachen an. Schwester Adalberta hingegen lief übers ganze Gesicht rot an. Nachdem der Bischof schnell erkannt hatte, dass es für Lena nach dieser Bemerkung sehr schwer sein werde, weiter unter Schwester Adalbertas Ägide zu leben, forderte er einfach, dass Lena ihm als Bedienstete und zweite Sekretärin unterstellt würde. Wenn es der Priorin auch noch so schwerfiel, dem Wunsch des Bischofs zu entsprechen, so hatte sie dennoch keine andere Wahl. Der Bischof war schließlich ihr direkter Vorgesetzter, dessen Wunsch einem Befehl gleichkam. Lena wurde daher vorzeitig als Vollschwester aufgenommen und dem Bischof unterstellt. Von diesem wurden ihr die besten Lehrer zugeteilt, wodurch sie in ihrem Wissen und Können sehr rasch aufstieg. Als Abgesandte des Bischofs kam sie häufig ins Kloster, um Schwester Adalberta die Aufträge des Bischofs zu übermitteln. In dieser Funktion fungierte sie fast schon als Vorgesetzte ihrer früheren Priorin. Als diese einmal etwas schwerer erkrankt war, wurde sie vom Bischof zuerst kommissarisch, bald darauf aber voll, als Priorin des Klosters eingesetzt, wobei Schwester Adalberta in ein anderes Kloster überstellt wurde.

Als nun zehn Jahre später Maria, die Tochter von Johanna und Sebastian, ins Kloster eintrat, fand sie in Lena eine sehr gütige, freundliche und verständige Priorin vor. Diese förderte Schwester Magdalena, wie sich Maria zu nennen entschlossen hatte, weshalb diese in wenigen Jahren schon ihr Studium abgeschlossen hatte und als Lehrerin zu arbeiten begann. Schwester Magdalena war ihrer Gönnerin für immer dankbar, wodurch sich zwischen diesen beiden Frauen eine lebenslange Freundschaft entwickelte. Andererseits fand Lena bei schwierigen Aufgaben und Entscheidungen bei ihrem Bischof immer Verständnis und Unterstützung, was ihr die Leitung des Klosters und der Schule immens erleichterte. Leider änderte sich diese Situation, nachdem der Bischof, alt geworden, plötzlich verstorben war.

Zu seinem Nachfolger fand Lena kein gutes Verhältnis mehr. Er zeigte sich als stur, rechthaberisch und engstirnig. Unter diesen Umständen war sie doppelt froh über die Freundschaft und Unterstützung, die sie von Schwester Magdalena erhielt. Leider ist Lena nicht sehr alt geworden, da sie bereits mit 60 Jahren an einem Mammakarzinom erkrankte, das zu dieser Zeit weder operiert noch mit Chemo- oder Hormontherapie behandelt werden konnte. Ihre älteren Geschwister, Maria und Olaf, sind nach Seligental gereist, um an ihrer Beerdigung teilzunehmen. Ihre Eltern Joseph und Anna waren zu dieser Zeit glücklicherweise bereits verstorben. Für sie wäre es ansonsten furchtbar schmerzhaft geworden, ihrer jüngsten Tochter ins Grab nachzusehen. Schwester Magdalena ist ihr als Priorin und Schulleiterin nachgefolgt. Einmal im Jahr hat sie ihre Eltern und ihren Bruder während ihrer Sommerferien in Velden besucht. Für sie waren diese Wochen auf dem Bauernhof die glücklichste Zeit im Jahr.

Schwester Magdalena war eine sehr diplomatische Frau, so dass sie als Priorin sogar mit diesem schwierigen Bischof gut zurechtkam, mit dem Lena, ihre Vorgängerin, große Probleme gehabt hatte. Sie ist übrigens sehr alt geworden, wodurch sie nicht nur diesen unangenehmen Bischof überlebt hat, sondern auch noch mehrere seiner Nachfolger. Was ihre beziehungsweise Lenas Eltern betrifft, ist uns weder etwas darüber bekannt, wie alt sie geworden sind, noch woran sie verstorben sind. Ihre Höfe sind jedenfalls von ihren Söhnen Olaf und Johannes übernommen und weitergeführt worden, wobei wir auch über deren weiteres Schicksal keine Kenntnisse mehr haben. Manches

Wissen geht einfach in der langen Entwicklung der Geschichte verloren. Magdalena hat sich im Laufe ihres Lebens durch ihr Wissen, ihre Frömmigkeit, ihre Güte, vor allem aber auch durch ihr diplomatisches Geschick ein hohes Ansehen bei ihren Bischöfen, ihren Mitschwestern, aber auch bei der gesamten Landshuter Bevölkerung erworben. Durch ihre Beliebtheit florierten die Schule und das Mädcheninternat, wodurch das Kloster viel Geld verdiente, das zum weiteren Ausbau der Gebäude diente. Auch die Grundlage für die Errichtung der wunderschönen barocken Kirche und der gepflegten Parkanlagen davor wurde dadurch geschaffen. Olga und ich sind jedenfalls immer wieder begeistert von den vielen bunten Blumen des Parks und der Schönheit dieser Kirche, wenn wir zu ihrer Besichtigung kommen oder Freunden dieses Juwel der Stadt Landshut zeigen.

Zu Lenas Beerdigung ist eigenes der von ihr so ungeliebte Diözesanbischof aus Regensburg angereist, um für sie das Requiem in der schönen Kirche des Klosters Seligental zu zelebrieren und sie hinterher auf den Klosterfriedhof zur Grablegung zu begleiten. In seiner Predigt ehrte sie der Bischof als große Priorin, die ihr ganzes Leben dem Kloster und der Schule geweiht hatte. Er schien von ihr viel begeisterter zu sein als umgekehrt. Ganz vorne am Trauerzug gingen Katharina und Olaf sowie Maria und Andreas, ihre engsten Angehörigen. Doch auch diesen Personen konnte man ansehen, dass sie sich bereits in einem fortgeschrittenen Alter befanden. Trotzdem hatten vor allem die beiden Damen noch etwas von ihrer ursprünglichen Schönheit bewahrt, wohingegen man bei den Männern ihre schwere Bauernarbeit durch ihre ledrige, faltige Haut im Gesicht und ihren Bauchansatz nicht ableugnen konnte. Die Bäuche waren mehr durch den Genuss von Bier und Wein sowie gutem Essen bedingt als durch die Arbeit. Gleich hinter Lenas Angehörigen schritt aber Magdalena, die als neue Priorin und beste Freundin der Verstorbenen alles organisiert hatte. Zum Leichenschmaus, der sogenannten Gremes, wurden hinterher alle Gäste von Magdalena in die Klostergaststätte eingeladen. Für Magdalena war dies auch eine gute Gelegenheit, mit ihrem Bischof ins Gespräch zu kommen.

DAS ALTER

Joseph Weixelgartner ist über 80 Jahre alt geworden. Die große Liebe seines Lebens, Anna von Seyboldsdorf, jedoch nur knappe 60. Sie ist plötzlich stark abgemagert, ihr Bauch jedoch immer aufgetriebener durch den Aszites geworden. Die Wangen ihres schönen Gesichtes waren eingefallen, als sie irgendwann am Ileus verstarb. Joseph wich tagelang nicht mehr von ihrem Bett, als sie langsam dahindämmerte, bis sie den Kampf gegen ihre schreckliche Krankheit endgültig verloren hatte. Er war damals völlig verzweifelt und weinte viel. Zur damaligen Zeit sagte man, Anna hätte Schwindsucht bekommen. Heute würde man nachträglich vermuten, dass sie an einem Karzinom im Abdomen verstorben sei. Es scheint diesem Paar aus der Frühzeit der Geschichte des Oama-Hofes damit ähnlich ergangen zu sein, wie Josef Weixelgartner aus der Neuzeit mit seiner Frau Olga. Letztere ist mit 58 Jahren an einem Ovarialkarzinom verendet. Sie wurde noch operiert und hat Chemotherapie erhalten, was ihrer Vorgängerin erspart geblieben war. Vielleicht hatte diese dadurch einen leichteren und natürlicheren Tod gehabt. Jedenfalls hatten beide, Joseph und Josef, der eine 15, der andere 20 Jahre lang Witwerschaften durchleben müssen. Sie haben beide viel zu früh ihren geliebten Partner verloren.

Vom Josef der Neuzeit ist bekannt, dass er nur schwer über den Tod seiner Frau hinweggekommen ist. Die Witwe eines befreundeten Bauers aus Geisenhausen hatte zeitweise versucht, sich ihm zu nähern, um mit ihm ein gemeinsames Leben zu führen. Zu Beginn dieser Beziehung hatte auch ich geglaubt, eine neue Schwiegermutter zu bekommen. Leider wurde ich sehr bald eines Besseren belehrt. Josef mochte seine Marianne sicherlich recht gerne. Doch stand seine geliebte Olga, auch noch als Tote, zwischen ihnen. Er konnte sie nicht vergessen, weshalb er nicht in der Lage war, eine neue feste Bindung einzugehen. Sie unternahmen anfangs einige gemeinsame Fahrten. Letztendlich scheiterte ihre Beziehung aber an Josefs Inflexibilität.

Von seinem Vorfahren wird berichtet, dass er zeitweilig eine Verbindung zu Theresia Habersetzer eingegangen ist, nachdem deren Partner, Markus, vorzeitig einem Herzinfarkt erlegen war. Doch auch diese Beziehung soll nicht von langer Dauer gewesen sein, da sie beide ihre verstorbenen Partner nicht vergessen konnten. Von Theresia wird erzählt, dass sie recht alt geworden sei. Sie soll sich lange Zeit rührend um ihre Enkelkinder gekümmert haben. Da ihre Enkel auch Josephs Enkel waren, haben sie diese zeitweise gemeinsam betreut, was zu ihrer vorübergehenden Verbindung geführt haben soll. Letztendlich hat sich Joseph im Alter verstärkt mit seiner Schwester zusammengetan, deren Ehemann ebenfalls vorzeitig verschieden war. Er sei angeblich bei der Holzarbeit von einem Baum erschlagen worden.

Auch in dieser Beziehung ergeben sich Parallelen zur Neuzeit, indem Josef sich immer sehr gut mit seiner Schwester Resi verstanden hat, weshalb er fast täglich in ihre Gaststätte nach Dietmannskirchen gefahren ist, um in ihrer Nähe sein und mit ihr sprechen zu können. Natürlich war auch sein großer Durst nach gutem Bier ein wichtiger Grund für seine häufigen Wirtshausbesuche.

Als der Vorfahre Joseph im hohen Alter immer schwächer und gebrechlicher geworden war, haben sich sein Sohn Olaf, der ihn zeit seines Lebens sehr verehrt hatte, und dessen Frau Katharina rührend um ihn gekümmert. Deren Mutter wiederum war bereits Jahre davor einem Schlaganfall erlegen.

Beim Tod ihres Vaters im städtischen Krankenhaus zu Landshut hielt meine Olga die Hand ihres Vaters, bis er endgültig an der Atemlähmung verstorben ist, nachdem man ihm nachts wegen seiner starken Schmerzen eine Überdosis an Opiaten und Beruhigungsmittel verabreicht hatte.

Theresia Habersetzer ist sehr alt geworden. Sie hat ihren Sohn Andreas noch überlebt, was für sie furchtbar gewesen sein muss. Sie ist irgendwann einfach aus Altersschwäche eingeschlafen und nicht wieder aufgewacht, wobei sie bis zuletzt von ihrer Schwiegertochter Maria versorgt worden war.

Aus diesen Geschehnissen kann man erkennen, dass sich Geschichte und Lebensläufe einzelner Menschen immer von Neuem wiederholen. Auch wenn der medizinische Fortschritt und die bessere Ernährung die durchschnittliche Lebenserwartung der Menschen in Mitteleuropa etwas angehoben haben, hat sich letztendlich an den Umständen ihres Todes nicht viel verändert.

Mein Vater ist mit 54 Jahren an einem Pankreaskarzinom verstorben, wohingegen meine Mutter mit 80 Jahren ihren Schlaganfällen und einem Herzinfarkt erlegen ist. Auch sie hatte eine lange Witwenschaft zu durchleben, ohne jemals wieder Glück und Zufriedenheit in ihrem weiteren Leben gefunden zu haben. Auch Georg Schmidberger, mein Vater, ist kachektisch geworden. Mit einem Bauch voller Tumorwasser ist er ähnlich wie Jahrhunderte vor ihm Anna von Seyboldsdorf und Jahrzehnte nach ihm Olga Weixelgartner am Ileus verstorben. Seine Mutter Barbara, meine Großmutter, ist ihm die letzten Tage seines Lebens nicht mehr von der Seite gewichen. Sie harrte bei ihm aus, bis sein Herz aufgehört hatte zu schlagen. Es muss für sie furchtbar gewesen sein, ihrem Sohn sterben zusehen zu müssen.

Ähnliches dürfte auch Theresia Habersetzer Jahrhunderte davor empfunden haben, als sie ihren geliebten Mann Markus wie auch ihren einzigen Sohn Andreas in den Tod begleiten musste.

Die Schicksale der Menschen aus der Vergangenheit gleichen denen der Leute aus unserer Zeit. Sie wiederholen sich immer wieder aufs Neue. Es ist nur gut, dass wir nicht wissen, wie unser Leben einmal enden wird. Vielleicht findet sich eines meiner Kinder, die diese Zeilen über meinen und Olgas Tod einmal vollenden werden. Ob auch deren Kinder über ihren Tod berichten werden, wird die Zukunft zeigen. Ich werde es jedenfalls nicht mehr erfahren.

Auch für unsere Vorfahren wäre möglicherweise etwas buddhistische Erleuchtung nicht von Nachteil gewesen.

A mountain is high, because it does not shun rocks.
An ocean is great, because it does not shun streams.

Because heaven and earth are selfless, they contain everything. Because Buddha nature is formless, it is everywhere.

Society's impermanence makes progress possible.
Life's impermanence makes future life possible.

Experience the way of the Buddha through faith. Delve into Buddha teachings with intelligence and understanding.

Create good affinity with others through practice and cultivation. Carry out Buddha teachings until you attain enlightenment.

Be grateful to causes and conditions, that help you achieve everything. Follow causes and conditions, that lead to natural results.

UNKLARE VORZEIT

Sonnenuntergang im Winter

Über die Zeit vor Rosa Buchner ist wenig bekannt. Das alte Bauernhaus, das Josef Weixelgartner abgerissen hat, um sein neues Haus an der Einfahrt des Hofes zu bauen, soll bereits 400 Jahre alt gewesen sein. Generationen von Weixelgartners haben an dieses Haus immer wieder hingebaut, Teile davon abgerissen, neue Abschnitte wieder hinzugefügt. Die Familie der Weixelgartner scheint jedenfalls seit 1648 ununterbrochen auf dem Hof gelebt zu haben.

Der Sage nach sollen sie anfangs Leibeigene der Barone am Ort gewesen sein. Bei Streitigkeiten zwischen dem Baron von Lichtenhaag und dem Grafen zu Gerzen hat offensichtlich im 17. Jahrhundert ein Weixelgartner dem Baron unter Einsatz seines Lebens geholfen, als dieser mit seinem Gefolge in einen Hinterhalt von Räubern gefallen ist. Obwohl sich die Leute des Barons tapfer gegen die Räuber zur Wehr setzten, standen sie gegen die Übermacht der Angreifer auf verlorenem Posten. Einige waren bereits gefallen, als der Weixelgartner-Bauer mit seinen Knechten dem Baron zu Hilfe eilte.

Eine Magd hatte zufällig den Kampflärm vernommen. Sie rannte so schnell sie konnte zum Hof, um den Bauern zu alarmieren. Dieser machte sich sofort mit seinen Knechten, bewaffnet mit Schlegeln und Mistgabeln, auf den Weg, um seinem Lehensherrn beizustehen. Sie ritten auf ihren Ackergäulen. Die Räuber waren von der plötzlichen Verstärkung für die Leute des Barons so überrascht, dass sie sich nach kurzem Kampf wieder zurückzogen und verschwanden. Als Dank für seine Rettung entließ der Baron den Bauern aus der Leibeigenschaft, weshalb sich die Weixelgartners von dieser Zeit an stolz Oama-Bauern, also freie Bauern nannten. Es hielt sich damals hartnäckig das Gerücht, dass der Auftraggeber der Räuber der Graf von Gerzen gewesen wäre, der sich auf diese Weise der Ländereien des Barons von Lichtenhaag bemächtigen wollte. Bewiesen konnte diese Anschuldigung jedoch nie werden. Die Räuber jedenfalls entkamen, ohne von den Soldaten des Grafen verfolgt worden zu sein, obwohl es dessen Pflicht gewesen wäre, in seiner Grafschaft für Ruhe und Ordnung zu sorgen sowie Verbrecher zu verfolgen und bestrafen zu lassen.

Einmal soll es Jahrzehnte später sogar eine Liebesbeziehung zwischen der Tochter des Oama-Bauern und dem Sohn des Barons zu Lichtenhaag gegeben haben. Die Liebenden versuchten ihre Beziehung geheim zu halten, da sie sonst von den Eltern sofort unterbunden worden wäre. Die Tochter des Bauern war damals erst 17 Jahre alt, wohingegen der Sohn des Barons bereits 20 Jahre seines Lebens hinter sich hatte. Als die 17-Jährige schwanger wurde und einen Sohn gebar, befragte man sie nach dem Vater des Kindes. Sie weigerte sich jedoch beharrlich, diesen preiszugeben. Ein lediges Kind zu bekommen, galt damals als große Schande. Die Bauerntochter, die übrigens sehr schön gewesen sein soll, musste damit rechnen, von ihren Eltern verstoßen zu werden. Da sie aber das einzige Kind eines bereits älteren Ehepaars war, freuten diese sich insgeheim über den Enkelsohn und späteren Hoferben. Sie zogen also gemeinsam mit der Tochter den Enkel auf. Die Tochter und spätere Bäuerin hat übrigens nicht mehr geheiratet. Ihr Sohn sollte ihr einziges Kind bleiben. Dieser hat nach ihr den Hof übernommen, geheiratet, viele Kinder bekommen und so die Dynastie der Weixelgartner weiter fortgesetzt. Sein Vater und spätere Baron von Lichtenhaag ist hingegen auf Veranlassung seiner Eltern eine standesgemäße Ehe mit einer Grafentochter aus Gerzen eingegangen. Aus dieser Ehe sind mehrere Kinder hervorgegangen. Auf diese Weise sollte die Rivalität zwischen den Adelsgeschlechtern aus Gerzen und Lichtenhaag beigelegt werden, die spätestens seit dem bereits erwähnten Raubüberfall Jahrzehnte zuvor bestanden hatte. Die Ehe des Barons mit der Grafentochter soll aber nicht glücklich gewesen sein. Man munkelte von Liebesbeziehungen unter anderen auch mit der Bäuerin des Oama-Hofs, wodurch auch der Verdacht entstand, wonach ihr Sohn von ihm sein könnte. Genaueres wurde aber nie bekannt. Inwieweit diese Geschichten überhaupt stimmen, ist sehr fraglich, da sie bei den Weixelgartners von Generation zu Generation nur mündlich überliefert wurden. So kann man sich gut vorstellen, dass jede Generation etwas hinzuerfunden und etwas anderes weggelassen hat. Mir hat diese Geschichten Josef Weixelgartner auf unserer Fahrt nach Frankreich erzählt, als wir in Nevers auf der Suche nach dem Grab der heiligen Bernadette von Lourdes waren, die dort besonders verehrt wird.

Wir waren damals unterwegs nach La Forêt, einem kleinen Dorf, das oberhalb des Tals der Dordogne liegt. Josef wollte die alte Bäuerin wieder besuchen, in deren Familie er drei Jahre als Kriegsgefangener gelebt und gearbeitet hatte. Der Bauer, ihr Ehemann, war zu dieser Zeit bereits verstorben. Wie mir bei dieser Gelegenheit schnell klar wurde, schienen die beiden damals jungen Leute sich in diesen drei Jahren ineinander verliebt zu haben. Doch davon wird später noch ausführlicher zu berichten sein.

TÜRKENKRIEGE

DIE SCHLACHT AM KAHLEN BERG

Man schrieb den 12. September 1683. Anton Weixelgartner und viele seiner Kameraden standen am Gipfel des kahlen Berges und sahen voller Schrecken, wie sich in der Ebene unter ihnen die Streitmacht der Türken ausbreitete. Sie lagerten gerade so weit entfernt, dass sie von den kaiserlichen Kanonen nicht mehr erreicht werden konnten. Die Zelte und Menschenmassen mit ihren Kampfpferden und Packtieren erstreckten sich bis zum Horizont. Die Übermacht der Türken schien immens zu sein. Am Nachmittag war Kurfürst Max Emanuel von Bayern noch bei ihnen, seinen Soldaten, um ihnen Mut zuzusprechen. Jetzt am Abend hatte er sich sicherlich in einen Palast in Wien zurückgezogen. Anton war Kanonier. Sobald die Türken in Reichweite seines Geschützes kämen, würde er seine Kanone abfeuern, so oft es nur ging. An vorderster Front in den Nahkampf musste er sich als Kanonier nicht stürzen. Sein Leben wäre nur gefährdet, wenn die Türken die österreichisch-bayrischen Linien durchbrechen würden. Doch dann würde Wien fallen und damit ein wichtiges, christlich-abendländisches Bollwerk gegen die islamische Welt untergehen. Mitteleuropa wäre bedroht. Der Herzog hatte ihnen dies alles am Nachmittag einzubläuen versucht. Sie sollten wissen, dass sie ihr Vaterland, ihre Religion, ihre Kultur und nicht zuletzt ihre Heimat verteidigen würden. Ob diese primitiven österreichischen und bayrischen Bauern, die wieder einmal überstürzt zu Soldaten ausgebildet worden waren, dies alles überhaupt verstanden hätten, wird sich der Kurfürst bei seiner Ansprache gedacht haben.

In der Nacht regnete es leicht. Die Soldaten froren in ihren einfachen Zelten. Anton musste an zu Hause, an Lichtenhaag, denken. Vielleicht würde er seine Familie niemals wieder sehen. Vielleicht sollte morgen sein Todestag sein, ging es ihm durch den Kopf. Es waren bereits drei Monate vergangen, seit er von zu Hause weg hatte gehen müssen. Am Oama-Hof hatte Anton seine Frau Helga, seine Eltern Maria und Hans sowie seine jüngere Schwester Judith zurückgelassen.

Es waren damals einfach die Soldaten des Herzogs gekommen, um ihn einzuberufen zum Kampf gegen die Türken, die sich anschickten, Wien zu erobern. Eigentlich hatte er furchtbare Angst vor dem morgigen Tag, wenn er auf das riesige türkische Heerlager blickte, bei dem mittlerweile nach Einbruch der Dunkelheit ungezählte Lagerfeuer entfacht worden waren, die die ganze Szene noch viel unheimlicher und gespenstischer erscheinen ließen. Bei Morgengrauen standen sie bereit, den Angriff der Türken abzuwehren. Plötzlich sahen sie, wie sich das gewaltige Heer unter enormem Lärm in Bewegung setzte. In der Mitte war das Fußvolk, die einfachen, gemeinen Kämpfer. Die Flanken wurden von der Reiterei gebildet. Der erste Anprall der Türken konnte erfolgreich abgewehrt werden. Anton schoss seine Kanone ab, so oft es ihm möglich war. Schließlich musste er zwischenzeitlich immer wieder nachladen. Seine Kameraden unterstützten ihn dabei. Doch er war der Chef der kleinen Gruppe, die das Geschütz bediente. Die Angriffe der

Türken wurden immer heftiger und bedrohlicher. Die bayrisch-österreichischen Linien gerieten immer mehr unter Druck. Die Schlacht zog sich über viele Stunden hin. Es waren auf beiden Seiten bereits viele Soldaten gefallen. Die Verteidiger wurden mehr und mehr zurückgedrängt. Je länger die Schlacht dauerte, desto mehr schienen die Türken die Oberhand zu gewinnen. Die alliierten Linien drohten schon auseinander zu brechen, als plötzlich Unruhe ins türkische Heer kam. Irgendetwas musste passiert sein. Die Türken rückten nicht weiter nach vorne. Anton konnte von seinem erhöhten Platz aus beobachten, wie ein weiteres Heer von Norden aus vorgerückt war. Zuerst hatte er geglaubt, die Türken würden weitere Verstärkung bekommen, bis er erkannte, dass diese Leute die Türken plötzlich von der nördlichen Flanke aus angriffen. Sie waren bereits weit in die türkischen Reihen vorgedrungen, bis es denen endlich gelang, eine Abwehrfront dagegen aufzubauen. Nachdem die bayerischen und österreichischen Heerführer erkannt hatten, dass die Türken durch den Angriff der Polen, die überraschend zu Hilfe gekommen waren, in Schwierigkeiten geraten waren, gaben sie ihrerseits den Befehl zum Angriff. Mit lautem Gebrüll stürzten sich die Soldaten vom Berg herab auf die Türken, die nach anfänglichem Versuch, Widerstand zu leisten, bald in wilder Panik zurückzulaufen versuchten. Da aber von den türkischen Offizieren ihre Soldaten weiter nach vorne gepeitscht wurden, standen sie sich plötzlich gegenseitig im Weg. Die Panik wurde noch größer. Viele trampelten sich gegenseitig nieder. Mit einem Male löste sich das stolze türkische Heer, das seit Jahrhunderten unbesiegt war, in wilder, panikartiger Flucht auf. Jeder versuchte nur noch das Weite zu suchen, um sein Leben zu retten. Anton und seine Kameraden waren unter den Verfolgern. Unglaublich viele Leichen lagen um sie herum. Laut späteren Chroniken sollen am Ende des Tages um die 50.000 türkische Soldaten gefallen sein. Anton brach die Verfolgung schnell ab, um dafür die Toten auszuplündern. Sie hatten in den letzten drei Monaten keinen Sold bekommen. Nach viel zu kurzer Vorbereitung auf den Krieg war Anton einfach zur Verstärkung der Wiener Garnison abgestellt worden. Jetzt ergab sich für ihn die Gelegenheit, sich seinen Lohn zukommen zu lassen. Er nahm den Leichen alles ab, was wertvoll erschien. Seine Kameraden hatten bald angefangen, es ihm gleich zu tun. Die Heeresleitung ließ die Plünderungen als Belohnung für den Sieg einfach zu. Anton füllte einen Sack voll mit Ketten, Ringen, Armreifen, Goldstücken und vielen anderen brauchbaren Utensilien. Am Abend wurde gefeiert. Viele Feuer waren entfacht worden, um Fleisch zu braten. Bier, Schnaps und Wein wurde für die siegreichen Soldaten verteilt. Anton benötigte einen halben Tag, um seinen Rausch wieder auszuschlafen. Nachdem das türkische Heer offensichtlich doch so vernichtend geschlagen worden war, dass keine Gefahr mehr für einen erneuten Angriff bestand, wurde Anton wenige Tage später entlassen. Er bekam die Erlaubnis, nach Hause gehen zu dürfen. Wie er dorthin gelangen sollte, blieb seine Angelegenheit.

DIE HEIMKEHR

Von einem Teil seiner Kriegsbeute kaufte er sich ein Pferd, um der Donau entlang über den Wienerwald, die Wachau, an Linz vorbei bis Passau zu gelangen. Da er ausreichend Kriegsbeute gemacht hatte, konnte er sich auch Übernachtungen in Herbergen leisten. Als er dann von Vilshofen aus die Vils entlang bis Lichtenhaag gelangt war, musste er mit Entsetzen feststellen, dass der Oama-Hof völlig ausgeplündert war.

Mit einem Freudenschrei lief ihm seine Schwester Judith entgegen, um ihn zu umarmen. Sie konnte es kaum fassen, dass doch noch ein Mitglied ihrer Familie überlebt hatte. Was denn passiert sei, wollte Anton nach der Begrüßung von ihr wissen. Es dürfte ungefähr vier Wochen her sein, dass ein türkischer Stoßtrupp bis Lichtenhaag vorgedrungen war.

Den Oama-Hof sowie einige andere Höfe hätten sie ausgeplündert, ihre Eltern erschlagen mit ihren Krummschwertern und Helga als Gefangene abgeführt.

Für junge, blonde, schöne Frauen würden auf den Sklavenmärkten von Sophia horrende Preise bezahlt werden, hätte man Judith später erklärt.

Sie selbst fuhr Judith fort, hätte Glück gehabt, da sie beim Überfall der Türken zufällig im Wald Schwammerl suchte. Ihre Eltern und einige andere, die von den Türken umgebracht worden waren, hatten sie am Dorffriedhof am nächsten Tag beerdigt. Seit vier Wochen hause sie nun schon in dem kaputten Bauernhaus, um auf Anton zu warten. Dieser war bestürzt über das, was er soeben vernommen hatte. Er war sehr traurig über den Tod seiner Eltern. Noch schlimmer war der Gedanke, dass Helga auf einem Sklavenmarkt in Sophia verkauft worden sei, oder eventuell auch erst verkauft werden würde. Judith und Anton zogen sich in eines der wenigen intakten Zimmer ihres Hauses zurück, um zu beraten, was sie weiter unternehmen sollten.

Er hätte Kriegsbeute gemacht, erklärte Anton seiner Schwester. Sie könne damit Essen kaufen und für sich das Nötigste besorgen, bis er wieder zurückkommen würde. Er müsse versuchen, Helga zu suchen, um sie wieder heimzubringen. Judith war entsetzt, wieder allein gelassen zu werden. Am nächsten Morgen beim Frühstück erklärte Judith, mit Anton gehen zu wollen. Sie werde nicht allein am Hof bleiben. Nachdem keine Tiere mehr vorhanden waren, gab es nichts, was sie am Hof gehalten hätte. Den Wiederaufbau müssten sie nach ihrer Rückkehr gemeinsam angehen. Nach einigem Nachdenken schlug Anton vor, dass sie, wenn sie wirklich mitreiten wollte, in Männerkleidung reisen müsste, da diese Reise für Frauen noch viel gefährlicher wäre, als sie für Männer sowieso schon sein dürfte.

Helga war Antons große Liebe. Sie kannten sich von Kindheit an. Judith, Helga und Anton sind zusammen aufgewachsen. Dass Helga und Anton zusammenbleiben würden, war für sie immer schon selbstverständlich. Anton konnte und wollte ohne Helga nicht leben. Aber auch Judith liebte ihre Freundin und Spielgefährtin seit frühester Zeit so sehr, dass es für sie keinen Zweifel gab, mit Anton zu ziehen, um Helga zu retten. Bevor sie am Vormittag aufbrachen, besuchten sie noch das Grab ihrer Eltern, das Anton bis dahin noch nicht einmal gesehen hatte.

Sie beteten zu Gott für ihre Eltern, aber auch für Helga, dass sie sie finden und alle drei wieder heil zurückkommen würden.

Judith zog Männerkleider an. Sie wirkte darin zwar etwas schmächtig, im Gegensatz zu Anton, der doch einen sehr athletischen Eindruck hinterließ, war aber mit ihren feinen Gesichtszügen ein ausgesprochen hübscher Junge. Ihre Haare ließ sie sich von Anton kurz schneiden. Mit ihrem Hut wirkte sie wie ein schelmischer junger Mann. Anton hingegen war breitschultrig und hochgewachsen. Aber auch er war mit seinen ebenmäßigen Gesichtszügen ein gutaussehender Mann. Sie packten Kleider und andere Sachen, die sie dringend für ihre weite Reise benötigten, zusammen und beluden damit ihr Pferd, das Anton von Wien mitgebracht hatte.

DIE REISE

Anton und Judith liefen zu Fuß der großen Vils entlang bis Vilshofen. Sie übernachteten dabei zwei Mal in Herbergen, wo sie auch Essen bekamen. In Vilshofen verkauften sie ihr Pferd und buchten eine Schiffspassage bis Budapest. Weiter gingen die Schiffe nicht, da kurz hinter Budapest türkisches Gebiet begann. Sie kamen wieder an Wien vorbei, legten in Bratislava an, umrundeten das Donauknie, um letztendlich in Budapest zu landen.

Dort suchten sie sich wieder eine Herberge und überlegten, was weiter geschehen sollte. Judith und Anton staunten nicht schlecht, als sie am gegenüberliegenden Donauufer die Fischerbastei, die Krönungskirche und den Königspalast hoch oben am Berg stehen sahen. Am nächsten Tag entschlossen sie sich, diese Bauten am anderen Donauufer zu besichtigen. Mit einem Schiff gelangten sie über den Fluss. Soweit es die Wachen zuließen, stiegen sie die Anhöhe hinauf und betraten auch die gotische Kathedrale, in der die ungarischen Könige gekrönt wurden, um sie anzusehen, vor allem aber um für den Erfolg ihrer Reise zu beten.

Obwohl sie kein Ungarisch verstanden, funktionierte die Verständigung ganz gut. Sie fanden sogar einen Pfandleiher, der ihnen ungarisches und türkisches Geld für einen Teil der Kriegsbeute von Anton gab. Sie bekamen zumindest so viel, wie sie zum Fortsetzen ihrer Reise benötigten.

Am folgenden Tag buchten sie eine weitere Donaufahrt bis zur serbischen Grenze. Ab hier begann der türkische Einflussbereich.

Da sie keine Papiere besaßen, umgingen sie die Grenze, um den Kontrollen zu entgehen. Früher wäre dies sicherlich unmöglich gewesen. Doch durch die Niederlage am kahlen Berg war im türkischen Reich einiges durcheinandergeraten.

Judith und Anton hatten ziemlich viel Gepäck zu schleppen. In Serbien angekommen, ließen sie sich erneut auf der Donau bis Belgrad bringen.

Am Stadtrand kamen sie zur Übernachtung in eine Herberge, die ihnen recht suspekt vorkam. Da es aber bereits ziemlich spät war, hatten sie keine andere Wahl mehr, als hier zu bleiben. Nach einem kurzen Mahl zogen sich die beiden Geschwister in ihr Zimmer zurück.

Anton schlug vor, dass immer einer von ihnen Wache halten soll und dass sie ihre Pistolen geladen bereithielten.

Um zwei Uhr nachts war Judith an der Reihe zu wachen. Sie setzte sich auf einen Stuhl neben dem Bett und versuchte krampfhaft, wach zu bleiben, als sie plötzlich ein Geräusch an der Türe hörte. Sie weckte sofort Anton. Dieser glitt auf der Seite vom Bett, die der Türe abgewandt war, und packte beide Pistolen, als auch schon leise die Türe geöffnet wurde. Drei Gestalten schlichen sich herein. Zwei von ihnen hatten ein Messer in der Hand und sprangen plötzlich zum Bett vor, um ihre beiden Messer mit Vehemenz in dieses hineinzurammen. In diesem Augenblick sprang Anton von Hinterrand des Bettes auf und feuerte seine beiden Pistolen auf die Killer ab. Diese schrien schwer getroffen laut auf und brachen anschließend in sich zusammen. Der Dritte wollte flüchten, als Anton über das Bett sprang und ihn am Arm mit seinem Degen verletzte. Als Anton erneut ausholen wollte, fiel der Bandit auf seine Knie und bettelte um Gnade. Judith fesselte ihn und band ihn am Bett fest. Die beiden Geschwister nahmen alles an Geld und Wertsachen mit, was sie finden konnten. Anschließend gingen sie in den Stall und fanden dort ein Pferd und einen kleinen Kutschwagen. Sie beluden die Kutsche mit ihren Habseligkeiten, spannten das Pferd an und flüchteten mit ihrem Gespann in die Nacht hinaus.

Da sie fürchteten, am nächsten Tag verfolgt zu werden, versuchten sie einen möglichst großen Vorsprung zu bekommen. Abwechselnd schlief einer von ihnen auf dem Wagen, während der andere das Pferd antrieb. So ging es bis weit in den Vormittag hinein, bis das Pferd vor Erschöpfung fast zusammenbrach. Anton ließ das Pferd frei. Die Kutsche versteckten sie in einem Waldstück, damit die Polizei sie nicht sofort finden würde. Sie zogen sich andere Kleider an, die sie dabeihatten.

Judith trug ab jetzt Frauenkleider. Sie zog ein Kopftuch über und vermummte ihr Gesicht fast vollkommen. Die Polizei war auf der Suche nach zwei Männern. Als Mann und Frau waren sie völlig unverdächtig. Ihr Gepäck mussten sie ab jetzt selbst tragen.

Im nächsten Ort kauften sie sich wieder ein Pferd und einen Wagen, womit sie ihre Reise nach Sophia vorerst unbehelligt fortsetzen konnten. In diesem riesigen Osmanischen Reich war es gar nicht ungewöhnlich, dass manche Reisende die gerade hier gesprochene Sprache nicht beherrschten. Es handelte sich schließlich um einen Vielvölkerstaat, in den ungezählten Sprachen und Dialekte gesprochen wurden.

Einmal kamen sie in eine Polizeikontrolle. Sie gaben sich als bosnische Bauern aus. Nachdem festgestellt worden war, dass Judith wirklich eine Dame war, konnten sie nicht die gesuchten Mörder der braven Wirtsleute sein.

Dass sie keine Papiere hatten, war überhaupt nicht ungewöhnlich, da zu dieser Zeit fast niemand irgendwelche Dokumente vorzuweisen hatte.

Unauffällige, arme Bauern ließ die Polizei wieder laufen, vor allem als ihnen Anton etwas türkisches Geld zugesteckt hatte. Ohne Bakschisch beziehungsweise Bestechung scheint im türkischen Reich nichts funktioniert zu haben.

Nachdem sie sich nicht verständigen konnten, waren die Polizisten nicht einmal in der Lage, sie nach dem Zweck ihrer Reise zu befragen, so dass sie das unverdächtige Ehepaar einfach wieder ziehen ließen.

Mit ihren Piastern waren sie in der Lage, sich entlang ihres Weges einfache Unterkünfte und Mahlzeiten zu leisten, ebenso wie Heu für ihr Pferd. So kamen sie schließlich bis Nis ohne größere Zwischenfälle. Ein so armes Bauernpaar schien selbst für Wegelagerer die Mühe eines Überfalls nicht wert zu sein. In Nis erkundigten sie sich weiter nach dem Weg nach Sophia.

Sie wurden an eine Pilgergruppe verwiesen, deren Mitglieder zu Fuß zum Rila-Kloster nach Bulgarien wandern wollten, um zu beten und vor allem von der Mutter Gottes Hilfe für ihr weiteres Leben zu erflehen und um ihre Fürsprache bei Gott für ihr Seelenheil zu bitten.

DIE PILGERREISE

Man bot ihnen an, sich den Pilgern anzuschließen. Nachdem ein Pilgerzug Schutz und Sicherheit bedeutete, stimmten die beiden sofort zu, mit den Pilgern zu gehen, aber auch mit ihnen zu beten.

Die Übernachtungen fanden jeweils in Pilgerherbergen statt. Judith und Anton führten ihr Pferd am Zügel neben sich her, während sie mit den Pilgern wanderten. Das Pferd zog den Wagen, auf dem sie ihr Gepäck verstaut hatten.

In aller Frühe brachen die Geschwister von ihrer Herberge in Nis auf, um sich mit den Pilgern zu treffen, deren Tag wie immer mit einem Morgengebet begann.

Vorbeter war ein Pfarrer aus Belgrad. Es stellte sich bald heraus, dass er ziemlich gut Deutsch sprach. Er habe längere Zeit in Wien gelebt und dort als Pfarrer eine Gemeinde geleitet. Vor einigen Jahren sei er wieder in seine Heimat zurückgekehrt, um dort eine Pfarrei zu übernehmen.

Hauptsächlich führe er seit einiger Zeit Pilgergruppen ins Rila-Kloster und zu anderen Orten, wobei ihm Ersteres am besten gefällt, da es wunderbar zwischen bewaldeten Berghängen gelegen ist und die dortigen Mönche unglaublich freundlich und nett seien.

Für ihn, der Priester nannte sich Johannes, sei es auch kein Problem, dass diese Mönche, genau wie er selbst, orthodox sind, während sich viele seiner Pilger zum katholischen Glauben bekannten. In einem überwiegend islamischen Land müssten die Christen, gleich welcher Konfession, zusammenhalten, um nicht unterzugehen, fügte er anschließend noch hinzu.

Die Landschaft, die ihnen zwischen Belgrad und Nis ziemlich eintönig, eben, langweilig erschienen ist, wurde, je näher sie an die bulgarische Grenze heranrückten, immer hügeliger und malerischer. Die ebenen Wiesen und Felder wurden mehr und mehr durch teils bewaldete, zum Teil auch mit Heidekraut überzogene Berghänge ersetzt.

Ihr Weg war auch unebener geworden. Sie mussten teilweise ziemliche Anstiege überwinden, nur um auf der anderen Seite wieder herabsteigen zu können.

Johannes ging als Vorbeter meistens dem Zug voraus. Hinter ihm kam einer, der das Kreuz trug. Damit nicht einer allein es schleppen musste, wurde es laufend immer wieder weitergereicht.

Auch Anton musste es zeitweise tragen, was ihm wenig ausmachte. Judith hatte übrigens ihre orientalische Kleidung wieder abgelegt. Sie wanderte ohne Kopftuch, so dass ihre schönen brünetten Haare ihr ovales, ebenmäßiges Gesicht wieder voll zur Geltung brachten.

Auch wenn ihre Kleidung einfach und pilgermäßig aussah, konnte dies doch nicht verbergen, dass Judith eine sehr attraktive Frau war.

Die anderen Pilger sahen oft bewundernd zu ihr auf. Man merkte auch Johannes an, dass er sich von ihr angezogen fühlte. Er versuchte jedenfalls meistens, wenn er nicht vorbeten musste, in ihre Nähe zu gelangen, um sich mit ihr zu unterhalten. Es war aber auch nicht zu übersehen, dass Judith ihn ebenfalls sympathisch fand, wenn sie auch nicht recht wusste, wie sie sich einem Priester gegenüber zu verhalten hatte.

Während ihrer tagelangen Wanderung wurde auch irgendwann die Frage gestellt, warum die beiden Geschwister so weit nach Osten gezogen seien. Anfangs verlegten sie sich auf Ausreden. Als das Vertrauen zu diesem netten, gutaussehenden Priester vor allem, was Judith betrifft, gestiegen war, entschloss sie sich, Johannes, trotz Antons Bedenken, die Wahrheit zu sagen.

Dieser war ziemlich bestürzt, als er gehört hatte, was die beiden vorhatten: „Wenn Helga ähnlich hübsch ist wie Judith, wird sie sich im Harem des Padischahs von Sophia wiederfinden", meinte Johannes dazu.

„Als fremder Mann in den Harem des Padischahs zu gelangen, dürfte so ziemlich das Schwierigste sein, das ihr euch vorstellen könnt", fügte er dann noch hinzu.

Ob sie wüssten, wie schwer verwundet Anton die beiden Wirtsleute hätte, die er bei dem Überfall angeschossen hatte, fragte sie Johannes weiter.

Anton glaubte, sie beide an der Schulter getroffen zu haben. „Sie müssten ihre Verwundungen jedenfalls überlebt haben", fügte er noch hinzu.

Die drei Leute marschierten erst einmal schweigend, jeder in seinen Gedanken versunken, nebeneinander her, bis Johannes dann wieder an den Anfang des Zuges gehen musste, um die nächste Gebetsrunde einzuleiten. Auch Anton war wieder dran, das Kreuz zu tragen.

Es vergingen noch mehrere Tage, bis sie das Rila-Kloster erreichten.

Die Landschaft um sie herum wurde immer schöner. Sie mussten zum Teil kleinere Pässe überqueren. Es zeigten sich immer mehr felsige Gipfel, die aus den bewaldeten Hängen herausragten.

Johannes, der ungefähr Ende 20 sein durfte, suchte immer wieder Judiths Nähe, um sich mit ihr zu unterhalten. Über die Befreiung von Helga sprachen sie nicht mehr. Dieses Thema schien tabu zu sein, da niemand auch nur die geringste Vorstellung hatte, wie das Ganze zustande kommen sollte.

Sie standen auf einer Anhöhe, als sie zum ersten Mal das Rila-Kloster unter sich in einem Talkessel, umrundet von sanften, bewaldeten Hügeln, liegen sahen. Sie blieben bewundernd stehen und staunten. Es war so mächtig und lag doch so malerisch wie in einem Märchen vor ihnen.

Der ganze Gebäudekomplex war von einer Mauer umgeben. In der Mitte konnte man die Kirche aus den übrigen Gebäuden herausragen sehen. Johannes, der mit seinen 1,85 cm doch ziemlich groß war, im Gegensatz zu Anton, der nur in etwa 1,78 cm messen durfte, hatte unwillkürlich seinen Arm um Judith gelegt, was ihm erstaunte, fragende Blicke der Pilger einbrachte. Verschämt zog er daraufhin seinen Arm wieder zurück.

Er trug, wie die übrigen Pilger auch, einfache Pilgerkleidung. Sein Priesteramt konnte man ihm an der Kleidung nicht ansehen. Er ging wieder an die Spitze des Zuges und fing erneut zu singen und zu beten an.

Langsam stiegen sie die Anhöhe herab, bis sie die Klosterpforte erreichten. Es hatten sich bereits viele Pilgergruppen, die aus anderen Teilen des Landes kamen, zum Teil vor dem Kloster, andere bereits im großen Hof des Klosters vor der Kirche eingefunden.

Anton kümmerte sich darum, dass seine Leute ihre Unterkünfte bekamen. Zum Abendessen wurden Tische im Freien aufgestellt. Im September herrschte in Bulgarien noch warmes, sonniges Sommerwetter. Abends gab es eine leichte Abkühlung, was die meisten als angenehm empfanden.

Am nächsten Morgen, es war ein Sonntag, fand in der malerischen, mächtigen Kathedrale des Klosters ein Festgottesdienst statt, der vom Abt persönlich zelebriert wurde. Nachmittags gab es Gebets- und Gesprächsrunden, wodurch Johannes recht mit der Organisation beschäftigt war.

Judith und Anton, die sich außer mit Johannes mit niemandem unterhalten konnten, fühlten sich dennoch recht wohl inmitten der Pilgergemeinschaft. Sie blieben insgesamt drei Tage in dem Kloster.

Johannes sahen sie erst wieder am letzten Abend vor ihrer Abreise. Er setzte sich zum Abendessen einfach wieder an ihren Tisch. „Ich habe nicht viel Zeit“, meinte er, „da ich die Abreise organisieren muss. Morgen werde ich mit euch kommen, um euch zu helfen, Helga zu befreien“, fügte er noch hinzu, um anschließend gleich wieder aufzustehen und sich um andere Dinge zu kümmern.

Die beiden Geschwister waren nicht wenig überrascht, dies zu hören, waren aber sehr erfreut, einen neuen Begleiter gefunden zu haben, der die Landessprache beherrschte und sich viel besser auskannte als sie.

Vor allem aber freute sich Judith über das Angebot von Johannes, mit ihnen zu gehen und ihnen bei ihrem Vorhaben, Helga zu befreien, zu helfen, da sie sich ungemein wohl fühlte in der Begleitung dieses Mannes und sich insgeheim etwas in ihn verliebt hatte.

DER ÜBERFALL

Die Geschehnisse, die jetzt geschildert werden, spielten sich circa vier Wochen vor der Schlacht am kahlen Berg ab. Helga und ihre Schwiegermutter Maria standen in der Küche, um das Abendbrot vorzubereiten. Von Anton hätten sie bereits seit zwei Monaten nichts mehr gehört, sagte Maria, mehr zu sich selbst als zu Helga. „Er soll in der Nähe von Wien stationiert sein“, antwortete Helga. „Die Türken schicken sich an, Wien zu erobern. Sollte ihnen dies gelingen, werden sie auch bald bei uns sein“, fuhr Helga fort.

Hans versorgte im Stall die Tiere, als plötzlich ein furchtbarer Lärm entstand. Die beiden Frauen liefen zur Haustüre, um nachzuschauen, was passiert war. Als Maria vor die Haustüre trat, konnte sie gerade noch erkennen, dass Hans, von einem Pfeil getroffen, vor der Stalltüre zusammenbrach. Er krümmte sich vor Schmerz.

Im gleichen Augenblick verspürte auch Maria einen heftigen Schmerz in ihrer Brust, wo sie soeben von einem Säbel durchbohrt worden war. Im nächsten Moment hatte sie auch schon das Bewusstsein verloren und brach tot zusammen. Der türkische Soldat zog seinen Krummsäbel wieder aus Maria heraus und wollte soeben auf Helga einschlagen, als sein Anführer, ein großer, bulliger Mann, ihm Einhalt gebot.

Für eine so schöne, blonde Frau mit ihren leuchtend blauen Augen würde man am Sklavenmarkt von Sophia einen hohen Preis erlösen. Sie müsste unverletzt gefangen genommen werden.

Es waren ungefähr 20 Soldaten, die in den Oama-Hof eingedrungen waren. Sie trieben die Tiere aus den Stallungen heraus und nahmen alles mit, was sie irgendwie gebrauchen konnten.

Eine weitere Abteilung war gerade dabei, die anderen Höfe von Lichtenhaag zu überfallen und auszuplündern.

Judith war noch mit ihrer Pilzsuche beschäftigt. Als sie auf der anderen Seite des Tals vom Wald heraustrat, konnte sie gerade noch sehen, wie die Türken mit allen Tieren, die sie erbeutet hatten, aber auch mit etlichen Gefangenen, unter denen sie Helga zu erkennen glaubte, in Richtung Gerzen, Frontenhausen abzogen. Gefangen nahmen die Türken nur junge Frauen und Kinder. Alle anderen wurden umgebracht.

Judith zog sich gleich wieder in den Wald zurück, um nicht entdeckt zu werden. Als sie später wieder zum Oama-Hof zurückgekehrt war, konnte sie sich vor Entsetzen über das, was sie sah, kaum noch bewegen.

Ihre Eltern lagen tot, der Vater vor der Stall-, die Mutter vor der Haustüre. Die Tiere und alles, was irgendwie von Nutzen sein konnte, waren weg. Judith setzte sich auf den Boden und fing an zu weinen.

Die wenigen Dorfbewohner, die noch übriggeblieben waren, kamen zum Oama-Hof, um Judith zu trösten. Die Leichen trugen sie zum Friedhof, wo andere bereits angefangen hatten, ein Massengrab auszuheben, in das sie dann alle Toten warfen. Der Pfarrer, den die Türken verschont hatten, segnete sie und sprach seine Gebete. Zum Schluss wurden die Leichen wieder mit Erde bedeckt und ein schlichtes Kreuz auf dem Grabhügel aufgestellt.

Judith war völlig verzweifelt. Sie wusste nicht mehr, was sie tun sollte. Die nächsten Wochen schlug sie sich mehr schlecht als recht durch, bis plötzlich Anton vor ihr stand.

HELGA

Helga wurde von ihren Entführern zuerst nach Frontenhausen gebracht, wo ihr Stoßtrupp mit einigen anderen, die ebenfalls Beute gemacht hatten, zusammentraf.

Das riesige Heer, das sich auf Wien zubewegte, musste schließlich mit Lebensmitteln versorgt werden. Die Schlachttiere wurden in Richtung des Heeres getrieben.

Ein kleinerer Trupp führte die Kolonne mit den Gefangenen viel weiter nach Osten. Helga durfte reiten. Da sie am Oama-Hof immer schon Pferde hielten, war sie eine leidlich gute Reiterin geworden. Ihr Weg führte sie zwei Wochen lang immer weiter nach Süd-Osten. Sie reisten zeitweise der Donau entlang, ähnlich wie später Judith und Anton. Je näher sie an Bulgarien herankamen, umso bergiger wurde die Landschaft. Sie hatten viele An- und Abstiege zu überwinden.

Übernachtet wurde jeweils in Herbergen, die sich in großer Zahl entlang der Hauptstraße befanden. Ihr Ziel war der Sklavenmarkt von Sophia.

Die heutige Hauptstadt Bulgariens war zur Zeit der Besetzung durch die Türken bereits eine beachtliche Großstadt mit vielen schönen, orthodoxen Kirchen, aber auch vielen, bedeutenden Moscheen.

Die beiden großen Religionen existierten problemlos nebeneinanderher. Man ließ sich gegenseitig in Frieden. Bekannt war, dass die Janitscharen, die treue Leibgarde des Sultans, überwiegend aus Christen bestanden.

Helga und einige andere Sklavinnen bekamen Zimmer mit mehreren Betten, von denen sich die Mädchen eines aussuchen konnten.

Nach drei Tagen herrschte plötzlich große Aufregung. Heute war Sklavenmarkt. Der Padischah wurde erwartet. Er hatte natürlich das Vorrecht bei der Auswahl der Sklavinnen. Die Mädchen mussten sich schön machen, um ihren potenziellen Käufern zu gefallen. Selbstverständlich waren sie nur spärlich bekleidet, um ihre Reize besser zur Geltung bringen zu können.

Helga sah wunderschön aus mit ihren blonden Haaren, ihren schönen, blauen Augen, ihrem ovalen, fein geschnittenen Gesicht, ihrer schlanken Figur mit langen, geraden Beinen, ihren schön geformten Brüsten. Sie war ein Blickfang für alle Männer. Sie war ein ähnlicher Typ wie ihre spätere Nachfahrin Olga, die einmal meine Frau werden sollte.

Jedenfalls blieb der Padischah gleich beim ersten Anblick vor ihr stehen, wobei er unmissverständlich zu verstehen gab, dass diese Frau seinem Harem zugeführt werden müsse.

Helga wurde sogleich abgeführt und in den Palast des Fürsten gebracht. Sie wurde in die Räume des Harems geführt. Ihr wurde ein Bad mit vielen duftenden Essenzen hergerichtet. Sie fühlte sich plötzlich wieder wohl. Sie bekam schöne Kleider, ein eigenes Zimmer mit einem Bett und einer Couch zum Sitzen. Kaum hatte sich Helga gewaschen und umgezogen, als auch schon die Türe aufging und eine recht gutaussehende Dame Mitte 40 hereintrat. Im Gegensatz zu Helga hatte diese Dame schwarze Haare und dunkle Augen. Doch am meisten beeindruckte sie Helga mit ihrem Auftreten, das etwas Beherrschendes an sich hatte. Man fühlte sofort, dass diese Dame die Chefin im Harem war. Auch wenn Helga kein Wort von dem, was sie sagte, verstand, war ihr die hervorragende Stellung dieser Dame sofort klar. Nachdem allerdings die Chefin verstanden hatte, dass Helga nichts von dem, was sie ihr mitzuteilen gewillt war, kapierte, zog sie sich etwas indigniert wieder zurück.

Zum Abendessen brachte man Helga Brot, Käse und Früchte, was Helga, die ziemlichen Hunger hatte, sehr genoss. Als sich Helga um circa zehn Uhr ausziehen und schlafen legen wollte, ging die Türe plötzlich erneut auf. Eine Dienerin bedeutete ihr, sich wieder anzuziehen und ihr zu folgen. Die beiden kamen durch mehrere Gänge, bis die Dienerin vor einer prunkvoll geschmückten Türe stehen blieb. Sie klopfte vorsichtig. Als von innen eine Stimme erklang, öffnete sie diese leise, verbeugte sich und schob Helga hinein.

Diese hatte bisher noch nie einen solch prunkvollen Raum gesehen wie diesen, den sie plötzlich betreten hatte. Vor ihr, auf einer Couch sitzend, befand sich der Padischah. Er war prächtig gekleidet, mit Turban, goldenen Ketten, vornehmen Seidengewändern und eleganten Schuhen.

Helga verbeugte sich, wie es ihr die Dienerin vorgemacht hatte. Der Herrscher sagte etwas zu ihr, das sie natürlich wieder nicht verstand. Als ihm dies klar geworden war, bedeutete er ihr, sich auszuziehen. Etwas schüchtern und beschämt befolgte Helga seinem Befehl. Als sie schließlich nackt vor ihm stand, schaute er sie mit bewundernden Blicken an, sagte aber nichts.

Der Fürst war etwas untersetzt von der Statur her, aber ansonsten ein recht gutaussehender Mann. Er dürft ungefähr 50 Jahre alt gewesen sein. Sein Gesicht wirkte milde. Wie er Helga mit seinen recht hübschen, freundlich lächelnden Augen ansah, hatte Helga plötzlich keine Angst mehr vor ihm. Der Padischah bedeutete ihr, sich wieder anzuziehen und läutete nach einer Dienerin, die Helga zurück zu ihrem Zimmer führen sollte.

IBRAHIM

Am nächsten Morgen brachte man ihr Frühstück. Gleich darauf trat ein hochgewachsener Mann in ihr Zimmer, der sie mit einer fast knabenhaft hellen Stimme ansprach. „Ich bin Ibrahim“, stellte er sich vor. „Vom Fürsten habe ich den Auftrag bekommen, dir Türkisch beizubringen.“ Als Helga ihn erstaunt anblickte, fragte er sie, ob sie noch nie einen Eunuchen erlebt habe. Helga schüttelte verständnislos den Kopf.

Eunuchen seien Männer, denen man in jungen Jahren ihre Hoden wegschneidet, damit sie keine Kinder zeugen und keinen Geschlechtsverkehr haben können. Nur solche Männer dürfen mit Ausnahme des Fürsten den Harem betreten. Ibrahim setzte sich neben Helga auf die Couch und fing an, ihr türkische Worte beizubringen.

Helga, die froh darüber war, dass sie in der lateinischen Schrift einigermaßen lesen und schreiben konnte, sollte jetzt auch noch die arabische Schrift erlernen. Nach den zwei Stunden Sprachkurs gab es Mittagessen.

Nachmittags konnte Helga im tropischen Garten des Harems spazieren gehen. Es gab dort viele blühende Blumen aller Farben und Formen. Man konnte sich auf schattige Bänke setzen und dem Wasser der Springbrunnen zusehen, oder aber sich nackt ausziehen, um im Swimmingpool, der in der Mitte des Gartens stand, zu baden, was viele von Helgas Kolleginnen bereits machten. Das Wasser des Pools war relativ kühl, was bei der Mittagshitze von 35 Grad sehr angenehm war.

Auch Helga zog sich nackt aus, um sich in dem klaren Wasser zu erfrischen. Sie hatte so etwas bisher noch nie gesehen. So ein Luxus war in Bayern nur den Adeligen vorbehalten, die in ihren Schlössern an künstlich angelegten Seen mit nackten Mätressen ihre Sexpartys abhielten.

Im Park von Schloss Nymphenburg kann man heute solche Lustschlösser und Seen bewundern, ähnlich wie im Schloss Schleißheim, das Kurfürst Max Emanuel eigens wegen des Sieges über die Türken am kahlen Berg errichten ließ, in der Hoffnung, zum Deutschen Kaiser gekrönt zu werden, nachdem so viele seiner bayrischen Soldaten für ihn ihr Leben in dieser Schlacht gelassen hatten.

Doch darüber wusste Helga nicht Bescheid. Für sie war so ein unglaublicher Luxus vollkommen neu.

Wie solche Luxusgärten in Vollendung ausgesehen haben dürften, konnten meine Kinder Johanna und Andreas sowie Olga und ich im Harem von Schloss Topkapi in Istanbul bewundern.

Natürlich war dieser Park von einer hohen Mauer umgeben, damit keine fremden Männer die nackten Damen bewundern konnten. Auch Kamile, die Chefin, promenierte im

Garten, zog sich aber nicht wie die anderen aus, um zu baden, sondern beobachtete die anderen Damen mit strengem Blick.

Am späteren Nachmittag kam wieder Ibrahim zum Sprachunterricht. So verging jeder Tag. Abends, wenn sie allein in ihrem Zimmer lag, konnte sie oft lange nicht einschlafen. Sie musste an zu Hause denken, an Anton und Judith und natürlich an ihre Eltern und ihren Bruder in Frontenhausen, von denen sie noch nicht wusste, dass die Türken sie umgebracht hatten. Sie wäre sonst noch viel trauriger gewesen, als sie es so schon war. Sie fragte sich dann, ob sie ihre Angehörigen je wiedersehen würde, oder ob sie ihr ganzes, weiteres Leben in diesem Harem verbringen würde.

Helga genoss es, nachmittags im Park spazieren zu gehen oder auch im Pool zu baden. Die Damen waren alle freundlich zu ihr, mit Ausnahme von Kamile, die zwar nichts zu ihr sagte, sie dafür aber mit finsteren, beinahe hasserfüllten Blicken ansah.

Nachdem Helga Ibrahim dies bei ihrem Sprachunterricht erzählt hatte, blickte sie dieser sehr besorgt an, ohne aber etwas dazu zu sagen.

So vergingen mehrere Wochen, ohne dass Helga den Fürsten noch einmal wieder gesehen hätte.

Es sprach sich im Palast schnell herum, dass der Fürst in den Krieg gegen die Deutschen ziehen musste, da die Schlacht um Wien bevorstand.

Helga freute sich auf ihre Stunden mit Ibrahim. Sie konnte ihm mittlerweile schon ganz gut auf Türkisch antworten. Er war immer freundlich zu ihr. Manchmal hatte sie den Eindruck, als würde er sie mit verliebten Augen ansehen. Eines Abends verließ Ibrahim nicht so pünktlich wie sonst ihr Zimmer, sondern blieb auf der Couch sitzen und legte seinen Arm um ihre Schultern. Helga war bewusst, dass sie ihn jetzt abwehren sollte. Irgendwie fühlte sie sich aber wohl, bei all den fremden Menschen wenigstens einen Freund zu haben. Ibrahim drehte seinen Kopf zu ihr hin, sah ihr tief in die Augen und küsste Helga auf den Mund. Sie wehrte sich nicht, sondern ließ alles mit sich geschehen. Es ging ihr aber kurzzeitig Anton durch den Kopf. Sie fragte sich, ob sie ihm gegenüber ein schlechtes Gewissen haben sollte, verwarf aber den Gedanken sofort wieder, da sie ihren Ehemann wahrscheinlich nie wieder sehen würde. Ibrahim fing an, Helga auszuziehen. Er knöpfte ihre Bluse auf, bis sie plötzlich nackt vor ihm stand. Als er ihren wunderschönen Körper sah, war er wahnsinnig in sie verliebt.

Doch auch Helga gefiel dieser große, schlanke, gutaussehende Mann, wie er nackt vor ihr stand mit erigiertem Penis, was eigentlich gar nicht sein konnte. „Eunuchen können zwar keine Kinder zeugen. Manche, wie ich, können aber Verkehr haben", erklärte er ihr, als sie ihn überrascht ansah. „Wenn der Fürst dies erfahren sollte, würde ich meinen Kopf verlieren", fügte er noch hinzu, während er Helgas Körper liebkoste und langsam begann, in sie einzudringen. Helga wollte sich eigentlich wehren, ließ aber alles mit sich geschehen, da sie sich unglaublich wohl fühlte. Ob sie Anton gegenüber ein schlechtes Gewissen haben sollte, fragte sich Helga, doch etwas schuldbewusst. Doch dann dachte sie wieder, dass sie Anton wahrscheinlich nie wieder sehen werde, dass auch Anton sich eine neue Partnerin suchen würde. Helga versuchte, sich dies einzureden, obwohl sie wusste, dass Anton sie über alles liebte. Anton war bisher auch der einzige Mann, mit dem Helga Verkehr hatte. Eine gewisse Neugierde, irgendwie Abenteuerlust, spielte sicherlich dabei mit, dass sie sich so ohne Gegenwehr hatte verführen lassen, aber auch eine gewisse Verzweiflung und Hoffnungslosigkeit. Vor allem aber brauchte sie einen Menschen, der ihr Halt gab, mit dem sie reden konnte, an den sie sich in ihrer verzweifelten Lage lehnen und dem sie vertrauen konnte. Ibrahim verabschiedete sich hinterher rasch, damit niemand Verdacht schöpfte wegen seines verlängerten Aufenthalts bei Helga.

Plötzlich machte eine Schreckensnachricht die Runde im Palast. Der Fürst sei bei der Schlacht um Wien schwer verwundet worden. Die Schlacht sei verloren gegangen. Die türkischen Truppen befänden sich großteils auf der Flucht. Für die bislang sieggewohnten Türken war dies eine unglaubliche Nachricht. Der Fürst sei augenblicklich nicht transportabel, hieß es im Palast.

So kam es, dass weitere zwei Wochen vergingen, bis der Padischah endlich auf einer Trage zurückgebracht werden konnte. Ausgestreckt auf seinem Bett verlangte er nicht als Erstes, Kamile, seine Hauptfrau und Mutter seiner beiden Söhne, zu sehen, sondern Helga. Offensichtlich war er von ihrer Schönheit so betört, dass er die ganze Zeit während seiner Abwesenheit an sie denken hat müssen.

Helga verneigte sich tief vor ihrem Herrn, als sie sein Schlafzimmer betrat. Der Fürst sah sie mit großen Augen an und fragte, ob sie ihn denn schon verstehen würde. Als Helga ihm in gebrochenem Türkisch antwortete, dass sie ihn bereits recht gut verstünde, war ihm seine Freude darüber sichtlich anzusehen.

Die Blicke, die Kamile Helga zuschickte, wann immer sie sich über den Weg liefen, wurden immer dunkler und hasserfüllter, ohne dass sie auch nur ein einziges Wort zu ihr gesagt hätte. Ibrahim war entsetzt, als Helga ihm dies erzählt hatte. „Kamile ist eine sehr gefährliche Frau", sagte er daraufhin zu Helga: „Wir müssen sehr vorsichtig sein", fügte er noch hinzu. In der folgenden Woche verschlechterte sich der Zustand des Fürsten, bis man ihn eines morgens tot im Bett auffand.

Es herrschte großer Aufruhr unter den Haremsdamen, da niemand wusste, wie es weitergehen sollte. Der Sultan in Istanbul würde einen neuen Stadthalter für Sophia ernennen. Ob dieser sie, die Haremsdamen, einfach so übernehmen würde, oder sie alle weiterschicken, oder noch schlimmer, töten lassen würde, war nicht klar.

Vor allem fürchtete Kamile um ihre Stellung und um ihre Söhne. Eine blonde, schöne Frau wie Helga war für sie in dieser Situation besonders gefährlich.

Zwei Tage nach dem Tod des Padischahs – er war noch nicht einmal beerdigt –, hörte Helga, die nicht einschlafen konnte, da sie sich wegen zu Hause Sorgen machte, wie um ein Uhr nachts leise die Türe zu ihrem Schlafzimmer geöffnet wurde. Ein dunkler, vermummter Schatten glitt herein mit einem Messer in der Hand. Helga schrie laut auf, sprang aus dem Bett und ergriff einen Stuhl zu ihrer Verteidigung. Der Schatten sprang auf sie zu, wollte ihr den Stuhl entreißen und mit dem Messer zustoßen. Doch Helga wehrte sich. Mit dem Stuhl versuchte sie ihren Angreifer abzuhalten, während sie laut um Hilfe rief. In diesem Augenblick, als der Angreifer ihr den Stuhl entrissen hatte und gerade zustechen wollte, ging erneut die Türe auf. Ibrahim stürzte herein, mit einem Stock in der Hand. Als der Mörder erkannt hatte, dass Helga Unterstützung bekommen hatte, ließ er von ihr ab, um sich Ibrahim zuzuwenden. Nachdem der Killer sich umgedreht hatte, ergriff Helga erneut den Stuhl und peitschte ihn der vermummten Gestalt mit aller Kraft, die sie aufbringen konnte, über den Kopf. Der Killer ging sofort zu Boden. Als er sich noch einmal hochrappeln wollte, schlug Ibrahim mit seinem Stock zu, so dass er leblos liegen blieb. Als Ibrahim ihm das Tuch vom Gesicht gezogen hatte, erkannte er einen Eunuchen aus der Dienerschaft von Kamile. Damit war auch klar, wer die Auftraggeberin für diesen feigen Mordversuch war. „Wir müssen fliehen", sagte Ibrahim zu Helga. „Es wird hier für uns beide zu gefährlich", fuhr er fort. Er bedeutete Helga, sich ein Kopf- und Gesichtstuch aufzusetzen, sich Schuhe und eine Hose anzuziehen und ihm zu folgen, während er in den Gang hinaustrat. Ibrahim führte sie in einen Teil des Harems, den sie bisher noch nicht gekannt hatte. Er wusste eine versteckte Türe, die zu einem engen Gang führte, durch den sie ins Freie gelangten. „Ich habe Freunde in der Stadt, bei denen wir uns verstecken können", rief Ibrahim ihr zu und bedeutete ihr, ihm zu folgen.

DER AUFBRUCH NACH SOPHIA

Nach Abschluss der Feierlichkeiten machten sich die meisten Pilger wieder auf die Heimreise. Johannes hatte seinen Leuten klargemacht, dass er dringend nach Sophia müsste, weshalb er nicht mehr mit ihnen zurückkehren würde. Nachdem er seine Aufgabe als Pilgerführer erfüllt hatte, waren seine Mitreisenden nicht sonderlich enttäuscht darüber. Sie würden den Rückweg auch allein finden.

Judith, Anton und Johannes machten sich also auf, über die Berge nach Sophia zu wandern. Der Weg erwies sich als beschwerlich. Die Landschaft um sie herum wurde dafür immer grandioser. Sie überquerten Gebirgspässe, deren Bergspitzen mit Schnee bedeckt waren. Weiter oben ging der Wald immer mehr in Almwiesen über. Von der Ferne konnten sie Gämsen und einmal sogar Steinböcke ausmachen. Ihr Pferd hatte Mühe, den Wagen die Gebirgspässe hochzuziehen.

Übernachtet haben sie teilweise im Freien, zum Teil aber auch in verlassenen Almen. Als sie von den Bergen langsam wieder weiter ins Tal hinab kamen und sich Sophia näherten, wurden die Siedlungen wieder häufiger, so dass sie in Herbergen übernachten konnten.

Als sie einmal gerade beim Frühstück saßen, setzte sich plötzlich die Nachricht durch, dass der Padischah seinen Verwundungen, die er sich bei der Schlacht am kahlen Berg zugezogen hatte, erlegen sei. Ob dies ihre Aufgabe, Helga zu finden und zu befreien, erleichtern oder erschweren würde, war ihnen allen nicht klar.

Zwei Tage darauf waren sie am Stadtrand von Sophia angekommen. Als sie gerade wieder beim Frühstück waren, berichtete Johannes, dass sich die Leute erzählten, dass ein Eunuch einer deutschen blonden Haremsdame geholfen hätte, aus dem Harem zu fliehen. In der ganzen Stadt würde nach ihnen gesucht werden. Es sei eine hohe Belohnung auf ihrer Ergreifung ausgesetzt worden. Nachdem allen klar war, dass es sich bei der Dame nur um Helga handeln könnte, waren sie ziemlich ratlos, was sie weiter machen sollten. Johannes meinte, die einzige Chance, sich zu verstecken, ohne gefunden zu werden, wäre, bei orthodoxen Kirchengemeinden unterzutauchen. Fromme Christen würden sie auch nicht für eine hohe Belohnung den Häschern des Padischahs ausliefern.

Er, Johannes, habe viele Freunde unter den orthodoxen Christen in Sophia. Sie sollten sich bei diesen Freunden umhören. Ihr Pferd verkauften die drei Freunde dem Wirt ihrer Herberge für wenig Geld. In der großen Stadt würde das Tier sie eher behindern als von Nutzen sein. Nach ein paar Stunden

Fußmarsch erreichten sie eine wunderschöne, orthodoxe Kirche, die außen von mehreren Türmchen mit Zwiebeldächern umgeben, innen mit wunderschönen Ikonen ausgeschmückt war.

Die drei hielten inne, um ein kurzes Gebet zu verrichten. Johannes führte seine Freunde in die Sakristei. An der Tür, die weiter ins Wohnhaus des Pfarrers führte, läutete er. Durch eine Luke an der Türe blickten ihnen zwei Augen entgegen, die sich vergewissern wollten, wer Einlass begehrte. Als man Johannes erkannt hatte, wurde die Türe geöffnet. Ein schwarz gekleideter Pope trat heraus und umarmte seinen Amtsbruder, der in Wanderkleidung kam. Der Pfarrer bat die drei herein und bot ihnen Tee und Gebäck an. Die beiden Priester führten eine Unterhaltung, von der die beiden Geschwister natürlicherweise nichts verstanden.

Johannes erzählte ihnen hinterher, dass Bruder Jakobus von der Flucht der Haremsfrau gehört habe, aber nicht wisse, wo sie sich aufhält. Sollten sie in einer der christlichen Gemeinden Zuflucht gefunden haben, würde er es aber erfahren. Die drei Freunde sollten vorerst bei ihm wohnen. Er werde sich umhören, ob er etwas über den Verbleib der Frau und des Eunuchen ausfindig machen könne.

DIE FLUCHT AUS DEM HAREM

Sobald Helga und Ibrahim das Freie erreicht hatten, liefen sie so schnell sie konnten möglichst weit weg vom Palast. Die Garde würde ihnen sehr schnell auf den Fersen sein. Sie kamen an mehreren orthodoxen Kirchen vorbei. Bei der dritten Kirche läutete Ibrahim am Pfarrhaus. Von drinnen erklang eine mürrische Stimme, wer zu solcher Zeit um Einlass begehre. „Bartholomäus, öffne bitte schnell. Hier ist Ibrahim. Wir werden verfolgt“, rief Ibrahim ziemlich verzweifelt. Von drinnen wurde ein Fenster geöffnet. Eine Gestalt erschien dahinter. Sobald sie Ibrahim erkannte, lief sie zur Türe, um diese aufzusperren.

„Was ist los? Kommt schnell herein!“, sagte der Mann, den Ibrahim mit Bartholomäus angesprochen hatte. Sobald die beiden drinnen waren, verschloss der Pope Türe und Fenster wieder. Ibrahim bedeutete seinem Kollegen, kein Licht anzumachen, damit von draußen kein Verdacht geschöpft werden konnte. In kurzen Worten erzählte Ibrahim seinem Freund, was geschehen war. Während dieser etwas Zeit benötigte, um das Gehörte zu verdauen, erklärte Ibrahim Helga, dass er vor Jahren heimlich zum christlichen Glauben konvertiert sei. Die Machthaber im Palast durften davon nichts erfahren, da er sonst hingerichtet worden wäre. Als Moslem zum christlichen Glauben zu konvertieren, galt als schweres Verbrechen. Er wollte nicht länger einer Glaubensgemeinschaft angehören, die zugelassen hatte, dass ihm in jungen Jahren, ohne dass er ein Verbrechen begangen hätte, die Hoden abgeschnitten worden waren. Da aber niemand im Palast etwas von seinem neuen Glauben ahnte, würde auch so leicht niemand auf die Idee kommen, in den orthodoxen Gemeinden nach ihnen zu suchen. Sie wären hier also sicher.

Nach einigem Nachdenken sagte Bartholomäus, dass er sie vorläufig im Keller verstecken könnte. Wirklich sicher wären sie aber auch hier nicht, da die Palastgarden auch die Kirchen und Pfarrämter durchsuchen würden. Es gäbe im Keller eine Falltür, die zu einem Vorratsspeicher führte, der noch unterhalb des Kellers läge. Sie könnten sich dort gut verstecken. Man würde einen Teppich und einen Tisch über die Tür stellen, so dass man sie nicht so leicht entdecken könnte.

Die drei schleppten Bettzeug und Matratzen nach unten, um sich ein möglichst bequemes Bett herzurichten. Sie brachten auch Essen, Getränke und Kerzen nach unten, damit sie sich einigermaßen bequem einrichten konnten. Als Helga und Ibrahim ganz unten im Unterkeller saßen, fragte Helga ihn, warum er dies alles für sie auf sich genommen habe. Ibrahim antwortete ihr, dass er sich in sie verliebt hätte und alles für sie tun würde. Als er verstanden hatte, wie sehr Kamile Helga hasste, habe er im leeren Nachbarzimmer seit Tagen Wache gehalten, da er mit einem solchen Anschlag gerechnet hätte. Seine Liebe zu ihr sei aber nicht der alleinige Grund für seine

Hilfe. Er habe seit längerer Zeit schon über eine Flucht aus dem Palast nachgedacht. Er wusste nur nicht, wohin er gehen sollte, da die Schergen des Padischahs ihn überall ausfindig machen würden. Er möchte mit ihr nach Bayern kommen. Er werde auf ihrem Bauernhof, von dem sie ihm erzählt hatte, als freier Mann arbeiten. Da er als Eunuch keine Familie haben könne, werde er ihr in ihrer Ehe mit Anton nicht im Wege stehen. Er werde aber, wenn sie ihn braucht, immer für sie da sein. Helga schaute ihn mit großen Augen erstaunt, aber auch erfreut an. Sie freute sich plötzlich, eine Chance zu haben, wieder nach Hause zu ihrer Familie zu kommen. Sie umarmte und küsste ihren Retter aus Dankbarkeit und echter Zuneigung, ausziehen und mit ihm Verkehr haben, wollte sie aber nicht mehr. „Wenn ich wieder heimkomme, muss ich zu meinem Ehemann gehören. Es war sehr schön, mit dir zu schlafen", sagte sie zu ihm. „Es muss aber bei diesem einen Mal bleiben", sprach sie weiter. Ibrahim wirkte enttäuscht, akzeptierte aber ihre Ansicht. Am nächsten Morgen wurde das Pfarrheim durchsucht. Die Garden durchwühlten alles, fanden aber die Falltür nicht, die zu dem Unterkeller führte. Nachdem die Garden abgezogen waren, konnten die beiden wieder eine Etage höher kommen.

Am nächsten Tag, nachmittags, sie waren gerade beim Teetrinken, brachte Pfarrer Bartholomäus einen anderen Pfarrer mit herein, den er mit Jakobus vorstellte. Jakobus sprach mit Ibrahim. Dieser blickte ihn mit großen Augen erstaunt an. Was er daraufhin Helga zu erzählen hatte, konnte diese vor Freude kaum glauben. Judith und Anton sollen gekommen sein, um sie zu befreien. Helga konnte es kaum erwarten, ihre Familie wieder zu sehen. Bartholomäus riet aber zur Vorsicht, da die Garden sicherlich von den Fremden erfahren hätten und sie überwachen ließen. Es war schon gefährlich genug, dass Jakobus hierhergekommen war. Die beiden Pfarrheime würden sicherlich von der Geheimpolizei beobachtet werden.

Man beschloss, dass sich Anton, Judith und Johannes wieder in Richtung Rila-Kloster auf den Weg machen sollten. Sie könnten dann irgendwo in den Bergen auf Helga und Ibrahim warten.

Judith, Anton und Johannes besichtigten die große Kathedrale von Sophia, um den Anschein einer Pilgerfahrt zu hinterlassen. Dabei zelebrierte Johannes eine Messe in dieser großartigen Domkirche zum Teil wegen der Pilgerfahrt, aber auch, um Gott für das unerwartete Glück zu danken, dass Helga von selbst aus dem Gefängnis des Harems hatte entfliehen können. Anschließend machten sie sich wieder auf den Weg in die Berge zum Rila-Kloster.

Irgendwo in einer verlassenen Almhütte blieben sie dann, um auf die anderen zu warten. Für Helga und Ibrahim war es natürlich viel gefährlicher, Sophia zu verlassen. Sie schlichen sich zwei Tage später um zwei Uhr nachts aus dem Pfarrheim.

Helga war mit einer Burka bekleidet, damit man ihre blonden Haare nicht erkennen konnte. Sobald sie bemerkt hatten, dass sie nicht verfolgt würden, wanderten sie schnell durch die Stadt, um bis zum Morgengrauen das Freie zu erreichen. Je weiter sie sich von der Stadt entfernten, desto unwahrscheinlicher wurde es, dass sie verfolgt würden.

Heute war der Tag der Beerdigung des Fürsten. Die ganze Stadt würde dabei vertreten sein, so dass sie kaum mehr fürchten mussten, verfolgt zu werden.

Nachdem bereits der neue Padischah ernannt war, würden Helga und Ibrahim bald vergessen sein.

Die Freude war groß, als Helga nach zwei Tagen Judith und Anton bei der verlassenen Almhütte in die Arme schließen konnte. Helga stellte den anderen Ibrahim, ihren Retter, vor und diese ihr Johannes, ihren Begleiter und Helfer, ohne den sie nie nach Sophia gekommen wären. Judith machte bei dieser Gelegenheit aber auch noch eine andere Ankündigung. Sie stellte Johannes als ihren Geliebten und zukünftigen Chef vor. Er wolle mit ihr nach Bayern gehen, dort als orthodoxer Priester arbeiten, wobei Judith seine Pfarrersköchin werden würde. So jedenfalls hatten die beiden es vereinbart. Dieses Mal war das Staunen bei allen anderen groß. Sie blieben noch einen ganzen Tag in ihrer Almhütte. Die Landschaft um sie herum war traumhaft schön. Die Almweiden waren von blühenden Blumen aller Farben übersät.

Dazwischen waren vereinzelt Felsbrocken eingestreut, was dem Ganzen einen noch malerischeren Eindruck verlieh, als es an sich schon war. Im Hintergrund zeigten sich schroffe Felsgipfel, die zum Teil noch mit Schnee bedeckt waren. Dazu strahlte die Sonne von einem nur mit wenigen Wolken bedeckten Himmel herab, was die glückliche Stimmung der kleinen Gesellschaft förderte.

Als sie nach Tagen auf das Kloster zugingen, kamen ihnen immer mehr Leute entgegen, die berichteten, dass die türkische Armee das Kloster besetzt hätte. Einige Mönche, die das Kloster verteidigen wollten, seien dabei umgekommen.

Die Heerführung wollte angeblich Aufständen zuvorkommen, die vom Kloster ausgehen könnten, nachdem es schon einmal nach der schweren Niederlage bei Lepanto in der Seeschlacht gegen den österreichischen General Prinz Eugen und die übrigen Heerführer der heiligen Allianz vor fast 100 Jahren solche gegeben hatte. Es seien bereits Aufstände gegen die türkische Besatzung in anderen Gebieten des Balkans entstanden, was für den Rückweg unserer kleinen Gruppe sehr gefährlich werden könnte.

Der Weg über das Kloster war unserer kleinen Gruppe daher versperrt. Sie mussten einen Umweg über die Berge in Kauf nehmen, um nach Norden auszuweichen. Auf diese Weise könnten sie sich bis zur Donau durchschlagen, die in der Gegend den Grenzfluss zwischen Bulgarien und Rumänien darstellt. Sie wollten versuchen, den Fluss zu überqueren, um aus dem Einflussbereich der osmanischen Armee zu kommen. Dass die Reise dorthin sehr gefährlich werden könnte, war ihnen allen klar. Doch sahen sie für sich keinen anderen Ausweg. Sie mussten es einfach versuchen.

KAMILE

Kamile wartete in ihrem Bereich des Palastes auf Mohammed, ihren treu ergebenen Eunuchen, mit dem sie seit Jahren viele schöne Schäferstunden verbracht hatte, wenn der Wesir anderweitig beschäftigt war. Mohammed gehörte zu den Eunuchen, die zwar keine Kinder zeugen konnten, mit denen man aber Geschlechtsverkehr haben konnte. Mohammed hatte auch schon in früheren Zeiten ähnliche Aufträge für sie ausgeführt, wenn es darum gegangen war, lästige Konkurrentinnen zu beseitigen. Wer hinter den Morden stand, ist niemals klar geworden. Als Kamile Helga verzweifelt um Hilfe rufen hörte, wusste sie, dass deren Ende gekommen war. Zufrieden wartete sie auf Mohammed, der ihr den Vollzug seines Auftrags berichten sollte. Zur Belohnung würde er in ihr Bett schlüpfen dürfen. Nachdem doch schon einige Zeit seit dem Hilferuf von Helga vergangen war, Mohammed aber immer noch nicht zurückgekehrt war, fühlte sich Kamile doch etwas beunruhigt. Sie entschloss sich, nachzusehen. Die Tür zu Helgas Zimmer stand offen. Am Boden lag nicht, wie erwartet, Helga, sondern mit zertrümmertem Schädel Mohammed. Kamile erblasste. Ihr wurde schwindlig. Fast wäre sie kollabiert. Doch dann hatte sie sich wieder gefasst. Den verräterischen Dolch von Mohammed ließ sie schnell verschwinden. Dass Helga nicht allein mit diesem kräftigen Mann fertig geworden ist, war Kamile auch klar. Sie musste Hilfe gehabt haben, wobei es nur Ibrahim gewesen sein könnte, der auf Helgas Hilferuf hin zu ihrer Unterstützung geeilt sein dürfte. Mohammeds Leichnam zog Kamile unter die geöffnete Tür, so dass es aussah, als hätte Helga nur um Hilfe gerufen, um Mohammed hereinzulocken, um ihn, sobald er die Türe aufmachte, von der Seite zu erschlagen. Sie, Kamile, hätte Mohammed zur Bewachung von Helga vor deren Türe abgestellt. Nachdem sich Kamile ihre Lügen so zurechtgerückt hatte, dass kein Verdacht auf sie fallen würde, alarmierte sie die Wachen. Mohammed sei von Helga erschlagen worden. Diese sei aus dem Palast geflogen. Ibrahim scheint ihr geholfen zu haben. Kamile beauftragte den Anführer der Garde, vor allem in den Kirchen und Pfarrhäusern nach den beiden zu suchen, da sie Ibrahim schon lange in Verdacht gehabt hatte, zum christlichen Glauben konvertiert zu sein, nachdem sie ihn einmal, vor bereits längerer Zeit, in eine Kirche gehen gesehen hatte. Ibrahim vollführte zwar seine im Koran vorgeschriebenen Gebete, wie Kamile glaubte, aber nicht mit ausreichender Hingabe. Nach einiger Zeit berichtete der Anführer der Garde Kamile, dass sie eine kleine Pilgergruppe von drei Leuten entdeckt hätten, die bei einem Popen namens Jakobus wohnten. Ihr Führer wäre ein Pope mit Namen Johannes, der schon öfter Pilgergruppen geleitet hätte. Jakobus sei einmal zu Bartholomäus, einem anderen Popen im Zentrum der Stadt, zu Besuch gekommen. Von dem gesuchten Paar Helga und Ibrahim hätten sie aber keine Spur entdecken können. Johannes hätte übrigens mit der Pilgergruppe in der Kathedrale von Sophia eine Messe zelebriert. Sodann ist diese kleine Gruppe wieder abgereist. Eine Verbindung zu den Gesuchten konnte nicht hergestellt werden, berichtete der Gardeführer weiter. Nachdem der Tag der Beerdigung des Padischahs näher rückte, konnte sich Kamile nicht mehr so intensiv mit der Verfolgung der Flüchtenden befassen. Sie musste sich vielmehr um die Organisation der Bestattung kümmern. Bei der Beerdigung war Kamile natürlich als Haremsdame völlig vermummt, so dass nur ihre Augen zu sehen waren. Ihre beiden Söhne aber hatte sie wie Edelleute ausstaffiert. Beide trugen einen großen Turban, schöne Seidenkleider und elegante Schuhe, sodass jeder sehen konnte, dass diese beiden Jungen die Söhne des verstorbenen Fürsten sind, denen Ehrfurcht und Anerkennung gezollt werden musste.

Der Nachfolger des Padischahs hielt eine Rede, ebenso der Mullah, der den Trauerzug anführte. Der Leichnam war in ein Tuch mit dem türkischen Halbmond gehüllt. Bestattet wurde er, wie alle Moslems, mit dem Kopf in Richtung Mekka gewandt.

Der neue Padischah bezog gleich am nächsten Tag den Palast. Von den Haremsdamen durften nur diejenigen bleiben, die jünger als 30 Jahre waren. Alle älteren wurden zurück zu ihren Familien geschickt.

Für Kamile als Hauptfrau des verstorbenen Fürsten und Mutter seiner Söhne gab es eine Sonderregelung. Ihr wurde ein nobles Haus in der Nähe des Palastes zugeteilt. Dort konnte sie mit ihren Söhnen wohnen. Eine Apanage des Sultans erlaubte es ihr, sich Dienstboten zu halten, um vornehm und sorgenfrei leben zu können.

Dies ging zwei Jahre gut, bis man sie eines Morgens erstochen in ihrem Bett auffand. Ein Bruder einer der Damen, die sie vor Jahren in ähnlicher Weise von Mohammed hatte umbringen lassen, hatte seine Schwester nach so vielen Jahren gerächt.

Kamiles Söhne stritten sich um das Haus und den Besitz ihrer Mutter. Überlebt hat nur einer. Der andere ist vergiftet worden. Der Mörder konnte nie ermittelt werden. Alle waren sich jedoch sicher, dass es nur der Bruder gewesen sein konnte.

DIE HEIMKEHR

Von all dem hat unsere Reisegruppe nichts geahnt, als sie sich entschloss, das Rila-Kloster zu umgehen, um nach Norden über die Gebirgspässe ins Donautiefland zu gelangen.

Dieser Weg erwies sich als äußerst beschwerlich, da sie mehrere schwierige Pässe überwinden mussten, bevor es ins Tiefland hinunter ging. Auf ihrem Weg über die Berge kamen sie immer wieder an einsamen Gehöften vorbei, bei denen sie Ziegenmilch, Käse und Brot einkaufen konnten. Es vergingen viele Tage, bis sie endlich die Donau erreicht hatten. Von den Aufständen gegen die türkische Herrschaft, die überall auf dem Balkan durch die Niederlage der Türken am kahlen Berg und bei Lepanto ausgebrochen waren, bekam unsere kleine Reisegruppe nichts mit, wenn man von der Besetzung des Klosters absieht.

Es gab Fähren, mit denen man sich über die Donau bringen lassen konnte.

In Rumänien schlossen sie sich einer Reisegruppe an, die nach Wien unterwegs war, wo sie eine Woche später ankamen. Johannes brachte sie zu der Pfarrei, bei der er als Kaplan schon einmal gearbeitet hatte. Dort konnten sie sich mehrere Tage von den Strapazen der Reise erholen. Als Anton dann doch bald wieder weiter drängte, eröffnete ihnen Johannes, dass er hierbleiben werde. Man habe ihm die Stelle eines Pfarrers in einer orthodoxen Gemeinde von Wien angeboten. Er schaute dabei Judith fragend an, die ihm lange in die Augen blickte und dann nickte. „Ich werde mit dir hierbleiben und deine Pfarrersköchin werden, wie wir es vereinbart haben", beantwortete sie seine stumme Frage. Man sah den beiden an, dass sie sehr ineinander verliebt waren. Heiraten konnten sie nicht; aber zusammenleben als Pfarrer und Köchin war ihnen erlaubt.

Es blieben also nur noch Helga, Anton und Ibrahim übrig, die die Weiterreise nach Niederbayern antraten. Als sie endlich am Oama-Hof angekommen waren, waren alle entsetzt, wie verwildert er aussah. Ibrahim konnte im Austragshaus von Antons Eltern hinter den Stallungen wohnen. Es gab viel Arbeit, bis alles wieder so weit in Stand gesetzt war, dass man vernünftig darin wohnen konnte.

In Bayern herrschte Feierstimmung. Ihr berühmter Kurfürst Max Emanuel würde die Tochter des Kaisers von Wien in seinem Schloss in Schleißheim heiraten. Man glaubte damals allenthalben, dass Max Emanuel dem alternden Kaiser in Wien in dessen Amt nachfolgen könnte. Diese Hochzeit muss sehr prunkvoll gewesen sein. Nachdem das alte Schloss noch von Herzog Maximilian aus dem 30-jährigen Krieg stammte, hatte Max Emanuel ein kleineres Schloss am anderen Ende des Parks anlässlich seiner Hochzeit errichten lassen. Im Hinblick auf seine künftige Rolle als Deutscher Kaiser ließ der Herzog zwischen diesen beiden Schlössern ein riesiges, an Prunk kaum zu überbietendes neues Schloss errichten, um seiner repräsentativen Aufgabe als Herrscher gerecht zu werden.

Die Bauarbeiten dazu begannen schon bald nach der Hochzeit. Nachdem allenthalben Bauarbeiter und Handwerker gesucht wurden, um dieses Mammut-Projekt zu verwirklichen, meldete sich Ibrahim.

Er habe in seiner Jugend das Schreinerhandwerk erlernt, erklärte er Helga und Anton. Er werde aber nach Abschluss der Bauarbeiten am Schloss wieder zum Oama-Hof zurückkehren und bei ihnen weiterarbeiten, fuhr er fort. Als er zwei Jahre später wieder zum Oama-Hof zurückkam, um bis an sein Lebensende dort als Knecht zu arbeiten, brachte er ein hübsches Mädchen mit, das sich in den hochgewachsenen Türken verliebt hatte.

Helga schien fast ein wenig eifersüchtig zu sein, ohne dass sie sich etwas anmerken lassen hätte. Wieder zwei Jahre später wurde Helga schwanger. Sie brachte zuerst ein Mädchen und im darauffolgenden Jahr einen Jungen zur Welt, der als Hoferbe die Geschicke des Oama-Hofes einmal weiterführen sollte.

Ibrahim war natürlich sehr nützlich für den Hof, so dass der Oama-Hof durch den Fleiß seiner Bewohner bald wieder zu altem Glanz zurückfand.

Anton verstarb mit 54 Jahren, ähnlich wie Jahrhunderte später mein Vater, aber nicht wie dieser an einem Pankreaskarzinom, sondern ganz plötzlich an einem Herzinfarkt.

Ibrahims Freundin hatte ihn schon vor Jahren wieder verlassen, nachdem ihr klar geworden war, dass er keine Kinder zeugen konnte.

Helga war damit Hoferbin, übergab diesen aber, nachdem sie sich eine ausreichende Apanage ausbedungen hatte, an ihren Sohn Medardus, der wiederum eine Bauerntochter aus Gerzen geehelicht und von ihr drei Kinder bekommen hatte, einen Sohn und zwei Töchter.

Der Sohn war damit, wie bei den Weixelgartners Tradition, automatisch wieder Hoferbe.

Ein Jahr musste Helga vergehen lassen, bis sie mit damals 45 Jahren Ibrahim, ihre heimliche, große Liebe, heiratete, um mit ihm im sogenannten Dewe-Haus, benannt nach einem späteren Knecht der Familie Weixelgartner, ihr künftiges Leben zu verbringen. Diese Hochzeit fand nicht in Lichtenhaag, sondern in Gerzen statt, da die Bürger von Lichtenhaag sonst zu sehr dagegen protestiert hätten, dass die ehemalige Oama-Bäuerin einen Türken heiratete.

Helgas und Antons Tochter Veronika hatte übrigens bereits vor Jahren in einen Hof bei Frontenhausen eingeheiratet.

Judith und Johannes verbrachten regelmäßig die Sommerferien auf dem Oama-Hof. Auch sie hatten einen Sohn bekommen, was von den Leuten von Johannes' Gemeinde zwar nicht gerne gesehen, aber in der orthodoxen Kirche nicht so sehr verurteilt wurde, wie in der katholischen.

Diese drei waren eine glückliche Familie geworden. Trotzdem durfte Johannes sein Pfarramt weiter ausüben. Judith hatte übrigens keine Einwände gegen die Hochzeit der Witwe ihres Bruders mit Ibrahim.

Einmal hatten auch Helga und Ibrahim einen Gegenbesuch bei ihren Verwandten in Wien unternommen, was allen sehr gut gefallen hat. Diese beiden sind sehr alt geworden, wodurch sie noch ein langes, glückliches, gemeinsames Leben hatten.

Kühe vor dem Stall in der Heimat

Aus der Kaiserwürde von Max Emanuel ist allerdings nichts geworden, so dass sein prunkvolles Schloss nie zu seiner eigentlichen Bestimmung gekommen ist. Olga und ich haben diese drei beeindruckenden Schlösser erst einmal besichtigt bei unserer

Heimfahrt von Lichtenhaag nach Altenstadt, wobei mir wieder eingefallen ist, dass mir mein Schwiegervater, Josef Weixelgartner, einmal erzählt hatte, dass ein Vorfahre von ihm gegen die Türken vor Wien gekämpft hätte. Er hatte mir auch von der Entführung einer Bäuerin durch die Türken berichtet. Was mit ihr geschehen ist, hatte er allerdings nicht gewusst. Man habe nie wieder etwas von ihr gehört. Wahrscheinlich sei sie irgendwo umgekommen, hatte Josef damals gemeint. Die Geschichte, die hier erzählt wird, beruht also nur zum Teil auf wahren Begebenheiten. Dennoch halte ich es für wichtig, sie aufzuschreiben, wenn auch mit Veränderungen, damit Menschen, wie dieser Soldat und diese Bäuerin, die doch einmal unsere Vorfahren waren, nicht ganz in Vergessenheit geraten.

Schloss Lustheim

DIE NEUE WELT

DER TOD DES MALERS

Einige Generationen später hatte wieder einmal eine Schmidberger Familie zwei Kinder, eine Tochter und einen Sohn. Der Sohn mit Namen Joseph übernahm den Hof. Geheiratet hat er eine Frau, die einem anderen Bauernhof entstammte. Diese Ehe blieb leider kinderlos, obwohl sie gerne Kinder gehabt hätten.

Maria, die Tochter der Schmidberger, hatte wenig Glück in ihrem Leben. Sie heiratete einen Maler, der ziemlich viel soff und wenig arbeitete. Immer, wenn er betrunken vom Wirt zurückkam, versuchte er, sich über seine Frau her zu machen. Nachdem sich Maria vor dem nach Alkohol riechenden Mann ekelte, versuchte sie anfangs, ihn abzuwehren. Manchmal ließ sich Thomas, wie ihr Mann hieß, von ihr abhalten, vor allem, wenn er so betrunken war, dass er gleich einschlief. Bisweilen begann Thomas aber auch wütend auf Maria einzuschlagen, wenn sie nicht willfährig war. Je mehr sie sich wehrte, umso wütender wurde ihr Mann. Er riss ihr die Kleider vom Leib und drang gewaltsam in sie ein. Oft versuchte Maria, sich schlafend zu stellen, wenn ihr angetrunkener Mann mit ihr schlafen wollte. Meist half ihr aber auch dies nur wenig.

So wuchs auch ihr einziger Sohn Matthias in keinem guten Umfeld auf. Als er noch klein war, konnte er nicht begreifen, warum seine Eltern so viel stritten. Sobald er älter wurde, musste er oft mit ansehen, wie seine Mutter von seinem Vater verdroschen und vergewaltigt wurde.

Besonders wütend und agitiert kam Thomas jedes Mal nach Hause, wenn er mit seinem jüngeren Bruder, Sebastian, zusammen war. Sebastian hatte eine Schreinerei, bei der ihn seine Frau Martha sehr unterstützte. Thomas und Sebastian hatten eine Hassliebe entwickelt. Zweitweise stritten sie furchtbar, besonders, wenn sie getrunken hatten. Doch dann waren sie wieder ein Herz und eine Seele. Wenn er mit Sebastian gestritten hatte und angetrunken nach Hause kam, musste es Maria zu Hause ausbaden. Er konnte dann schrecklich wütend und aggressiv werden.

Als Matthias 17 Jahre alt war, eskalierte die angespannte Situation einmal völlig. Thomas kam, wie so oft, betrunken nach einem heftigen Streit mit Sebastian, von dem beide hinterher nicht einmal mehr wussten, worüber sie eigentlich gestritten hatten, von der Wirtschaft nach Hause und wollte sich über Maria hermachen. Diese hatte sich aber vorgenommen, sich dieses Mal zu wehren. Sie hatte ein Messer zur Hand genommen und versuchte, ihren Mann damit in Schach zu halten. Dieser war aber viel stärker als sie. Er schlug ihr das Messer aus der Hand und packte sie wütend, um mit ihr Verkehr zu haben. Als Matthias die verzweifelten Schreie seiner Mutter vernahm, riss er die Türe zum Schlafzimmer seiner Eltern auf und stellte sich seinem Vater drohend entgegen, wobei er in einer Hand eine Bierflasche hielt. Thomas wandte sich wütend seinem Sohn zu. Als er begann, auf Matthias einzuschlagen, hob dieser die Hand mit der Flasche und peitschte sie seinem Vater voll über den Kopf. Thomas ging sofort zu Boden, zuckte noch einmal, röchelte und war im nächsten Moment tot. Aus seinem zertrümmerten Schädel quoll dunkles Blut. Maria war entsetzt. Sie setzte sich auf ihr Bett, hielt ihren Kopf in beiden Händen und begann jämmerlich zu weinen. Matthias ließ die Flasche fallen. Er konnte nicht glauben, was er in seiner Verzweiflung getan hatte. Langsam dämmerte es den beiden, dass sie fliehen mussten. Die Polizei würde am nächsten Tag die Leiche des Malers finden und sie wegen Mordes verhaften. Zuallererst mussten sie den Leichnam verschwinden lassen. Sie zogen ihn in den Keller und warfen ihn in eine alte Badewanne, die dort unbenutzt herumstand. Sie bedeckten die Leiche mit alten Kleidern und Decken, die ungebraucht herumlagen. Es war den beiden klar, dass sich der Tod des Malers nicht lange verbergen lassen würde. Sie suchten an Geld, Schmuck und anderen Wertsachen zusammen, was sie finden konnten, ebenso an Kleidern und Decken sowie Lebensmittel und beluden damit den Wagen, mit dem der Maler normalerweise seine Pinsel und Farben transportierte. Sodann spannten sie ihr einziges Pferd, das im Stall stand, an und machten sich auf den Weg.

Sie wollten einen möglichst großen Vorsprung bekommen, bevor die Leiche gefunden und die Verfolgung aufgenommen würde. So fuhren sie mit wenigen Pausen, um dem Pferd Gelegenheit zu geben, sich etwas zu erholen und frisches Gras zu fressen, die ganze Nacht und einen vollen Tag hindurch, damit sie so großen Vorsprung wie möglich vor ihren Verfolgern erlangen würden.

Übernachtet haben sie dann südlich von Regensburg bei einem Bauernhof, der nahe der Donau gelegen war. Sie verkauften dem Bauern das Pferd und die Kutsche, um eine Schiffspassage auf der Donau bis Wien zu bekommen.

Dort verdingten sie sich als Knecht und Dirn, um etwas Geld auf einem Bauernhof zu verdienen.

Maria bekam Heimweh. Sie wollte zurück zu ihrem Bruder nach Velden. Sie würde den Behörden erklären, dass sie Thomas aus Notwehr erschlagen habe, so dass sie mit einer milden Strafe rechnen könnte.

Matthias war nicht begeistert von diesem Vorschlag. Er wollte weiter nach Norden. So entschlossen sie sich also, auseinander zu gehen, Maria zurück nach Velden zu ihrem Bruder und ihrer Schwägerin Anna, Matthias nach Norden.

Er hatte von den englischen Kolonien in Übersee gehört. Dorthin seien viele Deutsche ausgewandert, um ihr Glück zu suchen. Dorthin wollte auch er.

Matthias bezahlte eine Fahrt mit der Postkutsche nach Dresden, wo er erst wieder Gelegenheitsarbeiten übernahm, um sich seine Weiterreise auf der Elbe mit dem Schiff nach Hamburg finanzieren zu können.

Dresden hat ihm übrigens sehr gut gefallen. Er machte viele Spaziergänge dem Elbufer entlang, wo er an den schönen Palästen vorbeikam, die er sich alle ansah und bewunderte.

In Hamburg gelang es ihm, trotz großer Verständigungsprobleme, da er kein Englisch verstand, als Matrose auf einem englischen Handelsschiff anzuheuern, das nach London fuhr und von dort aus Waren nach Boston, einer Stadt in der neuen Welt, auf der anderen Seite des Atlantiks, brachte, wo er träumte, sein Glück finden zu können.

Die Überfahrt gestaltete sich sehr anstrengend. Er musste sich vom Kapitän und anderen Vorgesetzten rüde behandeln lassen. Einmal soll er sogar ausgepeitscht worden sein, da er seine Arbeit als unerfahrener Matrose nicht ordnungsgemäß ausgeführt hatte.

In Boston angekommen, nahm er seinen Lohn entgegen und wollte wortlos vom Schiff gehen, ohne sich von den anderen zu verabschieden.

MARIA UND JOSEPH

Maria wurde wegen Beihilfe zum Totschlag für zwei Jahre ins Stadtgefängnis nach Landshut geschickt, ins gleiche Gefängnis also, in dem zu späteren Zeiten auch einmal Anton und nochmals später Yvonne Weixelgartner einsitzen sollten.

Nachdem Maria ihre Strafe abgebüßt hatte, verkaufte sie das Malergeschäft ihres Mannes und baute sich neben der Hofstelle ihres Bruders ein kleines, aber eigenes Haus, ähnlich, wie es Jahrhunderte später der Knecht Dewe neben dem Oama-Hof machte. Nur existiert dieses Haus bis zum heutigen Tag.

Mit ihrer Schwägerin Anna, wie Josephs Frau hieß, verstand sich Maria recht gut, so dass sie anfing, als Dirn auf dem Hof ihres Bruders Zufriedenheit in ihrem Leben zu finden, wäre da nicht die Sorge um Matthias gewesen, von dem sie seit nun schon vielen Jahren nichts mehr gehört hatte.

Die drei führten ein recht ausgeglichenes Leben, bis Anna plötzlich an einer Lungenentzündung erkrankte, an der sie jämmerlich zugrunde ging, indem sie elendiglich hustend erstickte. Ihr Siechtum zog sich allerdings längere Zeit hin, so dass letztendlich nicht klar war, ob es sich um eine einfache bakterielle Entzündung oder doch um eine Tuberkulose oder sogar um ein Bronchialkarzinom handelte.

Nach dem Tod seiner Frau verlor Joseph seinen Halt im Leben. Er begann, verstärkt Alkohol zu trinken und seinen Hof zu vernachlässigen. Trotz Marias Versuche, ihren Bruder wieder aufzurichten und bei der Arbeit am Hof, so gut sie es konnte, zu unterstützen, geriet der Hof immer mehr in finanzielle Schieflage, bis sie plötzlich vor der Versteigerung standen.

Wenn jetzt nicht eine ähnliche Hilfe käme, wie beim Oama-Hof in jüngster Zeit, als ich Georg den Hof abkaufte und seine Schulden bezahlte, würden beide, Maria und ihr Bruder Joseph als Bettler auf der Straße enden. Ihnen bliebe zum Wohnen nur das kleine Häuslein, das sich Maria durch den Verkauf der Malerei bauen konnte. Woher sie Geld zum Leben bekommen sollten, war ihnen nicht klar.

Vor allem bei seinem besten Freund, einem Bauern in der Nachbarschaft, hatte sich Joseph immer wieder Geld geborgt, ohne es ihm zurückzuzahlen. Dieser hatte ihm auch freiwillig Geld geliehen, bis er jetzt über eine Bank die Versteigerung des Hofes betrieb.

Dieser Freund war auch als einziger Bieter für Josephs Bauernhof vorgesehen. Joseph war erst jetzt klar geworden, dass sein guter Freund die Übernahme des Hofes von vorneherein betrieben hat. Er fühlte sich betrogen und übervorteilt.

So kam es auch, dass beide, Joseph und Maria, ziemlich deprimiert in der Bauernstube ihres Hauses saßen und sich über ihre ungewisse Zukunft unterhielten. Es war nun bereits 25 Jahre her, dass Maria zuletzt etwas von ihrem Sohn gehört hatte. Sie hatte nur erfahren, dass er auf einem englischen Schiff angeheuert hatte, das eine Ladung Tee nach Boston bringen sollte.

Wie sie so niedergeschlagen und verzweifelt dasaßen und sich besprachen, klopfte es plötzlich an der Türe. Joseph wollte schon wütend aufspringen, da er glaubte, sein toller Freund würde kommen, um noch mehr Druck auf ihn auszuüben, als die Türe aufging und ein gutaussehender, vornehm gekleideter Herr Mitte 40 in Begleitung eines circa 20-jährigen jungen Mannes eintrat.

BOSTON

Als Matthias nach Erhalt seiner Heuer gerade das Schiff verlassen wollte, versammelte sich auf einen Schlag eine riesige Menschenmenge auf dem Kai vor dem Schiff. Einige Männer drangen über die Reling auf das Schiff, wobei Matthias zur Seite geschoben wurde.

Diese Leute sahen irgendwie komisch aus. Sie hatten Federn auf den Kopf gesteckt und ihre Gesichter mit bunten Farben angemalt. Ihre Oberkörper waren zum Teil nackt oder nur leicht mit einem Federwams bekleidet. Ihre Füße steckten in seltsamen Schuhen. Von Mokassins oder überhaupt Indianern hatte Matthias bisher noch nie etwas gehört.

Dass es sich bei diesen Menschen um Weiße handelte, die sich als Indianer verkleidet hatten, konnte Matthias natürlich überhaupt nicht verstehen und schon gar nicht begreifen, warum sie so etwas taten.

Diese Leute schienen richtig wütend zu sein. Sie schrien irgendwelche Drohungen auf Englisch, wovon er nur wenig verstand. Er hatte nur einige Brocken dieser Sprache auf der Überfahrt nach Amerika gelernt. Bei der Abfahrt vom Hamburger Hafen hatte er fast nichts kapiert, was ihm vermehrt Stockhiebe seiner Vorgesetzten einbrachte. Im Laufe der vielen Wochen, die sie über den Ozean kreuzten, lernte er zumindest die wichtigsten Befehle entgegenzunehmen. Sein Hass auf seine Peiniger wuchs jedoch von Woche zu Woche, die er auf diesem Schiff verbrachte. Es waren nicht nur die Verständigungsprobleme, die ihm den Zorn seiner Vorgesetzten einbrachten. Es reichte allein schon die Tatsache, dass er Deutscher war, dass sie glaubten, ihn schikanieren zu können. Ihm selbst wurde die Feindschaft zwischen England und Deutschland erst bei der Überfahrt auf dem Schiff bewusst. Zu Hause in Niederbayern hatte er noch nie etwas von England und schon gar nicht von einer Feindschaft zwischen seinem und diesem Land gehört.

Als Matthias jetzt also vom Schiff gehen wollte, von den hinauf drängenden Männern aber wieder zurückgeschoben wurde, war er gar nicht sonderlich traurig, als er sah, dass diese Leute begannen, auf den Kapitän und die Offiziere einzuschlagen. Diese versuchten sich in der Kajüte des Kapitäns zu verschanzen.

Einige dieser Menschen waren bis zum Frachtraum vorgedrungen, um die Teeladungen nach oben zu schleppen. Sie warfen die Teeballen ins Wasser. Eigentlich freute sich Matthias, als er sah, wie mit seinen Peinigern umgesprungen wurde. Nach kurzer Überlegung entschloss er sich, sich unter den Mopp zu mischen und auch Teeballen ins Hafenbecken zu werfen. Auch wenn er nicht wusste, warum dies alles geschah, machte es ihm richtig Spaß, seinen Peinigern ihre Stockhiebe zurückzuzahlen.

Besonders seinen gehassten Kapitän schnappte er sich, um ihn ordentlich zu verdreschen. Wie sie so dabei waren, Teeballen ins Wasser zu werfen, kamen plötzlich englische Soldaten, die eine Salve in die Luft gaben und dann sofort anfingen auf die Leute zu schießen.

Ähnlich schnell, wie sich der Mopp gebildet hatte, verschwand er auch wieder. Die Menschen zerstreuten und versteckten sich. Die Männer auf dem Schiff sprangen auf den Kai und liefen, so schnell sie konnten, eine Straße entlang, die aus der Stadt führte.

Instinktiv schloss sich Matthias ihnen an. Er wusste schließlich nicht, wohin er sonst gehen sollte. Natürlich war ihm bewusst, dass er, sollten die Engländer ihn schnappen, streng bestraft, möglicherweise als Meuterer sogar gehängt würde.

So lief er den Männern nach, bis sich diese weit außerhalb der Stadt in einer Scheune versteckten. Anfangs wollten sie ihn daran hindern, in die Scheune zu gelangen. Doch als er nicht nachgab, ließen sie ihn schließlich herein. Ihren Anführer nannten sie Georg. Seine Befehle wurden offensichtlich widerspruchslos befolgt.

Als er sich zu Matthias wandte, um ihn etwas zu fragen, verstand der ihn nicht. Georg schaute ihn fragend an, bis sich ein anderer, offensichtlich ein Freund von Georg, einmischte, der Matthias auf Deutsch ansprach. Dieser Mann, der selbst Deutscher zu sein schien, dolmetschte. So konnte Matthias seine Geschichte erzählen. Den anderen wurde bald klar, dass Matthias gar nicht wusste, worum es bei dieser sogenannten Boston Tea Party, wie sie später in die Geschichtsbücher eingehen sollte, überhaupt ging. Da ihnen aber auch klar war, dass Matthias, sollte er von den Engländern gefasst werden, wegen Meuterei angeklagt und gehängt würde, entschlossen sie sich, ihn bei sich aufzunehmen. Er wurde dem deutschsprechenden Unterführer als Diener zugeteilt.

Am nächsten Tag zogen sich die Männer weiter ins Landesinnere zurück, wobei sich bald herausstellte, dass sich ihnen immer mehr Leute aus der Umgebung anschlossen. Sie wollten alle gegen die englische Besatzungsmacht rebellieren, wollten das englische Joch und vor allem die immense Steuerlast abwerfen.

So konnten sie bald ein Heer aufstellen, um sich den Engländern entgegenzustellen, hatten aber gegen die geschulten Soldaten Englands keine Chance. So waren sie gezwungen, weiter zu fliehen. Trotzdem schlossen sich ihnen immer mehr Leute an, bis sie auch für die Engländer eine ernsthafte Bedrohung wurden.

Matthias war mittlerweile zum Adjutanten seines Generals, wozu es sein deutschsprachiger Gönner inzwischen gebracht hatte, ernannt worden. Diese beiden hatten sich im Laufe der Zeit richtig angefreundet. Der General freute sich, mit jemandem in seiner Muttersprache reden zu können.

Er war vor langer Zeit aus Deutschland ausgewandert, hatte eine Farmerstochter aus Georgia geheiratet und sich zu guter Letzt der Widerstandsbewegung unter Georg Washington angeschlossen. Matthias war Begleiter, Diener, Bodyguard, aber auch Freund seines Mäzens geworden.

DIE BEERDIGUNG

Eines Tages erreichte sie die Nachricht vom Tod des Schwiegervaters des Generals. Dieser sah sich verpflichtet, zu dessen Beerdigung zu gehen. Matthias und er brachen mit einer kleinen Eskorte als Begleitung in Richtung Süden nach Georgia auf.

Dieses Unterfangen war relativ gefährlich, da sie weite Strecken durch Gebiete mussten, die noch von den Engländern kontrolliert wurden. Sie ritten großteils nachts, um nicht entdeckt zu werden. Einmal gerieten sie in eine Auseinandersetzung mit den Engländern, wobei einige Soldaten ihrer Eskorte ihr Leben verloren.

Schließlich kamen sie aber doch noch rechtzeitig auf der ausnehmend luxuriösen Farm des Generals an. Seine Frau und seine einzige Tochter erwarteten ihn bereits. Er stellte ihnen auch seinen Diener Matthias vor. Dieser war zwischenzeitlich ein recht hübscher Mann von 23 Jahren geworden. Er war circa 180 cm groß, hatte blondes, wallendes Haar, blaue Augen in einem doch recht gutaussehenden Gesicht und breite Schultern. In seiner Soldatenuniform sah er recht ordentlich aus.

Doch als Matthias Julia, die Tochter seines Freundes erblickte, war er irgendwie verzaubert. Er glaubte, noch nie ein solch schönes Mädchen gesehen zu haben. Ihre braunen Augen, ihre gelockten, brünetten Haare, ihre Brüste, ihre gesamte Erscheinung faszinierte den jungen Mann so sehr, dass er bei der Begrüßung fast kein Wort mehr herausbrachte. Die beiden Damen, Mutter wie Tochter, schienen darüber recht amüsiert zu sein.

Die Beerdigung verlief recht feierlich. Richtige Trauer schienen nur Tochter und Enkelin des Verstorbenen zu empfinden. Recht beliebt schien der gute Mann bei seinen Angestellten nicht gewesen zu sein.

Seine Frau, die Schwiegermutter des Generals, war schon einige Jahre davor verstorben. Als der Trauerzug wieder zurück zur Farm kam, wurden sie plötzlich von englischen Truppen überfallen. Diese schienen wie aus dem Nichts aufzutauchen Die kleine Eskorte an Soldaten wehrte sich redlich, hatte aber keine Chance gegen die Übermacht der Engländer. Der General wollte sich wehren, wurde aber von einem vorbeipreschenden Reiter niedergestochen. Matthias stand zu weit entfernt, um noch einschreiten zu können. Er hob aber seine Muskete und feuerte auf den Engländer, der soeben seinen Chef getötet hatte.

Er scheint diesen Herrn am rechten Oberschenkel getroffen zu haben. Jedenfalls spritzte Blut aus dieser Wunde. Der Mann schrie vor Schmerz auf, ritt aber weiter, ohne vom Pferd zu fallen.

Der General lag sterbend am Boden. Ihm konnte nicht mehr geholfen werden.

Ein weiterer Reiter galoppierte auf Matthias zu, um ihn mit einen Degenstreich niederzustrecken. Matthias parierte aber den Stoß und stach seinerseits zu, so dass der Soldat vom Pferd stürzte.

Matthias drängte Julia und ihre Mutter, sich auf die beiden Pferde zu setzen, schwang sich hinter Julia hinauf und galoppierte davon, Julias Mutter hinterher. Sie hatten Angst, dass sie verfolgt würden. Die Engländer hatten es aber anscheinend nur auf den General abgesehen. Offensichtlich scheint dieser bei dem Scharmützel unterwegs erkannt worden zu sein. Die Engländer sind ihnen bis zur Farm gefolgt. Die Gelegenheit, den Trauerzug zu überfallen, um den General, einen ihrer erbittertsten Feinde, zu töten, ließen sie sich nicht entgehen.

Als Matthias und die beiden Frauen einige Zeit im gestreckten Galopp geflüchtet waren, ließen sie ihre Tiere im Schritt weitergehen, nachdem sie erkannt hatten, dass keine Verfolgung stattfand. Das Ziel der Engländer war ausschließlich die Tötung des Generals.

FLUCHT UND HOCHZEIT

Die drei Reiter wussten nicht, wohin sie sich wenden sollten. Die Farm war von den Engländern besetzt, ihre Diener getötet oder gefangen genommen worden. Zurück konnten sie nicht mehr.

Julias Mutter hatte eine Schwester in Florida, die dort ebenfalls eine Farm besaß. Dort würden sie Zuflucht finden. Doch waren es viele hundert Kilometer bis dorthin. Sie würden großteils durch englisch kontrollierte Gebiete ziehen müssen.

So entschlossen sie sich, überwiegend nachts zu reiten und sich am Tage in Wäldern zu verstecken. Da sie versuchten, Ansiedlungen zu vermeiden, um nicht entdeckt zu werden, ernährten sie sich von Beeren und Pflanzen, die sie unterwegs fanden.

Als sie einmal an einem kleinen Fluss übernachteten, fing Matthias mehrere Fische, womit sie ihren Speiseplan aufbessern konnten. Die beiden Damen waren sehr traurig über den Tod ihres Vaters und Mannes. Matthias versuchte sie, so gut er konnte, zu trösten. Er gab sich dabei große Mühe, da er sich, je länger sie zusammen reisten, immer mehr in Julia verliebte. Anfangs amüsierte sie sich über seine schüchternen und plumpen Versuche, ihr zu imponieren. Doch konnte sie nicht leugnen, dass der hübsche, nette Junge auch auf sie großen Eindruck gemacht hatte.

Ihre Mutter bemerkte sofort, dass die beiden dabei waren, sich ineinander zu verlieben. Nachdem auch sie vor vielen Jahren gegen den Willen ihrer Eltern einen armen, deutschen Auswanderer geheiratet hatte und unglaublich glücklich mit ihm geworden ist, konnte sie gegen eine Verbindung zwischen den beiden nichts einwenden.

Matthias und Julia gingen immer öfter zusammen spazieren, wobei sie sich an den Händen hielten und auch küssten. Die Mutter hatte keine Einwände. Je weiter sie nach Florida hinein, also weg von ihrer Farm kamen, desto sorgloser wurden sie.

Sie ritten auch wieder durch kleinere Dörfer. Einmal kamen sie durch ein Dorf, in dem ein nettes, kleines Kirchlein stand. Ohne lange nachzudenken, sagte Matthias, aus einem inneren Impuls heraus, dass dies ein nettes Kirchlein zum Heiraten wäre. Als ihm dies einfach so herausgerutscht war, hätte er es fast schon wieder bereut, wenn nicht Julia überraschenderweise für ihn dies auch so gesehen hätte. Sie fragte ihn einfach, warum sie es nicht tun sollten. Er konnte es kaum glauben, dass Julia ihn wirklich heiraten wollte. Die Mutter meinte nur, sie müssten einen Pfarrer suchen, der die beiden trauen würde. Sie freute sich insgeheim, dass ihre Tochter, ähnlich wie sie vor vielen Jahren, einen so netten, hübschen, wenn auch armen Mann ehelichen würde. Der Pfarrer war leicht zu finden. Er war auch sofort einverstanden, die beiden in dem netten Kirchlein zu trauen. Die Mutter fungierte als Trauzeugin für beide. Die Zeremonie dauerte nur knapp eine halbe Stunde. Trotzdem fühlten sich die beiden unglaublich glücklich, nachdem sie sich ein Jawort, bis dass der Tod sie scheidet, gegeben hatten und sich küssen durften. Wenn sie auch keine besonderen Hochzeitskleider zur Verfügung hatten, sahen beide allein durch das Glück, das sie ausstrahlten, richtig gut aus., wobei Matthias seine Soldatenuniform gutstand und auch Julia ein nettes, in Rosa gehaltenes Kleid in einem Geschäft gefunden hatte, in dem sie einfach toll aussah. Matthias sah man an, dass er unglaublich stolz und verliebt in seine Frau war.

Ohne weitere Probleme erreichten sie die Farm der Tante, wo sie bis zum Ende des Krieges ausharren konnten, wobei vor allem Matthias fest für die Arbeit auf der Farm eingespannt wurde.

Nachdem der Freiheitskampf gewonnen und George Washington zum ersten Präsidenten der jungen USA gewählt worden war, forderte Julias Mutter ihre Farm in Georgia zurück.

DIE RÜCKFORDERUNG

Als man ihr dies nicht zugestehen wollte, bekam sie als Erklärung für die Ablehnung, dass diese Farm bereits an einen verdienten Offizier vergeben worden sei. Wütend über diese Eröffnung entschlossen sich Julia, ihre Mutter und Matthias, nach Georgia zu reisen und mit dem neuen Besitzer zu reden.

Als sie sich nach beschwerlicher Reise der Farm näherten, erkannten sie, dass ganz andere Menschen auf ihr arbeiteten. Von ihren früheren Mitarbeitern war niemand mehr vorhanden. Übernachtet haben sie im nahegelegenen Dorf in einer einfachen Gaststätte, deren Bedienung sie freudestrahlend begrüßte. „Herrin", sprach sie diese junge, hübsche Dame an. „Es ist schön, dass sie wieder da sind", fuhr sie weiter fort.

Julia und ihre Mutter erkannten in dieser Dame die Ehefrau eines ehemaligen Bediensteten auf ihrer Farm. Im Laufe ihrer Unterhaltung erfuhren sie, dass der neue Herr ein sehr strenges Regime führe, alle bisherigen Angestellten entlassen habe und stattdessen seine eigenen Leute angestellt hätte.

Am nächsten Tag ritten sie zur Farm und verlangten, den neuen Besitzer zu sprechen. Doch wurden sie bereits von einem Wachposten an der Eingangstüre abgewimmelt. Erst als Matthias heftig mit diesem zu streiten begann, meldete sich von drinnen eine barsche Stimme mit der Frage, was denn los sei. Unter dem Türrahmen erschien ein hochgewachsener, gutaussehender, sehr vornehm gekleideter Herr mit blonden Haaren und einer auffallend vorstehenden, spitzen Nase, der etwas zu hinken schien, als ob er eine alte Verletzung am rechten Oberschenkel überstanden hätte. Er blickte ziemlich unwirsch auf die Streithähne und befahl Matthias, sofort zu verschwinden, ansonsten würde er ihn einsperren lassen. Matthias sah diesen Mann an, erschrak und beendete sofort seinen Streit. „Lasst uns gehen", sagte er nur zu seinen beiden Begleiterinnen, drehte sich um und verschwand. Julia und ihre Mutter folgten ihm etwas überrascht, aber ohne zu fragen, was denn los sei.

Zurück in ihrer Gaststätte erklärte ihnen Matthias, dass der neue Besitzer der Mörder ihres Gatten und Vaters sei. Die Verletzung am rechten Oberschenkel hätte er, Matthias, ihm bei dem Kampf beigebracht. Trotz Verkleidung und englischer Uniform hätte er ihn an der spitzen Nase sofort wieder erkannt.

Die drei entschlossen sich, nach Washington zu reisen, um beim neuen Präsidenten vorstellig zu werden, was ihnen allerdings erst nach ziemlicher Mühe gelang.

Der Präsident erinnerte sich selbstverständlich an seinen ehemaligen General und dessen Adjutanten. Als Matthias ihm erklärte, dass der neue Besitzer der Farm der Mörder des Generals sei, den er, Matthias, angeschossen habe, zeigte sich der Präsident überrascht. Dieser Herr sei kein englischer Soldat gewesen. Er, der Präsident, habe ihn zur Unterstützung des Generals gesandt, da er Überfälle der Engländer befürchtete. Falls Matthias' Anschuldigungen stimmen sollten, hätten sich dieser Herr und dessen Trupp nur als englische Soldaten verkleidet, um den General zu töten und dessen Stelle einzunehmen und seine Farm zu bekommen. Dem Präsidenten habe dieser Herr damals erklärt, zu spät gekommen zu sein, um den General retten zu können.

Der neue Besitzer der Farm wurde nach Washington zitiert. Als er Matthias und die beiden Damen, die er von seiner Türe gewiesen hatte, erkannte, schwante ihm nichts Gutes. Bei Matthias' Erzählung wurde er kreidebleich, versuchte aber alles zu leugnen. Nach vielen Untersuchungen und Befragungen stellte sich heraus, dass Matthias die Wahrheit gesagt hatte. Der Mörder und seine Komplizen, die er als Vorarbeiter auf der Farm beschäftigt hatte, wurden zum Tod durch den Strang verurteilt und schon am nächsten Tag hingerichtet. Julias Mutter bekam ihre Farm zurück und baute sie nach und nach wieder auf, wobei sie ihre alten Bediensteten wieder einstellte.

Julia und Matthias bekamen zwei Kinder, einen Sohn und eine Tochter. Die Farm lief gut. Sie hatten bald ihren alten Wohlstand wieder erreicht.

Es waren mittlerweile 25 Jahre vergangen, seit Matthias Deutschland verlassen hatte. Sein Sohn Justin war bereits 20, die Tochter Mary 18 Jahre alt, als Matthias plötzlich den Wunsch äußerte, nach Deutschland reisen zu wollen, um seine Mutter, von der er seit Jahrzehnten nichts mehr gehört hatte, zu besuchen. Julia war im ersten Moment entsetzt, als sie von Matthias' Ansinnen erfuhr. Sobald sie sich wieder gefasst und erkannt hatte, dass sie Matthias von seinem Vorhaben nicht abbringen konnte, stimmte sie zu, zumal auch Justin unbedingt mitkommen wollte. Er war neugierig auf das Land, von dem sein Vater abstammte.

Mary würde währenddessen bei ihrer Mutter bleiben und diese bei der Farmarbeit unterstützen.

DIE HEIMKEHR

So kam es also, dass, als Joseph und Maria voller Verzweiflung in ihrer Bauernstube saßen und über eine ungewisse Zukunft nachdachten, die Türe aufging und plötzlich Matthias in Begleitung eines jungen Mannes, den er als Marias Enkelsohn vorstellte, hereintrat.

Maria hatte ihren Sohn gleich wieder erkannt. Sie konnte sich vor Überraschung und Freude fast nicht mehr bewegen. Matthias ging einfach auf seine Mutter zu und umarmte sie. Diese fing zu weinen an. Sie konnte ihr Glück nicht fassen. Auch Joseph war aufgesprungen, um seinen Neffen zu umarmen. Justin stand etwas verlegen herum, bis Maria ihren Enkel in die Arme nahm und küsste. Die traurige Stimmung war verflogen. Man hatte sich unendlich viel zu erzählen. Sie redeten bis in den Morgen hinein. Als Matthias von der bevorstehenden Versteigerung des Hofes erfuhr, fuhr er am nächsten Tag nach Landshut, um einige Bankgeschäfte zu tätigen.

Zur Versteigerung waren neben Josephs falschem Freund, der den Hof erwerben wollte, und einigen wenigen anderen Leuten natürlich auch Joseph und Maria gekommen. In ihrer Begleitung hatten sie zwei gutaussehende und vornehm, aber etwas fremdländisch gekleidete Herren, die Josephs üblen Freund etwas beunruhigten. Was diese beiden hier wollten, fragte er sich und auch, wer sie überhaupt seien.

Der Auktionator verkündete, dass 1.000 Gulden für den Hof geboten wären, also genau so viel, wie Schulden vorhanden seien. Joseph würde demnach von seinem Hof nichts mehr übrigbleiben. Es war offensichtlich, dass der Auktionator von dem vermeintlichen Käufer ausreichend Schmiergeld bekommen hatte, da er gleich hinzufügte, dass wohl mit keinem anderen Angebot zu rechnen sei, weshalb der Hof an den bietenden Bauern ginge.

Doch da meldete sich der ältere von den Fremden, gut gekleideten Herren zu Wort. Er würde das Angebot verdoppeln, ließ er sich vernehmen, also 2.000 Gulden bieten. Ein Raunen ging durch die Reihen der Besucher. Der Kauf war für alle ein abgekartetes Spiel, das längst vor der Versteigerung entschieden war. Mit 2.000 Gulden konnte der Bauer nicht mithalten.

Er stürzte sich wütend auf Matthias, um auf ihn einzuschlagen. Doch der war mittlerweile sehr kampferprobt. Mit wenigen Schlägen streckte er den Mann zu Boden. Dieser rappelte sich mühsam wieder auf und verzog sich kleinlaut.

Matthias, der nach Landshut gegangen war, um sich Geld zu besorgen, hatte also den Hof ersteigert. Justin hatte sich auf Anhieb in diese malerische Gegend mit ihren grünen, bewaldeten Hügeln, den Dörfern mit ihren roten Dächern und den gotischen und barocken Kirchen verliebt. Er wollte hierbleiben und den Bauernhof weiterführen.

Die Farm in Georgia sollte sowieso seine Schwester bekommen. Nachdem ihm sein Vater im Laufe der Jahre recht gut Deutsch zu sprechen beigebracht hatte, gab es für ihn auch keine Verständigungsprobleme.

Unter seiner Ägide kam der Hof zu ungeahnter Blüte. Über den Umweg über die neue Welt hat wieder ein Schmidberger den Bauernhof übernommen und weiter vorangebracht.

Seine Großmutter und ihr Bruder Joseph verbrachten ihr Alter gemeinsam in Marias Haus. Da ihnen von der Versteigerung 1.000 Gulden, nach Bezahlung ihrer Schulden, übriggeblieben sind, konnten sie gut davon leben.

Matthias ging wieder zurück zu seiner Familie nach Georgia. Sie reisten aber alle wieder nach Niederbayern, als sie von der Hochzeit ihres Sohnes Justin erfahren hatten.

Zu ihrer Flucht nach Florida ist zu ergänzen, dass ihnen nicht nur die Angst vor Entdeckung durch die Engländer große Sorgen bereitete, sondern ihnen auch die Hitze und feuchte Schwüle enorm zusetzten, die im August dort herrschen. Dazu kamen die vielen Moskitos in den ausgedehnten Sümpfen, die ihnen das Leben schwer machten.

Sie kämpften sich schweißgebadet und meist mit vielen stark juckenden Insektenstichen, die sich teilweise entzündeten und kleine Abszesse bildeten, durch diese unbarmherzige Wildnis. Sie mussten beim Wandern sehr vorsichtig sein, um nicht in ein Wasserloch zu treten, in dem sich möglicherweise gerade ein Alligator oder eine giftige Schlange befanden.

Beim Fischen, als Matthias bis zu den Knien im Wasser stand, wurde er einmal plötzlich von einem großen Alligator angegriffen, dessen Biss er nur durch einen raschen Satz zur Seite und den anschließenden Sprung ans Ufer entgehen konnte.

Die Damen, besonders Julia, bewunderten seinen Mut und Geistesgegenwart, als er durch seine rasche Reaktion dem Zugriff des Krokodils entkam.

Trotz der vielen Gefahren und Unannehmlichkeiten, die ihnen auf dieser Reise widerfuhren, war Matthias stets guten Mutes und tröstete die Damen, wenn es ihnen schlecht ging und sie sich völlig verzweifelt fühlten.

Vielleicht war es auch dieses Gefühl der Hilfe und Geborgenheit, das Julia in Gegenwart von Matthias empfand, dass sie sich so spontan zur Hochzeit mit ihm entschloss.

Nach der Trauung gingen sie lange Zeit Hand in Hand weiter und fühlten sich unglaublich glücklich.

Matthias war unendlich stolz auf seine Frau. Aber auch Julia war begeistert von diesem Mann, der mit solch stoischer Ruhe allen Gefahren dieser mörderischen Flucht trotzte und ihnen immer wieder Mut zusprach, wenn sie auch noch so deprimiert und verzweifelt waren.

ZURÜCK IN DER ALTEN WELT

JUSTIN

Im Folgenden wird beschrieben, wie es nach der Ersteigerung des Bauernhofes in Velden weiterging. Der Verkauf dieses Hofes und Erwerb eines neuen bäuerlichen Gehöftes in Babing bei Taufkirchen wird erst in einer späteren Generation stattfinden.

Als Maria und Joseph sowie Justin und Matthias wieder zurück nach Hause kamen, feierten sie erst einmal ihren Sieg über den Bauern Arnold Hinterseher mit einer guten Flasche Weißwein, die Maria für besondere Anlässe aufgehoben hatte. Wie alle vier im kleinen, aber recht behaglich eingerichteten Wohnzimmer von Marias Haus auf ihren Polsterstühlen um einen niedrigen Tisch herumsaßen, fingen sie so nach und nach zu diskutieren an, wie es jetzt weitergehen sollte. Das Bauernhaus von Joseph war stark renovierungsbedürftig, der Hof insgesamt etwas heruntergewirtschaftet. „Nachdem der Hof nun uns gehört", meldete sich Justin plötzlich zu Wort, „möchte ich gerne hierbleiben und ihn übernehmen." Matthias schaute ihn fragend an. „Du willst hierbleiben und nicht mehr mit mir nach Amerika zurückkehren?", sagte er daraufhin. „Unsere Farm bekommt Mary. Hier habe ich einen eigenen Bauernhof, den ich bewirtschaften kann", fügte er noch hinzu.

So kam es also, dass sich Justin entschlossen hat, als Bauer in Velden zu arbeiten.

Es gab allerdings noch viel zu erledigen. Zuallererst musste Justin bei den bayrischen Behörden eine Daueraufenthaltsgenehmigung beantragen. Dies stellte sich als gar nicht so leicht heraus, da Arnold Hinterseher, als Freund des Bürgermeisters Anton Meier, natürlich versuchte, dies zu verhindern. Als Justin und Matthias ins Rathaus kamen, wurden sie bereits von der Sekretärin äußerst unfreundlich empfangen. Vor allem warf sie Matthias vor, dass er seinen Vater erschlagen hätte. Er sei schließlich in Abwesenheit wegen Totschlags verurteilt worden. Natürlich war ihr bewusst, dass die Schuld bereits verjährt war, Matthias also deswegen nicht mehr belangt werden konnte. Eine dauerhafte Aufenthaltsgenehmigung könnten sie nur im Landratsamt beantragen. Matthias und Justin fuhren also nach Vilsbiburg, das damals noch Kreisstadt war. Eigentlich erwarteten sie, hier ebenso unfreundlich wie im Rathaus behandelt zu werden. Überraschenderweise erwies sich der Landrat, zu dem sie zu guter Letzt doch noch durchgekommen waren, als ein sehr freundlicher Mann. Vom Bürgermeister Meier und dem unsympathischen Hinterseher war er wenig begeistert. Der Landrat hatte von der Versteigerung gehört und sich insgeheim recht gefreut, dass diesem Hinterseher eins ausgewischt worden war. Justin würde vorerst eine Aufenthaltsgenehmigung für zwei Jahre erhalten. Falls er sich in dieser Zeit nichts zu Schulden kommen ließe, würde diese auf unbegrenzte Zeit verlängert werden, versprach er den beiden Herren. Diese zeigten sich damit einverstanden.

Zuallererst musste das Bauernhaus wieder instandgesetzt werden. Matthias versprach, noch länger zu bleiben und Justin bei der Renovierung zu helfen. Schwierigkeiten ergaben sich bei der Beschaffung von Baumaterial und der Rekrutierung von Handwerkern, da der Bürgermeister und der Herr Hinterseher alles zu boykottieren versuchten. Was sie allerdings nicht verhindern konnten, war, dass Matthias seinem Sohn noch etwas Ackerland hinzukaufte, um den Hof auf gesunde Füße zu stellen.

Es war mittlerweile Juni geworden. Matthias war immer noch da, obwohl er eigentlich schon längst zurück in den Staaten sein wollte. Er konnte aber Justin nicht im Stich lassen. Natürlich halfen auch Maria und Joseph, so gut sie konnten, bei der Renovierung des Hauses und der Erneuerung der Stallungen mit. Sie hatten 35 Kühe zu melken, mehrere Schweine zu füttern, einige Arbeitspferde zu versorgen und vieles mehr.

ANNETTE

Am 21. Juni um Mitternacht wurden Johannesfeuer am höchsten Punkt auf einer Anhöhe in der Nähe von Velden entfacht. Justin freute sich, endlich einmal nicht arbeiten zu müssen, sondern einmal wieder richtig feiern zu können. Als er vor Mitternacht hinkam, brannte das Feuer bereits. Moritz, der Sohn von Anton Hinterseher, sah ihn schon von Ferne kommen. Mit mehreren Freunden ging er ihm entgegen. Sobald sie ihn erreicht hatten, begannen sie ihn anzupöbeln. Matthias, der sich so etwas fast schon gedacht hatte, war Justin in Abstand gefolgt. Als er sah, wie Moritz und seine Freunde auf Justin einzuschlagen begannen, stieß er hinzu und packte einen der Angreifer und schubste ihn zur Seite. Doch dieser versuchte, auf Matthias einzudreschen. Matthias wich aus und streckte ihn mit einem Schlag zu Boden. Dann wandte er sich Moritz zu. Sobald dieser gesehen hatte, wie sein Freund zu Boden ging, drehte er sich um und ergriff die Flucht. „Du blöder Hund wirst mir das büßen“, schrie er zu Justin gewandt noch zurück. Die anderen Leute waren auf sie aufmerksam geworden und hatten entgeistert zugesehen, ohne etwas zu tun.

Ein Mädchen, das vielleicht ein bis zwei Jahre jünger als Justin sein dürfte, ging auf diesen zu, reichte ihm die Hand und sagte: „Es tut mir leid, was geschehen ist. Ich entschuldige mich für das unmögliche Verhalten meines Bruders.“ Justin nahm ihre Hand, blickte sie an und war plötzlich wie verzaubert von der Lieblichkeit dieses Mädchens. „Ich danke dir“, brachte er fast stotternd heraus. Er bot ihr von den zwei Flaschen Bier, die er mitgebracht hatte, eine an. „Ich heiße Annette“, sagte sie und nahm das Bier dankend an. „Ich Justin“, antwortete dieser. Sie setzten sich etwas entfernt vom Feuer auf eine Bank, die dort aufgestellt war, prosteten sich zu und begannen sich zu unterhalten. Annette berichtete von ihrem Jurastudium in Landshut. Justin erzählte ihr von seiner Heimat und ihrer Ranch in Georgia. Irgendwie fühlte er sich fasziniert von dieser jungen Frau. Matthias hatte ihnen zugesehen, wollte sie aber nicht stören. Er ging mehrmals um das Feuer herum, das langsam abbrannte. Die Luft war milde. Vom nur gering bewölkten Himmel funkelten viele Sterne herab. Matthias war zufrieden mit den Umständen, wie sie im Augenblick waren. Langsam machte er sich wieder auf den Heimweg, nicht ohne noch einen verstohlenen Blick auf das junge Paar zu werfen, das die Welt um sich herum vergessen zu haben schien. Doch plötzlich stand Annette auf, reichte Justin die leere Bierflasche und erklärte, dass sie nach Hause müsste, da sie morgen in aller Frühe wieder nach Landshut zu fahren hätte. Justin wollte sie noch fragen, ob sie sich einmal wiedersehen würden. Leider war Annette bereits viel zu weit entfernt, um dies noch zu hören. Etwas enttäuscht blieb Justin noch einige Zeit auf der Bank sitzen, schaute manchmal ins Feuer, das mittlerweile schon fast ganz abgebrannt war, und raffte sich dann auch auf, nach Hause zu gehen.

Die Renovierung des Hauses war gut vorangekommen. Die Tiere mussten versorgt und die Felder bestellt werden, was bei den damaligen Geräten ein recht mühsames Geschehen war.

DIE WEIXELGARTNERS

Am Samstag war Dionysi-Markt in Vilsbiburg. Matthias und Justin hatten schon am Vortag einen Wagen beladen, mit dem sie am nächsten Tag in die Stadt fahren wollten, um ihre Produkte zum Kauf anzubieten. Sie mussten sich beeilen, um einen Stand am Marktplatz zu ergattern. Neben ihnen bot ein Bauernehepaar aus Lichtenhaag seine Erzeugnisse an. Im Laufe des Tages kamen sie miteinander ins Gespräch. Es handelte sich um das Ehepaar Gertraud und Georg Weixelgartner, wie sich bei der Unterhaltung schnell herausstellte. Die beiden dürften ein paar Jahre älter als Justin gewesen sein. Die Geschäfte gingen gut. Beide Parteien konnten fast alle ihre Waren verkaufen. Die vier Leute vereinbarten, sich in drei Wochen wieder hier am Dionysi-Markt zu treffen.

Matthias konnte dieser Vereinbarung aber nicht mehr nachkommen, da seine Abreise nach Amerika kurz bevorstand. Es war nun bereits ein halbes Jahr, das er in Velden bei seinen Leuten lebte. Die Ernte war beinahe eingebracht. Für Matthias wurde es Zeit, abzureisen, bevor die Herbststürme einsetzten und die Überfahrt gefährlich würde. Frau und Tochter hatten schon rechte Sehnsucht nach ihm. In ihren Briefen drängten sie jedenfalls auf seinen baldigen Aufbruch. Dass Justin nicht mehr mitkommen würde, stimmte sie zwar traurig. Machen konnten sie allerdings nichts dagegen. Er war bereits erwachsen, so dass er seine eigenen Entscheidungen treffen musste.

Matthias hatte Glück. Die Fahrt nach Hamburg fand zum Teil auf Flüssen und zum anderen Teil auf Postkutschen statt. Die Überfahrt nach Fort Lauderdale verlief vollkommen ruhig. Von dort musste er auf dem Landweg weiterreisen. Die Wiedersehensfreude mit Frau und Tochter war groß. Justin war schon ziemlich traurig, dass ihn sein Vater plötzlich verlassen hatte und er mit Großmutter und Großonkel alleine auf dem Hof zurechtkommen musste.

Da war auch noch der Gedanke an Annette, die er seit vielen Wochen nicht mehr gesehen hatte, die ihm aber nicht ganz aus dem Kopf ging.

Die Weixelgartners traf er hingegen bereits wieder nach drei Wochen in Vilsbiburg auf dem Markt. Statt seines Vaters begleitete ihn dieses Mal sein Großonkel, Joseph. Maria war zu Hause am Hof geblieben, um die Tiere zu versorgen.

Justin fragte seine Bekannten aus Lichtenhaag, ob sie jemanden wüssten, der sich bei ihnen in Velden zur Magd ausbilden lassen möchte. Sie suchten einen Lehrling, der sie in der Küche und im Haushalt unterstützen würde. „Die Tochter unserer Magd ist 18 Jahre. Sie ist auf der Suche nach einem solchen Ausbildungsplatz", antwortete ihm Georg. Man vereinbarte, dass zum nächsten Dionysi-Markt Elisabeth, wie diese Person hieß, zur Vorstellung mitkommen sollte.

Maria und Joseph wohnten in Marias Haus, das am anderen Ende des Dorfes lag. Im frisch renovierten, doch relativ großen Bauernhaus, residierte Justin allein, wobei er sich ziemlich einsam fühlte. Allein deshalb wäre es schon gut, wenn eine Haushälterin da wäre, mit der er sich abends unterhalten könnte.

Eines Morgens, als er seine Haustüre öffnete, lag ein totes Schaf davor. Es war offensichtlich abgestochen worden und lag in einer großen Blutlache. Zuerst erschrak Justin. Doch dann stieg eine ziemliche Wut in ihm auf, als er den Begleitzettel gelesen hatte, auf dem Folgendes geschrieben stand: „Dies soll dir, blödem Indianer, als Warnung gelten. Hau endlich wieder nach Amerika ab!" Wütend packte Justin den Brief und ging erneut zum Rathaus, um den Bürgermeister zu sprechen. Dieser ließ ihm jedoch ausrichten, dass er keine Zeit für ihn hätte. Falls er Probleme hätte, solle er sich an den Grafen Montgelas in Gerzen wenden, der die höchste Autorität in dieser Gegend darstellte. Natürlich war Justin klar, dass der Graf keinerlei Interesse an seinem Anliegen zeigen dürfte. Dennoch erstattete Justin offiziell Anzeige in der Gemeinde wegen Tötung eines Schafes.

Auch Maria und Joseph waren nicht wenig bestürzt, als Justin ihnen den Brief gezeigt hatte. Maria vermutete sofort Arnold Hinterseher als Drahtzieher für diese Tat. Er hatte wohl die Schmach bei der Versteigerung des Hofes noch nicht überwunden. Vielleicht glaubte er immer noch, auf diese Weise in den Besitz des Hofes gelangen zu können.

An Allerheiligen fand eine Messe in der schönen, gotischen Pfarrkirche von Velden statt. Anschließend ging die ganze Gemeinde zum Friedhof, zu den Gräbern ihrer Verstorbenen. Dabei sah Justin zum ersten Mal seit der Sonnwendfeier Annette wieder, die neben ihrem Bruder, Moritz, und neben ihren Eltern am Familiengrab der Hinterseher stand. Dieses befand sich nur zwei Gräber von dem Grab der Schmidberger entfernt. Verstohlen blickte Justin manchmal zu Annette hinüber. Doch diese tat so, als ob sie ihn gar nicht bemerkt hätte.

Ziemlich enttäuscht ging er anschließend zu seinem Haus zurück, um etwas zu Mittag zu essen. Als er gerade auf seiner Bank an seinem Tisch saß, klopfte es an der Haustüre. Verwundert stand er auf, um die Türe zu öffnen, als Annette vor ihm stand. Er war so überrascht, dass er gar nicht wusste, was er sagen sollte. „Darf ich hereinkommen?“, fragte sie ihn. Selbstverständlich trat er von der Türe zurück, um sie vorbei ins Zimmer zu lassen. Er bot ihr einen Stuhl an seinem Tisch im Esszimmer an, schenkte ihr Tee ein und reichte ihr Kekse zum Essen. Sie habe von dem toten Schaf und dem Brief erfahren, fing sie zu reden an. Sie glaube nicht, dass dies von ihrer Familie ausginge. Dennoch möchte sie sich für das Verhalten mancher Leute im Dorf einem Fremden gegenüber entschuldigen. Justin bedankte sich für ihre Freundlichkeit und fragte sie dieses Mal, ob er sie wieder treffen könnte. Annette blickte ihm tief in seine schönen, braunen Augen, die sie beim ersten Zusammentreffen schon so beeindruckt hatten, und meinte, dass sie in zwei Wochen Semesterferien hätte. Sie wäre dann wieder mehr zu Hause. Sie könnten sich öfter sehen. Nur dürften ihr Bruder und ihre Eltern nichts davon mitbekommen, da sie doch noch ziemlich verärgert wegen der verpatzten Versteigerung des Bauernhofes seien. Justin sah sie an, lief übers ganze Gesicht rot an und nickte nur. Sie war eigentlich noch viel hübscher, als er sie in Erinnerung hatte. Sie werde sich bei ihm melden, sagte sie noch, stand auf und ging.

Zum Kaffeetrinken war Justin an diesem Festtag bei seiner Großmutter und ihrem Bruder eingeladen. Eine rechte Fröhlichkeit mochte nicht aufkommen, als sie in der Bauernstube um ihren Esstisch herumsaßen. Justin hatte Sehnsucht nach seiner Familie in Amerika. Mehr als einmal war er in letzter Zeit kurz davor, seine Sachen zu packen, nach Hamburg zu fahren und eine Schiffspassage nach Florida zu buchen. Doch irgendetwas hielt ihn dann doch wieder hier fest, sei es das schöne Land mit seinen grünen Wiesen und dunklen Wäldern, vielleicht auch der Gedanke an Annette, an die er doch häufiger, als ihm recht war, denken musste. Jedenfalls trauerte auch Maria ihrem verlorenen Sohn nach, den sie für kurze Zeit wieder gehabt hatte, der aber schon wieder weg war. Andererseits freute sich Justin über das überraschende, wenn auch nur kurze Zusammentreffen mit Annette.

In der kommenden Woche war wieder Dionysi-Markt am Stadtplatz von Vilsbiburg. Die Schmidbergers hielten wieder nach den Weixelgartners Ausschau, die sie aber nirgends finden konnten. Nachdem sie zu Mittag bereits ihre Waren verkauft hatten, entschlossen sich Joseph und Justin, mit ihrem Pferdefuhrwerk nach Lichtenhaag zu fahren, um nachzuschauen, was los war, warum sie nicht, wie vereinbart, gekommen sind.

Der Weg dorthin war leicht zu finden. Den Oama-Hof konnte ihnen jeder beschreiben, so dass sie bald an der Haustüre des alten Bauernhauses standen, das Josef Weixelgartner im 20. Jahrhundert einmal abbrechen sollte. Auf ihr Klopfen hin öffnete ihnen Gertraud die Türe. Sie wirkte verweint. Eines ihrer Kinder läge im Sterben, antwortete sie auf die verwunderten Blicke ihrer Besucher hin. Ihr Sohn Hansi war fünf Jahre alt. Vor zwei Wochen hatte er plötzlich zu husten angefangen. Wahrscheinlich hatte er Keuchhusten bekommen. In den letzten Tagen hatte sich sein Zustand beständig verschlechtert. Das Fieber war auf über 40 Grad angestiegen. Der Arzt versuchte mit Wadenwickel und Stirnauflagen das Fieber zu senken, was nur ungenügend gelang. Zum Keuchhusten scheint eine Pneumonie hinzu gekommen zu sein. Die Atemnot des armen Kindes wurde laufend stärker. Hansi rang um Luft, bis sie ihm ganz ausblieb. Gerade in diesem furchtbaren Moment des Erstickens waren die beiden Schmidbergers hinzugekommen. Sie standen wie erstarrt da und wussten nicht, wie sie helfen oder trösten sollten, als die ganze Familie in bitterlichen Tränen ausbrach. Die beiden älteren Kinder – Anna war sieben und Fritz neun Jahre alt – waren völlig verzweifelt, als sie ihren Bruder so jämmerlich sterben sehen mussten. Der Arzt konnte nur noch den Tod des jungen Hansi konstatieren.

Die Magd Maria und ihre 18-jährige Tochter Elisabeth waren ebenfalls weinend erschienen, um sich von dem kleinen Hansi zu verabschieden. Elisabeth war einfach gekleidet, ansonsten aber eine recht hübsche Erscheinung mit ihren blauen Augen, ovalem Gesicht, blonden Haaren und ihrer schlanken, relativ hochgewachsenen Gestalt. Sie schauten Hansi an, wie er so jämmerlich da lag, und begannen bitterlich zu weinen. Justin und Joseph standen still da. Sie kamen sich etwas deplatziert vor in diesem Trauerhaus, wurden aber von den anderen gar nicht mehr wahrgenommen. Der Pfarrer war eilends herbeigekommen, um dem Kind noch die letzte Ölung auszusprechen, auch wenn es bereits verstorben war.

Die Leichenbestatter kamen, um das Kind abzuholen und es in der Kirche vor dem Altar aufzubahren, wo sich die Leute des Dorfes noch ein letztes Mal von ihm verabschieden konnten.

Beim Abschied lud Georg unter Tränen die beiden Schmidbergers zur Beerdigung am Dienstag und zum Leichenschmaus danach ein. Ziemlich deprimiert traten diese ihren doch recht weiten Rückweg nach Velden an. Auf seinem Hof hatte Justin mehrere Katzen, die die Mäuse und Ratten wegfangen sollten. Sein Lieblingstier war eine grau getigerte, äußerst liebesbedürftige Kätzin, die laufend von ihm gestreichelt werden wollte. Als sie nun heimkamen, lag dieses arme Tier mit abgetrenntem Kopf vor seiner Haustüre. Justin war entsetzt. Erneut lag ein Brief unter dem toten Tier, auf dem mit zittriger Schrift zu lesen war: „So wie diesem Tier wird es dir auch bald ergehen, wenn du nicht schnell wieder verschwindest. Dein räudiger Vater ist mir entkommen. Du wirst es nicht!“

Am nächsten Morgen ging Justin erneut auf die örtliche Polizeiwache, um Anzeige gegen Unbekannt zu erheben.

Am Dienstag versorgten Justin und Joseph die Tiere. Anschließend brachen Maria und die beiden Herren mit ihrem Pferdefuhrwerk nach Lichtenhaag auf, um rechtzeitig zur Beerdigung zu kommen. Sie hatten zwei Pferde vor die Kutsche gespannt, damit diese nicht zu schnell erlahmen. Es war ein grauer Novembertag, als das halbe Dorf gekommen war, um dem Buben das letzte Geleit zu geben. In seiner Predigt betonte der Pfarrer, dass der Knabe noch rechtzeitig die letzte Ölung erhalten habe, „weshalb er sicher unter den Heiligen im Himmel weilt und uns von oben zusieht, wie wir ihn betrauern."

ELISABETH

Alle vier Weixelgartners, Eltern wie Kinder, standen wie versteinert am Grab ihres Sohnes beziehungsweise Bruders. Nach einiger Zeit versiegten die Tränen. Man fühlte sich nur noch wie benommen in seiner Trauer über das Unfassbare. Da sie doch sehr gläubige Menschen waren, spendeten die Worte des Pfarrers ihnen Trost. Man betete viel zu Gott, im Glauben daran, irgendwie Kontakt zu dem Verstorbenen aufnehmen zu können.

Ich selbst habe dies so mit zwölf Jahren nach dem Tod von Klaus, dem Sohn meiner Schwester, erlebt, nachdem dieser von einem Auto überfahren worden war. Man betet viel, versucht Kontakt mit dem Verstorbenen im Jenseits aufzunehmen und geht häufig an sein Grab, in der Hoffnung, er würde irgendwie wiederkommen. Ich erwartete immer, dass ich ein Zeichen von ihm bekommen würde, dass es ihn noch gibt. Eigentlich warte ich immer noch auf dieses Zeichen. Vielleicht habe ich es nur nicht erkannt, als es gekommen ist.

Nach der Zeremonie, sobald der Sarg in der Erde abgelegt war, lud Georg alle Freunde und Verwandten zum Wirt zur Gremes, dem Leichenschmaus, ein.

Justin und Joseph stellten den Weixelgartners Maria vor, die sie bisher noch nicht kennengelernt hatten. Durch ihre harte Bauernarbeit wirkten sowohl Gertraud als auch Georg älter, als sie in Wirklichkeit waren. Bei dieser Gelegenheit lernten die Schmidbergers Elisabeth und ihre Mutter kennen, die ihnen beide von vornherein äußerst sympathisch waren, was wohl auf Gegenseitigkeit beruht haben dürfte.

Alle fünf Personen saßen am gleichen Tisch. Man unterhielt sich gut und kam letztendlich zu dem Entschluss, dass Elisabeth noch am gleichen Tag mit nach Velden fahren sollte, um bei Justin zu wohnen und ihre Lehre anzutreten. Nach dem Essen verabschiedeten sich die Schmidbergers von den trauernden Eltern des verstorbenen Sohnes, nicht ohne zuvor vereinbart zu haben, sich alle zusammen in drei Wochen wieder in Vilsbiburg auf dem Dionysi-Markt zu treffen.

Nach der anstrengenden Kutschenfahrt waren alle ziemlich erschöpft, als sie zu Hause in Velden ankamen. Justin zeigte Elisabeth ihr doch recht großes und schönes Zimmer, das ihr auf Anhieb sehr gut gefiel. Zum Abendessen setzten sich alle vier um den Esszimmertisch herum. Maria hatte bereits am Vortag eine Brotzeit mit Wurst, Käse und Salat vorbereitet. Man unterhielt sich über die Beerdigung und die vielen Menschen, die gekommen waren, um dem Knaben sein letztes Geleit zu geben.

Anschließend wurde Elisabeth in ihre Aufgaben in Haushalt, Küche und Stall eingeführt. Diese hörte aufmerksam zu und freute sich über ihren Ausbildungsplatz. Insgeheim gefiel ihr auch ihr neuer Chef recht gut. Justin war schon ein hübscher Junge mit seinen verträumten braunen Augen und brünetten, buschigen Haaren.

Am Morgen ging es früh los. Maria und Joseph waren auch zum Mithelfen gekommen. Sie entwickelten sich zu einem guten Team. Die Arbeit ging schnell voran. Mittag- und Abendessen bereitete Maria vor.

Elisabeth musste sich um den Haushalt kümmern und die Kühe melken. Dies ging nun schon seit fast zwei Wochen so dahin, bis es plötzlich eines Abends, als alle gerade beim Abendessen saßen, an der Türe klopfte und Annette davorstand, nachdem Justin geöffnet hatte.

Letzterer war sichtlich erfreut, als er Annette erkannte. Er führte sie herein, bot ihr einen Stuhl an ihrem Tisch an und stellte ihr eine Tasse Tee sowie Brot, Käse und Wurst hin. Ihre Eltern sollten möglichst nichts von ihrem Besuch hier erfahren, da sie immer noch wegen der Versteigerung verärgert seien, sagte sie zuallererst. Es hätte wieder einen Brief und ein totes Tier gegeben, fuhr sie fort: „Meine Familie hat damit, auch wenn sie immer noch verärgert sind, nichts zu tun", betonte sie eigens erneut, wie schon beim ersten Mal. „Wer könnte sich so etwas Abscheuliches ausgedacht haben?", fragte Justin. Leider wusste keiner eine Antwort. Nach dem Essen lud Justin Annette zu einem Spaziergang hinters Haus, in den nahegelegenen Wald, ein. Diese nahm freudig an. Kaum waren sie aus dem Haus, als Justin auch schon Annettes Hand ergriff, was diese gerne geschehen ließ. Elisabeth schaute den beiden traurig und fast etwas eifersüchtig nach.

Im Wald suchte Justin einen großen Baumstumpf, auf dem für beide Platz zum Sitzen war. Er fasste mit beiden Händen ihren Kopf, drehte ihr Gesicht zu sich herum, sah ihr tief in ihre blauen, schönen Augen und küsste sie. Annette ließ alles gerne mit sich geschehen, um sich aber bald darauf wieder zu verabschieden, damit ihren Eltern und ihrem Bruder ihre Abwesenheit nicht auffiele. Dies wiederholte sich alle paar Tage. Elisabeth blickte ihnen jedes Mal enttäuscht und neidisch nach. Es rückte bereits wieder der Samstag heran, an dem die ganze Familie die Weixelgartners auf dem Dionysi-Markt in Vilsbiburg treffen wollte. Die Geschäfte gingen gut. Ihre Waren hatten sie bald an den Mann gebracht. Gertraud und Georg sah man ihre Trauer schon noch an. Dennoch hatten sie sich wieder so weit gefasst, dass man sich erneut gut mit ihnen unterhalten konnte.

Besonders aber freute sich Elisabeth, ihre Mutter Maria wieder zu treffen. Mutter und Tochter umarmten sich. Es würde ihr in ihrer neuen Arbeitsstelle gut gefallen, wusste Elisabeth zu berichten. Von Annette und ihrer Eifersucht ihr gegenüber erzählte sie ihrer Mutter selbstverständlich nichts. Beim Auseinandergehen verabredete man sich wieder für den nächsten Markt in drei Wochen.

Eines Abends führte Justin Annette nicht mehr in den Wald, sondern in sein Zimmer. Sie küssten sich, zogen sich gegenseitig aus und umarmten sich innig. Wie sie so nackt vor ihm stand, war er unheimlich verliebt in sie. Ihre schlanke Figur, ihre straffen Brüste, die tiefblauen Augen in dem ovalen Gesicht mit den wallenden blonden Haaren; er war einfach fasziniert von diesem Mädchen.

Aber auch ihr gefiel dieser schlanke, muskulöse Junge sehr gut. Sie legten sich auf sein Bett, küssten und liebkosten sich und irgendeinmal begann er in sie einzudringen. Sie wusste, dass sie ihm jetzt Einhalt gebieten müsste. Doch irgendwie brachte sie es nicht fertig. Sie hatte ja schon mit ihrem Freund aus Landshut reichlich sexuelle Erfahrung. Aber mit Justin war es viel aufregender. Sie war wahnsinnig erregt. Sie dachte noch, dass es Zeit für ihn würde, herauszugehen. Leider hatte er noch keine sexuelle Erfahrung. Für ihn war es das erste Mal. So spritzte er voll in sie hinein. Ihre Erregung war wie weggeblasen. Sie war entsetzt und schubste ihn beiseite. „Was hast du getan?“, schimpfte sie. „Du musst rechtzeitig heraus gehen, damit ich nicht schwanger werde“, erklärt sie ihm. „Du hast wohl noch keine Erfahrung?“, fragte sie ihn weiter. Er antwortet nur mit einem kleinlauten Nein. Vor lauter Frust und Enttäuschung erzählte sie ihm von ihrem Freund in Landshut, dass der dies viel besser machen würde, zog sich an und ging grußlos davon. Justin war entsetzt und enttäuscht. Sie hatte einen Freund. Er war offensichtlich nur dessen Urlaubsvertretung. Dabei hatte er sich so in Annette verliebt. Ziemlich niedergeschlagen stieg Justin hinab ins Esszimmer, wo Elisabeth noch immer saß und ein Buch las, oder zumindest so tat, als würde sie ein Buch lesen. In Wirklichkeit war sie viel zu eifersüchtig, um in Ruhe ein Buch lesen zu können. Als sie Justin so deprimiert herabkommen sah, fragte sie ihn, was los sei. „Sie hat einen Freund in Landshut“, sagte er ihr: „Ich bin nur die Urlaubsvertretung.“ Sie saßen noch lange vor dem brennenden Kaminfeuer und unterhielten sich, wobei Justin in seiner Niedergeschlagenheit überhaupt nicht aufgefallen ist, wie erfreut und gelöst Elisabeth plötzlich wirkte. Irgendwann verzogen sich beide auf ihre Zimmer, um am nächsten Morgen ausgeschlafen und fit für ihre Arbeit sein zu können.

Annette sah Justin nicht wieder. Sie kam nicht mehr zu ihm. Mittlerweile waren ihre Semesterferien zu Ende gegangen und sie wieder nach Landshut umgezogen. Ihr Studienfreund hatte sie bereits sehnsüchtig erwartet, obwohl auch er sich zwischenzeitlich mit einer anderen Partnerin getröstet hatte. Sorge bekam Annette, als ihre Periode einfach nicht kommen wollte. Sie hatte eine Veränderung an sich bemerkt. Sie war müde, abgeschlagen. Ihre Beine schwollen an. Ihre Brüste spannten. Öfters wurde ihr übel. Manchmal musste sie auch erbrechen. An eine Schwangerschaft dachte sie hingegen nicht, da einfach nicht sein konnte, was nicht sein durfte. Annette verdrängte diesen unglaublichen Gedanken einfach, da eine Schwangerschaft überhaupt nicht in ihre Lebensplanung passte. Dass ihr Bauch langsam dicker wurde, war ihr selbst gar nicht aufgefallen, bis ihr Freund sie fragte, ob sie schwanger sei. Sie war entsetzt bei diesem Gedanken. „Wie kann das sein?“, fragte er sie. „Wo ich doch so aufgepasst und Kondome benützt habe.“ Kleinlaut gestand sie ihm ihre Affäre mit Justin. „Du brauchst nicht zu glauben, dass ich das Kind eines anderen Mannes großziehen werde“, sagte er noch zu ihr, packte seine Sachen und ging. Sie blickte ihm entsetzt nach, setzte sich auf ihr Bett und begann bitterlich zu weinen. Doch dann begann sie nachzudenken. Sie brauchte einen Vater für ihr Kind. Sie musste zurück nach Velden, zu Justin und ihren Eltern.

Für kommenden Freitag buchte sie eine Kutschenfahrt nach Velden.

Elisabeth hatte versucht, Justin so gut sie es konnte zu trösten. Als er sie so anblickte, wie sie sich Mühe gab, ihn wieder aufzurichten, bemerkte er auf einmal, dass sie wunderhübsch war. Bisher hatte er nur das einfache Lehrmädchen, das rustikal gekleidet und ungeschminkt war, in ihr gesehen. In nächster Zeit erschien Elisabeth nach getaner Arbeit zum gemeinsamen Abendessen nur noch schön angezogen mit sorgfältig gekämmten Haaren und geschminktem Gesicht. Justin war begeistert von ihrem Anblick. Sie war wahnsinnig nett und bemüht um ihn. Er fühlte sich zunehmend wohler in ihrer Gesellschaft. Auch Maria und Joseph, wenn sie zu Besuch kamen, hatten die Veränderung an Elisabeth bemerkt. Maria hatte schnell erkannt, dass Elisabeth in Justin verliebt war. Sie war ihr viel sympathischer als diese hochnäsige Annette. Irgendeinmal, als sie allein waren, hatte Justin angefangen, Elisabeth zu umarmen und zu küssen. Sie war glücklich und freute sich auf jeden Abend, wenn sie gemeinsam aßen und sich liebkosten und küssten.

Am Samstag war wieder Dionysi-Tag. Georg, Gertraud und die Kinder hatten sich wieder etwas von ihrer Trauer erholt. Man konnte wieder scherzen mit ihnen. Joseph lud die Weixelgartner Familie für das nächste Wochenende nach Velden zu seiner Geburtstagsfeier ein. Sie versprachen zu kommen. Natürlich hatte auch Maria, Elisabeths Mutter, die Veränderung an ihrer Tochter bemerkt und wie sie vor Glück strahlte. Die Geschäfte gingen gut. Bald hatten sie alles verkauft.

Als sie heimkamen, waren sie entsetzt. Auf der Weide lag eine tote Kuh in ihrem Blut. Jemand hatte sie niedergestochen. Niemand im Dorf hatte etwas von einem Kampf mit einer Kuh bemerkt. Ein Brief war dieses Mal nicht dabei. Anscheinend war die tote Kuh Drohung genug. Die Anzeige bei der Polizei brachte nichts Neues. Der mysteriöse Täter blieb unerkannt.

Beim Abendessen tröstete Elisabeth ihren Justin erneut. Sie umarmte und küsste ihn. Er ließ es gerne mit sich geschehen. Irgendwie hatte er sich mittlerweile längst in dieses nette, hübsche, adrette, ehrliche Mädchen verliebt. Annette hatte er praktisch vergessen, bis sie plötzlich eines Abends nach circa acht Monaten wieder vor seiner Tür stand. Sie hatte sich stark verändert. Vor allem war ihr Bauch enorm gewachsen. Elisabeth wollte Justin gerade dazu überreden, mit ihr aufs Zimmer zu gehen, als Annette dastand. Als er die Bedeutung ihres Bauches erkannt hatte, sah Justin Annette fragend an. „Du siehst schon richtig. Du bist der Vater von diesem Kind."

Für Elisabeth brach mit einem Schlag ihre heile Welt, die sie gerade dabei war aufzubauen, zusammen. Sie war entsetzt. Justin wird Vater von dem Kind einer anderen Frau. „Ich verlange von dir, dass du mich heiratest, damit unser Kind nicht ohne Vater aufwächst“, sagte Annette ohne Umschweife zu Justin.

„Und du, blöde Schlampe, verschwindest am besten sofort“, sagte Moritz, der hinter Annette ins Zimmer getreten war, zu Elisabeth und ging drohend auf sie zu. „Du lässt Elisabeth in Ruhe“, schrie ihn Justin an und stellte sich schützend vor sie. „Moritz, hör auf“, brüllte ihn sein Vater, Arnold Hinterseher an, der gemeinsam mit seiner Frau Monika, hereingekommen war. „Die Hochzeit wird in drei Wochen stattfinden“, fuhr Arnold fort. „Wir haben bereits mit dem Pfarrer geredet.“ Justin war bestürzt. Elisabeth schaute ihn eindringlich an. „Du wirst doch nicht“, fing sie zu reden an und stockte gleich wieder. „Doch“, antwortete ihr Justin: „Ich werde Vater.“ Weinend verließ Elisabeth das Zimmer. Nachdem sich Justin mit allem einverstanden erklärt hatte, verließen die Hinterseher sein Haus. Allein und traurig saß er an seinem Tisch im Esszimmer. Er holte Papier, Feder und Tintenfass und schrieb einen langen Brief nach Amerika zu seinen Eltern. Er werde in drei Wochen heiraten, da er Vater wird, sei aber sehr unglücklich, stand da zu lesen. Er hatte schon viele Briefe nach Amerika geschickt, da er Sehnsucht nach seinen Eltern, seiner Schwester und der Farm hatte. Maria und Joseph machten einen Spaziergang und schauten zu so später Stunde, da sie Licht sahen, noch bei Justin vorbei. Er erzählte ihnen, was sich ereignet hatte. Sie waren entsetzt, mochten aber nichts gegen seine Entscheidung einwenden.

Am nächsten Tag verlangte Elisabeth von ihm, sie mit der Kutsche nach Lichtenhaag zu ihrer Mutter zu bringen. Sie wolle mit ihm nichts mehr zu tun haben. Er brachte sie hin und lud sie, ihre Mutter und die Familie Weixelgartner gleich zu seiner Hochzeit ein.

DIE HOCHZEIT

Die Wochen vergingen. Justin kümmerte sich nicht um die Hochzeitsvorbereitungen. Er machte seine Arbeit. Annette besuchte ihn häufig. Irgendwie war er schon noch ein bisschen in sie verliebt. Doch ging ihm Elisabeth nicht aus dem Sinn.

Drei Tage vor der Hochzeit trafen seine Eltern und seine Schwester Julia ein. Letztere hatte sich stark verändert. Sie war eine wunderschöne, erwachsene Frau geworden und sah beinahe so aus, wie ihre Mutter in ihrer Jugend, als Matthias sich in sie verliebt hatte.

Justin freute sich unglaublich, nach so langer Zeit seine Familie wieder zu sehen. Im kommenden Jahr möchte er unbedingt einige Wochen nach Amerika kommen.

Die Herren Matthias Schmidberger und Arnold Hinterseher kannten sich bereits.

Matthias konnte es sich bei der Begrüßung nicht verkneifen, zu Arnold zu sagen, dass er jetzt durch die Hintertüre doch noch in den Besitz des Bauernhofs kommen würde, was er bei der Versteigerung nicht geschafft hatte.

Ansonsten stellte man sich gegenseitig vor. Die standesamtliche Hochzeit sollte am Vormittag, zwei Stunden vor der kirchlichen Hochzeit stattfinden. Die eigentliche Feier war dann im Gemeindesaal von Velden geplant. Die Gästeliste stellte hauptsächlich Annette mit ihren Eltern zusammen.

Leute, die Justin einladen wollte, gab es nur sehr wenige. Dies waren die Weixelgartners mit Elisabeth und Maria, seine amerikanische Familie sowie Maria und Joseph.

Überraschend für alle brachte Maria noch einen speziellen Wunsch vor, wen sie eingeladen haben wollte. Dies war ihr ehemaliger Schwager Sebastian, der jüngere Bruder ihres verstorbenen Mannes, den Matthias vor langer Zeit erschlagen hatte.

Als Vatermörder wurde Matthias seither von Sebastian angeprangert. Maria wollte Frieden stiften und Sebastian mit Matthias versöhnen. Zur Überraschung aller nahm Sebastian die Einladung an.

Mit seinen 65 Jahren war dieser ein noch recht stattlicher, gutaussehender Mann. Seine Schreinerei hatte er bereits aufgegeben. Maria hatte ihren Schwager seit dem Tod ihres Mannes nicht mehr gesehen. Als sie ihn sah, ging sie erfreut über sein Kommen auf ihn zu und reichte ihm die Hand, die dieser nur widerstrebend annahm. Man merkte ihm an, dass es ihn Überwindung kostete. Sebastian war Witwer. Seine Frau war vor einigen Jahren wahrscheinlich an einem Mammakarzinom verstorben. Kinder hatten sie keine bekommen.

Die Trauung fand in dem schönen, gotischen Kirchlein von Velden statt. Elisabeth hatte sich ihre Zusage zum Kommen lange überlegt, sich aber doch dazu durchgerungen, mit den anderen zur Feier mitzukommen.

Die standesamtliche Trauung wurde vom Bürgermeister vorgenommen, der ein Freund von Arnold war, den Justin bis dahin nur als seinen Gegner kennengelernt hatte. Diese Zeremonie fiel ziemlich nüchtern aus. Die kirchliche Trauung wurde hingegen vom Pfarrer sehr feierlich zelebriert. Justin sah man beim Jawort an, dass ihm mulmig zu Mute war, dass er nicht wirklich glücklich über die Ereignisse war, wie sie zustande gekommen sind, sagte nach kurzem Zögern dann aber doch: „Ja."

Das Wirtshaus, in dem die große Feier stattfand, lag nur circa 200 Meter von der Kirche entfernt.

Als das Brautpaar aus der Kirche ins Freie trat, standen viele junge Paare des Dorfes Spalier. Sie ließen das Brautpaar hochleben. In einem gemeinsamen Brautzug schritt die gesamte Hochzeitsgesellschaft zur Gaststätte.

Es fand sich ein großer Saal, der wunderschön mit Blumen und Girlanden dekoriert war. Ein Hochzeitslader hielt eine kurze Eröffnungsrede, wobei er nur, wie den ganzen Abend, in Reimen sprach. Daraufhin spielte eine Band aus vier Personen einen Tusch. Die Gäste suchten ihre vorbestimmten Plätze auf. Der Bräutigam bedankte sich für den freundlichen Empfang. Man sah ihm an, dass er stolz auf seine schöne Braut war. In ihrem weißen Kleid und mit ihren hochgesteckten Haaren sah Annette, trotz ihrer Schwangerschaft, auch wunderschön aus. Auch Matthias als Vater des Bräutigams und Arnold Hinterse-

*Da es zu Justins Zeit noch keine Fotografie gab,
wird ein Hochzeitsbild eines seiner Nachfahren gezeigt.
Nachdem Justins Hochzeit sehr deprimierend endete,
würde man ein Foto von seiner richtigen Hochzeit
gar nicht darbieten wollen*

her als Brautvater hielten kurze Ansprachen, bevor das Brautpaar daran ging, die pompöse Hochzeitstorte anzuschneiden. Die Band spielte jeweils wieder einen Tusch dazu. Bevor das Brautpaar endgültig die Torte anschneiden durfte, bat der Hochzeitslader wieder um kurze Aufmerksamkeit. Er versuchte, vor dem Anschnitt die Spannung noch einmal zu steigern, indem er das Brautpaar über alles lobte. Alle, die dem hübschen Paar zusahen, waren begeistert. Auch Justin machte in seiner traditionellen Tracht mit Lederhose und Trachtenjacke eine tolle Figur. Alle waren begeistert und freuten sich auf eine großartige Hochzeit. Es folgte der Brautwalzer, wobei sich zumindest Justin als nicht allzu toller Tänzer herausstellte. Der Walzer wirkte etwas holprig. Dennoch klatschten die Leute frenetisch Beifall. Nach einer kurzen Tanzrunde für alle – Justin holte seine Mutter, Annette ihren Vater, die Mutter dann Matthias und Arnold seine Frau, Justin seine Schwester, Annette ihren Bruder, bis beinahe alle auf der Tanzfläche standen und sich im Kreise drehten –, wurde dann das Essen serviert.

SEBASTIAN

Obwohl ihm ein ganz anderer Sitzplatz zugedacht war, setzte sich Sebastian neben Matthias, also an den Ehrentisch, der nur für das Brautpaar und deren Eltern vorgesehen war, wobei er es nicht fertigbrachte, ihm die Hand zu reichen. Nach einiger Zeit des Schweigens fing er plötzlich an, Matthias zu beschimpfen. „Du Arschloch hast meinen geliebten Bruder umgebracht. Wenn schon die staatlichen Behörden nicht in der Lage sind, diesen Mord zu rächen, so muss ich es selber tun." Während er dies sprach, sprang er auf und zückte eine Pistole, die er offensichtlich aus seiner Soldatenzeit gerettet hatte. „Du räudiger Hund wirst jetzt büßen", brüllte er und richtete seinen Revolver auf Matthias. „Hast du die Tiere umgebracht und die Hassbriefe geschrieben?", wandte sich plötzlich Justin an ihn. „Ja, natürlich", antwortete dieser und schaute einen Moment von Matthias weg zu Justin hin. Diesen kurzen Moment der Unaufmerksamkeit nutzte Matthias, um Sebastian die Pistole aus der Hand zu schlagen, so dass der Schuss an ihm vorbeiflog, leider aber Annette in den Brustkorb traf. Matthias warf sich auf Sebastian und streckte ihn mit einem Schlag zu Boden. Justin sprang zu Annette hin, die am Boden lag und stark blutete, und drückte ihr ein Tischtuch auf die Wunde, um die Blutung zu stoppen. Man brachte eine Bahre, legte Annette darauf und trug sie so schnell es ging ins Feldlazarett von Velden. Die Ärzte versuchten die Blutung zu komprimieren, was nur unzureichend gelang. Als klar wurde, dass Annette nicht mehr zu retten war, entschloss man sich, wenigstens das Kind durch Kaiserschnitt aus dem Bauch zu holen. Ein kräftig schreiender Junge wurde einem völlig zerstörten Justin in die Arme gedrückt. Annette starb noch am Operationstisch. Die Verwundung war zu groß, als dass man sie zur damaligen Zeit hätte retten können.

Matthias war so wütend, dass er auf Sebastian einschlug, was diesem fast das Leben gekostet hätte, bis man ihn wegzerrte. Moritz war entsetzt, wütend, traurig, alles auf einmal. Er stürmte auf Justin zu, den er für den Tod seiner Schwester verantwortlich machte, und fing an, auf ihn einzuschlagen. Justin war zu verdutzt, um sich zu wehren. Erst als er bereits am Boden lag, wurde ihm klar, dass er jetzt kämpfen musste. Er sprang auf und wandte sich Moritz zu. Dieser versuchte erneut auf Justin einzuschlagen. Doch dieses Mal parierte er die Schläge oder wich ihnen aus, nur um seinerseits einzelne Treffer auf Moritz zu setzen, die diesen langsam groggy machten. Die Schmidbergers sowie Elisabeth und ihre Mutter wollten sich zurückziehen. Doch wurden sie plötzlich von Arnold Hinterseher und seinen Freunden angegriffen. Es entwickelte sich eine massive Schlägerei im gesamten Festsaal, wodurch einiges Geschirr und Gläser zerschlagen wurde. Dies ging so lange, bis der Wirt die Polizei holte, und sich diese mit Warnschüssen in die Luft Gehör verschaffte. „Wer nicht sofort zu schlagen aufhört, wird eingesperrt", verkündete der Polizeichef.

Sobald Justin bemerkte, dass Annette von den Sanitätern hinausgetragen wurde, lief er ihnen nach, um Annettes Hand zu halten. Dies sollten die letzten Momente gewesen sein, die Annette noch bewusst mitbekam. Dann kam die Ohnmacht, aus der sie nicht mehr aufwachte.

Sebastian wurde verhaftet, einem Richter vorgeführt, von diesem zum Tode durch den Strang verurteilt und bereits am nächsten Tag aufgehängt. Offensichtlich hatte er sich im Laufe von Jahrzehnten in einen Rachewahn hineingesteigert, der ihm jeden vernünftigen Gedanken raubte. In der Ehe mit seiner verstorbenen Frau schien es große Probleme gegeben zu haben, wie man sich in der Nachbarschaft erzählt hatte. Wahrscheinlich hatte sie ihn vergeblich versucht von seinem Rachewahn abzubringen, was enorme Spannungen zwischen den beiden ausgelöst haben dürfte. Als man Sebastian zum Schafott führte, schien ihn dies überhaupt nicht zu tangieren. Er hatte wohl mit einem solchen Urteil gerechnet. Auch war es ihm offensichtlich egal, dass er statt Matthias Annette getötet hatte. Für ihn war in seinem Wahn seine Rache erledigt. Seine Lebensaufgabe war damit erfüllt. Der Tod war die logische Konsequenz, mit der er gerechnet hatte, die ihn eigentlich gar nicht mehr zu berühren schien.

Irgendwie hatte sich Sebastian damals auch mitschuldig am Tod seines Bruders gefühlt, da die Wut, die Thomas in sich trug, als er zu seiner Frau heim kam, die diese massive Gegenreaktion von Matthias seinem Vater gegenüber ausgelöst hatte, großteils durch den massiven Streit bedingt war, den er, Sebastian, zuvor mit ihm ausgetragen hatte, von dem er nicht einmal mehr wusste, worum es sich eigentlich gehandelt hatte, da sie beide bereits viel zu besoffen waren, als dass sie sich daran erinnern hätten können. Dieses eigene Schuldgefühl, das er sich selbst aber nicht eingestehen wollte, steigerte seinen Hass auf den vermeintlichen Mörder seines Bruders noch mehr, da er es in seinem Rachewahn auf Matthias übertrug. Seine Frau versuchte vergeblich über Jahrzehnte hinweg, gegen diesen Hass und Rachewahn anzukämpfen, was auch zum Scheitern ihrer eigenen Ehe führte.

DIE BEERDIGUNG

Als Justin so verloren mit seinem neugeborenen Sohn auf dem Arm dastand, gesellte sich Elisabeth zu ihm und nahm seine Hand, was dieser einfach geschehen ließ. Justin wollte nur noch mit seinem Kind nach Hause. Elisabeth begleitete ihn. Sie versuchte ihn zu trösten, so gut sie nur konnte. Kurz darauf kamen ihnen Maria und Joseph sowie die Familien aus Lichtenhaag und Amerika nach. Sie setzten sich auf die Polstermöbel des Wohnzimmers, waren ziemlich konsterniert und berieten, wie es nun weitergehen sollte. Die Weixelgartners hatten ihren Sohn verloren, Justin jetzt an seinem Hochzeitstag seine Braut, dafür einen Sohn bekommen, der dringend eine Amme brauchte, um nicht zu verhungern. Irgendeinmal legten sich alle schlafen. Die Gäste wurden auf die beiden Häuser verteilt, in denen es reichlich Platz gab.

Am nächsten Morgen, in aller Frühe, kam bereits Annettes Mutter mit einer Amme daher. Ihr war klar geworden, dass das Kind, bisher ihr einziger Enkel, Milch brauchte, um zu überleben.

Die anderen kamen bereits alle zum Frühstück. „Die Beerdigung findet übermorgen am Friedhof bei der Kirche statt, das Requiem zuvor in der Kirche, wo sie eben noch geheiratet haben“, verkündete ihnen Annettes Mutter. Die Weixelgartners mussten heim, ihren Hof versorgen. Übermorgen zur Beerdigung wollten sie wieder kommen. Elisabeth zog wieder in ihr altes Zimmer ein. Sie wolle ihre Ausbildung fortsetzen, sagte sie.

Alle waren froh, als dies alles wieder vorbei war. Abends waren Justin und seine Familie aus Amerika sowie Maria und Joseph und Elisabeth wieder vereint in Justins Wohnzimmer. Sein Sohn blieb bei der Amme, die sich im Haus der Hinterseher bequem eingerichtet hatte. Justin und seine Eltern besuchten das Kind täglich.

Drei Tage nach ihrer Hochzeit wurde Annette auf dem Friedhof beerdigt, durch den sie vor so kurzer Zeit erst im Spalier der Dorfjugend glücklich mit erhobenem Haupt geschritten ist. Die Trauergäste waren entsetzt. Man konnte das Unfassbare nicht glauben.

Zur Beerdigung waren viele Menschen aus Velden und Landshut gekommen, einschließlich Annettes Landshuter altem Freund. Justin und er redeten aber nicht miteinander. Der Leichenschmaus, oder die Gremes, wie man in Niederbayern sagt, fand im Wirtshaus statt, das Arnold Hinterseher gehörte. Zum Entsetzen vieler wurde als Essen Schweinebraten mit Kartoffelknödel, Soße und Blaukraut gereicht, was es drei Tage zuvor bereits bei der Hochzeit gegeben hatte.

Nach nur wenigen Tagen mussten die Amerikaner wieder nach Hause, um sich um ihre Farm zu kümmern.

Justin und Elisabeth saßen abends nun wieder alleine an ihrem Tisch im Esszimmer. Justin wirkte ziemlich deprimiert. Elisabeth versuchte ihn erneut zu trösten.

Trotz Elisabeths Mühen besserte sich dieser Zustand bei Justin nur langsam. Sie brauchte viel Geduld mit ihrem geliebten Mann. Als Justin ihr eröffnete, im nächsten Jahr nach Amerika zu seiner Familie und Farm reisen zu wollen, äußerte Elisabeth spontan den Wunsch, mitkommen zu wollen.

Nach einiger Zeit wurde das Kind von der Muttermilch entwöhnt, so dass Justin seinen Sohn, den er nach seinem Vater Matthias genannt hatte, zu sich heimholen konnte.

Elisabeth und er zogen das Kind gemeinsam auf. Maria und Joseph unterstützten sie dabei fest. Annettes Eltern kamen von Zeit zu Zeit vorbei, um ihren Enkelsohn zu sehen, beziehungsweise ihn mitzunehmen, um ihn später wieder bei Justin abzuliefern.

Im nächsten Sommer reisten alle drei nach Georgia, wo es Elisabeth zwar sehr gut gefiel, es ihr aber viel zu heiß war. Sie stöhnte richtig über die schwüle Hitze, die sie dort vorfand. Begeistert war sie von dem warmen Wasser des Atlantiks, aber auch von den vielen wilden Tieren, den Alligatoren und anderen.

Beerdigung

ELISABETHS HOCHZEIT MIT JUSTIN

Justins Mutter machte eines Tages den Vorschlag, dass sie hier in Amerika heiraten könnten. Hier wäre es viel einfacher und unbürokratischer als in Deutschland.

So kam es, dass sie eines Tages in einer Kirche von einem Pfarrer den Segen zu ihrem Jawort erhielten. Bei der Hochzeit waren neben dem Brautpaar nur die Eltern, Julia mit ihrem Verlobten und der kleine Matthias, der nach einem Jahr bereits seine ersten Schritte angefangen hatte zu gehen. Wenn auch ihr Bauernhof in Velden gut versorgt war von Maria und Joseph und Elisabeths Mutter Maria, so bekamen sie doch langsam ein schlechtes Gewissen, ihn so lange allein zu lassen. Bei der Überfahrt gerieten sie in einen Sturm, der ihnen starke Übelkeit mit Erbrechen bereitete. Sobald sie an Land waren, war alles wieder überstanden.

Die Heimfahrt von Hamburg nach München und dann weiter nach Velden gestaltete sich recht mühsam.

Die beiden Marias und Joseph freuten sich sehr, sie wieder zu sehen. Am Bauernhof war alles normal verlaufen.

Irgendwie war Elisabeth bei der Überfahrt, als es ihr furchtbar schlecht ergangen war, gar nicht aufgefallen, dass ihre Periode ausgeblieben war. Übelkeit und Erbrechen hatte sie auf die Schifffahrt zurückgeführt, wobei sicherlich die Hauptschuld daran ihre Frühschwangerschaft trug.

Als sie nun zu Hause angekommen waren, fiel als Erstes ihrer Mutter Maria ihr blühendes Aussehen auf, das typisch für eine Schwangerschaft ist. Als Elisabeth dies bewusstwurde, freuten sich alle darüber, dass noch ein Kind zu ihrer Familie kommen würde. Acht Monate später hat Elisabeth ein gesundes Mädchen geboren, dass sie nach ihrer Mutter Maria nannte. Einige Jahre vergingen, bis Elisabeth noch ein weiteres Mädchen zur Welt brachte, der sie den Namen Julia gaben, wie Justins Schwester hieß, die ihre Taufpatin werden sollte.

Zu den Taufen beider Kinder sind die Angehörigen aus Amerika jeweils wieder nach Niederbayern gereist.

Zum Hoferben wurde Matthias bestimmt, was vor allem seine Großeltern Hinterseher freute.

Mit Moritz hat sich Justin im Laufe der Zeit immer besser verstanden. Sie haben zeitweise viel zusammen unternommen, sind gemeinsam zum Angeln gegangen und gute Freunde geworden.

Nach ihrem letzten Aufenthalt anlässlich der Taufe der zweiten Tochter von Elisabeth und Justin hat sich Matthias sehr innig von seiner Mutter und seinem Onkel verabschiedet. Er hat Maria umarmt und geküsst. Es sollte ein Abschied für immer werden. Nach Europa ist Matthias nie wieder zurückgekehrt. Zum Tod seiner Mutter und seines Onkels hat er nur Kondolenzkarten geschrieben.

Justin ist noch einmal nach Georgia zur Hochzeit seiner Schwester gereist. Er ist allein gekommen, da Elisabeth gerade erst vor einem Dreivierteljahr ihre zweite Tochter bekommen hatte und sie nicht mit drei Kindern so weit reisen wollte. Es sollte aber auch für ihn das letzte Mal gewesen sein, dass er über den Atlantik gekommen ist. Beim Tod seiner Eltern fühlte er sich bereits zu alt für diese lange und beschwerliche Reise.

Vor Matthias' Taufe hat Justin damals Moritz gefragt, ob er Taufpate seines einzigen Neffen, den er jemals bekommen würde, werden möchte, was dieser hoch erfreut angenommen hat.

Seitdem sind die beiden Männer dicke Freunde geworden. Bei Moritz' Hochzeit hat Justin eine lange Rede gehalten, wobei er vor allem noch einmal seine tiefe Trauer über den Tod von Annette ausdrückte. Auch er wurde Pate des ersten Sohnes dieses Brautpaares.

Häufig haben sich Justin und Moritz beim Wirt zum Schafkopfen getroffen, was beide leidenschaftlich gerne spielten. Die beiden Paare haben zusammen Grillfeste gefeiert und viele gemeinsame Stunden miteinander verbracht.

Maria hat den Rest ihres Lebens auf dem Hof ihrer Tochter Elisabeth zugebracht und tatkräftig bei der schweren Bauernarbeit mitgeholfen.

Die Weixelgartners haben sie noch mehrmals auf dem Markt in Vilsbiburg getroffen. Nachdem sich diese aber in späterer Zeit mehr nach Landshut orientierten, indem sie ihre Waren nach Jodok auf den Markt brachten, da sie sich dort höhere Gewinne versprachen, ist die Verbindung dieser Familien bald abgebrochen.

So schreckliche Ereignisse wie der gewaltsame Tod von Annette haben sich Gott sei Dank nicht öfter ergeben.

Elisabeth und Justin haben ein langes, zufriedenes und glückliches gemeinsames Leben geführt. Sie haben noch miterlebt, wie ihre Kinder geheiratet haben. Matthias hat den Hof übernommen. Sie haben selbst ihre Enkelkinder noch aufwachsen gesehen.

Justin soll irgendeinmal im hohen Alter an einem Schlaganfall plötzlich verstorben sein. Elisabeth – so wird es berichtet – ist ihm offensichtlich aus Verzweiflung über seinen Tod bald nachgefolgt. Genaueres ist jedoch nicht bekannt.

Ob es sich wirklich so zugetragen hat, weiß ich nicht. Doch wäre es zumindest möglich. Es würde auch eine Erklärung dafür sein, woher unser Vorfahre, den sein eigener Tresor im Suff erschlagen hat, sein vieles Geld herhatte, worüber an anderer Stelle noch eingehender zu berichten sein wird. Ganz genau werden wir es leider wohl nie erfahren.

Im Laufe der letzten Jahrhunderte sind viele Deutsche in die neue Welt, nach Amerika, ausgewandert, unter anderen auch ein Großonkel von Olga. Anfangs soll er noch öfter Briefe nach Lichtenhaag geschrieben haben. So nach und nach sind diese jedoch ausgeblieben, so dass man nie wieder etwas von ihm gehört hat. Das große Glück, von dem er geträumt hatte, scheint er jedoch nicht gefunden zu haben.

Elisabeth hat zwei Töchter bekommen. Die erste nannte sie nach ihrer Mutter, Maria, die zweite, wie bereits berichtet, Julia, nach ihrer Schwägerin, die auch ihre Taufpatin werden sollte. Matthias zog sie auf, als wäre es ihr eigener Sohn. Seine Großeltern kümmerten sich sehr um ihren Enkel.

Moritz und seine Frau haben ebenfalls zwei Kinder erhalten. Eine Tochter und einen Sohn. Letzterer sollte einmal den Hof der Hinterseher von seinen Eltern übernehmen, so wie Moritz den Hof von seinen Eltern übernommen hatte.

Elisabeth protestierte nicht, dass Matthias den Bauernhof der Schmidberger einmal bekommen sollte. Es war einfach so üblich, dass die Söhne die Höfe erben und die Töchter in andere Höfe einheiraten. Diese Erbfolge war wie ein Naturgesetz, das man nicht anzweifeln konnte.

Matthias hielt sich jedenfalls oft bei seinem Onkel Moritz auf und spielte mit seinem Cousin und seiner Cousine, Andreas und Hanna. Andererseits besuchten diese aber auch Matthias und seine Schwestern bei Justin und Elisabeth.

Eigentlich hatten diese fünf Kinder eine ruhige und ausgeglichene, schöne Kindheit, auch wenn sie von ihren Eltern häufig in die Bauernarbeit eingebunden wurden, beziehungsweise die Mädchen bei der Hausarbeit mithelfen mussten.

Die Höfe hatten zur damaligen Zeit natürlich auch Pferde, die man vor den Pflug oder auch vor eine Kutsche spannen konnte. Diese fünf Freunde versuchten freilich auch auf den Pferden zu reiten, was nicht immer von großem Erfolg gekrönt war. Moritz' Tochter Hanna ist bereits mehrmals beim Reiten vom Pferd gefallen, ohne sich dabei größere Blessuren zuzuziehen.

Justin erzählte Matthias oft von seiner Heimat, Georgia, und seiner dortigen Familie, nach der er doch große Sehnsucht hatte.

Als Matthias größer wurde, ist er oft mit seinem Vater auf Pferdemärkte gefahren, die die beiden manchmal sogar bis Rosenheim führten.

Elisabeth wünschte sich, einmal noch die Weixelgartners wieder zu sehen. Maria, ihre Mutter, wollte unbedingt mitkommen. Justin fuhr mit den beiden Damen nach Lichtenhaag. Leider mussten sie feststellen, dass die Bäuerin krank geworden war. Sie war immer mehr abgemagert und konnte kaum noch etwas essen. Sie hatte anscheinend sehr starke Blutungen aus der Vagina bekommen, die niemand stillen konnte, worüber zur damaligen Zeit aber auch nicht gesprochen wurde. Es hieß einfach, dass die Leute schwindsüchtig wurden und an der Schwindsucht verstorben seien. Dass sie einfach mit jeder Periodenblutung anämischer wurden und langsam verbluteten, konnte sich niemand vorstellen. Ihr Arzt wusste nicht mehr, wie er ihr helfen sollte. Dennoch freute sich die Familie sehr, Maria und Elisabeth noch einmal zu sehen, bevor es mit der Bäuerin ganz zu Ende ging. Es wurde ihnen frische, noch warme Milch von ihren Kühen zum Trinken angeboten. Nach ungefähr zwei Stunden fuhren Justin und seine Damen ziemlich frustriert wieder nach Hause.

KATHARINA

Es war auf einem Sommernachtsball, als Matthias seiner Katharina zum ersten Mal begegnete. Der Ball fand im Freien statt. Die Nacht war warm. Ein großer Vollmond erhellte matt die Tische und Stühle, die im Biergarten einer Gaststätte aufgestellt waren.

Matthias war mit seinen beiden Schwestern Julia und Maria gekommen. Mit Andreas und Hanna hatten sie sich um 20 Uhr verabredet. Katharina saß neben ihrem Freund Thomas auf einer Bierbank. Gemeinsam tranken sie eine Radlermaß, als sich Matthias und seine Schwestern ihnen gegenüber an dem Biertisch niederließen.

Cousin und Cousine Hinterseher kamen etwas verspätet dazu. Eine Band von zwei Gitarristen und einer Sängerin spielte rhythmische Tanzlieder. Matthias forderte seine Cousine Hanna zum Tanzen auf, Andreas Maria.

Julia unterhielt sich, während die anderen tanzten, angestrengt mit Katharina und Thomas, die ihr gegenübersaßen. Vor allem mit Katharina, die in ihrem enganliegenden, dunkelblauen, weit ausgeschnittenen Kostüm richtig hübsch aussah, verstand sich Julia von vorneherein gut.

Thomas hörte ihnen etwas gelangweilt zu. Ihre Gespräche handelten von Einkäufen in Landshut, von Kleidung und Mode, was ihn recht wenig interessierte. Als die anderen vom Tanzen zurückkamen, setzte sich Matthias neben Julia, hörte den Damen bei ihrer Unterhaltung zu und fing bald an, sich daran zu beteiligen.

Irgendwie fanden sich Katharina und Matthias offensichtlich sogleich recht sympathisch. Jedenfalls begannen diese beiden sich sehr intensiv zu unterhalten, was Thomas gar nicht passte. Ziemlich unwirsch sagte er zu Katharina: „Komm, lass uns endlich tanzen", stand auf und zog Katharina hoch, die dies ohne Widerspruch geschehen ließ. Zum nächsten Tanz forderte Matthias Katharina auf, weshalb Thomas notgedrungen Julia zum Tanz bitten musste. Matthias war ein flotter Tänzer. Er hatte viel Rhythmus in sich und drehte Katharina so im Kreis herum, dass dieser fast schwindlig wurde.

Spaß gemacht hat es ihr aber unheimlich. Sie war schon recht fasziniert von diesem flotten, hübschen, schlanken Tänzer, der sie so im Kreis herumgewirbelt hatte. Thomas reagierte eifersüchtig. Während er mit Julia tanzte, hat er oft zu den beiden hinübergeschaut. Jedenfalls klang er ziemlich verärgert, als sie vom Tanzen zurückkehrten und sich wieder zu den anderen setzten. Katharina spürte selbstverständlich die Eifersucht, die in Thomas aufkam. Irgendwie tat er ihr leid. Schließlich war sie mit ihm ausgegangen. Sie forderte ihn von sich aus zum Tanzen auf und setzte sich anschließend mit ihm an einen anderen Tisch. Jetzt war Matthias recht enttäuscht, konnte aber nichts dagegen tun. So kam es, dass er mit seiner Cousine und seinen Schwestern tanzte, wie ursprünglich vorgesehen.

Es sollten viele Wochen vergehen, bis Katharina Julia zufällig über den Weg lief. Sie kamen miteinander ins Gespräch. Julia lud Katharina für den nächsten Tag zum Kaffeetrinken nach Hause ein.

Als sich die beiden Damen am nächsten Tag bei Kaffee und Kuchen im Esszimmer unterhielten, kam zufällig Matthias herein. Sobald er Katharina erkannte, setzte er sich gleich zu den beiden Mädchen. „Soll ich dir Tee einschenken?“, fragte ihn seine Schwester. Als dieser nickte, stellte sie ihm eine Tasse hin und goss Tee ein. Matthias fragte Katharina, warum sie am Tanzabend einfach verschwunden seien, ohne sich zu verabschieden. Die Gefragte lief etwas rot an im Gesicht, tat aber so, als ob sie die Frage nicht gehört hätte. Matthias, der seinen Blick kaum von den schönen, braunen Augen Katharinas abwenden konnte, wollte sie nicht weiter bedrängen, fragte sie aber ohne Umschweife, ob sie am Samstag mit ihm auf das Weinfest in Hampersdorf gehen würde. Zu seiner Überraschung stimmte sie einfach zu.

Leider herrschte ein unfreundliches, feuchtes Wetter, als Matthias und seine beiden Schwestern, die unbedingt mitkommen wollten, mit ihrer Pferdekutsche Katharina am Nachmittag von zu Hause abholten.

Sie hatten Schirme aufgespannt, um nicht allzu nass zu werden. Matthias hatte sich warm angezogen. Dennoch saß er frierend auf seinem Kutschbock. Als sie nach einer Stunde in dem Gasthaus in Hampersdorf, wo das Fest stattfinden sollte, ankamen, waren sie ziemlich ausgefroren.

Zu allem Überfluss stand ein Schild vor der Gaststätte mit dem Hinweis, dass das Fest wegen schlechtem Wetter ausfällt. Die vier jungen Leute sahen sich ziemlich enttäuscht und ratlos an. „Wenn schon kein Fest stattfindet, können wir wenigstens in die Gaststube gehen, um uns aufzuwärmen, eine Maß Bier zu trinken und etwas zu essen“, schlug Matthias vor. Damit waren alle gleich einverstanden, da sie alle ausgefroren waren und sich trocknen und aufwärmen wollten. Nachdem sie sich in der Nähe des Kachelofens niedergelassen hatten, von dem eine angenehme Wärme ausging, fingen sie langsam an, sich wieder wohler zu fühlen. Was eigentlich mit Thomas sei, wollte Matthias von Katharina wissen. Sie habe sich von ihm getrennt, da er ihr zu eifersüchtig geworden sei, antwortete ihm diese. Matthias konnte seine Augen kaum von Katharina lassen, was diese natürlich bemerkte und ihr gar nicht unangenehm war.

Trotz ausgefallenem Fest wurde es für die vier Leute ein angenehmer Nachmittag. Die Geschwister erzählten viel von ihren Verwandten in Amerika und von den Verhältnissen, die dort herrschten, worüber Katharina nicht schlecht staunte.

Alle vier waren so angeregt in ihr Gespräch vertieft, dass sie kaum merkten, wie die Zeit verging. Ihr Pferd hatten sie übrigens in einem Stall untergestellt, wo es mit Heu gefüttert wurde. Dafür mussten sie natürlich eigens bezahlen. Matthias bezahlte die gesamte Zeche. Er war so verzaubert von Katharina, dass er alle einlud.

Beim Hinausgehen legte er seinen Arm um Katharina und küsste sie auf die Wange. Diese drehte sich um, nahm seinen Kopf in die Hände und küsste ihn auf den Mund. Einen Augenblick umarmten sie sich und drückten sich eng aneinander. Dann holte Matthias das Pferd aus dem Stall und spannte es vor dem Wagen.

Es hatte aufgehört zu regnen und war etwas wärmer geworden. Durch den Alkohol, den sie getrunken hatten, waren sie aufgewärmt und angeheitert. Die Heimfahrt wurde jedenfalls sehr lustig.

Ihre Bäuche waren voll von den Blut- und Leberwürsten, die sie mit Sauerkraut neben dem Bier verzehrt hatten. Sie fühlten sich, wie sie selbst sagen würden, „sauwohl". In der nächsten Zeit trafen sich Katharina und Matthias öfter. Irgendeinmal hatten sie angefangen, sich ganz oben im Heu, im alten Stall auszuziehen und nach einiger Zeit auch miteinander zu schlafen.

Da sie beide keine Ahnung von Antikonzeption hatten, blieb es nicht aus, dass Katharina bald schwanger wurde. Anfangs waren sie entsetzt, als ihnen dies klar wurde. Sie versuchten ihre Schwangerschaft so lange es ging vor den anderen zu verbergen. Erst als Katharinas Bauch immer größer wurde, erkannten alle, was los war. Beide Eltern drängten auf Hochzeit, damit das Kind nicht unehelich zur Welt käme, was zur damaligen Zeit für eine Todsünde gehalten wurde.

Das Aufgebot war rasch bestellt. Zuerst ging man ins Rathaus für die standesamtliche Trauung, anschließend zum Pfarrer in die schöne gotische Kirche von Velden. Gefeiert wurde beim Wirt nebenan. Die Hochzeit wurde sehr feierlich gestaltet. Trotz ihres dicken Bauches sah Katharina in ihrem weißen Kleid unglaublich hübsch aus. Matthias war mächtig stolz auf seine Frau. Die Hochzeitstorte bestand aus Marzipan und Buttercreme, was für die damalige Zeit, zu der viele Leute kaum so viel zu essen bekamen, dass sie satt wurden, natürlich unglaublich toll war.

Zur Hauptspeise gab es Rinderbraten mit Soße, Semmelknödel und Kartoffelsalat, wobei manche sich den Magen so vollschlugen, dass ihnen hinterher schlecht wurde.

Mit Rücksicht auf Katharinas Schwangerschaft verzichtete man auf einen Brautwalzer. Die Gäste tanzten aber umso ausgedehnter zu den fröhlichen Klängen einer Zwei-Mann-Band. Die Leute freuten sich für das glückliche Brautpaar, aber auch über das gute Essen und überhaupt, dass sie aus ihrem tristen Alltag einfach einmal rausgerissen wurden.

Hinterher waren alle begeistert von dieser schönen, ausgelassenen, glücklichen Hochzeit.

Wenige Monate später gebar Katharina einen hübschen Jungen. Matthias war glücklich. Sie nannten ihren Sohn Anton. Es vergingen weitere zwei Monate, als plötzlich der Einberufungsbefehl für Matthias zum Militär nach München ins Haus flatterte. Alle Proteste dagegen, von wegen frühe Vaterschaft, Notwendigkeit zur Versorgung des Hofes und so weiter, halfen nichts. Matthias musste nach München. Der Herzog benötigte Soldaten für irgendwelche Streitigkeiten, die es mit benachbarten Fürstentümern gab. Es handelte sich nicht um einen großen Krieg. Die Fürstbischöfe von Würzburg sollten zur Vernunft im Sinne des bayrischen Herzogs gebracht werden. Es gab eigentlich nur ein kleines, unbedeutendes Scharmützel, in dem Matthias von einem Pfeil in die Lunge getroffen wurde. Er verlor viel Blut, bekam Wundfieber und verstarb zwei Tage später. Die Nachricht vom Heldentod ging einen Tag später in Velden bei den Eltern, Ehefrau, Geschwistern und Schwiegereltern ein.

Die Beerdigung war noch viel feierlicher, als es die Hochzeit ein gutes halbes Jahr davor war. Die Leute waren geschockt, traurig, freuten sich aber insgeheim auf den Leichenschmaus, bei dem es Schweinebraten mit Soße, Knödel und Blaukraut gab, also wieder ein recht ähnliches Essen wie zur Hochzeit vor einem halben Jahr.

Justin, aber auch Elisabeth, obwohl Matthias nicht ihr leiblicher Sohn war, trauerten den Rest ihres Lebens um ihn. Ähnlich erging es seinen Großeltern, den Hinterseher, die nicht nur ihre Tochter, sondern jetzt auch noch deren Sohn, ihren Enkel, verloren hatten. Justins Eltern in Amerika waren zu diesem Zeitpunkt beide bereits verstorben.

Katharina blieb am Hof und zog gemeinsam mit ihren Schwiegereltern ihren Sohn Anton auf. Diesem wurde dann später der Bauernhof übergeben. Die Dynastie der Schmidberger in Velden ging weiter, trotz furchtbarer Schicksale, die immer wieder auf sie zukamen.

Anton heiratete auch und bekam zwei Kinder, starb aber im Gegensatz zu seinem Vater in einem hohen Alter.

Elisabeth und Justin sind ebenfalls recht alt geworden. Ihre beiden Töchter haben in Bauernhöfe in der Nähe eingeheiratet, wie es sich für Töchter von Bauern in der damaligen Zeit gehörte. Die Väter haben solche Hochzeiten meistens beim Kartenspielen im Wirtshaus arrangiert.

Katharina hat nicht mehr geheiratet. Ihr Lebensinhalt wurde ihr Sohn Anton. Nachdem ihr Lebensglück durch einen verirrten Pfeil eines Soldaten der Erzbischöfe von Würzburg vollkommen unsinnig zerstört worden war, fühlte sie sich zum ersten Mal wieder glücklich bei der Hochzeit ihres Sohnes.

Sie freute sich für ihn, dass er in Maria eine so nette Partnerin gefunden hatte. Noch mehr freute sie sich aber, als Maria bald schwanger wurde und ihr nach zehn Monaten einen gesunden Enkelsohn und wenige Jahre später auch noch eine Enkeltochter schenkte. Auf diese Weise hat auch diese unglückliche Frau, die vom Leben so betrogen worden war, noch ein spätes Glück gefunden.

Doch zeigt auch diese Geschichte wieder einmal, wie die arme, bayrische, überwiegend bäuerliche Bevölkerung unter den meist unsinnigen Kriegen der Adligen leiden und einen enormen Blutzoll entrichten musste, obwohl sie meistens gar nicht verstanden hatten, wofür sie eigentlich kämpften und starben.

DIE NEUERE ZEIT

DIE NEUERE ZEIT

Relativ detaillierte Angaben, was die Geschichte des Oama-Hofs betrifft, konnte mir mein Schwiegervater, Josef Weixelgartner, über die letzten 200 Jahre geben, da er von seinem Onkel, jenem Georg Weixelgartner, der neben seinem Beruf als Pfarrer in Gerzen auch noch intensive Ahnenforschung betrieb, was dieses Buch erst ermöglichte, recht genaue Angaben über diesen Zeitraum erhalten hat.

Dieser Georg Weixelgartner hat dabei nicht nur die Kirchenanalen von Gerzen und Lichtenhaag sowie die Stadtarchive von Vilsbiburg und Landshut durchforscht, sondern ist auch im Gefängnis von Landshut fündig geworden, wobei er zwei Prozessakten aus dieser Zeit studieren konnte, die ihm Berichte vermittelten über eine gewisse Yvonne Weixelgartner und einen Anton Buchner, dessen Schwester, Rosa, in die Weixelgartner Familie eingeheiratet hat und letztendlich die Urgroßmutter meiner Olga gewesen ist, wobei Erstere zu lebenslänglichem Gefängnis wegen Mordes an ihrem Schwager, Mathias Weixelgartner, Anton sogar zum Tode durch Erhängen, ebenfalls wegen Mordes, verurteilt worden waren.

Letzterer scheint sich der Vollstreckung dieses Urteils jedoch durch Flucht entzogen zu haben. Man sieht, dass es spannende Geschichten zu berichten gibt, die hoffentlich Spaß zu lesen machen werden.

Als mir Josef die Geschichte von Yvonne erzählte, die ursprünglich aus Frankreich stammte, saßen wir gerade auf einer Parkbank in Nevers, wobei wir soeben von der Besichtigung des Grabes der heiligen Bernadette von Lourdes gekommen waren, als Josef über Schmerzen in seinen Beinen klagte. „Ich muss mich etwas hinsetzen und ausruhen", sagte er zu mir, da ihm sein Übergewicht, das er sich durch seinen vermehrten Alkoholgenuss angetrunken hatte, doch etwas Schwierigkeiten bereitete.

Wir waren unterwegs in die Dordogne", um die Bauernfamilie zu besuchen, bei denen er drei Jahre als Kriegsgefangener verbracht hatte, und machten Zwischenstation in Nevers, um, wie gesagt, zur heiligen Bernadette zu gehen.

Ich werde nie vergessen, wie Josef plötzlich seinen Kopf schüttelte, als ihm die Geschichte von Yvonne einfiel und ihm klar wurde, dass sie als Französin seine Vorfahrin war.

„Wenn man dies bedenkt, so haben wir eigentlich in diesem vermaledeiten Krieg gegen unsere eigenen Verwandten gekämpft", sagte er plötzlich, mehr zu sich selbst als zu mir.

Es gab schließlich nicht wenige Stimmen in seinem Freundeskreis, die vermuteten, dass Josef seine pechschwarzen Haare und seine braunen Augen von dieser französischen Verwandtschaft geerbt hätte.

DIE NAPOLEONISCHE ZEIT

Als mein Schwiegervater Josef Weixelgartner und ich auf unserem Weg zur Dordogne Zwischenstation in Nevers machten, um das Grab der Bernadette zu besichtigen, mussten wir auf dem Rückweg eine Pause auf einer Parkbank einlegen.

Josefs Gelenke schmerzten. Aufgrund seines etwas übersteigerten Alkoholgenusses hatte er sich einige Pfunde zu viel angetrunken, weshalb seine Gelenke laufend überbeansprucht wurden. Sein Übriges taten seine schwere Bauernarbeit und sein Mangel an Gesundheitsbewusstsein. Gymnastik oder Muskelaufbau waren ihm Fremdworte.

Als wir so auf der Bank saßen und uns über das Wunder von Lourdes unterhielten, meinte Josef plötzlich, dass angeblich einer seiner Vorfahren eine Französin geheiratet haben soll. Sie soll Marketenderin in Napoleons Heer gewesen sein. Man sagt, Josef und sein Sohn Georg hätten ihre braunen Augen und schwarzen Haare von dieser Dame geerbt. Offensichtlich hatte dieser Weixelgartner im bayrischen Heer damals Napoleons Russlandfeldzug mitgemacht.

Josef schüttelte den Kopf und fügte hinzu, wenn man darüber nachdenkt, haben wir gegen unsere eigenen Vorfahren Krieg geführt.

Diese Dame solle allerdings sehr böse und 20 Jahre lang in Landshut im Gefängnis gewesen sein wegen Mordes an ihrem Schwager Thomas Weixelgartner.

Josefs Onkel hatte jedenfalls Hinweise auf eine Gefangene Yvonne Weixelgartner, geborene Verne, im Landshuter Gefängnisarchiv gefunden. Eine Yvonne Verne habe jedenfalls 1812 den Bruder des damaligen Oama-Bauern Matthias geheiratet. Ein solcher Eintrag fände sich wiederum in den Kirchenanalen von Lichtenhaag.

Eigentlich interessierten mich diese Geschichten über die Vergangenheit der Oama-Bauern damals wenig, da ich noch keine Beziehung zu diesem Hof hatte. Als Hoferbe war schließlich Olgas Bruder Georg vorgesehen.

Wir würden, wie mir damals bereits klar war, nicht einmal Opas Austragshaus bekommen, da der ganze Besitz beim Bauernhof bleiben sollte.

Nachdem sich jedoch die ganze Geschichte anders entwickelt hatte als ursprünglich vorgesehen, sind mir beim Schreiben dieser Ereignisse auch diese Worte meines Schwiegervaters wieder eingefallen.

Weitere Einzelheiten über diese Geschehnisse konnte mir Josef nicht mehr geben. Die ganzen Geschichten, die mir Josef Weixelgartner über die Frühzeit des Oama-Hofes gab, klangen sehr mystisch. Sein Onkel, der Theologie studiert hatte, schien bei seinen Nachforschungen auf Hinweise auf diese Ereignisse gestoßen zu sein. In seiner Kindheit hatte Josef einiges darüber von ihm erfahren, vieles damals aber nicht verstanden, manches auch schon wieder vergessen.

Es kamen am Ende des 18. Jahrhunderts schreckliche Berichte nach Bayern. Die Franzosen sollen sich gegen ihren König erhoben haben. Berichten nach soll der französische Pöbel sogar die Bastille, eine große Burg und ein Gefängnis in Paris erstürmt haben.

Für die bayrische Bevölkerung, die ihren Herzog über alles verehrte und liebte, klangen solche Geschichten wie ein großer Frevel.

Irgendwie kehrte aber dennoch eine gewisse Unruhe in die ärmliche, aber ansonsten heile Welt der bayrischen Dörfer ein, besonders, nachdem sie erfahren hatten, dass die Franzosen sogar ihren König und ihre Königin hingerichtet hätten. Sollte man die Franzosen dafür bewundern oder hassen?

Die traditionsbewussten Bayern entschieden sich mehrheitlich dafür, diese Ereignisse, wie sie in Frankreich stattfanden, abzulehnen.

In Bayern wäre so etwas nie möglich gewesen.

DIE OAMA-FAMLIE

Der damalige Bauer hieß Josef, wie schon viele Weixelgartner vor ihm und auch viele seiner späteren Nachkommen. Gerufen hat man ihn Sepp, wie es zur damaligen Zeit üblich war und auch heute noch in Bayern Brauch ist. Seine Frau hieß Theresia; genannt hat man sie Resi.

Das Ehepaar hatte drei Kinder, zwei Söhne und eine Tochter. Der älteste Sohn hörte auf den Namen Thomas. Die Tochter nannte sich Maria. Der Jüngste von den dreien war Matthias. Gerufen wurden sie nach alter bayrischer Tradition Tomi, Mare und Hias. Im Haus lebten auch noch zwei Knechte und eine Dirn mit Namen Hans, Veronika und Jackob. Man kannte sie allerdings nur unter den Namen Hansi, Vroni und Jagge.

Die Bauernfamilie wohnte in dem alten Wohnhaus, das zwei Jahrhunderte später ein weiterer Josef Weixelgartner, der Vater meiner Olga, abgerissen hat, um auf der Südseite der Hofstelle sein neues Hanghaus zu bauen.

Olgas Bruder Georg wohnte dann noch später in dem Stall, der ursprünglich auf der Rückseite des alten Wohnhauses stand, den er sich wiederum als Wohnung umgebaut hatte mit seiner polnischen Frau Bozena, um für das Hanghaus seines Vaters Mieteinnahmen zu bekommen.

Die beiden Knechte und die Dirn bewohnten das Haus hinter dem großen Stall auf der Nordseite der Hofstelle, das später nach dem letzten Knecht der Familie Weixelgartner Dewe-Haus genannt wurde. Der große Stall im Norden, auf dem ich im Jahre 2010 eine ausgedehnte Photovoltaikanlage zur Stromgewinnung installieren ließ, existierte zu dieser Zeit noch nicht einmal. Stattdessen stand dort eine Reihe kleinerer Sau- und Ziegenställe.

Oberstes Prinzip von Bauernhöfen der damaligen Zeit war, autark zu sein. Der Hof musste vor allem die acht Menschen ernähren können, die auf ihm lebten. Was darüber hinaus noch produziert wurde, konnte man dann auf freien Bauernmärkten verkaufen.

Frühstück, Mittag- und Abendessen nahm man gemeinsam in der großen Stube des Bauernhauses neben der Küche ein. Vor Beginn der Mahlzeit sprach jeweils einer der acht Bewohner ein kurzes Gebet, wobei der Vorbeter täglich wechselte.

Jeder hatte eine andere Aufgabe. Die Bäuerin war für das Kochen, den Gemüsegarten vor dem Haus und für die Geranien, Rosen und anderen Blumenschmuck in den Beeten um das Haus herum und vor den Fenstern und auf den Balkonen, die das Haus auf drei Seiten umgaben, zuständig.

Bis vor einem Jahr pflegte sie auch noch ihren Schwiegervater, der mit seinen über 80 Jahren bereits ziemlich gebrechlich und vor allem dement war. Doch der war vor wenigen Monaten seiner Frau in den Tod gefolgt, die schon im Jahr davor verstorben war.

Die Dirn half im Haushalt. Sie musste putzen, war für die Unterstützung der Bäuerin zuständig. Veronika war 35 Jahre alt, ledig, eine sehr hübsche und kesse Frau.

Josef, der Bauer, hätte mit seinen 61 Jahren gern ein Auge auf sie geworfen, wurde von ihr aber regelmäßig zurückgewiesen.

Die Knechte waren für die Versorgung der Tiere zuständig.

Es gab fünf Milchkühe und drei Kälber. Das Melken war wiederum vor allem die Aufgabe von Veronika und der Bäuerin. Zusätzlich waren auf dem Hof Schweine, Ziegen, Schafe und zwei Pferde zu versorgen. Die Pferde wurden vor allem zum Pflügen und zum Transport von Lasten verwendet.

Thomas, Maria und Matthias mussten überall mit anfassen, wobei Maria mehr zur Unterstützung der Frauen herangezogen wurde, während die Söhne den Knechten auf dem Feld, in den Stallungen und im Wald helfen mussten.

Beide Knechte waren Mitte 40, unverheiratet wie auch Veronika, da sie sich Frau und Kinder nicht hätten leisten können.

Beide hätten Veronika auch gerne den Hof gemacht, wurden aber ebenfalls regelmäßig von ihr zurückgewiesen.

Veronika mit ihren langen blonden Haaren, ihren großen, blauen Augen und ihrem hübschen Gesicht hatte immer davon geträumt, einmal einen reichen, gutaussehenden Bauern kennen zu lernen, der sie als Bäuerin mit auf seinen Hof nehmen würde. Doch leider hat sich bisher der richtige Bräutigam noch nicht eingestellt.

Veronika hatte auch wenig Gelegenheit, anderen Männern zu begegnen, da sie praktisch nie aus dem Dorf herauskam. Einzige Abwechslung war am Sonntag der Kirchgang.

Sie sang, wie auch die Bäuerin und Maria, ihre Tochter, im Kirchenchor. Nach der Messe mussten sie aber schnell wieder nach Hause, um das Mittagmahl herzurichten.

An zwei Abenden während der Woche gingen die drei Frauen zur Chorprobe in die Kirche. Doch die Chormitglieder waren durchwegs Frauen, mit Ausnahme des Dirigenten und zweier älterer Herren, die Veronika überhaupt nicht gefielen. An den kirchlichen Festen, Weihnachten, Ostern, Pfingsten, kamen oftmals Verwandte der Weixelgartners zu Besuch. Doch auch unter denen hat sich bisher noch kein geeigneter Mann für Veronika gefunden.

Ausgesprochen lästig waren ihr die plumpen Annäherungsversuche der beiden Knechte und des Bauern, die, vor allem wenn sie angetrunken vom Wirt heimkamen, gerne bei ihr hereingeschaut hätten. Doch sie hat mittlerweile allen dreien klar gemacht, dass sie solche Versuche in Zukunft unterlassen sollten. Eine Zeit lang hatte sie gehofft, der ältere Sohn des Bauern, Thomas, würde ein Auge auf sie werfen. Doch dem wurde von seinen Eltern eine gut situierte, jedoch nicht sonderlich hübsche Bauerntochter aus der Umgebung zugesprochen.

Matthias, der jüngere Sohn der Bauersleute, war nur wenig zu Hause, da er eine Zimmererlehre in Vilsbiburg durchmachte. Er hatte es mittlerweile bis zum Meister gebracht, weshalb er sich überlegte, eine eigene Zimmerei in Lichtenhaag aufzumachen. Matthias war mit seinen 29 Jahren ein paar Jahre jünger als Veronika.

Er war ein hübscher Junge geworden, breitschultrig, etwas untersetzt und stämmig, hatte ein recht nett anzusehendes Gesicht. Wäre er nicht zu jung für sie, hätte er Veronika recht gut gefallen.

Maria, seine Schwester, war bereits mit einem Bauern aus der Umgebung verlobt. Sie war auch schon 31 Jahre alt.

Theresia, die Bäuerin und Mutter, hatte schon 61 Jahre ihres Lebens hinter sich gebracht. Sie wirkte müde, abgehärmt, hatte viele Falten in ihrem Gesicht. Man sah ihr die lange, schwere Bauernarbeit deutlich an. Sie war sicherlich etwas eifersüchtig auf die hübsche Veronika, da ihr die Annäherungsversuche ihres Ehemanns nicht verborgen geblieben sind. Doch hatte sie so viel Vertrauen zu Veronika, dass sie keine Angst haben musste, von ihrem Mann wegen ihr verlassen zu werden.

Abwechslung in ihrem eintönigen Alltag gab es nur am Faschingsdienstag, wenn Musik spielte und die Dorfleute sich oben am Versammlungsplatz zum Tanz trafen, und zu Kirchweih.

An Kirchweih ging man von Hof zu Hof, hutschte auf den Kirtaschaukeln. Man unterhielt sich. Die Leute waren ausgelassen, wie sonst selten in ihrem schweren Alltag. Es gab immer viel zu essen. Viele Bauern zogen eigens Gänse groß, um sie zum Kirchweihfest zu schlachten.

Am Faschingsdienstag verkleidete man sich, wenn man zum Tanz auf den Dorfplatz ging. Veronika hatte sich dieses Mal besonders hübsch gemacht. Sie war als Kätzin verkleidet. Sie hatte sich Schnurrbarthaare angemalt. Seit Monaten hatte sie an ihrem Katzenkostüm herumgeschneidert. Als sie so auf dem Dorfplatz stand und sich mit den anderen im Reigen drehte, sah sie richtig kess und verführerisch aus.

Dies war auch Matthias sofort aufgefallen, der gerade von Vilsbiburg heimgekommen war. Er hatte sich eine Zwergenmütze aufgesetzt, einen Umhang übergeworfen und war gleich zum Dorfplatz hochgegangen. Als er Veronika schlank, beweglich, attraktiv in ihrem Katzenkostüm vor sich sah, ging er auf sie zu, fasste sie bei den Händen und tanzte mit ihr. Sie schaute ihn etwas überrascht, anfangs widerstrebend mit ihren blauen Augen an, wollte sich schon wieder von ihm befreien, bis sie merkte, wie beschwingt er tanzen konnte. Es gefiel ihr, sich mit ihm zu drehen. Er hatte Rhythmus. Er drehte sie, bis ihr fast schwindlig wurde.

Sie setzten sich wieder auf die Bänke, tranken Bier, unterhielten sich. Sie hatte Matthias noch nie so charmant erlebt. Dieser kannte sich selbst nicht mehr. Vielleicht machte es das Bier, oder das Katzenkostüm. Ihm gefiel Veronika plötzlich unheimlich. Er stellte sie sich nackt vor mit ihrer schlanken Gestalt, ihren kleinen wohlgeformten Brüsten. Sie waren beide wie in Trance. Sie tanzten wieder, tranken erneut Bier, machten einen Spaziergang, wobei sie sich an der Hand hielten. Veronika wehrte sich nicht dagegen. Sie war plötzlich fasziniert von diesem Mann, den sie schon so lange kannte, aber noch nie so gesehen hatte. Sie waren bereits eine gute Strecke gegangen. Den Tanzplatz hatten sie schon weit hinter sich gelassen. Nur von Ferne klang noch die Musik herüber, als Matthias Veronika zu sich herdrehte, sie umarmte und küsste. Sie hätte sich eigentlich wehren müssen. Doch irgendetwas hielt sie davon ab. Sie umarmte ihn, küsste ihn auch. Als er anfing, sie auszuziehen, ihre schönen Brüste zu betasten, war ihr Widerstand längst gebrochen. Sie begann auch ihn aufzuknöpfen, seine Hose herabzuziehen. Er küsste ihre Brüste. Sie lagen hinter einem Busch. Es war ein warmer Märztag; doch viel zu kalt, um nackt hinter einem Busch zu liegen. Dennoch froren sie nicht. Er drang in sie ein. Sie wollte sich wehren. Sie hatte keinen Empfängnisschutz, doch sie konnte es nicht. Sie hatte sich in ihrem Leben noch nie zuvor so gut und glücklich gefühlt. Hinterher blickten sich beide verdutzt an. Sie konnten kaum glauben, was sie getan hatten. Sie gingen zurück zum Tanzplatz.

In der Folgezeit schlich sich Matthias öfter heimlich, wie er glaubte, in Veronikas Zimmer, wenn er von Vilsbiburg heimkam. Sie hatten beide gehofft, ihre Beziehung geheim halten zu können. Nach kurzer Zeit wussten aber alle am Hof Bescheid.

Sein Vater stellte ihn zur Rede; was ihm denn einfiele, mit einer Dirn zu schlafen. Matthias und Veronika waren verliebt ineinander. Sie schmiedeten gemeinsam Pläne. Er wollte eine Zimmerei in Lichtenhaag gründen. Sie könnten heiraten. Doch dann holte sie die Weltgeschichte wieder ein.

Die Französische Revolution war längst zu Ende. Der König und die Königin waren tot. Aber auch Robes Pierre hatte seinen Kopf verloren. Aus der jungen Demokratie war eine neue Diktatur entstanden. Ein Bürgergeneral hatte die Macht in Frankreich übernommen. Napoleon ließ sich sogar zum Kaiser des großen französischen Reiches krönen.

Er führte Krieg mit seinen Nachbarstaaten. In Lichtenhaag rückten französische Truppen ein. Es gab keine Kämpfe gegen die Franzosen. Bayern und Frankreich waren schließlich Verbündete. Ein Sohn aus jedem Hof wurde für das bayrische Heer rekrutiert. Thomas musste sich um den Hof kümmern. Sein Vater hatte ihm diesen schließlich bereits vor einem Jahr überschrieben. Thomas hatte auch schon seine reiche Bauerstochter aus dem Nachbardorf geheiratet, wie es die Eltern untereinander vereinbart hatten.

Seine Frau Anna war ziemlich unansehnlich, aber auch kränkelnd. Sie war zu schwach für die bäuerliche Arbeit. Theresia, die alte Bäuerin, musste wieder verstärkt mitarbeiten. Aber auch Veronika wurde wieder vermehrt herangezogen.

Maria lebte nicht mehr am Oama-Hof. Sie hatte einen Bauern aus einem der Nachbardörfer geheiratet und war zu ihrem Mann gezogen.

Die beiden Knechte arbeiteten weiter wie bisher auf dem Hof, da sie keine Alternative zu dieser Arbeit hatten. Für den Militärdienst waren sie schon zu alt.

Matthias wurde eingezogen. Man brachte ihn nach München, wo er wie viele seiner Vorfahren, aber auch viele seiner Nachkommen einen Schnellkurs im Kriegshandwerk erhielt.

Der bayrische Herzog brauchte schließlich schnell eine schlagkräftige Truppe, um gegen diese aufständischen Tiroler unter diesem Rädelsführer Andreas Hofer zu kämpfen.

Matthias hatte nicht einmal mehr mitgekriegt, dass bei Veronika die Periode ausgeblieben ist. Bei einer ihrer letzten Zusammenkünfte muss er sie wohl geschwängert haben.

Das Verhältnis zwischen der kränkelnden Bäuerin Anna und der schönen Veronika war unproblematisch.

Thomas, mittlerweile der Oama-Bauer, war seiner Frau treu. Als bei Veronika der Bauch immer dicker wurde, so dass sie ihre Schwangerschaft nicht mehr verbergen konnte, kümmerten sich alle rührend um sie. Nach zehn Monaten brachte sie im Dewe-Haus eine hübsche Tochter zur Welt.

Die Entbindung verlief vollkommen normal. Eine Hebamme oder sogar ein Arzt waren in diesen schweren Kriegszeiten nicht zu bekommen. Anna half ihr. Auch Maria war gekommen, um ihrer Nichte zu helfen, gesund auf diese Welt zu kommen.

Die Tochter, sie nannten sie Elisabeth, schrie sofort. Als Veronika sie in ihre Arme nahm und liebkoste, wurde sie sofort still und schmiegte sich eng an ihre Mutter. Veronika war glücklich, dieses Kind bekommen zu haben. Nachricht von Matthias hatte sie seit seinem Weggang nicht mehr erhalten. Er hatte nicht einmal erfahren, dass er Vater geworden war.

Es vergingen viele Jahre, ohne dass sie irgendein Lebenszeichen von Matthias bekommen hätten. Die alten Bauersleute waren bereits verstorben.

Josef hatte während der Arbeit einen Schlaganfall bekommen und ist einfach umgefallen.

Seine Frau grämte sich darüber so sehr, dass sie ihm wenige Monate später in den Tod nachfolgte.

Thomas und seine Anna hatten keine Kinder bekommen. Anna wurde immer schwächer. Ihre linke Brust sei knotig geworden, hat Thomas einmal zu Veronika gesagt. Mittlerweile sei die Haut aufgebrochen. Es liefe übelriechendes Sekret aus dieser Brust. Ein Arzt war nirgends zu bekommen. Der Dorfpfarrer kam zum Abbeten. Das Geschwür wuchs dennoch weiter. Anna wurde immer schwächer. Die letzte Zeit ihres Lebens schloss sie sich in ihr Zimmer ein und wollte niemanden mehr sehen, bis sie endlich unter großen Schmerzen sterben durfte.

Sie hatte noch die letzte Ölung bekommen. Sie war zeitlebens eine rechtschaffene Frau. Bei der Beerdigung wussten alle, dass sie ohne Umweg über das Fegefeuer sofort in den Himmel gekommen ist.

Elisabeth war zu dieser Zeit bereits zehn Jahre alt. Von ihrem Vater war bisher keine Nachricht gekommen. Niemand wusste, ob es ihn überhaupt noch gab. Thomas und Veronika zogen gemeinsam das Kind auf, bis sie plötzlich jäh aus ihrer Ruhe gerissen wurden.

Anna und Thomas hatten eine große Hochzeit in Lichtenhaag gefeiert. Verwandtschaft und Menschen aus vielen umliegenden Dörfern waren gekommen.

Anna war niemals Thomas' große Liebe gewesen. Aber er akzeptierte die Entscheidung seiner Eltern, Anna als standesgemäße Partie zu nehmen.

Da der Oama-Hof ziemlich heruntergekommen war durch die Faulheit von Thomas' Vater Josef, der lieber im Wirtshaus saß und sich mit Bier, Wein und Schnaps volllaufen ließ, als sich um seinen Hof zu kümmern, war Annas gute Mitgift dringend nötig, um den Hof wieder aus seinen Schulden heraus zu bringen.

Auch zur damaligen Zeit war die Existenz des Hofes bereits einmal sehr bedroht, ähnlich wie Jahrhunderte später, als ich meinem Schwager Georg den Hof abkaufen musste, um ihn vor der Versteigerung zu bewahren.

Thomas akzeptierte aus diesen Gründen die Hochzeit mit Anna. Irgendwie glaubte er auch, mit Anna eine gute Ehe führen zu können, auch wenn sie sicherlich nicht seine große Liebe gewesen sein dürfte.

Insgeheim hatte er immer Veronika verehrt. Doch die wurde ihm von seinem Bruder Matthias weggenommen, der sie dann vor seiner Einberufung zum Militär auch noch geschwängert hatte.

Bei der Hochzeit sah Anna in ihrem weißen Kleid richtig nett aus. Thomas war direkt stolz auf seine Frau. Zur Hochzeitsfeier waren viele Gäste gekommen. Es spielte eine schöne Musik. Sie tanzten. Die kirchliche Trauung hatte zuvor in dem kleinen gotischen Kirchlein stattgefunden, das Josef Weixelgartner nach dem Zweiten Weltkrieg im Auftrag des Pfarrers einfach abgerissen hat, um stattdessen eine moderne Kirche zu bauen. Der Hochzeitszug ging dann Richtung Schloss, wo ihnen der Graf den großen Rittersaal für ihre Feier zur Verfügung gestellt hatte.

Thomas freute sich auf die Hochzeitsnacht. Er hatte noch nie zuvor Verkehr mit einer Frau gehabt, im Gegensatz zu seinem Bruder Matthias, der immer schon von Zeit zu Zeit nach Landshut oder Vilsbiburg ins Puff mit seinem Pferdefuhrwerk gefahren ist, um gegen Geld Liebe zu bekommen.

Thomas trank auch wenig Alkohol. Er war ein solider, gutmütiger, fleißiger Mann, der versuchte, seinen Hof wieder in Schuss zu bekommen. Unterstützung erhielt er dabei von den beiden Knechten, die auch bereits etwas älter geworden waren, aber immer noch gut arbeiten konnten.

Eigentlich war die Hochzeitsnacht sehr schön. Anna liebte ihren Thomas, weshalb sie bemüht war, ihm zu gefallen. Die Ehe mit Anna hätte durchaus gutgehen können, wenn nicht ihre linke Brust immer knotiger und sie immer schwächer geworden wäre. Veronika musste sich vermehrt um den Haushalt kümmern, da Anna immer weniger Kraft zum Mithelfen hatte. Das Siechtum Annas schritt voran, bis sie nach nur fünf Ehejahren bereits verstarb.

So lebten bald nur noch fünf Leute auf dem Hof, die beiden Knechte, Veronika mit ihrer Tochter Elisabeth und Thomas.

Eigentlich hatte Veronika immer schon Thomas verehrt. Er war sicherlich nicht so auffallend hübsch wie sein jüngerer Bruder Matthias, aber dennoch ein durchaus gutaussehender Mann. Veronika hatte sich damals nur mit Matthias eingelassen, da Thomas zu dieser Zeit bereits mit Anna verlobt war.

Sie zogen gemeinsam Elisabeth auf, die allgemein nur als Bärbel bekannt war. Nachdem Anna nun schon ein halbes Jahr tot war, versuchte Veronika, sich Thomas zu nähern, was dieser gern annahm, da er schon lange heimlich in Veronika verliebt war.

Von Matthias hatten sie seit seinem Fortgang vor zehn Jahren nichts mehr gehört, bis er plötzlich wieder auftauchte und ihre kleine Welt zerstörte, die gerade angefangen hatte, wieder zu heilen.

Veronika war als Tochter eines Lehrerehepaars aufgewachsen. Ihre Eltern waren durch einen Brandunfall ums Leben gekommen, als sie gerade zehn Jahre alt war. Sie war dann auf Umwegen als Magd an den Oama-Hof gekommen.

Von ihren Eltern hatte sie schon als Kind lesen und schreiben gelernt, was zur damaligen Zeit eher selten war, dass überhaupt jemand schreiben konnte. Veronika hatte ihr Wissen, das sie von ihren Eltern bekommen hatte, an ihre Tochter Elisabeth weitergegeben.

Als nun nach so langer Zeit plötzlich Matthias wieder auftauchte, änderte sich das Leben der kleinen Menschengruppe auf dem Oama-Hof von Grund auf.

Auf diesem Bild sieht man Andreas, Olga und Johanna in Frankreich

DER KRIEG

Nachdem die französischen Soldaten Matthias rekrutiert hatten, wurde dieser nach München ins bayrische Heer gebracht. Hier wurde er, wie schon seine Vorfahren, die Gebrüder Johannson auf den 30-jährigen Krieg, als auch später sein Nachkomme Josef Weixelgartner und auch Georg Schmidberger auf den Zweiten Weltkrieg, in einem Kurzlehrgang, der eher einem unmenschlichen Drill glich, als einer vernünftigen Ausbildung, auf das Kriegshandwerk vorbereitet, um dann möglichst bald als Kanonenfutter an die Front geworfen zu werden.

Im Prinzip hatte sich darin im Laufe der Jahrhunderte nichts geändert. Nach Beendigung dieses Drills wurde er dann mit der bayrischen Armee nach Tirol abkommandiert. Herzog Max hatte es eilig. Die Franzosen drängten ihn, möglichst rasch mit dem Spuk des Tiroler Aufstandes unter dem Rädelsführer Andreas Hofer aufzuräumen. Der Herzog schickte deshalb eilends seine schlecht ausgebildeten und wenig motivierten Truppen nach Tirol, wo sie am Bergisel auf die Aufständischen trafen.

Matthias war gleich in der vordersten Linie mit dabei. Bereits bei der ersten Gewehrsalve der Tiroler starb die Hälfte der Soldaten aus seiner Reihe. Trotzdem musste er weiter vorrücken, wobei bei der nächsten Salve wieder ein Drittel seiner Kameraden zu Boden sank. Matthias blieb, wie durch ein Wunder, verschont. Doch nun stürmten die Tiroler vom Berg herab auf sie zu. Bei der Wucht, mit der die Tiroler auf sie zukamen, gab es für die Bayern kein Halten mehr. Matthias und die meisten seiner Kameraden aus den vorderen Reihen liefen so schnell sie nur konnten um ihr Leben.

Die Offiziere versuchten, die hinteren Reihen noch einmal zusammen zu halten, um dem Ansturm der Tiroler doch noch Paroli zu bieten. Anfangs schien dies fast zu glücken. Die Soldaten wehrten sich tapfer. Doch als der Anprall der Tiroler zu mächtig wurde, gab es auch für diese Reihen kein Halten mehr. Sie liefen, so schnell sie konnten, um dem sicheren Tod zu entgehen. Nördlich von Innsbruck gelang es der Heerführung, die

Flucht zum Stillstand zu bringen und die erschöpften Soldaten nochmals um sich herum zu versammeln.

Matthias war auch unter ihnen. Die Heerführung gab die Parole aus, am nächsten Tag nochmals die Tiroler anzugreifen und ihnen dieses Mal eine vernichtende Niederlage beizubringen.

Matthias hatte in so kurzer Zeit so viele Soldaten um sich herum sterben gesehen, dass er absolut keine Lust mehr hatte, am nächsten Tag nochmals anzugreifen, um dann selbst zu sterben.

Diese Entscheidung wurde ihnen jedoch abgenommen, da die Tiroler ihrerseits nachgerückt waren und über das bayrische Heerlager herfielen, so dass diesen nur noch die Flucht über die Grenze nach Bayern blieb.

Matthias wachte in seinem Zelt auf, weil er Schüsse und Kampflärm hörte. Er schlüpfte schnell in seine Kleidung, nahm sein Gewehr und trat vors Zelt, um zu sehen, was los war. Die Tiroler waren offensichtlich über die Außenposten ihres Lagers hergefallen.

Die bayrischen Offiziere versuchten verzweifelt, eine Front gegen sie aufzubauen. Die meisten bayrischen Soldaten schienen jedoch ihr Heil in der Flucht zu suchen. Ebenso machte es Matthias. Er wollte nur raus aus diesem Lager, heim nach Lichtenhaag. Er lief so schnell er konnte in Richtung Norden, wo kein Kampflärm war.

Niemand hielt ihn auf. Er erreichte den nahen Wald, konnte dort untertauchen und erst einmal verschnaufen. Es war ihm niemand gefolgt. Sein Verschwinden schien in diesem Tumult nicht aufgefallen zu sein.

Er wusste, dass er als Deserteur erschossen werden könnte, falls man ihn aufgreifen würde. Er wanderte in Richtung Westen, wo er den Aufstieg zum Zirler Berg vermutete. Nachdem er diesen wie durch ein Wunder wirklich gefunden hatte, bemühte er sich stundenlang, diesen Berg hinaufzusteigen, um dann über Seefeld an die bayrische Grenze zu kommen.

Als er am Morgen den Berg überwunden hatte, war er so erschöpft, dass er sich erst einmal hinlegen und ausruhen musste. Nach zwei Stunden Ruhe brach er wieder auf, um zur bayrischen Grenze zu gelangen. Nach Stunden freute er sich, endlich Seefeld erreicht zu haben, als er einer französischen Patrouille voll in die Hände lief.

Die Franzosen waren von der bayrischen Heerführung verständigt worden, dass viele Soldaten vor den Tirolern geflohen seien. Sie hatten deshalb Patrouillen ausgeschickt, um die flüchtigen Soldaten wieder einzusammeln.

So kam es, dass Matthias nicht nach Lichtenhaag, sondern wieder zurück nach Innsbruck kam. Da bei dem Angriff der Tiroler so viele geflüchtet waren, konnte man nicht alle bestrafen. Sie wurden einfach wieder ins bayrische Heer eingegliedert.

Nachdem die gut ausgebildete französische Armee ins Kriegsgeschehen eingriff, brach der Widerstand der Tiroler Freiheitskämpfer schnell zusammen. Andreas Hofer wurde gefangen genommen und nach Verona gebracht, um dort hingerichtet zu werden.

Matthias kam mit seiner Abteilung ebenfalls nach Verona. Er wollte bei der Erschießung dieses Hofer, den er verantwortlich machte für den Tod so vieler seiner Kameraden, unbedingt dabei sein. Bei der Erschießung drängte sich Matthias bis zur ersten Reihe vor, um diesem Verbrecher dabei in die Augen schauen zu können, wenn er vor Angst zitterte.

Hofer war ein stolzer Mann. Er verweigerte die Augenbinde. Er wollte seinerseits seinen Henkern in die Augen sehen, wenn diese abdrückten. Die erste Salve ging daneben. Hofer blieb unverletzt.

„Oh, wie schießt ihr schlecht“, verhöhnte er seine Scharfrichter.

Die nächste Salve traf. Hofer sackte leblos zu Boden.

Als Matthias dieses schreckliche Schauspiel gesehen hatte, fühlte er sich gar nicht so erleichtert, dass dieser Mann endlich tot war, wie er sich eigentlich zu fühlen geglaubt hatte. Er war eher bedrückt, als er gesehen hatte, mit welchem Stolz dieser Mann gestorben war.

Anschließend ging die ganze Kompanie ins Wirtshaus zum Saufen, um Andreas Hofers Tod zu feiern. Nachdem sie alle schon ziemlich viel Bier, Wein und auch Schnaps getrunken hatten, kam es zu einer Schlägerei, von der hinterher niemand mehr den Grund wusste, warum sie überhaupt entstanden ist.

Matthias war mittendrin. Er teilte massive Schläge aus, bis einer ihn voll am Kopf traf und er bewusstlos zusammenbrach. Als sich die Streitenden endlich wieder verzogen hatten, schleppte der Wirt den besinnungslosen Matthias auf die Straße, um ihn dort liegen zu lassen.

Als Matthias langsam wieder aus seinem Traum aufwachte, glaubte er im Himmel zu sein. Ein Engel schaute auf ihn herab. Ein wunderschönes Mädchen mit großen, rehbraunen Augen, einer geraden kleinen Nase, geschwungenen Augenbrauen, einem stolzen Mund und wallenden brünetten Haaren stand über ihn gebeugt. Matthias konnte sich nicht orientieren; er wusste nicht, wo er war; er konnte sich an nichts mehr erinnern; er hatte nur schreckliche Kopfschmerzen.

Das Mädchen sagte etwas auf Französisch zu ihm, wovon er nur wenig verstand. Durch seinen Kontakt zu den französischen Soldaten hatte er einige Brocken dieser Sprache gelernt, jedoch zu wenig, um zu verstehen, was dieses schöne Mädchen von ihm wollte.

Als Matthias etwas klarer im Kopf wurde und sich umschaute, erkannte er, dass er in einem Zelt war und auf einem Feldbett lag. Hinter dem Mädchen, das wohl erst gute 20 Jahre alt gewesen sein dürfte, stand noch eine andere, deutlich ältere Frau, die er auf ungefähr 45 Jahre schätzte. Die beiden Frauen waren unverkennbar Mutter und Tochter. Sie sahen sich sehr ähnlich, auch wenn die Mutter bereits ein paar Falten mehr hatte.

Die beiden Frauen sind zufällig an dem Wirtshaus vorbeigekommen, vor dem Matthias bewusstlos auf der Straße lag. Sie haben sich seiner erbarmt und ihn auf ihren Wagen aufgeladen. Sie waren Marketenderinnen, die mit ihrem Pferdewagen das französische Heer begleiteten, um ihre Waren, die sie in größeren Städten einkauften, teurer an die Soldaten zu verkaufen.

Wie Matthias bald herausfand, nannten sich die beiden Damen Yvonne und Marie Verne.

Sie haben den jungen Mann mit in ihr Zelt genommen, ihn auf ihr Feldbett gelegt, seine Platzwunde am Kopf verbunden und ihn abwechselnd überwacht, bis er nach circa 24 Stunden wieder aufwachte.

Völlig selbstlos haben die beiden Frauen die Pflege von Matthias selbstverständlich nicht übernommen. Als dieser sich wieder erholt hatte, dass er ihr Zelt verlassen konnte, präsentierten sie ihm ihre Rechnung, so dass er durch die Sauferei am Vortag und die Behandlung der beiden Marketenderinnen einen Großteil seines monatlichen Lohns abliefern musste.

Irgendwie hat ihn Yvonne doch sehr beeindruckt. Am nächsten Tag suchte er die beiden Frauen jedenfalls wieder auf, wobei er Tee mitbrachte, den er in Verona gekauft hatte. So tranken sie gemeinsam Tee. Hinterher lud er Yvonne zu einem Spaziergang ein, was diese bereitwillig annahm. Sie gingen in die Stadt. Er zeigte ihr das große römische Amphitheater. Matthias fühlte sich im Beisein von Yvonne unbeschwert und glücklich.

Er suchte täglich, nachdem er vom militärischen Dienst entlassen war, ihre Nähe. Sie schien sich aber auch auf das Beisammensein mit ihm zu freuen. So vergingen zwei Wochen, an denen sie sich fast jeden Tag sahen.

Irgendeinmal hatte er sie auch geküsst, sie umarmt, seinen Arm um sie gelegt. Sie fühlten sich wohl und zufrieden. Sie konnten sich stundenlang mit Händen und Füßen unterhalten, wobei sie gebrochen Deutsch und er etwas Französisch sprechen konnte, bis eines Tages für Matthias der Marschbefehl kam.

Seine Einheit wurde in eine andere Stadt verlegt. Die französische Armee zog weiter nach Süden. Die Marketenderinnen folgten mit ihrem Pferdewagen weiter dem Heereszug der Franzosen.

Das frisch verliebte Paar verlor sich aus den Augen. Die Unterhaltung der beiden, die in einer Mischung zwischen Französisch, Deutsch und Bayrisch stattfand, funktionierte erstaunlich gut. Es vergingen viele Wochen, bis die beiden wieder aufeinandertrafen.

Es gab viele Nächte, in denen Matthias einsam vor sich hin von Yvonne träumte.

Zeitweise tauchte auch manchmal das Bild einer anderen Frau vor seinen inneren Augen auf. Ganz vergessen hatte er Veronika noch nicht. Doch war sie so weit entfernt und die schöne Zeit mit ihr bereits so lange vergangen, dass die Erinnerung an sie immer mehr zu verblassen begann. Hatte er in Innsbruck noch laufend an Veronika denken müssen, begann jetzt ihr Bild immer mehr zu verschwinden und von Yvonne ersetzt zu werden.

Matthias war in Austerlitz dabei, dem Ort des größten Triumphes von Napoleon. Der Bürgergeneral, wie er sich damals noch nannte, bevor er sich später hat zum Kaiser krönen lassen, besiegte mit seinem zahlenmäßig weit unterlegenen Heer die gemeinsamen Armeen von Preußen, Österreich und Russland. Das kleine bayrische Aufgebot kämpfte selbstverständlich an der Seite der Franzosen.

Matthias war stolz, bei den Siegern zu sein.

Seine Kameraden feierten mit viel Alkohol. Er aber hatte etwas anderes im Sinne. Es war jetzt schon wieder viele Wochen her, dass er Yvonne zuletzt gesehen hatte. Er hoffte, sie im Tross des französischen Heeres zu finden. Er irrte etwas planlos zwischen den meist schon ziemlich besoffenen französischen Soldaten hin und her, die ausgiebig ihren Sieg feierten, bis er am Rande des Zuges einen bekannten Planwagen mit daneben grasendem Pferd sah.

Matthias fühlte sich innerlich aufgewühlt und nervös, als er auf den Wagen zuging. Marie saß vor ihrem Zelt und strickte. Als sie Matthias kommen sah, schaute sie ihn mit großen, erstaunten Augen an. Yvonne sei spazieren gegangen, erklärte sie ihm. Matthias setzte sich neben Marie und versuchte sich mit seinem gebrochenen Französisch mit ihr zu unterhalten. Als Yvonne endlich kam, war sie in Begleitung eines französischen Soldaten. Als sie Matthias neben ihrer Mutter sitzen sah, schaute sie ihn erstaunt, aber nicht unfreundlich an. Sie und ihr neuer Begleiter setzten sich zu den beiden. Es entstand eine etwas peinliche Situation, vor allem für Matthias, der von der Unterhaltung nur Bruchteile verstand. Enttäuscht und traurig stand er bald auf, um sich von den dreien zu verabschieden.

Irgendwie war ihm auch die Lust zum Feiern vergangen. Er ging in sein Zelt, legte sich auf sein Feldbett und grübelte über das soeben Erlebte nach. Irgendwann ist er dann wohl eingeschlafen. Am nächsten Tag hatte er sich schon wieder etwas von seiner Enttäuschung erholt.

Er machte ganz normal seine Pflichtübungen in seiner Einheit mit, um sich dann abends traurig vor sein Zelt zu setzen. Seine Kameraden wollten in die Stadt zum Feiern und ins Puff gehen. Er aber verspürte wenig Lust dazu. Er setzte sich lieber vor sein Zelt, um vor sich hin zu grübeln, als plötzlich Yvonne vor ihm stand. Sie setzte sich neben ihn hin, nahm seine Hand und schaute ihm tief in die Augen. Wie sie so neben ihm saß und ihn mit großen Augen ansah, war er wahnsinnig in sie verliebt. Er fasste ihren Kopf mit seinen Händen und küsste sie innig auf den Mund. Yvonne erwiderte seinen Kuss, wobei sie ihn fest umarmte. Sie redeten nicht viel, sondern zogen sich in sein Zelt zurück, in dem sie sich auf sein Feldbett legten und sich innig umarmten.

Sie zogen sich beide aus, so dass sie nackt nebeneinander lagen und sich lieben konnten. Sie hatten zum ersten Mal miteinander Geschlechtsverkehr. Matthias fühlte sich hinterher glücklich und befreit. Er hätte Yvonne ewig lieben können. Doch sie zog sich schnell wieder an, drückte ihm noch einen Kuss auf die Wange und verschwand in Richtung ihres Planwagens.

Am nächsten Tag wurde Matthias' Einheit wieder weiter verlegt, so dass er sich nicht einmal mehr von Yvonne hat verabschieden können.

Matthias war auch bei der größten Fehlentscheidung, die einem so brillanten Strategen wie Napoleon unterlief, mit dabei. Er musste mit seiner Einheit nach Russland ziehen.

Es waren lange Tagesmärsche zu bewältigen. Marie und Yvonne, die auch mit ihrem Pferdekarren mitfuhren, sah er nur selten, da sie sich am anderen Ende des Trosses befanden.

Am Ende eines langen Tagesmarsches waren die Soldaten regelmäßig so müde, dass sie nach dem Abendessen meist schnell ihre Betten aufsuchten. Feindkontakt gab es fast nie. Die russische Armee zog sich laufend vor den Franzosen zurück, nicht ohne zuvor alle Gehöfte, die auf dem Weg der Franzosen lagen, abzubrennen, um bei denen Nahrungsmittelknappheit zu erzeugen. Die Stimmung wurde von Tag zu Tag schlechter. Die Soldaten, die durch die langen Märsche geschwächt waren, bekamen kaum noch Lebensmittel. Zusätzlich wurden sie durch plötzliche Überfälle der russischen Armee genervt, die aus dem Hinterhalt angriffen und sich nach kurzem Kampf wieder zurückzogen. Gegen diese Taktik fand der geniale französische Feldherr kein Konzept.

So kamen sie bis Moskau, das sie völlig verlassen, kampflos, ohne Lebensmittel einnehmen konnten.

Die Soldaten waren geschwächt; sie hungerten.

In Moskau traf Matthias zum ersten Mal wieder nach dem langen Marsch auf Yvonne und Marie. Sie waren beide erschöpft. Yvonne klagte über große Übelkeit und Erbrechen. Ihre Periode war ausgeblieben. Sie hatte bereits ein kleines Bäuchlein angesetzt, so dass sie mit Schrecken erkannten, dass sie schwanger war. Auf einen fragenden Blick hin beteuerte Yvonne, dass er bisher der einzige Mann war, mit dem sie Verkehr hatte. Eigentlich würde sich Matthias über das Kind freuen. Doch der Gedanke, dass sie in Moskau und mitten im Krieg waren, war mehr als beklemmend.

Nachdem sie in Moskau kaum etwas zu essen hatten, wurde Napoleon bewusst, dass er mit seinem Heer so schnell wie möglich wieder zurück nach Frankreich musste, um weitere Ausfälle zu verhindern. Der Rückmarsch wurde furchtbar. Die Soldaten waren erschöpft, hatten Hunger, wurden laufend von den Russen angegriffen, die sich gleich wieder zurückzogen, bevor sich die Franzosen hätten wehren können. Das bayrische Kontingent war in Auflösung begriffen.

Matthias versuchte, mit seiner schwangeren Freundin zu marschieren. Seinen Offizieren war dies mittlerweile egal.

Yvonnes Übelkeit besserte sich zusehends. Sie reiste hauptsächlich im Wagen, obwohl das Pferd auch schon ziemlich erschöpft wirkte, so dass sie Angst hatten, es würde irgendeinmal schlapp machen.

Eines Abends marschierte Matthias etwas weiter weg von den beiden Damen, als plötzlich aus dem nahen Wald eine russische Einheit hervorbrach und direkt auf die beiden Damen zuhielt. Matthias sah sie kommen. Er wollte ihnen zu Hilfe eilen, als schon die erste Gewehrsalve loskrachte, und Marie getroffen zu Boden sank.

Yvonne schrie laut auf, beugte sich zu ihrer Mutter herunter, was ihr in diesem Moment das Leben rettete, da die nächste Kugel über sie hinwegging. Im nächsten Augenblick waren die Angreifer bereits im Lager. Mehrere Franzosen lagen schon getroffen am Boden. Bis sich die Verteidiger formieren konnten, um ihrerseits auf die Russen loszuschlagen, waren diese bereits wieder auf dem Rückzug. Yvonne hatte einer der Russen auf sein Pferd gezerrt und versuchte mit ihr zu fliehen. Matthias sah sie im Wald verschwinden. Er lief so schnell er konnte hinter ihnen her. Am Waldrand sah er, wie sie bereits am anderen Ende die nächste Lichtung erreicht hatten. Als er dort angekommen war, galoppierten die Russen schon die nächste Anhöhe hinauf, hinter der sie für immer verschwinden würden. Matthias stellte sich ruhig hin, legte sein Gewehr an und schoss auf den Russen, der Yvonne entführt hatte. Dieser fiel getroffen vom Pferd. Yvonne konnte das Pferd zum Stehen bringen, ohne selbst herunterzufallen. Die anderen Reiter waren bereits hinter der nächsten Hügelkuppe verschwunden. Yvonne ritt langsam zurück. Matthias kam ihr entgegen. Als sie zusammentrafen, ließ Yvonne sich völlig erschöpft in seine Arme gleiten. Sie weinte vor Erschöpfung und aus Verzweiflung um ihre Mutter. Matthias versuchte sie zu trösten und drängte sie zugleich, von der Lichtung zu verschwinden, da sie dort zu leicht gesehen und überfallen werden konnten. Nach kurzer Ruhe am Waldrand drängte Matthias wieder weiter. Sie mussten unbedingt das Heer wieder erreichen, da sie sonst völlig schutzlos wären. Als sie an der Stelle des Überfalls angekommen waren, waren die Soldaten schon weitergezogen. Maries Leiche lag auf dem Boden, neben ihr röchelte ihr Pferd im Todeskampf. Es hatte auch einen Treffer abbekommen. Matthias tötete es mit einem Schuss, um sein Leiden zu beenden.

Yvonne wollte ihre Mutter begraben. Doch Matthias drängte zur Eile. Sie mussten unbedingt das Heer erreichen, um wieder in deren Schutz zu kommen. So hoben sie Maries Leiche auf den Wagen, spannten das russische Pferd davor und versuchten möglichst schnell voranzukommen. Gegen Abend erreichten sie das Lager. Die Wachposten erkannten sie, weshalb sie passieren konnten. Maries Leiche begruben sie noch in der gleichen Nacht am Rande des Lagers.

In der gleichen Nacht erfuhren sie, dass Napoleon die Armee verlassen hat, um mit seiner Leibgarde in einer Kutsche voraus nach Frankreich zu gelangen. Der Rest des Heeres zog langsam weiter, bis sie endlich deutschen Boden erreicht hatten. Die geschlagenen Franzosen marschierten weiter in Richtung Westen. Das bayrische Kontingent, zumindest, was von ihm noch übrig war, bog ab nach Bayern.

Matthias und Yvonne wollten nach Lichtenhaag. Yvonne war jetzt bereits hochschwanger. Sie krümmte sich immer wieder vor Wehen, Matthias transportierte sie meist liegend im Planwagen. Als sie mit den bayrischen Soldaten von Nordosten her durch Regensburg kamen, wurden bei Yvonne die Wehen so stark, dass sie nicht mehr weiterkonnten. Matthias suchte mit ihr ein Entbindungsheim auf, wo sie zwei Stunden später von ihrem Sohn entbunden wurde. Die Geburt verlief normal. Ein kleiner Scheidenriss wurde von der Hebamme genäht, wobei das Nahtmaterial in der damaligen Zeit aus einem normalen Zwirnsfaden bestand.

Dem Kind ging es gut. Es schrie sofort, wurde rosig. Matthias drängte darauf, dass es Joseph, wie sein Vater, heißen soll. Yvonne fühlte sich zu schwach, um dagegen ernsthaft protestieren zu können. An zweiter Stelle bekam der Knabe den typisch französischen Namen Georg.

Durch die Strapazen in Russland, die langen Wehenperioden, die Geburt und den Blutverlust war Yvonne so erschöpft, dass sie eine Woche in Regensburg blieben, bevor sie weiter nach Lichtenhaag reisen konnten. Geschlafen haben sie in ihrem Planwagen. Für Essen und Pferdefutter reichte der Rest von Matthias' letztem Sold.

Als sie sich wieder erholt hatten, es auch dem Kind gut ging, das Stillen klappte, brachen sie eines Morgens auf, um zum Oama-Hof, von dem Matthias Yvonne in langen russischen Nächten schon so viel erzählt hatte, zu gelangen.

FAMILIENSTREITIGKEITEN

Matthias, Yvonne und ihr kleiner Joseph benötigten zwei Tage, bis sie von Regensburg über Landshut und Geisenhausen mit ihrem Pferdewagen nach Lichtenhaag kamen.

Es war ein herrlich warmer Herbsttag. Die Sonne strahlte von einem fast wolkenlosen Himmel herab. Der Fluss, der sich durch die saftigen Wiesen schlängelte, strahlte eine Ruhe aus, die alle sofort verspürten.

Matthias spürte ein Gefühl von Heimat in sich aufsteigen, das er so viele Jahre vermisst hatte.

Als sie vom kleinen Vilstal rechts abbogen, um über die Vilsbrücke zu kommen, sahen sie auf den Vilswiesen zwei Männer mit ihren Sensen das Gras abmähen. Matthias erkannte sie sofort. Er winkte ihnen zu und rief „Hallo, Hansi und Jagge." Die beiden Männer schauten verdutzt von ihrer Arbeit auf und fragten sich, wer ihre Namen wusste, bis sie plötzlich Matthias erkannten. Sie ließen ihre Sensen fallen und rannten zur Brücke, um Matthias, den sie für tot geglaubt hatten, zu umarmen.

Er stellte ihnen Yvonne und den kleinen Joseph vor.

Als sie von der Hauptstraße in die Hofeinfahrt einbogen, lief ihnen als Erstes ein blondes, blauäugiges, circa zehnjähriges Mädchen, das sie mit großen Augen ansah, über den Weg. Die beiden Knechte stellten ihnen Elisabeth vor. Sie erklärten ihnen, dass sie Veronikas Tochter sei.

Kaum war ihr Name gefallen, als sie auch schon vor die Türe trat und völlig verdutzt die Ankömmlinge anblickte. Veronika trat auf Matthias zu, umarmte ihn kurz und gab ihm einen flüchtigen Kuss auf die Wange. Sie gab auch Yvonne die Hand, die ihr Matthias als seine Freundin und Mutter seines Sohnes vorstellte.

Bevor sie weitere Worte wechseln konnten, trat Thomas auf sie zu, um seinen Bruder stürmisch zu umarmen. Er schien der Einzige zu sein, der sich richtig über Matthias' Rückkehr freute. Dieser erfuhr erst jetzt, dass seine Eltern und Thomas' Frau während seiner Abwesenheit verstorben waren.

Matthias war entsetzt über den Tod seiner Eltern. Er musste sich erst einmal hinsetzen. Tränen traten ihm auf die Wangen. Er wischte sie tapfer ab.

Veronika wandte sich zu Elisabeth und sagte: „Schau dir diesen Mann an; er ist dein Vater." Matthias schaute verblüfft, Yvonne ziemlich genervt, dass ihr Freund plötzlich eine Tochter haben soll, von der er offensichtlich nichts gewusst hatte. Matthias blickte Elisabeth an; diese errötete unter seinem Blick. Er stand auf, ging auf Elisabeth zu und nahm sie in seine Arme. Seine Gedanken, seine Gefühle waren verwirrt. Er war vor einer Woche Vater eines kleinen Jungen geworden und hatte nun plötzlich auch noch eine zehnjährige Tochter, von der er nichts wusste.

Seine Eltern waren gestorben. Seine Schwägerin war tot. Sein Bruder war mit der Mutter seiner Tochter verlobt.

Thomas meinte, sie sollen erst einmal ins Haus gehen. Sie würden Essen vorbereiten, Veronika für sie ein Zimmer herrichten.

Als sie in der Stube um den großen Tisch herumsaßen, begannen sie von den vergangenen zehn Jahren zu erzählen, was sie alles erlebt hatten.

Veronika und Thomas wollten heiraten. Sie hatten in vier Wochen bereits einen festen Termin vereinbart.

Matthias schaute Yvonne fragend in die Augen, bis diese ihm zunickte.

So vereinbarten sie also, in vier Wochen eine Doppelhochzeit zu feiern.

Die Trauungen fanden in der kleinen, gotischen Kirche zu Lichtenhaag statt, die eineinhalb Jahrhunderte später ein anderer Josef Weixelgartner abgerissen hat, um eine größere moderne Kirche zu bauen. Für die Hochzeitsfeierlichkeiten hatte ihnen der Baron von Lichtenhaag den großen Festsaal im Schloss zur Verfügung gestellt. Er selbst hielt eine Rede für die Brautpaare. Es waren Verwandte und Freunde aus den umliegenden Dörfern und aus Lichtenhaag gekommen.

Es folgte eine glückliche Zeit, die leider nicht lange dauerte.

Soldaten kamen, um Matthias erneut fürs Militär zu rekrutieren. Napoleon hatte ein neues Heer aufgestellt. Die bayrischen Truppen mussten den Franzosen zu Hilfe kommen.

Wie Matthias erst jetzt erfahren hatte, war Bayern durch die Landgaben, die Napoleon seinem treuesten Verbündeten gemacht hatte, zum Königreich geworden. Aus Herzog Maximilian war König Max I. geworden.

Matthias wurde wieder einmal nach München gebracht, um einer neuen Einheit zugeteilt zu werden. Auf dem Hof in Lichtenhaag kippte die Stimmung. Veronika und Yvonne wurden Konkurrenten. Sie waren wütend aufeinander. Veronika hatte eine Tochter von Yvonnes Mann. Veronika zeigte bei jeder Gelegenheit, dass sie die Frau des Bauern war, dass sie die Besitzer des Hofes sind, dass Yvonne spätestens, wenn Matthias zurückkommt, ausziehen müsse. Thomas versuchte anfangs, zwischen den Damen zu vermitteln, stellte sich dann aber hinter seine Frau. Die Spannungen zwischen den Beteiligten wurden immer größer. Am liebsten hätten sie Yvonne und ihren Sohn vom Hof gewiesen, wenn nicht Elisabeth, Matthias' Tochter, gewesen wäre. Sie ließen Yvonne für Kost und Logis hart arbeiten.

Die beiden Knechte hatten Mitleid mit der hübschen Französin, weshalb sie ihr zu helfen versuchten, wo immer sie konnten.

Sie bekamen dadurch Probleme mit ihrem Bauern und vor allem mit der Bäuerin.

Es entstand immer mehr Hass, Eifersucht, Neid und Missgunst zwischen den Parteien. Sogar zwischen den Knechten entstand Streit.

Jagge verteidigte Yvonne. Hans stand auf Seiten der Bauernfamilie.

Dies ging so weit, dass Jagge nach jahrzehntelanger Arbeit auf dem Hof seine Stelle kündigte und den Hof verließ.

Matthias' Abteilung bekam den Marschbefehl nach Frankreich.

Das bayrische Heer sollte sich dem französischen anschließen. Feldmarschall der Bayern war Fürst von Frede, dessen Standbild der zweite bayrische König, Ludwig I., in München in der Feldherrnhalle später aufstellen ließ, da er am Vortag der Völkerschlacht zu Leipzig das bayrische Heer aus dem französischen abzog und ins Lager der Alliierten überführte. So gehörte Bayern zu den Siegermächten, weshalb es Königreich bleiben und die napoleonischen Schenkungen behalten durfte.

Als er erst im nächsten Sommer die Erlaubnis bekam, nach Hause zu Frau und Kind zu gehen, fand er dort eine völlig angespannte Situation vor.

Jagge hatte den Hof verlassen. Veronika und Yvonne hassten sich. Thomas begrüßte ihn, indem er ihm klar machte, dass er mit seinem Weib und seinem Kind den Hof verlassen solle. Elisabeth durfte den Vater nicht einmal mehr begrüßen.

Matthias ließ sich nicht so ohne weiteres von seinem Bauernhof vertreiben. Schließlich würde ihm auch sein Erbe zustehen.

So lebten sie völlig zerstritten weiter auf dem Bauernhof.

Matthias holte Jagge zurück. Ihre Mahlzeiten nahmen sie getrennt ein.

Elisabeth gehörte zur Gruppe Veronika, Thomas und Hans. Sie wollte aber auch zeitweise ihren Vater wiedersehen.

Dies ging so lange, bis nach vielen Wochen Thomas während des Essens plötzlich röchelnd aufstand, sich an den Hals griff, um Luft rang und tot zu Boden stürzte. Veronika war entsetzt. Sie sprang auf, warf sich auf Thomas, brüllte ihn an, versuchte, ihn zu reanimieren. Sie rief um Hilfe.

Hans war ebenfalls aufgesprungen und bemühte sich, Veronika zu unterstützen.

Matthias hörte ihr Schreien von seinem Zimmer aus. Er stürzte in die Stube, um zu sehen, was los war. Als er seinen Bruder tot am Boden liegen sah, warf er sich über ihn, rüttelte ihn, schrie ihn an, weinte bitterlich. Wenn die Brüder auch Streit hatten, so waren sie doch zusammen aufgewachsen. Sie liebten sich.

Thomas' Beerdigung am Friedhof vor der Kirche war sehr traurig. Ihre Schwester, die einen Bauern aus dem Nachbardorf geheiratet hatte, war mit ihrer Familie gekommen. Die Mitglieder des Hofes, fast alle Einwohner von Lichtenhaag und viele Bewohner der Nachbardörfer hatten sich auf dem Friedhof versammelt. Der Pfarrer hielt eine ergreifende Ansprache.

Matthias war sehr traurig. Er litt sehr unter dem Tod seines Bruders. In der Folgezeit begann er wie in seiner Jugend, vermehrt Alkohol zu trinken.

Die Feindschaft zwischen Veronika und Yvonne ging weiter. Matthias musste, wenn er einmal nüchtern war, schlichten.

Es traten in der Folgezeit immer mehr Symptome einer beginnenden Schizophrenie auf, was in der Familie der Weixelgartner als Erbkrankheit vorhanden zu sein scheint, da sie von Zeit zu Zeit bei bestimmten Personen der Familie immer wieder vorkam.

Zuletzt litt wahrscheinlich auch Georg Weixelgartner, Olgas Bruder, unter dieser Krankheit, die beim Zusammenkommen mit Alkohol meist verheerende Folgen hatte.

Im Falle von Matthias Weixelgartner war der Auslöser der Krankheit der Fund einer leeren Kapsel, von der er wusste, dass sie früher Arsen enthielt. Während ihrer Zeit als Marketenderinnen führten Marie und Yvonne Verne immer eine solche Kapsel mit sich. Matthias hatte lange nicht mehr daran gedacht. Obwohl ihm der leichte Geruch von Bittermandel bei der Leiche seines Bruders aufgefallen war, ist er nicht auf die Idee einer Arsenvergiftung gekommen. Erst als er jetzt die leere Ampulle, die Yvonne unvorsichtigerweise nicht vernichtet hatte, bei ihren Sachen zufällig fand, wurde ihm klar, dass sein Bruder nicht eines natürlichen Todes durch Herzversagen, sondern durch eine Arsenvergiftung gestorben ist. Matthias zeigte Yvonne die leere Ampulle und stellte sie zur Rede, was sie mit dem Gift gemacht hätte. Yvonne leugnete, so gut sie nur konnte, wobei ihr Gesicht rot anlief. Matthias war im Zwiespalt. Er konnte weder die Mutter seines Sohnes der Justiz ausliefern noch die Mutter seiner Tochter vom Hof vertreiben. So flüchtete er sich immer mehr in den Alkohol, wobei auch immer mehr die Symptome seiner Schizophrenie zu Tage traten. Yvonne fühlte sich schuldig am Abgleiten ihres Mannes. Sie hatte diesen Mord bereits bitterlich bereut. Sie war damals verzweifelt. Sie suchte nach einem Ausweg aus ihren Problemen und kam auf diese fatale Lösung. Sie dachte, nach Thomas' Tod könnte sie Veronika vom Hof vertreiben und mit Matthias und ihrem Sohn allein auf dem Bauernhof leben. Veronika durfte von ihrer Tat nichts ahnen. Ihren Mann konnte sie vom Abdriften in den Alkoholismus und dem fortschreitenden Wahnsinn nicht mehr abhalten. Ihre einzige Freude war ihr Sohn Joseph, der mittlerweile bereits fünf Jahre alt war und sich prächtig entwickelt hatte.

Elisabeth war mit ihren 15 Jahren schon eine kesse Teenagerin geworden. Mit Veronika hatte sie eine Art der Koexistenz gefunden, dass beide leben konnten. Von Maria, ihrer Schwägerin, hörte sie wenig, da sie den Streitigkeiten, von denen sie wusste, dass sie am Oama-Hof existierten, lieber aus dem Weg ging. Die Hauptbauernarbeit verrichteten immer noch die beiden Knechte, obwohl auch diese mit ihren gut 65 Jahren schon sehr in die Jahre gekommen waren.

Als sich die Verhältnisse solchermaßen am Oama-Hof stabilisiert hatten, trat plötzlich das schlimmste Ereignis auf, das Yvonne treffen konnte. Sie hatten alle schon eine Stunde vergeblich nach Matthias gesucht. Er war nirgends auffindbar, bis Veronika ihn am Dachboden am Seil hängend tot auffand. Er hatte den Zwiespalt in seinem Leben vom Wissen über den Mord an seinem Bruder, begangen von der Mutter seines Sohnes, nicht mehr ertragen können. Als einzigen Ausweg sah er den Tod.

Die Beerdigung fand in einem sehr kleinen Rahmen statt. Der Pfarrer verweigerte einem Selbstmörder eine kirchliche Bestattung.

Maria war ohne ihre Familie gekommen. Sie meinte zu den beiden verfeindeten Schwägerinnen, dass für sie das Kapitel Oama-Hof nun endgültig abgeschlossen sei.

Yvonnes Sohn war jetzt Hoferbe; sie als sein gesetzlicher Vormund also alleinige Chefin am Hof. Kurzzeitig konnte sie ihren Triumph sogar auskosten. Veronika gab sie zu verstehen, dass sie mit ihrer Tochter jetzt endgültig vom Hof verschwinden könne.

Traurig packte diese ihre Koffer, bis sie unter ihrer Bettdecke ein Kuvert fand. Verwundert öffnete sie es, wobei sie nicht schlecht staunte, als sie die Bedeutung des Inhalts erkannte. Veronika verließ ohne ihre Sachen und ohne Abschiedsgruß mit Elisabeth den Oama-Hof.

Yvonne war etwas verwundert, machte sich aber keine weiteren Gedanken darüber, bis plötzlich am nächsten Tag mehrere Polizisten auf ihrem Hof auftauchten.

Als Yvonne diese erstaunt anschaute, erklärten sie, eine Yvonne Weixelgartner zu suchen. Sowie sie ihnen erklärt hatte, diese selbst zu sein, eröffneten ihr die Polizisten, sie wegen Mordes an Thomas Weixelgartner verhaften zu müssen. Yvonnes schönes Gesicht wurde kreidebleich. Wie sie auf eine solch unsinnige Anschuldigung kommen könnten, fragte sie. Daraufhin zeigten ihr die beiden Polizisten Matthias' Abschiedsbrief, den er Veronika unter das Kopfkissen gelegt hatte, worin er Yvonne des Mordes an seinem Bruder Thomas durch Arsengabe beschuldigte.

Yvonne wurde zu 20 Jahren Haft in Landshut verurteilt.

Veronika und Elisabeth kehrten auf den Hof zurück. Veronika zog beide Kinder ihres früheren Geliebten mit großer

Hingabe auf. Sie kümmerte sich dabei nicht nur um die Ausbildung ihrer Tochter Elisabeth, sondern versuchte auch, aus Joseph Georg einen rechtschaffenen Mann und Hoferben zu machen.

Joseph und Elisabeth verstanden sich wunderbar ihr ganzes Leben lang. Maria kam wieder öfter zu Besuch zu ihrer Schwägerin sowie Nichte und Neffen. Als Joseph älter wurde, besuchte er oft seine Mutter im Gefängnis, wobei er dann auch eine vorzeitige Entlassung wegen guter Führung nach 17 Jahren erreichte. Elisabeth heiratete einen sehr netten Bauern aus einem der Nachbardörfer. Joseph ehelichte eine Juristentochter aus Landshut, deren Vater ihm beim Antrag auf vorzeitige Haftentlassung seiner Mutter unterstützte. Die beiden Knechte Jagge und Hansi waren mit 70 beziehungsweise 72 Jahren verstorben. Veronika verbrachte ihren Lebensabend am Hof ihrer Tochter Elisabeth. Yvonne lebte fortan bescheiden und zurückgezogen auf dem Oama-Hof. Sie freute sich, ihren Sohn und Schwiegertochter beim Aufziehen ihrer Enkelkinder unterstützen zu können.

Joseph besuchte oft seine Schwester und Stiefmutter, die er sehr verehrte, im Nachbardorf. Die beiden Frauen Veronika und Yvonne Weixelgartner sind sich so gut es ging aus dem Weg gegangen.

Sie sollen jedenfalls nie wieder ein Wort miteinander gesprochen haben.

In Bayern hatte sich ein großer Wandel vollzogen. Galt Frankreich bis zu Napoleons Zeiten als Schutzmacht Bayerns, die das kleine Land vor den Begehrlichkeiten der Österreicher und Preußen bewahrte, so fühlte sich König Ludwig I. als Deutscher. Er feierte den Triumph über das Frankreich Napoleons, wie man am Münchner Siegestor und an der Befreiungshalle bei Kehlheim deutlich sehen kann.

Besonders in der Befreiungshalle ehrt er die deutschen Fürsten, die sich des französischen Jochs entledigt hätten. Dies ist umso erstaunlicher, als er doch Napoleon zu verdanken hatte, dass Bayern Königreich wurde und durch die Zugabe von Franken und vieler freier Reichsstädte sein Staatsgebiet deutlich vergrößert hatte.

In der nachnapoleonischen Zeit tagte in Wien der Kongress, der unter Fürst Metternich die alte Adelsordnung in Europa wieder herstellen wollte. Dies war auch bisher die einzige Zeit, zu der das Vilstal ins Rampenlicht der zumindest bayrischen Geschichte trat, als der Graf Montgelas von Gerzen den Auftrag von seinem König erhielt, die Sozialordnung in Bayern zu reformieren.

Das Stammschloss der Montgelas in Gerzen ist übrigens erst kürzlich verkauft worden.

Offensichtlich hat das Geschlecht sein Stammland verlassen.

Angeblich soll das Schloss in eine Gaststätte, die einem Altersheim angegliedert ist, umfunktioniert werden.

Dass Bayern nun plötzlich ein Teil Deutschlands geworden war, zeigte sich auch wieder am nächsten Krieg gegen Frankreich von 1870, bei dem Bayern trotz großer Bedenken von Ludwig II. an der Seite Preußens gegen Frankreich ziehen musste. Bei diesem Krieg war Rosa Buchners Mann, also wiederum ein Weixelgartner beteiligt.

Man erkennt daraus, dass diese Bauernfamilien bei allen Kriegen der Adligen ihren Blutzoll leisten mussten, obwohl sie keinerlei Interesse an diesen Kriegen hatten und zumeist gar nicht wussten, warum sie überhaupt geführt wurden.

Napoleon wurde bei der Schlacht von Leipzig gefangen genommen und in die Verbannung nach Elba geschickt. Sein Wohnhaus auf dieser wunderschönen Mittelmeerinsel haben Olga, die Kinder und ich einmal besucht, als wir auf Elba in einem schönen Campingplatz unser Zelt aufschlugen. Wir hatten damals in der Nähe von Rimini Bekannte besucht. Nach mehreren Tagen Baden am Hotelstrand und Besichtigung von Rimini, wo wir unter anderem eine Delfinshow im Delfinarium anschauten, wurde es uns zu langweilig, weshalb wir uns entschlossen, über Urbino, den Trasimeno See nach Piumbino zu fahren, um von dort aus die Fähre nach Elba zu nehmen.

Napoleon ist damals von Elba wieder geflüchtet, hat ein neues Heer aufgestellt und letztendlich bei Waterloo seine letzte Niederlage erlitten. Bayrische Soldaten waren bei dieser Schlacht nicht mehr dabei, so dass auch kein Weixelgartner zum Kämpfen dorthin geschickt wurde.

Bei seiner letzten Verbannung wurde Napoleon dann von den Engländern nach St. Helena gebracht, einer Insel weit draußen im Südatlantik, wo er bald darauf an einem Magenkarzinom verstarb. Böse Zungen haben auch schon behauptet, er sei von seinen Wächtern vergiftet worden. Doch darüber weiß ich nichts.

DER ADVOKAT

Martha Oberreiter war die einzige Tochter des Advokaten Herrmann Oberreiter. Ihre Mutter hatte sie niemals kennengelernt. Sie ist zwei Wochen nach der Geburt ihrer Tochter verstorben. Martha hat man erzählt, dass sie plötzlich sehr hohes Fieber bekommen habe. Ihre Lochien sollen eitrig geworden sein. Antibiotika und Kontraktionsmittel gab es zu dieser Zeit noch nicht. Ihre Ärzte sollen versucht haben, ihre Gebärmutter zu spülen, was aber wenig geholfen hat. Ihr Bauch sei immer aufgetriebener geworden, hat Marthas Vater ihr einmal berichtet. Zum Schluss sei sie völlig verfallen, bis sie qualvoll zu Hause in ihrem Ehebett verstorben ist.

Herrmann hat nicht mehr geheiratet. Er ist allein geblieben. Für seine Tochter hatte er eine Amme und Hausmädchen besorgt, die ihn bei der Erziehung seines Kindes unterstützen sollte. Im Kloster Seligental hatte Martha eine hervorragende Schulbildung genossen, die sie mit dem Abitur abgeschlossen hat. In der Kanzlei ihres Vaters begann sie daraufhin eine Ausbildung zur Anwaltsgehilfin.

Als nun Joseph Weixelgartner die Kanzlei betrat, um den Anwalt zu konsultieren bezüglich einer vorzeitigen Haftentlassung seiner Mutter Yvonne Weixelgartner, saß Martha am Empfang, um die Klienten zu begrüßen und nach ihrem Begehr zu fragen.

Irgendwie hat sie dieser junge Mann mit seinen schwarzen Haaren, seinen schönen, braunen Augen, seinem ebenmäßigen Gesicht und seiner muskulösen, schlanken Figur von vorneherein recht beeindruckt.

Aber auch Joseph ist dieses hübsche, aufgeweckte, intelligente Mädchen sogleich aufgefallen. Sie hatte rötliche, gewellte Haare, ein ebenmäßiges, ovales Gesicht, das von Sommersprossen übersät war.

Mit ihren schönen, blauen Augen strahlte sie Joseph fragend an, als dieser ihr erklärte, den Anwalt konsultieren zu wollen.

Beim Gespräch mit dem Anwalt war Martha als Schreibkraft mit anwesend. Sie hielt stichpunktmäßig die wichtigsten Aussagen Josephs über die Haft seiner Mutter fest. Der Advokat meinte zum Schluss, dass er eine gute Chance für Yvonne sehe, nach so langer Zeit wegen guter Führung entlassen zu werden. Für den übernächsten Tag ließen sie sich alle drei einen Termin im Gefängnis zur Besprechung mit Yvonne geben. Diese war völlig überrascht, als sie die drei Personen auf sich zukommen sah.

Um in ihr keine unerfüllbaren Hoffnungen zu wecken, hatte ihr Joseph bisher nichts von seiner Absicht verraten, ihre Haftentlassung zu beantragen. Nach einem Gespräch mit dem Gefängnisdirektor, der ihm die gute Führung von Yvonne Weixelgartner bestätigte, ließ sich Herr Oberreiter einen Termin beim Haftrichter geben. Nachdem dieser alle Akten eingesehen hatte, zeigte er sich mit einer vorzeitigen Entlassung einverstanden.

Martha war bei vielen Unterredungen mit Joseph wegen der Entlassung seiner Mutter mit dabei. Die beiden haben sich dabei auch oft privat gut unterhalten, so dass Joseph Martha einmal den Vorschlag machte, mit ihm zum Essen zu gehen. Er würde sie gerne dazu einladen, schlug er ihr vor.

Es hat ihnen beiden gut gefallen. Sie haben sich angenehm unterhalten. Joseph erzählte ihr viel von seinem Bauernhof. Er wusste auch alte Geschichten zu berichten.

So erklärte er ihr, wie es zur Aufklärung des Überfalls auf die Kutsche am Ende des 30-jährigen Krieges kam, wie der Oama-Hof überhaupt entstanden ist und vieles mehr. Solche Berichte hatten sich bei den Weixelgartners über Generationen erhalten, indem sie von Generation zu Generation weitererzählt wurden.

Joseph brachte Martha nach Hause. Für sich hatte er ein Zimmer in einer Gaststätte für die Nacht gebucht. Doch Martha bat ihn noch zu sich herauf. Sie wollte ihm ihre schöne Wohnung im ersten Stock des Hauses ihres Vaters, der ebenerdig wohnte, in der Altstadt von Landshut zeigen. Sie setzten sich auf ihre Couch. Sie reichte ihm Tee. Sie unterhielten sich. Irgendeinmal küsste sie Joseph, der von sich aus viel zu schüchtern dazu gewesen wäre.

Martha hatte bereits mehrere Männerbekanntschaften hinter sich, während Joseph noch sehr unerfahren im Umgang mit dem anderen Geschlecht war. Martha begann sich vor seinen Augen auszuziehen. Er betastete ihre weichen Brüste, sah ihre schlanke, schöne Figur und fühlte sich wie verzaubert.

Martha begann, auch ihn auszuziehen. Sie legten sich beide nackt auf ihr Bett und küssten sich. Sie nahm seinen Penis und führte ihn in ihre Scheide ein. Er wusste kaum, wie ihm geschieht, fühlte sich aber unglaublich wohl dabei. Weit nach Mitternacht verließ er ihr Zimmer, um in der gebuchten Gaststätte zu übernachten.

Als Yvonne endlich entlassen wurde, begleitete Martha sie und Joseph nach Lichtenhaag.

Letzterer war eigens mit einer Kutsche vorgefahren, um seine Mutter und seine Freundin abzuholen. Yvonne war glücklich, nach so vielen Jahren wieder zu Hause zu sein.

Elisabeth und Veronika waren nicht zu ihrer Begrüßung gekommen. Yvonne war so erschöpft, dass sie sich bald auf ihr Zimmer zurückzog, um alleine zu sein. Sie musste erst langsam versuchen, ihr neues Leben zu begreifen. Joseph zeigte Martha sein Zimmer. Sie küssten und liebten sich und schliefen wieder miteinander. Von da an wiederholten sie dies so lange, bis bei Martha die Periode ausblieb und sie schwanger war. Als Erstes erzählte sie es ihrem Vater. Eigentlich hatte sie Angst, er könnte böse reagieren. Doch der freute sich, ein Enkelkind zu bekommen. Auch Joseph war glücklich, als er die Neuigkeit erfuhr. Sie beschlossen, so bald als möglich zu heiraten. Die Hochzeit fand in Lichtenhaag in dem alten, gotischen Dorfkirchlein statt.

Zur Hochzeitsfeier hatten sie einen Saal in der Dorfgaststätte gemietet. Es wurden Freunde aus der Umgebung, aber auch aus Landshut eingeladen. Als Trauzeugin nahm Joseph seine Schwester Elisabeth, Martha ihren Vater.

Selbstverständlich war auch Veronika gekommen, vermied es aber, in die Nähe von Yvonne zu gelangen. Diese beiden Damen gingen sich fortan zeit ihres ganzen weiteren Lebens aus dem Weg. Sie sollen nie wieder ein Wort miteinander gewechselt haben.

Martha war übrigens eine wunderschöne Braut in ihrem weißen Kleid. Ihre Sommersprossen hatte sie geschickt überschminkt. Joseph war anzusehen, dass er sehr stolz auf seine Frau war.

Nach zehn Monaten gebar Martha einen Sohn, den sie Sebastian nannten. Sie lebten zu sechst auf ihrem Bauernhof. Neben Martha, Yvonne, Sebastian und Joseph waren auch noch zwei Knechte vorhanden.

Zwei Tage in der Woche arbeitete Martha weiter bei ihrem Vater in der Kanzlei. Die übrige Zeit verbrachte sie auf ihrem Bauernhof. Nachdem Sebastian geboren war, stillte Martha ihn neun Monate, um bald nach dem Abstillen erneut schwanger zu werden. Magdalena kam dann wieder zehn Monate später zur Welt. Martha erklärte Joseph, dass sie vorsichtiger sein müssen, da sie keine weiteren Kinder mehr bekommen wolle.

Ihr Liebesleben wurde dadurch komplizierter. Martha wollte auch wieder mehr in der Kanzlei ihres Vaters arbeiten. Sie kam manchmal nur am Wochenende nach Hause, so dass Joseph und eine Magd großteils allein mit der Kindererziehung betraut waren.

Sie waren vielleicht zwölf Jahre verheiratet. Die Kinder waren auch schon größer geworden, als Martha auf die Idee kam, studieren zu wollen. Sie wolle wie ihr Vater Advokat werden, um eines Tages seine Kanzlei übernehmen zu können. Joseph wollte dies nicht wahrhaben, da er eine Bäuerin für seinen Hof brauchte. Es gab darüber viel Streit zwischen den beiden.

Doch ließ sich Martha von ihrem Vorhaben nicht abbringen. Zuerst versuchte sie es in Landshut, dann in München; letztendlich bekam sie einen Studienplatz für Jurisprudenz in Frankfurt am Main.

Obwohl sie in letzter Zeit viel gestritten hatten, ließ es sich Joseph nicht nehmen, seine Frau nach Frankfurt zu begleiten und mit ihr eine Wohnung für sie auszusuchen. Joseph war sehr traurig, ohne seine Frau wieder abreisen zu müssen. Sie hingegen war eher froh, ihn endlich loszuhaben. Sie hatten sich in den letzten Jahren doch ziemlich auseinandergelebt.

Zu Hause in Niederbayern hatte Martha gar nicht mitbekommen, dass in Frankfurt mittlerweile der Reichstag tagte. Es gab Studentendemonstrationen, die Demokratie forderten. Ihre Kommilitonen überredeten sie bald, mit ihnen zum Demonstrieren mitzugehen. Zur Vorbereitung der Demonstrationen trafen sie sich in versteckten Kellerräumen, um nicht von der Polizei überrascht und versprengt zu werden.

Mit einem etwas älteren Kommilitonen, der bereits um die 40 Jahre alt gewesen sein dürfte und irgendwie als Anführer fungierte, kam Martha bald näher ins Gespräch.

Er hatte eine sehr überzeugende Art, ihr das Anliegen der Studenten beizubringen. Sie freundeten sich an. Es sollte nicht viel Zeit vergehen, bis sie ihn mit auf ihr Zimmer nahm, ihn küsste und sie miteinander schliefen. Martha hatte nicht einmal ein schlechtes Gewissen ihrem Noch-Ehemann Joseph gegenüber. Was in Niederbayern los war, selbst wenn es ihre Kinder betraf, war ihr längst egal geworden. Ihr Studium vernachlässigte sie völlig. Es machte ihr viel mehr Spaß, mit ihrem neuen Freund auf Demonstrationen zu gehen, zu diskutieren und Verkehr zu haben. Die beiden sollten noch öfter miteinander schlafen. Dennoch war Martha mittlerweile so erfahren, dass sie wusste, wie man sich vorsah, um nicht wieder schwanger zu werden. Man schrieb das Jahr 1848. Die Studentenaufstände waren für den herrschenden Adel immer bedrohlicher geworden, so dass sie sich irgendeinmal dazu entschlossen, Soldaten zu schicken. Marthas Freund Hannes kochte vor Wut, als er die Soldaten auf sie zukommen sah. Er schnappte sich einen Stein, lief den Soldaten entgegen und warf ihn auf sie. Ein Soldat schien an der Schulter getroffen. Andere aus der Gruppe waren Hannes' Beispiel gefolgt und hatten ebenfalls Steine auf die Soldaten geworfen.

Martha hingegen hielt sich zurück. Ihr war das Geschehen unheimlich. Sie wäre am liebsten weggelaufen. Zu ihrem Entsetzen musste sie mit ansehen, wie die Soldaten ihre Gewehre hoben und eine Salve abfeuerten.

Die erste ging in die Luft. Nachdem die Studenten nicht aufgehört hatten, weiter Steine auf die Soldaten zu werfen, feuerten die Soldaten auf die vorderste Reihe der Studenten, unter denen sich auch Hannes befand.

Martha musste mitansehen, wie er und viele andere seiner Freunde zusammenbrachen. Sie schrie laut auf und lief zu ihm hin. Hannes hatte einen Schuss in den Thorax erlitten. Er blutete stark und schien heftige Schmerzen zu verspüren.

Martha wollte sich zu ihm niederknien. Doch die Soldaten stießen sie zurück und verhafteten sie. Ihr wurde ein Prozess wegen Hochverrats gemacht. Als sie in Untersuchungshaft war, schrieb sie einen Brief an ihren Vater und einen weiteren an ihren Ehemann. Sie bat um Hilfe und Entschuldigung. Offensichtlich war sie wieder zur Besinnung gekommen. Beide kamen sie nach Frankfurt, um Tochter und Ehefrau nach langer Zeit wieder zu sehen. Es war ein trostloser Anblick, sie im Gefängnis wieder zu finden. Der Advokat Oberreiter übernahm ihre Verteidigung. Er macht dem Gericht klar, dass sie nur eine verblendete Mitläuferin war, von der keine Gefahr ausging. Sie habe gar nicht recht verstanden, worum es überhaupt ging, versuchte Herr Oberreiter den Richtern einzureden. Die Strafe fiel milde aus. Sie wurde zu einem Jahr Gefängnis verurteilt. Dem Advokaten Oberreiter und seinem Schwiegersohn Joseph Weixelgartner gelang es, Martha nach einem halben Jahr wegen guter Führung aus dem Gefängnis freizubekommen und mit nach Hause zu nehmen. Fortan arbeitete sie als gute Bäuerin und Mutter nur noch auf dem Oama-Hof. Ihr Vater hatte in der Zeit ihrer Abwesenheit eine neue Hilfskraft eingestellt und sich auch bald in diese verliebt.

Für Martha hatte er keine Verwendung mehr. Seine Bedingung war, wenn er sie aus dem Gefängnis herausholen sollte, dass sie sich in Zukunft nur noch um ihren Hof und ihre Familie kümmern würde. Sie versprach alles, wenn sie nur aus dem Gefängnis freikäme.

Sie hielt auch ihr Versprechen und wurde eine gute Bäuerin und Mutter. Sie schien aufrichtig zu bereuen, was sie getan hatte. Auch zu ihrem Ehemann fand sie wieder zurück, auch wenn dieser etwas Zeit brauchte, um ihr ihre Untreue mit Hannes zu vergeben. Doch konnte er einem Toten keine Vorwürfe mehr machen. Zu ihrer Schwiegermutter Yvonne entwickelte Martha eine enge Freundschaft, da sie beide straffällig geworden waren und Gefängnisstrafen abgebüßt hatten.

Irgendwie scheint dies eine innere Verbindung zwischen den beiden Damen gebracht zu haben. Zu ihrer Schwägerin Elisabeth hingegen blieb Marthas Verhältnis eher kühl. Elisabeth konnte ihr ihre Untreue ihrem Bruder gegenüber weniger verzeihen als dieser selbst.

Der Advokat Oberreiter heiratete seine neue Anwaltsgehilfin ein Jahr später in der Kirche St. Martin von Landshut.

Zum Schluss sollte man vielleicht noch erwähnen, dass 1848 als Jahr der Deutschen Revolution bezeichnet wird, die blutig niedergeschlagen wurde. Die Herrschaft des Adels endete erst 70 Jahre später mit dem Verlust des Ersten Weltkrieges.

Magdalena und Sebastian waren zwölf und 13 Jahre alt, als ihre Mutter sie verlassen hatte. Zwei Jahre später war sie wieder zurückgekehrt. Zwischenzeitlich hatten die Kinder nichts von ihr gehört. Als sie nun plötzlich wieder da war, wussten die beiden anfangs gar nicht, was sie mit dieser Frau, die ihnen fremd geworden war, anfangen sollten.

Zuerst wollten sie sie ablehnen. Erst nachdem Joseph, ihr Vater, mit ihnen gesprochen hatte, versuchten auch die Kinder wieder auf ihre Mutter zuzugehen.

Ganz ließ sich die Entfremdung aber nicht mehr korrigieren. Ein wirklich herzliches Verhältnis, wie es zwischen Mutter und Kindern üblich ist, entstand zwischen den dreien während des ganzen Lebens nicht mehr. Eine gewisse Distanz blieb übrig.

Sebastian, als einziger Sohn, übernahm später einmal den Bauernhof, wie es bei den Weixelgartners seit Jahrhunderten üblich war. Er heiratete eine Bäuerin von einem anderen Hof. Magdalena ging in die Lehre zu ihrem Großvater, um Anwaltsgehilfin zu werden. Sie studierte später Jurisprudenz in München und wurde Amtsrichterin von Landshut. Geheiratet hat sie einen Arzt, der eine Praxis in der Stadt leitete.

Martha und Joseph hingegen haben wieder richtig zueinander gefunden. Sie blieben sich treu und schienen mit ihrem Leben zufrieden zu sein.

Auf diesem Bild sieht man Olga, Gerhard und Andreas in Frankreich

Im letzten Abschnitt wurde berichtet, dass ein Graf Montgelas unter König Ludwig I. als Minister das Vilstal ins Rampenlicht der bayerischen Geschichte gebracht hatte.

Wie ich von einem späteren Nachfahren dieses Grafen Montgelas, der in Bayern die Sozialgesetzgebung als Minister eingeführt und die kirchlichen Besitztümer im Rahmen der Säkularisation verstaatlicht hatte, erfahren habe, agierte dieser Graf nicht unter König Ludwig I. als Minister, sondern unter dessen Vater, König Max I.

König Ludwig I. soll im Gegenteil diesen Graf Montgelas wieder entmachtet und seine Reformen teilweise, zumindest was die Kirche betraf, rückgängig gemacht haben.

Ich habe den heutigen Graf Montgelas, der zu der Zeit Bürgermeister der Großgemeinde Gerzen-Lichtenhaag war, kennengelernt, als er mir ein Stück Wiese in der Nähe der Vils für die Anlage eines Radweges für die Gemeinde abkaufen wollte.

ELISABETH

Elisabeth heiratete mit 21 Jahren Rheinhard Oberbauer, den einzigen Sohn der Eheleute Maria und Bernhard Oberbauer aus Aham. Das Ehepaar hatte lange Jahre vergeblich versucht, Kinder zu bekommen, bis sich in bereits etwas fortgeschrittenem Alter doch noch die Schwangerschaft mit Rheinhard eingestellt hat.

Rheinhard war mittlerweile 25 Jahre alt geworden, als er Elisabeth drängte, ihn zu heiraten. Diese hatte sich lange geziert und versucht, ihn abzuwehren, bis sie zu guter Letzt doch in die Hochzeit einwilligte, nachdem sie bereits schwanger war.

Sie mochte Rheinhard sehr. Aber geliebt hatte sie Anton. Dieser wiederum war der Sohn des Freiherrn Herrmann von Gutdorf und dessen Frau Amalia. Das Hauptproblem, vor dem Elisabeth stand, war, dass sie nicht wirklich wusste, wer von diesen beiden Männern der Vater ihres Kindes war. Da sie aber auch kein lediges Kind zur Welt bringen wollte, musste sie Rheinhard heiraten, nachdem Anton für sie unerreichbar war. Herrmann von Gutdorf hätte niemals der Hochzeit seines Sohnes mit einer einfachen Bauersfrau zugestimmt.

Anton war längst mit der Baronesse Antonia de Montegard verlobt, als er sich in Elisabeth verliebte. Antonia entstammte dem Frontenhausener Zweig der Familie Montegard, der zur damaligen Zeit für seinen Reichtum bekannt war. Anton musste diese Frau heiraten, um seinen eigenen Besitz zu entschulden. Sein Vater hatte zeitlebens versucht, seinen Lebensstil dem anderer Adliger anzupassen, was ihn unweigerlich in eine drohende Insolvenz trieb, aus der ihn nur eine reiche Heirat seines Sohnes wieder herausholen konnte.

Den von Gutdorfs gehörte das Wasserschloss auf der rechten Seite des Flusses, das eher einem Gutshof mit großem Innenhof als einem Schloss glich.

Jedenfalls führte eine Brücke von Aham, das auf dem linken Ufer der Vils liegt, über den Fluss direkt zum Eingangstor des Besitzes der von Gutdorf.

Der Hof der Oberbauers liegt dagegen angrenzend an das linke Flussufer, so dass die Besitzungen beider Familien nur durch die Vils getrennt waren. Diese Lage hatte immer schon zu Streitigkeiten und Reibereien zwischen den beiden Familien und ihren Angehörigen sowie Bediensteten geführt.

Begonnen hatte unsere Geschichte, als zehn Mitglieder der Landjugend von Aham auf die Idee kamen, das Dorffest zu Kirchweih in Lichtenhaag zu besuchen. Sie hatten zwei Pferde des Oberbauer-Hofs vor einen Heuwagen gespannt und sind damit nach Lichtenhaag gefahren. Wenn man bedenkt, dass Aham ungefähr in der Mitte zwischen Lichtenhaag und Frontenhausen liegt, so dürften sie sicherlich eine gute Stunde mit ihrem Gefährt unterwegs gewesen sein, bis sie am Festplatz ganz oben am Dorf angekommen waren. Einer fungierte als Kutscher. Die anderen hatten sich schon etwas Mut angetrunken, indem sie während der Fahrt laufend die Bierflaschen kreisen ließen.

Als sie bei den Feierlichkeiten angekommen waren, herrschte hier bereits eine großartige Stimmung. Eine Drei-Mann-Band mit Gitarre, Trommel und einem Sänger brachte die Gemüter der Gäste in Aufruhr. Einige tanzten. Andere hutschten auf den Kirtaschaukeln. Die meisten saßen auf ihren Bierbänken, klatschten, schunkelten oder schlugen mit ihren Bierkrügen auf den Tisch, so dass eine ziemlich laute Lärmkulisse entstanden war.

Elisabeth saß etwas gelangweilt auf einer der Kirtaschaukeln und schaute dem Treiben zu, als sich Rheinhard hinter sie auf die Schaukel setzte. Zwei seiner Kameraden nahmen am anderen Ende des Stammes Platz. Trotz des Protestes von Elisabeth fingen diese drei ganz wild zu schaukeln an. Eine solche Schaukel bestand aus einem langen Baumstamm, der auf beiden Seiten mit Schnüren aufgehängt war. Wenn man wollte, konnte man den Stamm ziemlich ausgelassen in alle Richtungen kreisen lassen, man musste nur darauf achten, dass er auf beiden Seiten gleichmäßig beladen war. Elisabeth wollte protestieren, als die Schaukel in alle Richtungen anfing auszuschlagen. Doch Rheinhard hielt sie fest und lachte nur, als sie versuchte abzuspringen. Erst als sie massiver wurde und anfing, Rheinhard anzuschreien, bremsten sie ihre wilde Schaukelei. Elisabeth sprang ab, als die Schaukel zur Ruhe gekommen war, und schimpfte auf die anderen ein. Doch Rheinhard entschuldigte sich bei ihr, nahm sie bei der Hand und führte sie zum Tanzplatz. Anfangs versuchte sie sich zu wehren. Doch als sie bemerkte, dass er recht beschwingt tanzen konnte, machte es ihr plötzlich richtig Spaß. Nach dem Tanz führte Rheinhard seine neue Partnerin zu den Bänken, spendierte ihr ein Bier und redete den ganzen Abend auf sie ein. Elisabeth fand diesen gutaussehenden, jungen Mann ganz interessant, so dass sie gerne den Abend mit ihm verbrachte. Elisabeth war eine auffallend schöne Frau. Im Dorf waren fast alle jüngeren Männer darauf bedacht, ihr zu gefallen.

Doch gelang es ihr geschickt, diese abzuwehren, ohne sie zu beleidigen. Als sie nun den ganzen Abend mit Rheinhard tanzte, blickten ihm viele Lichtenhaager neidisch nach.

Ihre leuchtend blauen Augen und gewellten blonden Haare hatte Elisabeth von ihrer Mutter Veronika geerbt, ebenso ihre schlanke, muskulöse Figur und ihre straffen, festen Brüste. An ihren ebenmäßigen Gesichtszügen konnte man aber die Abstammung von ihrem Vater Matthias nicht übersehen. Das Ergebnis war jedenfalls eine gut gelungene Mischung ihrer hübschen Eltern.

Als es gegen 22 Uhr wurde, mussten die Leute aus Aham wieder an die Heimfahrt denken. Die meisten waren schon ziemlich angetrunken. Der Einzige, der noch einigermaßen nüchtern war, war Rheinhard, weshalb er als Kutscher fungieren musste. Zum Abschied versuchte er, Elisabeth zu küssen, was diese allerdings nicht zuließ. Seine Einladung zu ihrem Hoffest in Aham am nächsten Samstag schlug sie aber nicht aus. Er versprach ihr, sie am Samstagnachmittag mit seiner Pferdekutsche abzuholen, was er auch wirklich machte.

Eine Woche später war Rheinhard pünktlich wieder da, um Elisabeth zu seinem Fest zu holen. Auf der Rückfahrt nach Aham erzählte er ihr viel über seinen Hof. Er erklärte ihr, der einzige Sohn und Erbe des Hofes zu sein. Sie hätten viele Kühe und Schweine, deren Produkte sie wöchentlich am Bauernmarkt von Frontenhausen und Dingolfing anboten.

Wie sie sich so unterhielten, verging die Zeit so rasch, dass sie glaubten, gerade losgefahren zu sein, als sie auch schon in den Hof der Oberbauer einbogen. Rheinhard stellte Elisabeth voller Stolz seinen Eltern vor. Elisabeth erzählte auch viel über ihr Leben in Lichtenhaag, dass sie noch einen jüngeren Bruder hätte, ihr Vater leider schon verstorben sei, die beiden Geschwister also von ihrer Mutter Veronika aufgezogen würden.

Dass Joseph eigentlich ihr Halbbruder war, dessen Mutter in Landshut wegen Mordes im Gefängnis ihre Strafe abbüßt, verschwieg sie aber. Nachdem es angenehm warmes Sommerwetter gab, wobei die Sonne von einem fast wolkenlosen Himmel herab strahlte, hatten sie ihre Tische und Stühle im Freien, in der Mitte des Viereckhofes, wie sie in dieser Gegend Niederbayerns üblich sind, aufgebaut. Der Hof ähnelte in dieser Bauweise dem Oama-Hof.

Rheinhard hatte zu seinem Fest alle jungen Leute aus der Nachbarschaft eingeladen.

Höflichkeitshalber war diese Einladung auch über die Vilsbrücke hinüber zum Anton von Gutdorf und dessen Verlobten Antonia de Montegard gegangen, ohne dass man damit gerechnet hätte, dass dieser Einladung Folge geleistet werden würde.

Antonia lehnte es auch sofort ab, sich zu diesen primitiven Bauernbuben hinzusetzen. Anton meinte dagegen, er müsse sich aus Höflichkeit auch einmal bei den Nachbarn sehen lassen, wenn er schon eingeladen worden sei.

Antonia war eine recht hübsche, vornehme, vor allem aber selbstbewusste Frau. Sie war sich ihrer Bedeutung, aber auch ihres Reichtums bewusst. Sie liebte Anton aufrichtig. Ob er sie auch so sehr liebte, oder sie nur ihres Geldes wegen heiraten würde, war ihr nicht ganz klar, aber auch relativ egal. Sie wollte Anton und würde ihn auf alle Fälle bekommen.

So kam es also, dass sich an diesem Tag ausgerechnet Anton von Gutdorf, wenn auch etwas verspätet, unter die Gäste der Oberbauer mischte.

Elisabeth war dieser gutaussehende, vornehme Herr gleich bei seiner Ankunft aufgefallen. Vor allem gefiel ihr sein charmantes Lächeln, mit dem er sie bei der Begrüßung anstrahlte.

Aber auch Anton war geblendet von diesen tiefblauen Augen, den goldblonden Haaren, aber vor allem dem fragenden, verschmitzten Gesichtsausdruck, mit dem sie ihn anblickte. Anton musste während des ganzen Abends immer wieder zu Elisabeth hinüberschauen. Irgendetwas faszinierte ihn an diesem Mädchen. Er hörte ihren Gesprächen zu, stellte fest, dass sie eine sehr natürliche, intelligente Art zu sprechen hatte.

Aber auch Elisabeth blickte zeitweise verstohlen zu diesem fremden Herrn hinüber, der sie in irgendeiner Weise überrascht hatte.

Einmal fasste sich Anton ein Herz und forderte Elisabeth zum Tanzen auf.

Er merkte sofort, dass Elisabeth ein sehr gutes Rhythmusgefühl hatte.

Anton war ein geschulter Tänzer. Er wirbelte seine Partnerin, die leicht wie eine Feder jeder seiner Bewegungen folgte, nur so herum, was beiden unglaublichen Spaß bereitete.

Rheinhard schaute den beiden etwas betreten zu und forderte Elisabeth gleich wieder zum nächsten Tanz auf.

Als Rheinhard Elisabeth gegen 23 Uhr vorschlug, sie wieder mit seiner Pferdekutsche nach Hause zu bringen, was für ihn ungefähr zwei Stunden Fahrt durch die Nacht mit einer Fackel als Beleuchtung bedeutete, hatten beide das Gefühl, einen tollen Abend verbracht zu haben.

Elisabeth war so müde, dass sie fast die gesamte Kutschenfahrt verschlief.

Er werde nächstes Wochenende wieder bei ihr vorbeischauen, rief ihr Rheinhard zum Abschied noch zu, bevor er sich erneut auf den Nachhauseweg machte.

Am Sonntag ging die ganze Familie, die allerdings nur noch aus Veronika und Joseph neben Elisabeth bestand, um halb zehn vormittags zur heiligen Messe in das kleine, gotische Kirchlein von Lichtenhaag.

Wieder zu Hause machten sich die beiden Damen an die Vorbereitungen fürs Mittagessen, als es plötzlich an der Haustüre klopfte. Joseph öffnete die Türe und vermeldete einen Mann, der nach Elisabeth verlangte. Diese ging zur Türe und erblickte zu ihrer Überraschung Anton, der davorstand.

Er hätte einen Termin in Gerzen gehabt und habe sich gedacht, dass er sie bei dieser Gelegenheit in Lichtenhaag auch gleich besuchen kommen könnte, sagte er etwas verlegen. Elisabeth bat ihn herein und stellte ihn bei Mutter und Bruder als Anton, Freiherr von Gutdorf, vor. Er sei gestern ebenfalls auf dem Fest gewesen, fuhr sie erklärend fort. Ihn plötzlich vor ihrer Haustüre stehen zu sehen, überraschte sie doch sehr, wenn sie sich insgeheim dennoch recht freute, diesen Mann so bald wieder zu sehen.

Die beiden Damen luden Anton zum Mittagessen ein. Es gäbe nur ein karges Mahl mit etwas Fleisch, viel Salat und Gemüse. Anton bedankte sich erfreut über diese Gastfreundschaft. Nach dem Essen zeigte Elisabeth ihrem Gast den Oama-Hof mit seinen Stallungen und Gebäuden.

Er sei mit seiner Pferdekutsche da, versuchte Anton ihr zu erklären. Er würde sie gerne nach Vilsbiburg ins Café einladen, schlug ihr Anton weiter vor. Obwohl Mutter und Bruder etwas überrascht über den erneuten Männerbesuch waren, nachdem sie gestern mit einem anderen Herrn ausgegangen war, ließen sie sich nichts anmerken.

Elisabeth zog sich ihre neue Lederjacke drüber, die sie erst letzte Woche in Landshut erworben hatte. Joseph und sie besuchten zeitweise Yvonne im Gefängnis, wobei sie hinterher meistens in Landshut bummeln gingen. Bei dieser Gelegenheit erstand sie diese schöne, braune Lederjacke, die ihr unglaublich gutstand.

Anton war begeistert, wie er sie so schlank und schön neben ihm stehen sah. Während der Fahrt unterhielten sie sich über Gott und die Welt. Elisabeth machte es unglaublichen Spaß, mit Anton zu diskutieren.

Er hatte ein enormes Wissen, das er in sehr charmanter Weise an Elisabeth weiterzugeben verstand. Im Lokal lud Anton seine neue Bekanntschaft zu Kaffee und Kuchen ein.

Hinterher unternahmen sie einen Spaziergang dem Vilsufer entlang. Es war wieder ein herrlicher Sonnentag. Anton erzählte Elisabeth viele nette Geschichten aus seiner Kindheit, bis diese plötzlich sagte, dass sie gehört habe, er sei verlobt.

Anton errötete etwas, bevor er anfing, ihr von den Schulden zu berichten, die sein Vater wegen seiner übertriebenen Lebensweise gemacht hätte. Ihr Anwesen sei nur zu retten, wenn er Antonia de Montegard heiratete.

Was er denn dann von ihr wolle, fuhr Elisabeth weiter fort, ihn zu piesacken. Er wurde sehr verlegen, errötete übers ganze Gesicht, bevor er ihr eingestand, sich in sie verliebt zu haben. Es habe ihn wie ein Blitz aus heiterem Himmel getroffen. Er müsse beständig an sie denken. Er hätte die ganze Nacht überlegt, ob er sie besuchen kommen sollte. Doch konnte er gar nicht anders. Sein Verlangen, sie zu sehen, mit ihr zu sprechen, wäre einfach zu groß gewesen. Er hoffe, dass sie ihm nicht böse sei.

Dieses Mal war es an Elisabeth zu erröten, als er von seiner Liebe zu ihr sprach. Es war ihr klar, dass sie ihn eigentlich weiterschicken sollte, doch fühlte sie ähnlich wie er, weshalb sie ihm gar keine Antwort gab.

Anton nahm ihre Hand, die sie ihm gleich wieder entziehen hätte sollen. Doch auch dies brachte sie nicht fertig. So gingen sie eine Zeit lang schweigend Hand in Hand nebeneinander her, bis Anton dann anfing, ihr von seiner Jagd und seiner Jagdhütte nördlich von Gerzen zu erzählen. Er werde sie ihr einmal zeigen, fuhr er fort. Plötzlich meldete sich Elisabeth, indem sie sagte: „Ich denke, es wird Zeit, dass du mich jetzt nach Hause bringst.“ Anton wollte etwas dagegen sagen. Sie jedoch entzog ihm ihre Hand, drehte sich um und ging in Richtung des Bauernhofs, in dem das Pferd und die Kutsche untergestellt waren.

Bei der Rückfahrt wurde Elisabeth sehr wortkarg. Anton sagte zum Abschied, als er sie am Oama-Hof abgeliefert hatte, er werde wieder kommen und ihr seinen Wald und die Jagdhütte zeigen. Als er keine Antwort bekam, wertete er dies als Zustimmung. Kaum war die nächste Woche vergangen, als am Samstag bereits wieder Rheinhard zu ihr hereinschaute. Pferd und Kutsche stellte er wieder am Oama-Hof unter.

Elisabeth hatte sich für ihn besonders schön gemacht. Sie wollte einfach nicht mehr an Anton denken, was ihr aber nicht wirklich gelang. Jedenfalls versuchte sie, ausgesprochen nett und freundlich zu Rheinhard zu sein.

Zuerst lud er sie in ihre Dorfkneipe ein, was sich als ungünstig herausstellte, da auch andere Jugendliche vom Dorf da waren, die ihre Zweisamkeit störten. Anschließend überredete Rheinhard sie zu einem Spaziergang der Vils entlang, wo sie endlich allein sein konnten.

Ähnlich wie in der Woche zuvor Anton, ergriff auch Rheinhard ihre Hand. Sie ließ ihn gewähren, fühlte aber ihr Herz lange nicht so aufgeregt schlagen wie bei Anton. Sie unterhielten sich. Er sammelte Wiesenblumen für sie. Elisabeth mochte diesen netten, bescheidenen Mann. Sie fand ihn ausnehmend sympathisch. Doch musste sie nebenbei laufend an Anton denken.

Als dieser am Sonntag, nach der Messe, wieder an ihre Haustüre klopfte, konnte sie gar nicht anders, als ihn hereinzubitten und ihn abermals zum Essen einzuladen. Er wolle ihr seinen Wald und seine Jagdhütte zeigen, erklärte er ihr, als sie das Haus verließen, um die Kutsche wieder anzuspannen. Joseph und Veronika blickten ihnen erneut verwundert nach, ohne aber ein Wort zu sagen. In Gerzen bogen die beiden mit ihrer Kutsche nach Norden ab, wo Elisabeth Antons Wald vermutete. Er erzählte ihr viel von seinen Bäumen und den Zufahrtswegen, dem Streit, den er deswegen mit einem Nachbarbauern hatte, und vieles mehr, bis sie plötzlich vor einem recht großen und schönen Waldhaus anhielten.

Dem Pferd gab Anton Heu, spannte es aus der Kutsche aus und ließ es in einem umzäunten Garten laufen. Anton nahm seinen Schlüssel und sperrte die Türe auf.

Die Hütte war sehr bequem eingerichtet mit einer Sitzgarnitur aus Polstern, einem Tisch, einer kleinen Küche und sogar einem Schlafzimmer mit Doppelbett.

Anton bot ihr Bier zum Trinken an. Elisabeth lehnte dankend ab, als sie sich auf die Couch setzte. Sie wolle lieber einen kleinen Spaziergang durch den Wald machen, meinte sie. Sie unternahmen einen kleinen Rundgang durch den Wald. Er erklärte ihr, worauf man bei den Bäumen achten müsse. Es zeigten sich auch Füchse und Rehe. Elisabeth war begeistert über die Art, wie Anton ihr den Wald mit seinen Bäumen und Tieren näherbrachte.

Als sie wieder zurück in der Hütte waren, umarmten und küssten sie sich. Elisabeth fühlte sich glücklich, allein mit Anton sein zu können, mit ihm zu reden, ihn zu umarmen und zu küssen.

Anton war fasziniert von diesem lebenslustigen, natürlichen, wunderschönen Mädchen. Im Wohnzimmer war ein Kachelofen mit offener Feuerstelle. Diese war bereits hergerichtet. Das Feuer musste nur noch entfacht werden. Die beiden blickten fasziniert auf die knisternden Flammen, als Anton anfing, langsam Elisabeths Bluse aufzuknüpfen. Sie schaute ihn fragend an, küsste ihn und zog ihre Bluse, aber auch ihr Rock sowie ihre Unterhose ganz aus, bis sie plötzlich nackt vor ihm stand. Anton war begeistert von ihrer schlanken, muskulösen Figur, ihren kleinen, aber wohlgeformten Brüsten. Er fühlte sich unsterblich in sie verliebt. Er entledigte sich auch seiner Kleider, so dass sie sich nackt umarmen und liebkosen konnten. Sie legten sich nackt vors Feuer, schauten den Flammen zu, küssten sich, bis Anton langsam begann, in sie einzudringen. Eigentlich hätte sie es nicht so weit kommen lassen wollen. Doch war sie zu begeistert, zu verliebt, als dass sie es zusammengebracht hätte, sich zu wehren. Sie fühlte sich nur unglaublich glücklich, als Anton in ihr drinnen war. Hinterher gestand sie ihm, dass es das erste Mal war, dass sie mit einem Mann Verkehr hatte. Er blickte sie erstaunt an, wobei er ihr gestand, auch noch nie mit einem Mädchen geschlafen zu haben.

Seine Verlobte, Antonia, wäre sehr fromm und katholisch. Geschlechtsverkehr komme für sie erst nach der Eheschließung in Frage. Wie es denn jetzt weitergehen solle, fragte ihn Elisabeth, woraufhin er ihr gestand, dass der Hochzeitstermin mit Antonia bereits feststehen würde. Er müsse diese Frau heiraten, da seine Familie sonst pleitegehen würde. So lieben, wie er Elisabeth liebte, würde er Antonia jedoch nie können.

Elisabeth war sehr traurig, nachdem sie dies vernommen hatte, obwohl ihr von voneherein klar war, dass Anton Antonia heiraten musste.

Auch wenn es ihr sehr schwerfiel, erklärte Elisabeth, Anton nie wieder treffen zu wollen. Sie zog sich an, streckte Anton zum Abschied noch einmal die Hand entgegen und verschwand durch die Türe.

Sie wollte allein sein, ihre Gedanken ordnen, nachdenken, was sie weiter machen sollte, weshalb sie sich zu Fuß aufmachte, nach Hause zu gehen.

Von Gerzen nach Lichtenhaag benötigt man dazu auf Schleichwegen circa 1 ½ Stunden.

Elisabeth bereute es nicht, mit Anton geschlafen zu haben. Sie war sich bewusst, ihn zu lieben, auch wenn sie ihn nicht mehr treffen durfte.

Es kam ihr Rheinhard wieder in den Sinn. Er verehrte sie sehr und würde sie sofort heiraten, wenn sie ihm Hoffnung machen sollte.

So beschloss sie, auch mit Rheinhard zu schlafen, um zu sehen, ob es ihr mit ihm auch nur annähernd so gut gefallen würde, wie mit Anton. Sie mochte Rheinhard. Doch der Verkehr mit ihm war für Elisabeth eine herbe Enttäuschung. Sie fühlte sich mit ihm nicht annähernd so glücklich, befreit und froh, wie es ihr mit Anton ergangen war.

Der Hochzeitstermin von Anton und Antonia rückte näher. Mit der Post kam auch eine Einladungskarte zu Elisabeth. Die kirchliche Trauung fand in der gotischen Kirche von Frontenhausen statt.

Zwei Tage davor sind sie dort bereits auf dem Standesamt gewesen, um sich auch vor dem Staat das Jawort zu geben. Zur eigentlichen Feier war der Innenhof des Schlosses der Montegards in Gerzen vorgesehen.

Elisabeth hatte sich eigens für diese Hochzeit in Vilsbiburg ein sehr schönes, in dezenten Farben gehaltenes Kostüm gekauft. Ihre Haare hatte sie sich von einem Friseur hochstecken lassen. Sie sah einfach umwerfend aus.

Rheinhard jedenfalls war wahnsinnig in sie verliebt, als er sie so vor ihm stehen sah. Mit seiner Pferdekutsche war er gekommen, um Elisabeth zur Hochzeit im Schloss zu Gerzen abzuholen.

Als die beiden ankamen, war Antonia gerade dabei, die Hochzeitstorte anzuschneiden. In ihrem weißen Kleid mit langer Schärpe, die von zwei Mädchen hochgehalten wurde, damit sie nicht zu sehr verdreckte, sah Antonia sehr hübsch aus. Sie war ein sehr adrettes Mädchen. Doch mit der auffallenden Schönheit von Elisabeth konnte sie nicht mithalten.

Anton jedenfalls lief übers ganze Gesicht rot an, als er Elisabeth zum ersten Mal nach ihrem Treffen im Jagdhaus wieder sah. Es waren sehr viele und vornehme Gäste gekommen. Eine Band spielte beschwingte Tanzmusik. Zum Brautwalzer wurde das Brautpaar von einem Zeremonienmeister geladen, der alle kommenden Ereignisse ankündigte. Da beide gute Tänzer waren, brachte die Band bald eine hervorragende Stimmung zustande. Anton und Antonia drehten sich beschwingt im Takt. Am Ende holten die Brautleute ihre Eltern auf die Tanzfläche, er seine Mutter, sie ihren Vater, später dann er seine Schwiegermutter und sie ihren Schwiegervater. Zum Schluss drängte ein Großteil der Gäste auf die Tanzfläche. Rheinhard forderte Elisabeth auf. Da er ein beschwingter Tänzer war, machte es Elisabeth Spaß, sich mit ihm im Takt zu drehen. Als Antonia einmal mit ihrem Onkel tanzte, ging Anton einfach auf Elisabeth zu, um sie aufzufordern.

Wenn ihnen Rheinhard auch etwas überrascht nachblickte, so schöpfte er doch keinen Verdacht, dass die beiden ineinander verliebt sein könnten.

Auch Antonia dachte sich nichts dabei, als sie die beiden tanzen sah. Für Elisabeth wurde es zu einem unvergesslichen Erlebnis. Sie lag in den Armen des geliebten Mannes und wurde von ihm in einem großartigen Rhythmus hin und her gedreht. Sie schwebten geradezu über die Tanzfläche, was fast schon wieder auffällig war. Zum Glück machte die Band eine Tanzpause, so dass Anton Elisabeth wieder zu ihrem Platz neben Rheinhard brachte.

Der Abend verging rasch bei gutem Essen und Getränken, bei Tanz und schöner Musik.

Um Mitternacht musste das Brautpaar die Veranstaltung verlassen, um ihre eigentliche Hochzeitnacht zu beginnen. Anton und Antonia hatten bereits nach ihrer standesamtlichen Trauung miteinander geschlafen. Wäre nicht das Zusammensein mit Elisabeth in der Jagdhütte vorausgegangen, hätte es Anton sicherlich gut gefallen. Nachdem aber diese unglaubliche Faszination fehlte, die er bei Elisabeth empfunden hatte, war Anton doch sehr enttäuscht über den ersten Geschlechtsverkehr, den er mit Antonia hatte, wobei er sich natürlich nichts anmerken lassen durfte.

So kam es, dass sich Anton nicht übermäßig auf seine zweite Hochzeitsnacht freute. Doch irgendwie klappte es dann doch zwischen den beiden. Nachdem das Brautpaar gegangen war, verzogen sich auch die Gäste so nach und nach. Rheinhard brachte Elisabeth mit seiner Pferdekutsche zurück nach Lichtenhaag, bevor er sich auf den Heimweg machte.

Vielleicht sollte man an dieser Stelle noch erwähnen, dass die verschiedenen Pferde der Gäste während der Feier in den gräflichen Ställen untergebracht waren.

Auch wenn Elisabeth der Tanz mit Anton unglaublichen Spaß bereitet hatte, war ihr dennoch bewusst, dass sie ihren Geliebten so schnell wie möglich vergessen musste. Es waren seit der Hochzeit kaum zwei Wochen vergangen, als Elisabeth auffiel, dass bei ihr die Periode ausgeblieben ist, wobei sie nicht wusste, wer von den beiden Männern der Vater ihres Kindes war, nachdem sie mit Anton und mit Rheinhard geschlafen hatte. Da aber nur einer der beiden der Vater sein durfte, gestand sie Rheinhard recht bald, dass sie schwanger war. Dieser freute sich ungemein über seine künftige Vaterschaft, weshalb sie sich schnell entschlossen, zu heiraten.

Nur Veronika und Joseph wussten von der Beziehung zu den beiden Männern, so dass ihr von ihrer Mutter recht bald die Frage gestellt wurde, wer denn eigentlich der Vater ihres Kindes sei. Elisabeth gestand, dies nicht zu wissen. Da aber nur Rheinhard der Vater sein durfte, musste zwangsläufig auf alle Fälle er der Vater sein.

Die Hochzeitsfeierlichkeiten fanden am Hof der Oberbauers statt. Gekommen waren neben Veronika und Joseph natürlich auch Rheinhards Eltern sowie viele Freunde und Verwandte aus der Nachbarschaft.

Eine Einladungskarte schickte Elisabeth gegen den Willen ihres Bräutigams auch über den Bach hinüber zum Anwesen derer von Gutdorf.

Antonia, die wenig Lust verspürte, auf eine Bauernhochzeit zu gehen, ließ sich nur mit großer Mühe von Anton überzeugen, doch mit ihm hinzugehen.

Die Feier wurde nicht so pompös und teuer gestaltet, wie einige Wochen zuvor bei ihnen. Dennoch wirkten alle recht begeistert. Anscheinend hatte es sogar Antonia Spaß bereitet, wenn sie auch etwas verwundert darüber war, dass ihr Anton die Braut einmal zum Tanz aufgefordert hat, nachdem er doch schon bei ihrer eigenen Hochzeit mit diesem Mädchen getanzt hatte.

Doch machte sie sich, Gott sei's gedankt, nicht die Mühe, weiter darüber nachzudenken. Während des Tanzes berichtete Elisabeth Anton von ihrer Schwangerschaft. Dieser fragte sie sofort, ob er der Vater sei. Elisabeth jedoch erklärte ihm, dies nicht zu wissen. Da aber nur Rheinhard der Vater sein durfte, sollten sie es dabei belassen. Anton erklärte sich damit einverstanden. Er wolle sie wieder sehen, ließ er sie wissen, während er sie im Rhythmus der Band laufend herumwarf. Elisabeth reagierte entsetzt. Sie solle darüber nachdenken, sagte er noch zu ihr, bevor er sie wieder bei ihrem Bräutigam ablieferte.

Es vergingen wieder zwei Wochen, als Elisabeth zu Rheinhard einmal nach der heiligen Messe sagte, spazieren gehen zu wollen. Instinktiv schlug sie den Weg nach Gerzen ein, um sich dann nordwärts zum Wald hinzuwenden. Ohne es richtig wahrgenommen zu haben, stand sie plötzlich vor dem Jagdhaus. Die Türe war geöffnet. Sie ging hinein. Drinnen fand sie Anton. Ob er zufällig hier sei, fragte sie ihn. Er jedoch erklärte ihr, jeden Sonntag nach der heiligen Messe hier auf sie gewartet zu haben. Sie sei unwillkürlich hierhergekommen, ohne es eigentlich gewollt zu haben. Als Anton sie küssen wollte, versuchte sie sich zu wehren, gab ihren Widerstand aber bald auf, nachdem sie sich seit Wochen auf diesen Augenblick gefreut hatte. Sie zogen sich aus und schliefen in unglaublicher Leidenschaft miteinander. Wenn auch Elisabeth wieder einmal betonte, dass dies aufhören müsse, trafen sie sich in unregelmäßigen Abständen doch immer wieder, eigentlich während ihres ganzen Lebens, in ihrem Liebesnest, um sich ihrer Liebe hinzugeben. Elisabeth bekam drei Kinder, zwei Jungen und ein Mädchen, wobei sie von keinem Kind wusste, wer von ihren beiden Männern der Vater war. Antonia bekam nur einen Sohn, von dem sie allerdings wusste, dass Anton der Vater war.

Bald, nachdem Yvonne aus dem Gefängnis in Landshut entlassen worden war, zog Veronika zu ihrer Tochter nach Aham. Rheinhards Eltern waren zu der Zeit beide bereits verstorben.

Veronika war ihrer Tochter eine große Hilfe im Haushalt und bei der Erziehung ihrer Kinder. Als Joseph zeitweise von seiner Frau verlassen worden war, bemühte sich Elisabeth sehr, ihren Bruder zu trösten und zu unterstützen. Eigentlich führten beide Paare, die Oberbauers und die von Gutdorfs, eine glückliche Ehe, da von der Liebesbeziehung zwischen Elisabeth und Anton nur Veronika etwas ahnte, aber niemals etwas verraten hätte.

Vielleicht sollte man noch erwähnen, dass beide Partner des Liebespaares in einem Alter zwischen 50 und 60 Jahren verstarben.

Rheinhard erlitt bei der Heuernte einen Schlaganfall. Er fiel einfach um, röchelte, lebte noch eine Woche, ohne jemals das Bewusstsein wieder erlangt zu haben.

Bei Antonia hatte ihr Ehemann einmal bemerkt, dass ihre rechte Brust knotig und fest geworden war. Daraufhin ließ sie ihren Mann nicht mehr an sich heran. Je weiter die Krankheit fortschritt, desto mehr zog sich Antonia in ihr Zimmer zurück. Zum Schluss ließ sie sich nur noch Essen und Trinken bringen, ohne ihre Gemächer je wieder zu verlassen. Man berichtet, dass ein unangenehm fauliger Geruch von ihrem Zimmer ausging. Nach ihrem Tod muss Antonia einen furchtbaren Anblick geboten haben. Ihre halbe rechte Brustwand soll vom Tumor zerfressen gewesen sein. Der Tod muss für sie eine Erlösung von einer furchtbaren Qual gewesen sein. Böse Zungen sollen später einmal gemunkelt haben, dass die unglückliche Liebe zu ihrem Mann bei Antonia ihren Tumor verursacht haben soll.

Jedenfalls bekam Anton Streit mit seinem Sohn Alexander, als dieser nach dem Tod seiner Mutter von der Liebesbeziehung seines Vaters mit Elisabeth erfahren hat. Letztere übergab ihren Hof ihrem ältesten Sohn Johannes, der sie immer mehr an Anton erinnerte, im Gegensatz zu ihren beiden anderen Kindern, die eindeutig Rheinhard glichen.

Elisabeth und Anton ließen ein Jahr nach dem Tod ihrer Ehegatten vergehen, bis sie sich öffentlich zusammen zeigten. Nach einem weiteren Jahr heirateten sie in aller Stille in der schönen, gotischen Kirche von Aham. Ihre Höfe hatten sie jeweils ihren ältesten Söhnen übergeben. Für sich selbst hatten sie, wie man es später einmal bezeichnen sollte, ein Auftragshaus am anderen Ende des Dorfes gebaut, nicht ohne sich eine ausreichende Rente von ihren Gütern gesichert zu haben, so dass sie gut davon leben konnten. Ihr gemeinsames Glück soll noch gut zwei Jahrzehnte gedauert haben. Die beiden anderen Kinder von Elisabeth und Rheinhard, Maria und Hubert, erlernten beide einen Beruf, sie als Sekretärin, er als Schreiner. Die Beziehung zwischen Alexander und seinem Vater Anton soll sich nie mehr ganz normalisiert haben.

ROSA BUCHNER

Zum besseren Verständnis der folgenden Geschichte sollte man vielleicht vorausschicken, dass jener Georg Weixelgartner, den Rosa Buchner ehelichte, der Sohn von Sebastian Weixelgartner war, der den Oama-Hof von seinem Vater Joseph übernommen hatte. Martha und Joseph waren also Georgs Großeltern, Elisabeth seine Großtante.

Im Gegensatz zu seiner Tante Magdalena und seinem Vater Sebastian, die ihrer Mutter zeit ihres Lebens deren Abenteuer in Frankfurt nicht wirklich verzeihen konnten, hatte Georg ein sehr gutes Verhältnis zu den beiden Großeltern und auch zu seiner Großtante Elisabeth entwickelt.

Besonders mit deren zweitem Ehemann Anton ist Georg häufig auf die Jagd gegangen, wobei sie öfter in dessen Jagdhütte gefeiert und übernachtet haben, wenn es manchmal später geworden sein sollte.

Als Rosa Buchner im Mai 1876 heiratete, war sie gerade erst 21 Jahre alt; ihr Bräutigam, Georg Weixelgartner, jedoch bereits 29.

Kennengelernt haben sich die beiden durch Vermittlung von Rosas Bruder Anton.

Die beiden Männer waren Kameraden aus dem Krieg von 1870. Anton soll Georg dabei einmal das Leben gerettet haben. Wie berichtet wurde, kam er dazu, als Georg im Nahkampf von zwei französischen Soldaten bedrängt wurde. Der eine Franzose hatte sein Gewehr bereits auf Georg angelegt und wollte gerade abdrücken, als Anton ihm zuvorkam und seinerseits den Franzosen erschoss. Der andere flüchtete sich in den nahegelegenen Wald, so dass Anton und Georg ihrerseits in die entgegengesetzte Richtung laufen konnten, um jeweils ihre Abteilungen wieder zu erreichen.

Seit dieser Zeit hatte sich eine enge Freundschaft zwischen den beiden Männern entwickelt.

Olga und Gerhard in Peru

Nachdem nach dem Ende dieses schrecklichen Krieges beide unverwundet wieder glücklich zu Hause waren, stellte Anton seinem Freund Georg voller Stolz seine Schwester Rosa vor.

Die beiden waren sich von vorneherein sehr sympathisch. Rosa war auch eine sehr hübsche Frau, schlank, hochgewachsen. Mit ihren großen blauen Augen strahlte sie Georg so intensiv an, dass dieser gar nicht anders konnte, als sich in sie zu verlieben. Ihre blonden Haare reichten ihr in sanften Wellen bis zu den Schultern herab.

Ihr Vater betrieb eine gut gehende Schreinerei, so dass Rosa sich nette Kleider leisten konnte. Wie sie so mit ihrer rosa Bluse und ihrem langen Rock vor Georg stand, war sie schon eine sehr hübsche Erscheinung.

Aber auch Georg konnte man mit seinen braunen Augen, dunklen Haaren, seinen breiten Schultern, die durch die schwere Bauernarbeit sehr muskulös wirkten, als gutaussehenden Mann bezeichnen.

Georgs Schwester Theresa war zwei Jahre jünger als Rosa. Ihr hätte Anton auch sehr gut gefallen, als Georg sie zum ersten Mal zu ihren gemeinsamen Treffen mitbrachte.

Doch Anton war schon seit längerer Zeit in die schöne Tochter Anna-Lena des Vilsbiburger Advokaten Breitenbacher verliebt.

Dieser jedoch war nicht sehr begeistert von der Freundschaft seiner Tochter mit dem Schreiner-Sohn, wo doch von den Eltern bereits eine Verbindung zwischen Anna-Lena und dem Sohn des Richters Habersetzer, Maximilian, vereinbart worden war.

Anna-Lena widersetzte sich vehement den Wünschen ihrer Eltern. Sie verehrte und liebte schon seit langem den hübschen und charmanten Anton.

Zuerst hatten sie ihre Verbindung geheim gehalten. Sie trafen sich nur heimlich an versteckten Orten. Eines Tages machte sie jedoch den Fehler, ihren Geliebten ihren Eltern vorzustellen.

Diese empfingen den jungen Mann sehr kühl und unfreundlich. Nachdem Anton ziemlich frustriert wieder gegangen war, untersagten die Breitenbacher ihrer Tochter jeglichen weiteren Kontakt zu diesem Mann.

Anna-Lena lehnte ihrerseits eine Freundschaft mit dem gespreizten und eingebildeten Maximilian Habersetzer ab.

Es gab also viele Probleme, als sich die fünf jungen Leute eines lauen Abends im Juni zum Sommernachtsball am Stadtrand von Vilsbiburg trafen.

Georg und Theresa waren zu Fuß die fünf Kilometer von Lichtenhaag bis Vilsbiburg gegangen.

Sie hatten Glück, dass der Ball am nördlichen Rand dieser Stadt stattfand, die Veranstaltung also in ihrer Richtung lag.

Die Geschwister Rosa und Anton wohnten im Schreineranwesen ihrer Eltern. Sie hatten nicht weit zu gehen.

Anna-Lena hatte sich hübsch angezogen. Sie verließ das Haus ihrer Eltern, ohne zu fragen, um ihren geliebten Anton zu treffen, der eine Häuserreihe weiter auf sie wartete.

Alle fünf trafen sich im Biergarten des neuen Lokals, das am Stadtrand eröffnet worden war. Es war eine Tanzfläche hergerichtet worden.

Eine Zwei-Mann-Band spielte, rasselte und trommelte alte Volkslieder, wobei einer der beiden Männer auch noch dazu sang.

Die fünf Freunde hatten sich auf Bierbänke an einem Tisch gesetzt, ihr Bier bestellt und unterhielten sich über allerlei Erlebnisse, die sie in letzter Zeit hatten.

Als die Band dann anfing, zum Tanz aufzuspielen, erhoben sich Anna-Lena und Anton sogleich, um sich auf die Tanzfläche zu begeben. Wenn sie auch keine großen Tänzer waren, so umarmten sie sich, drehten sich im Takt der Musik und küssten sich.

Rosa und Georg folgten etwas schüchtern und verschämt dem Beispiel der beiden anderen. Auch sie umarmten und drehten und küssten sich, während die Band spielte.

Für Theresa gestaltete sich der Abend etwas langweiliger, da sie keinen Partner hatte. Es kamen zwar immer wieder junge Männer auf sie zu, um sie zum Tanz aufzufordern, was sie selbstverständlich aus Höflichkeit, wenn auch widerwillig, annahm.

Eigentlich schaute sie lieber den anderen zu. Ihre Gedanken weilten vor allem bei Anton, den sie insgeheim verehrte. Obwohl sie Anton sein Glück gönnte, war sie doch etwas eifersüchtig auf Anna-Lena. Sie beneidete sie um ihre Tänze mit ihm. Auch sie hätte gern mit ihm getanzt, ihn umarmt und geküsst.

Sie wollte sich ihre Liebe zu Anton jedenfalls nicht anmerken lassen.

In der Tanzpause verschwanden Anton und Anna-Lena nach draußen, um spazieren zu gehen, sich zu umarmen, zu küssen und zu lieben.

Theresa schaute ihnen etwas neidisch nach. Sie konnte jetzt nur noch ihren Bruder mit Rosa auf der Tanzfläche beobachten, als plötzlich ein Aufruhr losbrach. Die Leute gestikulierten und liefen nach draußen. Theresa fragte ihre Nachbarn, was denn los sei. Doch niemand konnte ihr eine vernünftige Antwort geben.

Als auch sie nun nach draußen ging, konnte sie gerade noch sehen, wie zwei Polizisten Anton in Handschellen abführten.

Als die Musik aufgehört hatte zu spielen, waren Anton und Anna-Lena nach draußen gegangen, um spazieren zu gehen, sich zu umarmen, zu küssen und zu lieben.

Sie standen ziemlich versteckt hinter einem Strauch. Es war dunkel um sie herum. Sie hielten sich eng umschlungen. Anna-Lena hatte sich auf ihre Zehen gestellt, um Anton küssen zu können. Sie bewegten sich noch hin und her wie im Tanze.

Als sie gerade ruckartig eine halbe Drehung im Takt der Musik vornahmen, die sie von drinnen heraushörten, konnte Anton im letzten Moment noch sehen, wie die Faust mit dem Messer hochschnellte und brutal zustach. Anna-Lena schrie im Schmerz laut auf, bevor sie aus Antons Armen zu Boden glitt. Anton konnte noch sehen, wie die geheimnisvolle Gestalt in der Dunkelheit verschwand.

Erst jetzt wurde ihm bewusst, dass Anna-Lena schwer getroffen am Boden lag. Er fand sein eigenes Messer, das er im Saal auf den Tisch gelegt hatte, um beim Tanzen nicht behindert zu werden, bis zum Griff in ihrem Rücken stecken.

Als er das Messer aus ihrem Rücken ziehen wollte, kamen die ersten Leute dazu, die Anna-Lenas entsetzlichen Schrei gehört hatten.

Sie fanden Anton, wie er über Anna-Lena gebeugt, blutüberströmt, den Dolch in der Hand hielt.

Die Leute, die hinzukamen, rissen ihn von Anna-Lenas Leichnam weg.

Sie schlugen auf ihn ein und hießen ihn einen brutalen Killer.

Anton war wie benommen. Er wollte zu Anna-Lena, wollte sie umarmen. Er konnte sich nicht vorstellen, dass sie tot sein sollte.

Erst als die beiden Polizisten kamen, um ihm Handschellen anzulegen und ihn abzuführen, wurde ihm bewusst, dass sie ihn für Anna-Lenas Mörder hielten.

Wenn er auch noch so seine Unschuld beteuerte und von dem Schatten sprach, der plötzlich wie aus dem Nichts aufgetaucht war und zustieß, so glaubte ihm doch niemand. Für die Leute und die Polizisten war klar, dass er der Mörder sein musste.

So stießen die beiden Beamten ihn ziemlich brutal mit ihren Schlagstöcken vor sich her. Nur Theresa konnte nicht glauben, dass der Mann, den sie so sehr liebte, ein Mörder sein sollte. Sie lief hinter den Polizisten her und rief nach Anton. Als dieser sich zu ihr umdrehen wollte, schlugen die Polizisten massiv auf ihn ein, so dass er zusammenbrach.

Theresa schubste die Beamten zur Seite, um sich zu ihm niederzuknien.

Was denn passiert sei, wollte sie von Anton wissen. Dieser stammelte nur verzweifelt, dass er unschuldig sei, dass ein Schatten aus dem Nichts aufgetaucht sei und Anna-Lena niedergestochen habe.

Theresa sah in seine verzweifelten Augen und beteuerte, ihm zu glauben.

Sie wusste aus ihrem innersten Herzen, dass Anton die Wahrheit sagte und kein brutaler Mörder war.

Es waren ihnen nur wenige Augenblicke der Verständigung gegönnt, bis die Polizisten Theresa wegstießen und Anton wieder zum Aufstehen zwangen, um ihn weiter bis zum Haus des Amtsrichters zu treiben.

Dieses war zentral in der Altstadt gelegen, so dass sie die halbe Stadt zu durchqueren hatten.

Es war bereits zwei Uhr nachts, als sie das Richterehepaar aus ihren Betten klingelten.

Der Richter, der noch recht verschlafen wirkte, war nicht wenig erstaunt, als er Anton vor sich sah, den er bereits vom Krieg her kannte und zutiefst hasste.

Er fungierte damals als sein vorgesetzter Offizier. Der Richter schaute ihn böse an. Als er erfuhr, was vorgefallen war, ordnete er die sofortige Überstellung ins Stadtgefängnis nach Landshut an, wohin Anton noch in der gleichen Nacht gebracht wurde.

Der Prozess verlief relativ eintönig.

Anton war auf frischer Tat ertappt worden, sodass das Urteil bereits bei Prozessbeginn feststand. Anton würde zum Tod durch den Strang verurteilt werden.

Seinem Gestammel von einem Schatten, der plötzlich aus dem Nichts aufgetaucht sein soll, glaubte niemand, ebenso wenig wie den unqualifizierten Anschuldigungen, die er gegen den Amtsrichter von Vilsbiburg vorbrachte, den er beschuldigte, im Krieg vor seinen Augen einen Drogendealer umgebracht zu haben, der zu viel Geld für sein Kokain verlangte.

Es kamen zwar immer wieder Gerüchte auf, wonach sich der Amtsrichter manchmal sehr auffällig verhielte. Auch soll schon einmal der Verdacht aufgekommen sein, dass der Amtsrichter drogenabhängig sein könnte, doch einem offensichtlich brutalen Mörder glaubt man sowieso nichts.

DIE BEERDIGUNG

Die Beerdigung von Anna-Lena fiel sehr traurig aus. Die Eltern marschierten weinend hinter dem Sarg her. Die Mutter hatte ihren Kopf mit einem schwarzen Tuch vollkommen verhüllt.

In der Aussegnungshalle hatte der Amtsrichter Habersetzer, bevor sich der Trauerzug in Bewegung setzte, eine lange und ergreifende Rede gehalten, in der er diese unglaubliche Tat aus Eifersucht dieses ruchlosen Mörders Anton anprangerte.

Sein Sohn, Maximilian, und Anna-Lena wären so gut wie verlobt gewesen, wenn dieser Verrückte nicht so durchgedreht wäre.

Die Todesstrafe sei eigentlich ein viel zu mildes Urteil, fuhr der Richter fort und steigerte sich dabei richtig in Rage.

Vor dem leeren Grab, in das der Sarg anschließend hinabgelassen wurde, ergänzte der Pfarrer diese Rede, indem er Anton in die Hölle verdammte und behauptete, Anna-Lena würde die Trauergäste vom Himmel aus beobachten. Die wirkliche Strafe würde Anton nicht hier auf Erden erhalten, indem er gehängt würde, sondern im Jenseits, wo ihm ewige Verdammnis drohte.

Rosa, ihre Eltern sowie Theresa und Georg Weixelgartner wollten bei der Beerdigung mit dabei sein, um Anna-Lena auf ihrem letzten Weg zu begleiten. Die Verwandten und Freunde des Mörders wollte aber niemand bei der Beerdigung tolerieren, weshalb man ihnen unmissverständlich klar machte, dass sie zu verschwinden haben.

DIE VERHANDLUNG

Antons Behauptung, wonach der Amtsrichter ein Mörder sei, wurde aber einem gerade verurteilten, auf frischer Tat ertappten Mörder, wie im Falle Antons, sicherlich kein Glauben geschenkt.

Dass ihr milder, von allen geliebter Richter Habersetzer im Krieg einen Mann erschossen haben sollte, weil er sich mit ihm nicht über den Preis für sein Rauschgift einigen habe können, erschien allen völlig undenkbar.

Antons Tatmotiv war hingegen leichter zu eruieren. Der Mord geschah aus Eifersucht, da Anna-Lena sich nur mit ihm zurückgezogen hätte, um ihm ihre Liebe zu Maximilian einzugestehen und mit Anton Schluss machen wollte.

Ein schwerwiegendes Indiz für Antons Schuld war vor allem, dass Anna-Lena mit seinem eigenen Dolch erstochen wurde. Es lag auf der Hand, dass er aus Eifersucht, weil sie ihn verlassen wollte, seinen Dolch aus der Scheide zog und zustach.

Es nützte Anton wenig, wenn er angab, den Dolch vor dem Tanz auf den Tisch gelegt zu haben, da er ihn beim Tanzen behinderte.

Theresa glaubte zwar, den Dolch auf dem Tisch liegen gesehen zu haben, konnte sich aber auch nicht mehr sicher daran erinnern, so dass ihre Zeugenaussage diesbezüglich nicht gewertet wurde.

Der Mörder müsste also beim Tanz dabei gewesen und an ihrem Tisch vorbeigekommen sein, wenn er Antons Dolch genommen haben sollte.

Dies klang alles sehr unwahrscheinlich.

Anna-Lenas Vater trat als Nebenkläger auf. Er hasste Anton und wollte, dass er verurteilt wird. Anton fragte ihn, ob er denn nicht den wahren Mörder seiner Tochter finden möchte.

Er wisse doch genau, dass Anna-Lena ihn, Anton, liebte und ihn sicherlich nicht wegen diesem gespreizten Maximilian verlassen wollte, den sie überhaupt nicht ausstehen konnte.

Doch der Advokat Breitenbacher war zu verbohrt durch den Hass auf Anton, als dass er dieses Argument hätte akzeptieren können.

So kam es, wie es kommen musste. Anton wurde zum Tode durch Erhängen verurteilt. Das Urteil sollte in zwei Wochen im Landshuter Gefängnis vollstreckt werden. Anton sollte dorthin überführt werden.

Damit dies unbemerkt von der Öffentlichkeit stattfinden konnte, wurde Anton um Mitternacht von zwei Polizisten in einer Gefängniskutsche ins städtische Gefängnis gebracht.

So war es zumindest vorgesehen. Ein Beamter saß auf dem Kutschbock, um das Pferd anzutreiben, der andere bewachte Anton im vergitterten Wagen. Dummerweise machte das Pferd auf halbem Weg einen Schlenkerer nach rechts, so dass ein Kutschrad in ein Schlagloch rutschte. Das Rad verfing sich in diesem Loch, so dass die Kutsche nach rechts abglitt und umkippte.

Der Gitterwagen zerbrach. Der Kutscher schlug mit dem Kopf am Boden auf und blieb benommen liegen.

Antons Wächter entglitt das Gewehr. Trotz seiner Handschellen konnte Anton dieses ergreifen und seinen Wächter damit niederschlagen. Als der Kutscher sich wieder aufzurappeln begann, versetzte er auch diesem einen Schlag mit dem Gewehrkolben, so dass er erneut zusammenbrach.

Dem Wächter nahm er die Schlüssel für die Handschellen ab, um diese zu öffnen. Anton packte und schulterte das Gewehr, spannte das Pferd aus, sprang auf dessen Rücken und verschwand in vollem Galopp.

Da Antons Eltern zu Hause für ihr Sägewerk und ihre Schreinerei immer Pferde zum Schleppen von Lasten gebrauchten, hatte Anton in seiner Kindheit und Jugend öfter die Gelegenheit zum Reiten genützt, so dass er im Laufe der Zeit ein recht guter Reiter geworden ist.

Seine Flucht war sicherlich eine Kurzschlusshandlung.

Er hatte nichts mehr zu verlieren. Ein Revisionsgericht gab es zur damaligen Zeit nicht.

Seine einzige Hoffnung zu überleben wäre eine Petition an den Prinzregent Luitpold gewesen, der die Todesstrafe in eine lebenslängliche Haftstrafe hätte umwandeln können.

Der Prinzregent, ein Onkel von König Ludwig II., hatte nach dessen Tod im Starnberger See die Regierungsgeschäfte übernommen, wobei immer noch nicht sicher ist, ob der König einem Unfall zum Opfer gefallen war, oder doch von der bayrischen Geheimpolizei, möglicherweise im Auftrage des Prinzregenten, ermordet wurde.

Der Prinzregent jedenfalls war wie auch der König selbst im Volke sehr beliebt. Die Schlösser, die König Ludwig in den bayrischen Bergen für sich hatte bauen lassen, benützte sein Nachfolger als Jagdhütten.

Als er den Maurischen Saal besichtigte, der sich im ersten Stock des Schachenschlosses befindet, das hoch im Wettersteingebirge gelegen ist, soll er bei dessen Anblick in schallendes Gelächter ausgebrochen sein.

Für sich zur Jagd benützte er, wie uns bei einer Führung durch dieses Schloss mitgeteilt wurde, nur noch die unteren Räume, die wie ein Jagdzimmer eingerichtet sind.

Nach oben soll er nie mehr gestiegen sein. König Ludwig hat sich angeblich mit einer Sänfte zum Schachen hochtragen lassen.

Es führt von Elmau aus ein schöner Wanderweg hinauf zum Schloss, den Olga und ich bereits mehrmals gegangen sind. Man kann aber auch noch weiter hinaufgehen bis zur auf knapp 2.400 Meter hoch gelegenen Meilerhütte.

Von dort hat man einen wunderbaren Ausblick auf die schroffen Zacken des Wettersteingebirges.

Eine solche Petition an den Prinzregenten hätte, wie man Anton mitteilte, wenig Aussicht auf Erfolg gehabt, weshalb er sie gar nicht eingereicht hatte.

ANTONS FLUCHT

Zu dieser Tageszeit waren die Tore der Stadt alle geschlossen. Anton wusste aber eine Stelle, wo die Mauer sehr niedrig und brüchig war, so dass man selbst mit einem Pferd darüber hinwegkommen konnte.

Es dauerte nicht lange, bis überall in der Stadt Alarm ausgelöst wurde.

Anton fühlte, wie die Stadt hinter ihm in heftigen Aufruhr versetzt wurde.

Doch er hatte die Stadt bereits hinter sich gelassen.

Als er merkte, dass ihm niemand folgte, ließ er das Pferd langsamer gehen. In der Nacht war es den Behörden praktisch nicht möglich, ihn zu verfolgen. Er musste also einen möglichst großen Vorsprung bis zum nächsten Morgen bekommen.

Dann werden die Polizisten mit Hunden die Verfolgung aufnehmen.

Nach einem mehrstündigen Ritt verweigerte das Pferd weiterzugehen. Trotz aller Versuche, es anzutreiben, blieb es einfach stehen und war durch nichts mehr zum Fortbewegen zu animieren.

Anton musste absteigen. Mit einem Schlag auf den Bauch versuchte er das Pferd weg zu scheuchen, in der Hoffnung, seine Verfolger würden der Spur des Tieres folgen und damit wertvolle Zeit verlieren.

Selbst wandte er sich dem nächsten Wald zu, um möglichst in Deckung zu bleiben. So wanderte er bis zum Morgengrauen. Zeitweise lief er im Bett eines kleinen Baches, damit die Hunde seine Spur verlören.

Bei Sonnenaufgang legte er sich inmitten eines dichten Unterholzes schlafen, um dort nicht entdeckt zu werden. Er war so übermüdet, dass er trotz der unbequemen Lage sofort einschlief.

Am Tage kam ein Suchtrupp in der Nähe seines Nachtlagers vorbei, ohne ihn zu entdecken.

Anton hatte so fest geschlafen, dass er davon nichts mitbekommen hat.

Seinen Hunger stillte er, indem er Beeren pflückte, die überall um ihn herum wuchsen.

Zu seinem Glück war es Sommer, so dass die Nächte lau waren, weshalb er kaum frieren musste.

Bei seinen nächtlichen Wanderungen orientierte er sich an den Sternen, wie er es in seiner Zeit als Ministrant in der Stadtpfarrei Vilsbiburg von seinem Kaplan gelernt hatte.

Sie hatten damals einen jugendlichen und sehr für ihre Probleme aufgeschlossenen Kaplan, den sie alle stark verehrten.

Dieser hatte ihnen auch nach einer Wallfahrt Bilder von Assisi mitgebracht und so von den Franziskanern geschwärmt, dass Anton sich entschloss, dorthin zu gehen und bei ihnen Schutz zu suchen.

Anton war bisher noch nicht weit in der Welt herumgekommen, mit Ausnahme des Kriegs von 1870, bei dem er bis Paris gelangt war, einer Stadt, von der er unglaublich begeistert war.

Anton hoffte, außerhalb von Bayern und Österreich unerkannt leben zu können. Er war traurig über den Tod seiner geliebten Freundin.

Aus Angst, entdeckt und gehängt zu werden, lief er wieder eine ganze Nacht hindurch nach Süden, wo er irgendwo in weiter Ferne Assisi vermutete.

Am Morgen kam er zu einer Scheune, deren Türe nicht verschlossen war.

Am Eingang hingen Arbeitskleider des Bauern und zwei Leibe geräucherten Fleisches, das dort zum Trocknen aufgehängt war. Anton nahm alles an sich und versteckte sich weit hinten, oben im Heu des Stalles. Er aß so viel er konnte und schlief anschließend völlig übermüdet sofort ein. Zu seinem Glück kam der Bauer an diesem Tag nicht am Stall vorbei, so dass der Diebstahl nicht entdeckt wurde.

Antons Wanderung nach Assisi dauerte mehrere Wochen. Je weiter er nach Süden kam, umso sorgloser wurde er. Er gab sich bei den Leuten als Pilger zum heiligen Franz von Assisi aus. So bekam er oft gratis Nahrung und einfache Unterkünfte.

Am Zielort angekommen stellte er sich bei den Brüdern vor. Diese nahmen ihn auf sein Begehren hin als Novize in ihrem Orden auf.

Da er eine Schreinerausbildung bei seinem Vater gemacht hatte, konnten sie ihn gut als Handwerker verwenden.

Im Zusammensein mit den Ordensbrüdern fand er langsam seine innere Ruhe und Ausgeglichenheit wieder.

ROSAS HOCHZEIT

Seit diesen Ereignissen waren drei Jahre vergangen.

Von Anton hatten seine Angehörigen kein Lebenszeichen mehr bekommen.

Als zum Tode durch den Strang verurteilter Mörder war es ihm nicht möglich, Kontakt zu seinen Angehörigen aufzunehmen.

Rosa und ihren Eltern war es seither schlecht ergangen. Sie wurden von ihrer Umgebung als Schwester und Eltern eines Mörders geschmäht. Die Geschäfte in der Schreinerei liefen schlecht. Rosas Vater hatte verstärkt angefangen, Alkohol zu trinken. Ihre Mutter litt an Depressionen. Sie war zeitweise kaum ansprechbar. Rosas einziger Trost war ihre Beziehung zu Georg Weixelgartner, der sie trotzdem sehr liebte.

So stand ihre Hochzeit, als sie sich im Mai 1876 das Jawort in dem kleinen, gotischen Kirchlein von Lichtenhaag gaben, unter keinem guten Stern.

Theresa half Rosa bei den Hochzeitsvorbereitungen und beim Umzug zum Oama-Hof.

Als sie ihre Sachen in ihrem Haus in Vilsbiburg zusammenpackten, kam Theresa zufällig auch in Antons Zimmer, das seit seinem Weggang unberührt war.

Sie schaute in seinen Schrank, um vielleicht ein Erinnerungsstück von Anton, den sie insgeheim immer noch liebte, mitzunehmen. Zufällig berührte sie dabei einen Knopf am Boden des Schrankes, wobei eine kleine Türe zu einem verborgenen Fach aufging.

Theresa fand darin viele Goldstücke sowie einen Brief, in dem Anton den Amtsrichter Habersetzer des Mordes an seinem Drogenhändler bezichtigte.

Das Ganze hatte offenbar in den Kriegswirren von 1870 stattgefunden.

Der Richter scheint kokainabhängig zu sein.

Anton hatte ihn dabei überrascht, als er den Dealer erschoss.

Anscheinend wurde der Richter seither von Anton erpresst, was die vielen Goldstücke in dem Geheimfach erklärte.

Zugleich fand Theresa noch ein Bild von Assisi mit einer Widmung des ehemaligen Pfarrers von Vilsbiburg an seinen treuesten Ministranten auf der Rückseite, mitgebracht von einer Wallfahrt zum heiligen Franz.

Sollte Anton in Assisi sein, ging es Theresa durch den Kopf. Sie wollte den anderen nichts von diesem Geheimfach erzählen. Anton sollte nicht als Erpresser entlarvt werden. Zudem musste sein Aufenthaltsort geheim bleiben.

Theresa war Trauzeugin ihres Bruders Georg. Sie war mittlerweile bereits 22 Jahre alt, eine sehr hübsche, hochgewachsene, stattliche Erscheinung. In ihrem farbigen Kleid, ihren hochhackigen Schuhen, mit ihren brünetten Haaren und braunen, tiefliegenden Augen wirkte sie wie eine Filmdiva.

Aber auch Rosa Buchner war in ihrem weißen Brautkleid nett anzusehen.

Unseren rotbraunen Schrank mit ihrer Aussteuer drin hatten sie übrigens als Hochzeitsgeschenk in ihrem Schlafzimmer im alten Haus des Oama-Hofes aufgestellt.

Die Trauung verlief schlicht, aber harmonisch. Rosas Trauzeuge war ihr Vater, der ausnahmsweise nicht angetrunken war. Die Feier fand im großen Saal des Schlosses statt.

Ein Hochzeitslader sprach in Reimen. Eine Band spielte zum Tanze auf. Viele Freunde von Georg waren gekommen. Die Buchners hatten kaum noch Freunde in Vilsbiburg.

Es entwickelte sich trotzdem eine recht fröhliche, fast ausgelassene Stimmung. Auch Theresa tanzte viel. Sie hatte große Freude daran. Sie hatte drei Jahre lang in Landshut ein Internat besucht und war nach Abschluss ihres Abiturs auf eine Lehrerbildungsanstalt gegangen. Seit Weihnachten leitete sie nun eine Schulklasse in Gerzen. Sie hatte sich dazu eine kleine Wohnung in Gerzen genommen, so dass sie nur noch an den Wochenenden nach Lichtenhaag kam. In dieser Nacht wollte sie jedenfalls nicht mehr heimfahren. Sie schlief nach dem Ende der Feier in ihrem Zimmer am Hof. Sie konnte lange nicht einschlafen, da sie laufend an das geheime Fach in Antons Schrank denken musste.

Sie hatte die Goldstücke, den Brief und das Bild heimlich in eine Tüte getan und in ihrer Wohnung in Gerzen versteckt. In dieser Nacht, die sie am Oama-Hof verbrachte, reifte in ihr der Entschluss, in den Sommerferien nach Assisi zu reisen, um vielleicht Kontakt zu Anton aufzunehmen. Es musste alles unauffällig wirken, damit die bayrische Geheimpolizei nicht auf die Idee käme, sie könne sie zu Anton führen.

Niemand durfte von ihrem Vorhaben erfahren.

Rosa und Georg Weixelgartner hatten eigentlich ein schönes Leben, bis zur Nachricht vom Tod ihrer drei Söhne im Ersten Weltkrieg. Von der Trauer darüber hat sich Rosa nie wieder ganz erholt. Mit 75 Jahren verstarb sie an den Folgen eines Gesichtstumors, den ihr Enkel Josef Weixelgartner vergeblich auf Anraten ihres Hausarztes mit Hilfe eines Flusskrebses zu heilen versuchte, da dieser meinte, man müsse Gleiches mit Gleichem behandeln, also einen Gesichtskrebs durch Auflage eines Flusskrebses, der den Gesichtskrebs auffressen sollte. Wie bereits berichtet, verstarb Rosa elendiglich trotz intensiver Krebsbehandlung ihres Enkelsohns nach nur wenigen Wochen.

DIE REISE NACH ITALIEN

Zu Beginn der Sommerferien nahm Theresa eine Postkutsche nach München. Von dort bekam sie Anschluss nach Verona. Bis dorthin hatte ihr selbst verdientes Geld als Lehrerin gereicht. Die Weiterfahrt nach Assisi musste sie mit einem der Goldstücke bezahlen, die sie in Antons Zimmer gefunden hatte. Am Zielort angekommen suchte sie sich zuerst ein Hotelzimmer, was aufgrund der vielen Pilger gar nicht so leicht war. Am nächsten Morgen wandte sie sich an den Konvent des Brüderordens. Sie gab sich auf gut Glück als Schwester des Bruders Anton aus. Nach einigem Hin und Her brachte man sie in die Zimmerei, in der Anton arbeitete.

Dieser staunte nicht schlecht, als plötzlich Theresa vor ihm stand, die angeblich seine Schwester sein sollte. Anton befand sich damals kurz vor Beendigung seiner Zeit als Novize. In wenigen Monaten sollte er voll in den Orden aufgenommen werden.

Anton nahm sich frei und ging mit seiner angeblichen Schwester im Park des Klosters spazieren.

Was sie hier mache, wie sie ihn überhaupt gefunden habe, was zu Hause los sei, ob der Mord an Anna-Lena bereits aufgeklärt sei, waren die Fragen, die aus ihm heraussprudelten.

Sie setzten sich auf eine Bank. Dann fing Theresa an zu erzählen. Sie berichtete, was sich zu Hause zugetragen hatte, über den Niedergang ihrer Schreinerei, die Hochzeit seiner Schwester und natürlich auch mit nicht wenig Stolz über ihre Stellung als Lehrerin an der Volksschule Gerzen.

Dass er den Richter erpresst hatte, tat ihm leid. Doch sei dieser hinter der Fassade eines gutmütigen Saubermanns ein ganz fieser Typ.

Ob er eine Idee hätte, wer Anna-Lena umgebracht haben könnte, fragte ihn Theresa.

Anton blieb lange stumm, um dann eine für Theresa völlig überraschende Antwort zu geben. Er hätte in den letzten drei Jahren viel Zeit gehabt, um über den Vorfall nachzudenken.

Er glaube, dass der Anschlag gar nicht Anna-Lena, sondern ihm gegolten habe, meinte er dann leise, als würde er zu sich selbst sprechen.

Als ihn Theresa nun überrascht anschaute, fügte er hinzu, dass sie damals noch voll die Musik in den Ohren gehabt hätten und sich wie im Tanze drehten. Gerade, als die Hand mit dem Dolch zustieß, hatten sie eine ruckartige Drehung nach rechts gemacht, so dass der Dolch versehentlich Anna-Lena und nicht ihn durchbohrte. Man müsste also nach einem Mörder Ausschau halten, der nicht Anna-Lena, sondern ihn hasste. Es käme dabei selbst ihr Vater in Frage, dem er ein Dorn im Auge war, da er eine Verbindung zu Maximilian Habersetzer favorisierte. Das stärkste Motiv, ihn zu töten, hatte sicherlich der Richter.

Doch der lag völlig verschlafen im Bett, als die Polizisten ihn zu ihm führten. Der Mörder müsste auf dem Ball gewesen sein, um seinen Dolch vom Tisch zu nehmen. Der Richter war sicherlich nicht hier.

Theresa schaute Anton überrascht an und fügt dann hinzu, dass Maximilian auf dem Ball gewesen sei und mit ihr getanzt hätte.

Dies wiederum war eine Vorstellung, auf die Anton bisher nicht gekommen war. Maximilian war eifersüchtig, wusste möglicherweise von dem Verbrechen seines Vaters und von der Erpressung, fürchtete um den Ruf seines Vaters und damit um seine eigene Stellung. Er hasste Anton. Er hatte die besten Motive und die beste Gelegenheit und kein Alibi. Er war vor Ort. Theresa dachte lange nach, um sich zu erinnern. Dann meinte sie, sie sei sich sicher, gesehen zu haben, wie Maximilian kurz nach Anton und Anna-Lena den Ball verlassen hatte. Sie waren sich beide sicher, dass er der Mörder sein müsste. Doch beweisen konnten sie nichts.

Anton musste bald wieder zurück zum Abendgebet. Theresa solle mehrere Tage in Assisi bleiben und sich diese wunderschöne Stadt ansehen. Er werde sie die nächsten Tage in ihrem Hotel besuchen kommen, damit sie weiterreden können.

Theresa ging viel in der Stadt spazieren, kehrte in Gaststätten zum Essen ein, genoss die engen, mittelalterlichen

Gässchen, besichtigte die fantastische Kathedrale mit ihren tollen Gemälden.

Am dritten Tag abends besuchte Anton sie. Er betrat ihr Zimmer im ersten Stock, umarmte und küsste sie auf die Wange. Gekleidet war er in dezentem, einfachem Gewand, seine Mönchskutte hatte er abgelegt. Er setzte sich auf einen Stuhl, Theresa auf ihr Bett. Mehr Möbel waren in dem Zimmer nicht vorhanden.

Anton wollte mit der Unterhaltung beginnen. Doch Theresa stand auf, ging zu seinem Stuhl, beugte sich hinab, nahm seinen Kopf in ihre Hände und küsste ihn auf den Mund. Anton war überrascht, wollte sich wehren. Doch irgendwie faszinierte ihn dieses wunderschöne Mädchen, das so weit gereist war, um ihn zu sehen. Er küsste sie zurück. Theresa begann langsam ihre Bluse auszuziehen und ihren Rock mit Unterwäsche, so dass sie plötzlich nackt vor ihm stand. Anton war begeistert und unheimlich verliebt in dieses Mädchen, das so plötzlich bei ihm aufgetaucht war. Seine Abwehrversuche erlahmten schnell. Theresa zog auch ihn aus, was Anton widerstandslos geschehen ließ. Sie legten sich aufs Bett, küssten und liebkosten sich und hatten letztendlich Geschlechtsverkehr. Für Theresa war es das erste Mal. Anton hatte früher einige Male Verkehr mit Anna-Lena gehabt, wobei sie große Angst vor einer möglichen Schwangerschaft hatten. Theresa hatte bewusst keinen Empfängnisschutz, da sie von diesem Mann ein Kind wollte, den sie nicht als Ehemann bekommen konnte. Er konnte entweder in Italien als Mönch leben oder in Bayern auf dem Schafott sterben.

Nach ihrer Liebeseskapade drückte Anton sein schlechtes Gewissen. Er hatte sich gegen die Gesetze seines Ordens, dem er so viel zu verdanken hatte, gestellt. Er wollte und musste zurück zu seinen Ordensbrüdern. Ob sie ihn noch einmal sehen werde, bevor sie nach Bayern zurückkehren wird, fragte sie ihn. Er müsse mit seinen Ordensbrüdern und dem Prior sprechen. Er werde in den nächsten Tagen noch einmal auf sie zu kommen. Sie solle noch einige Tage hierbleiben. Da Theresa ausreichend Goldstücke von Antons Erpressungsgeld hatte, war es für sie kein Problem, zu bleiben.

ANTON

Als Anton völlig erschöpft und abgemagert von seiner Irrfahrt und Flucht aus Bayern in Assisi angekommen war, wandte er sich an die Franziskanermönche. Er fragte nach dem Prior. Dieser wiederum fragte ihn nach seinem Begehren.

Er antwortete, bei ihnen aufgenommen werden und leben zu wollen, woraufhin der Prior, der relativ gut Deutsch sprach, ihn erstaunt fragte, wie er auf diesen Gedanken käme. Anton erklärte, von seinem Dorfpfarrer als Ministrant viel von den Franziskanern in Assisi gehört zu haben.

Doch der Prior gab sich damit nicht zufrieden. Er bohrte weiter, bis Anton letztendlich mit seiner ganzen Geschichte herausrückte. Einen verurteilten Mörder in seinen Konvent aufzunehmen, war schlichtweg undenkbar. Doch er glaubte Antons Beteuerungen, dieses Mädchen geliebt und nicht ermordet zu haben.

Durch seine Fertigkeiten als Schreiner und Zimmerer konnte Anton viele nützliche Arbeiten für seine Ordensbrüder verrichten. Er passte sich gut in das Klosterleben ein, verstand sich mit den anderen Brüdern bald recht gut. Der Prior, der ihm sehr zugetan war, gab ihm Unterricht in Italienisch und Latein. Anton lernte viel über Theologie und Geschichte.

Anton hatte viel Trauerarbeit zu leisten, um den Tod von Anna-Lena und die Trennung von seinen Angehörigen zu überwinden, denen er nicht einmal eine Nachricht zukommen lassen durfte, wenn er nicht entdeckt werden wollte. Der Prior und die anderen Mönche unterstützten ihn so gut sie es konnten. Als Theresa nach dreieinhalb Jahren auftauchte, stand Anton kurz davor, Diakon zu werden.

Als Anton Theresas Zimmer verließ, war er ziemlich verwirrt. Sollte er für ein Mädchen, das er kaum kannte, sein jetziges Leben einfach aufgeben, wo er sich doch langsam an das Leben im Konvent gewöhnt hatte? Offenbar stellte Gott ihm eine Prüfung. Er musste mit dem Prior sprechen, der im Laufe der Zeit nicht nur sein Vorgesetzter, sondern auch sein Vertrauter und Freund geworden war.

Er erklärte diesem, im Gespräch mit Theresa wahrscheinlich den wahren Mörder entdeckt zu haben. Er erzählte ihm aber auch, dass er schwach geworden war und sich von dem Mädchen, das ihm ihre Liebe gestanden hatte, verführen habe lassen. Nach langer Diskussion meinte der Prior, er habe noch kein Ordensgelübde abgelegt. Er könne über seine Zukunft frei entscheiden. Er empfahl ihm, einige Wochen Urlaub zu nehmen, um sich über seine Gefühle klar zu werden.

URLAUB

So kam es, dass Anton drei Tage später bei Theresa in normaler Kleidung ohne Mönchskutte auftauchte.

Der Prior habe gesagt, sie sollen Urlaub machen. Dann müsse er sich entscheiden, ob er im Konvent bleiben oder heiraten wolle.

Da sie noch ausreichend Goldstücke hatte, könnten sie sich Italien anschauen. Sie reisten in Kutschen, übernachteten in Herbergen.

So kamen sie nach Rom, bewunderten die Peterskirche und die anderen großen römischen Kathedralen, die Lateransbasilika, Santa Maria Maggiore und Sao Paulo ante Portas, bei denen vor allem die goldenen Decken zu bewundern sind, die großteils aus dem Gold der Inkas bestehen, das die Päpste von den spanischen Konquistadoren bekommen haben.

Sie reisten weiter die Amalfiküste entlang, besichtigten den berühmten Dom im weißen Marmor. Sie badeten im warmen Meer und kamen letztendlich bis zum Tempelfeld von Paestum.

Anton hatte die letzten Jahre viel über antike Geschichte und griechische Tempel gehört. Er war begeistert von diesen wunderbaren Bauwerken.

Es war eine glückliche Zeit für Theresa und Anton. Sie liebten sich oft. Theresa wollte unbedingt ein Kind von diesem Mann, von dem sie doch zu ahnen begann, dass er zu guter Letzt doch im Kloster bleiben werde. Sie wusste es bereits vor ihm. Sie bemerkte den inneren Kampf, den er mit sich ausfocht. Er liebte Theresa. Doch irgendwie fühlte er sich auch zu seinen Glaubensbrüdern, zu seinem Konvent hingezogen.

Am Ende ihres dreiwöchigen Urlaubs kehrte er zurück nach Assisi, zu seinen Glaubensbrüdern. Er würde sein Gelübde ablegen, Diakon werden und sein weiteres Leben Gott widmen.

Theresa musste allein heimkehren. Sie war traurig, aber doch auch glücklich, wenigstens diese drei Wochen mit ihrem Geliebten verbracht zu haben.

HEIMKEHR

Als Theresa am Ende der Sommerferien wieder zu Hause angekommen war, litt sie an Übelkeit und Erbrechen. Bevor die Schule anfing, wollte sie mit dem Advokaten Breitenbacher sprechen, ihm erzählen, dass sie Anton gesehen habe und glaube, den wahren Mörder seiner Tochter zu kennen.

Zuerst wollte Breitenbacher sie gar nicht vorlassen. Erst als sie sich nicht abweisen ließ, akzeptierte er, kurz mit ihr sprechen zu wollen.

Theresa erklärte ihm, dass sie glaube, der Mörder hätte Anton, nicht seine Tochter treffen wollen. Nur durch die unglückliche Drehung der beiden wie im Tanz hätte der Dolch versehentlich seine Tochter und nicht Anton erwischt.

Der Advokat hörte sich die Geschichte ungläubig an. In einem Punk hatte Anton Buchner bei seiner Verhandlung allerdings die Wahrheit gesagt. Der Richter Habersetzer habe sich mittlerweile als kokainsüchtig herausgestellt.

Er ist vorzeitig pensioniert worden. Offensichtlich war er im Krieg von 1870 als Offizier ein großer Fiesling. Auch andere untergebene Soldaten aus der damaligen Zeit sind befragt worden, die alle sein brutales Verhalten bestätigt hatten.

Der Mord an dem Drogenhändler, dessen ihn Anton bezichtigt hatte, konnte ihm aber nicht nachgewiesen werden, da Antons Aussage als überführter Mörder keine Bedeutung hatte.

Theresa erklärte dem Advokaten, dass sie mit Maximilian Habersetzer getanzt habe, dass sie den Dolch auf dem Tisch liegen gesehen habe, dass Maximilian kurz nach Anna-Lena und Anton den Ballsaal verlassen hätte und dass der Dolch dann nicht mehr auf dem Tisch gelegen sei.

Maximilian war eifersüchtig auf Anton. Maximilian wusste wahrscheinlich auch von Antons Erpressung.

Er fürchtete, sein Vater könnte auffliegen und seinen guten Namen verlieren. Er würde dann auch seine gesellschaftliche Stellung verlieren, könnte eventuell nicht mehr sein Studium der Jurisprudenz aufnehmen.

Maximilian hatte die Gelegenheit, den Dolch und viele Motive für einen Mord an Anton.

Er als Vater von Anna-Lena müsste doch ganz genau wissen, dass diese Anton und nicht Maximilian geliebt habe.

Sie hatte sich nicht von ihm trennen wollen. Sie wollte ihn heiraten.

Anton hatte keinen Grund, sein geliebtes Mädchen zu töten. Der Advokat wurde sehr nachdenklich, als Theresa ihm dies alles berichtete.

Im Inneren wusste er, dass sie Recht hatte. Er war damals zu verblendet, um dies erkennen zu können. Sollte Maximilian Habersetzer wirklich der Mörder seiner Tochter sein, dann sollte er dafür büßen. Er musste sich mit dem Richter in Landshut in Verbindung setzen, der damals die Verhandlung gegen Anton geleitet hatte.

MAXIMILIAN

Maximilian Habersetzer liebte Anna-Lena schon von Kindheit an. Ihre Eltern haben die Kinder bereits in früher Jugend einander versprochen.

Wieso sich Anna-Lena in diesen Anton Buchner verlieben konnte, war Maximilian unbegreiflich. Er hasste diesen Mann.

Seit er durch Zufall mitbekommen hatte, dass sein Vater von ihm auch noch erpresst wurde, hat er oft darüber nachgedacht, wie er ihn beseitigen konnte. Wenn sein Vater als Kokser und Mörder entlarvt würde, wären auch seine Zukunftsaussichten sehr düster. Er musste dies unbedingt verhindern. Wenn Anton beseitigt wäre, würde er vielleicht auch wieder Zugang zu Anna-Lena bekommen.

Als er auf dem Ball Antons Messer auf dem Tisch liegen sah, kam ihm plötzlich der Gedanke, dass jetzt die Gelegenheit günstig sei, sein Vorhaben auszuführen. Er schnappte sich das Messer und folgte den beiden nach draußen. Er sah sie hinter einem Strauch im Schatten stehen und musste zusehen, wie sie sich liebkosten und tanzten.

Es stieg eine furchtbare Wut und Eifersucht in ihm auf. Bisher glaubte er gar nicht, zu so einer Tat fähig zu sein. Doch als er sie dort stehen und sich lieben sah, reifte in ihm der fatale Entschluss, Anton zu ermorden. Sobald Anton ihm den Rücken zukehrte, richtete er sich auf und stieß mit aller Kraft, die er aufbieten konnte, zu.

In diesem Augenblick hatten sich die beiden ruckartig gedreht, so dass sein Messer statt Antons Rücken den von Anna-Lena durchbohrte. Wie er das Mädchen in sich zusammensinken sah, ließ er das Messer voller Entsetzen aus und lief so schnell er konnte weg. Es war ihm übel. Er war verzweifelt. Er rannte auf geradem Weg nach Hause. Dort angekommen klingelte er seine Eltern raus, da er keinen Schlüssel dabeihatte.

Als seine Mutter in sein verstörtes Gesicht sah, wusste sie sofort, dass etwas Schreckliches passiert war. Maximilian erzählte unter Weinkrämpfen, was er gemacht hatte. Sein Vater meinte, sie müssten so tun, als wäre er längst im Bett. Sie selbst wollten das Gleiche machen, damit sie völlig verschlafen wirkten, falls die Polizei bei ihnen vorbeikommen sollte.

Als die beiden Polizisten dann wirklich mit Anton bei ihnen auftauchten, glaubten alle, sie hätten den Richter aus vollem Schlaf herausgerissen. Er gab sich entsetzt über Antons Tat und ließ ihn sofort weiter nach Landshut ins Untersuchungsgefängnis überführen.

Maximilian studierte nun seit schon zweieinhalb Jahren in München Jura.

Er litt sehr unter der furchtbaren Tat, die er begangen hatte.

Zugleich hatte er große Angst, doch noch als Mörder entlarvt zu werden. Solange dieser Anton flüchtig war, konnte er nie ganz sicher sein, ob die Wahrheit nicht doch noch ans Licht käme.

Er hatte kaum Freunde in München gefunden. Seine Eltern machten sich große Sorgen um ihn. Seine Erfolge im Studium waren nur mäßig. Durch mehrere Prüfungen war er bereits durchgefallen, da er sich wenig auf das Lernen konzentrieren konnte.

In den Augen seiner Kommilitonen wirkte er wie ein Außenseiter.

DIE VERHAFTUNG

Irgendwie schien er fast befreit und erlöst gewesen zu sein, als die Polizei eines Tages kam, um ihn wegen des Mordes an Anna-Lena Breitenbacher zu verhaften.

Nach nur kurzem Verhör auf der Polizeiwache gestand er relativ bald seine schreckliche Tat.

Er schien fast erleichtert zu sein, als er seine Seele endlich entlasten und den vollen Tathergang berichten konnte. Er wurde ins Landgericht nach Landshut überstellt, wo mittlerweile bereits sein Vater wegen des Verdachtes auf Ermordung seines Drogenhändlers in Untersuchungshaft saß.

Beide, Vater und Sohn, wurden zu je 15 Jahren Haft verurteilt.

Anton wurde in Italien informiert, dass seine Strafe aufgehoben war.

Falls er zur Aussage gegen den Richter bereit sei und deshalb nach Bayern käme, würde auch auf eine Anklage wegen Erpressung verzichtet werden, da er durch seine Flucht und Verbannung bereits genug bestraft sei.

Anton kam und konnte dann auch zugleich seinen Sohn in den Arm nehmen, den Theresa mittlerweile im Krankenhaus Vilsbiburg zur Welt gebracht hatte.

Die Breitenbachers, deren einzige Tochter Anna-Lena tot war, behandelten den jungen Anton, wie Theresa ihren Sohn nannte, wie ihren eigenen Enkel. Nachdem Theresas Eltern Maria und Sebastian Weixelgartner schon in relativ jungen Jahren verstorben waren, sah auch sie in den Breitenbachers ihren Elternersatz.

Theresa erbte auch einmal den Besitz der Breitenbachers.

Als eines Abends das Ehepaar Breitenbacher neben Theresa und dem kleinen Anton in ihrem Wohnzimmer bei knisterndem Feuer am offenen Kamin saß, schüttelte der Vater auf einmal seinen Kopf und sagte recht konsterniert: „Manchmal muss ich an die Rede des Richters am Grab unserer Tochter denken, in der er Anton als brutalen Mörder bezeichnet hat, obwohl er wusste, dass Maximilian Anna-Lena niedergestochen hat.

Selbst am Grab hat er unsere Tochter noch verhöhnt. Dafür, dass wir dich und deine Freunde nicht zur Beerdigung gelassen haben, möchte ich mich bei dir eigens entschuldigen“, beendete er seine Ausführung, indem er sich zu Theresa wandte.

Anton Junior studierte wie sein Stiefgroßvater Jura und übernahm dessen Kanzlei in Vilsbiburg.

Anton Senior machte Karriere bei den Franziskanern. Er wurde Prior und übernahm später eine überregionale Leitung in seinem Orden.

In seinem Urlaub besuchte er regelmäßig seinen Sohn, aber auch dessen Mutter sowie seine Schwester Rosa und ihre Eltern.

Diese hatten die Schreinerei in Vilsbiburg verkauft und waren zu ihrer Tochter und ihren Enkelkindern nach Lichtenhaag gezogen.

Rosa Weixelgartner bekam fünf Söhne, von denen drei leider in den schrecklichen Kämpfen des Ersten Weltkrieges fielen.

Soweit bekannt ist, sollen sie bei dem schrecklichen Gemetzel von Verdun ums Leben gekommen sein.

Wenn Rosa auch von ihrer Umgebung als Heldenmutter, wie der Pfarrer sie bei der Grabrede nannte, bezeichnet wurde, so hat sie sich doch von diesem furchtbaren Schicksalsschlag nie wieder richtig erholt.

Sie wurde depressiv, benötigte ärztliche Behandlung. Ihr grausames Ende aufgrund des Gesichtstumors, der sie befallen hatte, passte zur Tragik ihres ganzen Lebens.

Ihr Ehemann, Georg Weixelgartner, blieb ihr zeit seines Lebens ein treuer und für sie sorgender Partner.

Den Tod seiner Söhne hat aber auch er nicht verkraften können, so dass er bald nach Rosas Tod, angeblich an einem Herzinfarkt, verstarb. Es gab zur damaligen Zeit auch Stimmen, die von Selbstmord sprachen. Doch darüber ist nichts Sicheres bekannt.

So sah ein Bauernhof vor 150 Jahren aus

Ihm folgte sein ältester Sohn nach, der wie viele Weixelgartner Josef hieß und später Bürgermeister von Lichtenhaag wurde. Er war Olgas Großvater. Doch davon wird an anderer Stelle noch zu berichten sein.

Der andere Sohn, der lebend vom Ersten Weltkrieg zurückgekommen ist, war jener Georg Weixelgartner, der Theologie studierte und Pfarrer in Gerzen wurde, durch dessen Ahnenforschung dieses Buch erst ermöglicht wurde.

DIE GUTE ALTE ZEIT

Die sogenannte gute alte Zeit, falls es sie wirklich gegeben hat, bezieht sich auf den Zeitraum zwischen den Kriegen von 1870 und 1914.

In Bayern dürfte damit vor allem die Regierungszeit des Prinzregenten Luitpold gemeint sein.

Wenn auch sein Regierungsbeginn durch den plötzlichen Tod König Ludwigs II., für den er möglicherweise selbst verantwortlich gewesen sein könnte, nicht gerade ruhmreich verlief, so hat er es als Landesvater offensichtlich verstanden, den Leuten ein Gefühl der Sicherheit, Geborgenheit und irgendwie einer inneren Zufriedenheit zu geben, obwohl diese meistens ziemlich arm waren.

Nach den Wirren des Ersten Weltkriegs und der folgenden Nachkriegszeit mit Reparationszahlungen und der Weltwirtschaftskrise haben sich die Leute wehmütig nach dieser ruhigen Zeit zurückgesehnt.

Der Prinzregent hat den Ersten Weltkrieg selbst nicht mehr erlebt. Er hat sich nie zum König ausrufen lassen, obwohl er wie ein solcher regiert hat, da er sich als Regent König Ottos sah, des jüngeren Bruders Ludwigs II., der von Kindheit an an Geisteskrankheit litt.

Nach seinem Tod 1912 folgte dem Prinzregenten sein Sohn Ludwig als Regent nach.

Nach einem Jahr Regentschaft wurde König Otto abgesetzt, so dass Ludwig sich zum König Ludwig III. ausrufen lassen konnte.

Die Regierungszeit von König Ludwig III. war allerdings nur noch sehr kurz, da dann der Erste Weltkrieg ausbrach, der zumindest in Deutschland und Österreich das Ende der Adelsherrschaft herbeiführte.

Nach den napoleonischen Kriegen 100 Jahre zuvor hatten raffinierte Politiker, wie der Fürst von Metternich, es im Wiener Kongress noch einmal verstanden, die Macht des Adels, trotz der vorausgegangenen Französischen Revolution, zu erneuern.

Nach dem Ersten Weltkrieg war es aber dann mit der Macht des Adels hoffentlich für immer vorbei.

Anton Weixelgartner kam im Jahr 1880 zur Welt. Seine Mutter, Theresa Weixelgartner, bekam später eine Stelle als Lehrerin in Vilsbiburg.

Sie wohnte mit ihrem Sohn bei den Breitenbachers, die sie wie eine Tochter und Anton wie ihren Enkel behandelten. Um später ihr Erbe antreten zu können, verlangten die Breitenbachers von den beiden, ihren Namen anzunehmen.

So konnte die Anwaltskanzlei auch unter der Leitung von Anton den Namen Breitenbacher beibehalten.

Anton kam in ein Internat nach Landshut, um dort sein Abitur zu absolvieren.

Anschließend musste er, ebenfalls in Landshut, seinen zweijährigen Wehrdienst ableisten.

Er lernte dort einen Georg Schmidberger kennen, der aus einem Bauernhof bei Babing, in der Nähe von Dorfen, stammte, mit dem er sich anfreundete. Die beiden machten gemeinsam Landshut unsicher. Sie besuchten Lokale, tranken Bier zusammen, und verabredeten sich mit Mädchen.

Georg war, ähnlich wie Anton, ein sehr gutaussehender, äußerst charmanter Mann, der manchen Frauen schon den Kopf verdrehen konnte.

Im Nachhinein erinnerten sich beide gerne an ihre gemeinsame, großartige Zeit in Landshut.

Anton lernte in dieser Zeit auch seine spätere Frau, Maria, kennen, von der er zwei Kinder bekam.

Dass Georg bereits mit einer gewissen Magdalena verlobt war und mit dieser zwei Kinder gezeugt hatte, war Anton zu dieser Zeit nicht bewusst.

Man kann sich gut vorstellen, dass durch Georgs Verhalten die Verlobung mit Magdalena in die Brüche ging.

Geheiratet hat Georg Schmidberger beinahe 1 ½ Jahrzehnte später eine gewisse Barbara Angermeyer, von der er fünf Kinder bekam.

Ihr ältester Sohn, der ebenfalls Georg hieß, sollte später einmal mein Vater werden.

Wegen seines Verhaltens Magdalena und deren beiden Kindern gegenüber wurde Georg von seiner Mutter, Maria, enterbt.

Sein Vater, Andreas Schmidberger, der den ursprünglichen, viel größeren Bauernhof der Schmidberger in Velden aus Geldnot verkaufen hatte müssen, um mit dem restlichen Geld den bedeutend kleineren Hof in Babing zu erwerben, war zu der Zeit bereits verstorben.

Der Vater von Andreas, der wiederum Georg hieß, war ursprünglich ein sehr reicher und ziemlich gestandener, um nicht zu sagen dicker Mann. Er besaß einen großen Hof in Velden und viele Goldtaler, die er in einem Tresor aufbewahrte.

Dieser Reichtum hatte sich letztendlich aus dem Vermögen von Justin und seinem Vater entwickelt.

Als Georg eines Tages seine Taler zählte und dabei eine Zigarre rauchte, legte er die brennende Zigarre an der Tischkante ab, um seine Taler wieder im Tresor zu verschließen.

Leider vergaß er seine Zigarre an der Tischkante, als er anschließend nebenan zum Wirt ging.

Letztere fiel vom Tisch auf den Teppich. Dieser entzündete sich.

Die Flammen loderten bis zum Vorhang hoch. Dieser fing ebenfalls Feuer.

Nachdem Georg bereits einige Maß Bier in sich hineingeschüttet hatte, sah er zufällig aus dem Fenster des Gasthofs und erkannte, dass aus dem Fenster seines Tresorzimmers Flammen loderten.

Georg lief sofort zu seinem Haus und rannte die Treppe hoch zum Tresorzimmer.

Er öffnete den Tresor, um seine Goldtaler herauszunehmen.

In seiner alkoholischen Benommenheit verhakte er sich am Tresor.

Bei dem Versuch, sich zu lösen, fiel der Tresor auf ihn und erdrückte ihn.

Am nächsten Tag fand die Feuerwehr eine verkohlte Leiche mit einem Goldklumpen in der Hand.

Nachdem das Feuer in dem Haus großen Schaden angerichtet hatte, sah sich der Sohn Andreas, wie bereits erwähnt, gezwungen, den großen Hof in Velden zu verkaufen und den viel Kleineren in Babing zu erwerben.

Auf diese Weise haben die Schmidbergers ihren Stammsitz in Velden verloren.

Da mein Großvater zu Gunsten seiner Schwester enterbt wurde, ist der Name Schmidberger auch bei dem Bauernhof in Babing nicht mehr existent.

Georg Schmidberger kämpfte vier Jahre im Ersten Weltkrieg, davon längere Zeit in Verdun, ohne verwundet zu werden.

Bei jedem Fronturlaub hat er ein Kind gezeugt, so dass er am Ende des Krieges Vater von fünf Kindern war.

Ob er durch die Gräuel des Krieges irgendwelche psychischen Schäden davongetragen hat, könnte man sich fragen. Er hat sich zumindest nichts anmerken lassen. Zur damaligen Zeit hätte dies sowieso niemanden interessiert.

Doch wird darauf an anderer Stelle genauer eingegangen werden.

Rosa Weixelgartner, Antons Tante, bekam ihre fünf Söhne zwischen den Jahren 1881 und 1891.

Der älteste, Josef Weixelgartner, sollte einmal den Bauernhof in Lichtenhaag übernehmen.

Der zweite Sohn, Georg Weixelgartner, besuchte ein Internat in Landshut, absolvierte das Abitur, studierte Theologie und wurde Pfarrer in Gerzen.

Seine Ahnenforschungen haben dieses Buch erst ermöglicht, da ich die meisten Geschehnisse von meinem Schwiegervater, Josef Weixelgartner, erzählt bekommen habe. Dieser wiederum hat sein Wissen von seinem Onkel Georg erhalten.

Die drei anderen Söhne hießen Matthias, Markus und Johannes. Sie bekamen jeweils Handwerksausbildungen, wie Schreiner, Zimmerer und Bäcker.

Alle drei haben sie diesen furchtbaren Ersten Weltkrieg nicht überlebt. Angeblich sind sie alle vor Verdun gefallen.

Die Geschichte von dem abgebrannten Bauernhof in Velden habe ich von meiner Schwester Sieglinde erfahren, die dies wiederum von unserem Vater Georg Schmidberger übernommen hat, der leider schon vor langer Zeit verstorben ist. Dieser wiederum hat sein Wissen von seinem Vater Georg Schmidberger und der von seinem Vater Andreas Schmidberger, also meinem Urgroßvater, erzählt bekommen.

Ob durch diese mündlichen Überlieferungen, die bis zu Justin und letztendlich bis zu Sebastian Schmidberger, dem Gründer unseres Geschlechtes, zurückreichen, vieles verändert wurde, einiges dazu erfunden, anderes dafür weggelassen wurde, lässt sich im Nachhinein nicht mehr feststellen.

DIE NEUESTE ZEIT

- » *Eine tragische Geschichte*
- » *Schwierige Operation*
- » *Abu Dhabi – Dubai*
- » *Sri Lanka*
- » *Klinikprobleme*
- » *Thorong La*
- » *Olgas Entsetzen*
- » *Wiederbegegnung*
- » *Warschau*
- » *Palästina*
- » *Kappadokien*

EINE TRAGISCHE GESCHICHTE

Wie schon seit mehreren Jahren sind wir wieder einmal mit unseren Augsburger Freunden im Februar im Zillertal beim Skifahren gewesen. Dabei muss man natürlich einräumen, dass nur noch Anton mit Olga und mir Ski fuhr, während Angelika mit ihrer Tochter Lena im Hotel blieb, um die warmen Schwimmbäder und andere Annehmlichkeiten dieser vornehmen Unterkunft zu genießen.

Dieses Mal ist aber auch Anton von den fünf Skitagen nur zwei Mal mit uns mitgefahren, da sie eine erschreckende Nachricht von der Freundin ihres Sohnes Anton in Warschau bekommen hatten, wonach sie Anton eines nachts bewusstlos in der Küche ihrer Wohnung aufgefunden habe.

Sie hatte sofort die Fenster geöffnet und den Notarzt gerufen. Wie sich später herausstellte, war eine Gasleitung defekt, weshalb Anton eine Überdosis Gas eingeatmet hatte.

Durch ihr schnelles und beherztes Handeln haben sich sowohl Anton als auch seine Freundin im Krankenhaus rasch wieder erholt.

Die folgenden Tage haben sie bei Antons Großvater verbracht, da sie die Wohnung nicht mehr beziehen wollten.

Antons Vater Anton war darüber so entsetzt, dass er einen Skitag ausließ, um sich von diesem Schreck zu erholen.

Olga meinte daraufhin zu mir, dass diese Geschichte doch recht glimpflich ausgegangen sei.

In manchen Familien gäbe es aber auch tragischere Fälle, fügte sie dann noch hinzu. Sie habe sich dabei an ein Ereignis erinnert, das sie von ihrem Vater irgendeinmal erzählt bekommen habe.

Diese Angelegenheit müsste sich im 18. Jahrhundert bei den Weixelgartners zugetragen haben.

Die Tochter Maria des damaligen Bauern hatte sich offensichtlich in einen Knecht verliebt, mit dem sie aufgewachsen ist. Die beiden kannten sich wohl schon von Kindheit an.

Sie haben zusammengespielt. Irgendwie scheinen sie im Laufe der Zeit ihre Liebe zueinander entdeckt zu haben. Sie mussten dies natürlich geheim halten, da eine Verbindung zwischen einem Knecht und der Tochter des Bauern nicht denkbar gewesen wäre.

Hätte der Bauer davon erfahren, wäre der Knecht sofort entlassen worden.

Maria und Markus, wie ihr Freund hieß, trafen sich also heimlich zu Spaziergängen.

Da er sehr schüchtern war, hätte er nie gewagt, sie anzurühren. Damit wollte sich Maria aber nicht zufriedengeben. Als sie 16 und er 18 Jahre alt waren, haben sie sich zum ersten Mal geküsst. Ganz oben im Heu im großen Stall haben sie sich nackt ausgezogen.

Anfangs haben sie sich nur umarmt und geküsst. Doch einmal haben sie auch miteinander geschlafen, was sie dann immer wieder in ihrem Versteck im Heu wiederholten.

Sie schworen sich ewige Liebe. Sie träumten davon, zusammen zu bleiben, ein gemeinsames Leben zu führen, ohne zu wissen, wie sie ihren Lebensunterhalt bestreiten sollten.

Eines Abends kam Marias Vater spät nach Hause. Er hatte mit seinen Freunden Karten gespielt und Bier getrunken. Er war etwas angetrunken, hatte aber sehr gute Laune, was nicht nur daran lag, dass er beim Schafkopfen gewonnen hatte.

Er weckte Maria, um ihr voller Freude mitzuteilen, dass er für sie einen Ehemann ausgesucht habe. Einer seiner Schafkopfpartner, ein reicher Bauer aus Gerzen, habe einen Sohn namens Hannes, der dringend eine Bäuerin für seinen Hof suchte.

Während ihres Kartenspiels seien die beiden Bauern übereingekommen, dass sie ihre Kinder miteinander verheiraten könnten.

Marias Vater war stolz, seiner Tochter diese freudige Nachricht überbringen zu können.

Umso bestürzter war er, als diese mit Entsetzen reagierte und ihm erklärte, niemals diesen hässlichen Hannes heiraten zu wollen.

Sie war eine äußerst hübsche junge Frau mit ihren brünetten Haaren und braunen Rehaugen sowie ihrer schönen, schlanken Figur.

Ähnliches konnte man auch von ihrem Freund Markus behaupten. Dieser war hochgewachsen, breitschultrig, hatte ein hübsches Gesicht mit blauen Augen und blonden Haaren.

Maria hoffte, am nächsten Tag, wenn ihr Vater wieder nüchtern wäre, nochmals mit ihm reden zu können.

Nachdem dieser aber sein Wort gegeben hatte, duldete er keine weitere Diskussion über diese Angelegenheit. Da halfen auch die Vermittlungsversuche seiner Ehefrau nicht.

Maria wiederum konnte ihren Eltern nicht von ihrer Liebe zu Markus berichten, da dies alles noch viel schlimmer gemacht hätte.

Als sie Markus alles beichtete, fing dieser bitterlich zu weinen an.

Er beteuerte, sie zu lieben. Er könne nicht verstehen, dass sie einen anderen heiraten würde.

Sie hatten sich wieder in ihrem Versteck im Heu getroffen. Sie waren beide sehr erregt. Anfangs stritten sie. Doch dann schliefen sie wieder miteinander.

Maria erklärte zum Schluss, ihn nicht mehr treffen zu dürfen.

Nachdem sie gegangen war, blieb Markus noch lange in ihrem Versteck. Er war verzweifelt. Er konnte nicht fassen, was er soeben erfahren hatte.

Die nächsten Wochen ging Maria ihm aus dem Weg. Sie durfte ihn nicht mehr sehen, nachdem ihr Hochzeitstermin bereits festgelegt worden war.

Die Hochzeit fand in dem kleinen, gotischen Kirchlein statt, das Jahrhunderte später Josef Weixelgartner abgerissen hat, um eine moderne Kirche zu bauen.

Gefeiert sollte hinterher im Schloss werden. Es war ein wunderschöner Sommertag, als sich die beiden das Jawort gaben.

Markus war nicht unter den Gästen. Maria hatte sich immer wieder nach ihm umgeschaut, ohne ihn entdecken zu können. Sie fühlte sich unruhig, als ob sie eine Vorahnung gehabt hätte, von dem, was auf sie zukommen sollte. Letztendlich schickte sie eine Freundin zum Hof hinunter, um Markus zu holen.

Als diese ins Bauernhaus kam, sah sie ihn schon im Treppenhaus hängen.

Markus hatte seine Verzweiflung nicht überwinden können. Er scheint sich gerade in dem Augenblick erhängt zu haben, als sich die Brautleute in der Kirche das Eheversprechen gaben. Die Freundin lief weinend in die Kirche zurück. Sie kam dort an, als das Brautpaar gerade herauskam.

Nachdem alle die traurige Nachricht erhalten hatten, ließen sie die Hochzeitsfeier ausfallen. Da niemand etwas von der Beziehung zwischen Maria und Markus geahnt hatte, konnte auch niemand eine Erklärung für Markus' Handlung erkennen.

Maria war klug genug, ihr Geheimnis für sich zu behalten, zumal bei ihr schon seit zwei Monaten die Periode ausgeblieben war, weshalb sie glaubte, schwanger zu sein.

Ihre morgendliche Übelkeit und das Erbrechen hatte sie bisher gut verbergen können. Acht Monate nach ihrer Hochzeit brachte sie einen Sohn zur Welt, den sie Markus nannte.

Alle glaubten, dass Markus bereits in der Hochzeitsnacht gezeugt worden sein müsste, da er doch etwas zu früh gekommen sei.

Hannes jedenfalls zweifelte nie an seiner Vaterschaft für Markus. Dieser sollte auch ihr einziges Kind bleiben.

Besonders glücklich schien die Ehe der beiden nicht verlaufen zu sein, obwohl sie ihr ganzes Leben zusammenblieben.

Gelebt haben sie auf Hannes' Hof, den Markus später auch erbte.

Seinem eigentlichen Vater, Markus, hatte der Dorfpfarrer eine kirchliche Beerdigung verweigert, da die katholische Kirche Selbstmördern jegliche Sakramente versagt.

Sein Leichnam war irgendwo hinter dem großen Stall am Oama-Hof verscharrt worden.

Nur ein schlichtes Holzkreuz erinnerte daran, dass hier Markus begraben lag.

Doch von Zeit zu Zeit lagen frische Blumen auf seinem Grab.

Manche glaubten zu wissen, dass diese Blumen immer dann erneuert wurden, wenn zufällig Maria zu Besuch am Oama-Hof weilte.

Wir hatten übrigens vier herrliche Sonnentage im Zillertal, so dass wir wunderschöne Skiwanderungen über das ganze Gebiet machen konnten. Nur am letzten Tag schneite es heftig, weshalb wir vorzeitig abfuhren.

SCHWIERIGE OPERATION

Am Tag bevor wir zum Skifahren gingen, hatte ich noch eine ziemlich schwierige Hysterektomie zu bewältigen. Die Gebärmutter war groß, verwachsen, nach links verzogen. Ich habe diesen Eingriff laparoskopisch-vaginal durchgeführt. Es waren viele Verwachsungen zu lösen. Die Operation verlief problemlos.

Hinterher berichteten mir die Schwestern, dass vermehrt blutige Flüssigkeit aus der Bauchdrainage ablief. Abends bin ich nochmals gekommen, um die Patientin zu untersuchen. Der Hb-Wert war nicht sonderlich abgefallen, so dass ich mich etwas beruhigt schlafen legte. Am nächsten Morgen erzählte mir die Schwester am Telefon, dass auch viel seröse Flüssigkeit zusätzlich zum Blut in die Drainage liefe. Ich erklärte ihr, mein Mobiltelefon dabei zu haben, um verständigt werden zu können, falls die Patientin wegen einer Nachblutung nochmals operiert werden müsste. Ich würde dann vom Urlaub zurückkommen. Irgendwie musste ich während unserer ganzen fünf Skitage an meine Patientin denken.

Marlene, meine Partnerin in Praxis und Klinik, erzählte mir hinterher, dass sie die Drainage erst mehrere Tage nach der Operation habe ziehen können, da immer wieder blutig-seröse Flüssigkeit abfloss, ohne dass der Hb-Wert abgefallen wäre.

Unseren Freunden aus Augsburg berichtete ich nichts von meinen Problemen, da sie schon wegen ihres Sohnes gestresst genug waren.

Wie man auch daran wieder erkennen kann, gelingt es eigentlich nie, dass man beruhigt in den Urlaub fährt, da es immer irgendwelche Probleme gibt, die einem nicht aus dem Kopf gehen.

Richtig abzuschalten ist nicht möglich.

Am fünften Tag nach der Operation hat die Patientin die Klinik verlassen. Bei der Nachuntersuchung in der folgenden Woche war sie beschwerdefrei. Die Nieren erschienen im Ultraschall unauffällig zu sein. Woher die vermehrte Blutung kam, blieb letztendlich unklar.

Eine Woche später rief ein Hausarzt aus Weilheim an, um mir mitzuteilen, dass bei letzterer Patientin das rechte Nierenbecken aufgestaut sei. Er fragte mich, ob dies von meiner Operation kommen könnte. Ich erklärte ihm, dass man eine Ureterverletzung nie völlig ausschließen könne. Ich riet ihm, die Patientin möglichst schnell bei unseren Urologen vorzustellen, damit der Harnleiter geschient wird, um die Niere zu entlasten.

Am nächsten Tag rief ich bei unseren Urologen an, um mich nach meiner Patientin zu erkundigen. Es wurde mir berichtet, dass sie die Patientin ins Krankenhaus nach Garmisch überwiesen hätten, wo man eine Fistel ins Nierenbecken anlegen würde. Erst dann kann man eine weitere Diagnostik vornehmen.

Am folgenden Tag unterhielt ich mich mit Marlene, meiner Partnerin in Klinik und Praxis, die die Patientin während unseres Skiurlaubes betreut hatte, über diese Angelegenheit, wobei sie mir versicherte, am dritten Tag nach der Operation eine Ultraschalluntersuchung beider Nieren vorgenommen zu haben, ohne dass sie einen Aufstau eines Nierenbeckens hätte feststellen können.

ABU DHABI – DUBAI

Letzte Unterhaltung fand an einem Freitag im Februar 2014, statt, also am gleichen Tag, an dem abends unser Flugzeug nach Abu Dhabi losstarten sollte. Wir hatten einen dreiwöchigen Urlaub in die Arabischen Emirate und Sri Lanka geplant.

Angeregt hatte diese Reise meine Tochter Johanna, die Dominik fünf Wochen auf seiner Asienreise durch Sri Lanka, Indien, Nepal und Tibet begleiten wollte.

Wir sollten doch drei Wochen mit ihnen mitkommen, schlug sie vor.

Da wir bei Ethihat, der Fluggesellschaft von Abu Dhabi, gebucht hatten, entschlossen wir uns, zuerst mehrere Tage in den Emiraten zu verbringen, bevor wir nach Colombo weiterflogen. Johanna sollte dann Dominik für zwei zusätzliche Wochen nach Indien begleiten, bis dieser sich letztendlich in Neu Delhi mit seinem Freund Kevin treffen wollte, um mit ihm die Reise fortzusetzen.

Eigentlich wollte auch Thomas wieder mitkommen. Er hatte für Olga, ihn und mich eine Rundreise durch Sri Lanka gebucht, die den Kindern zu teuer war, weswegen sie ihre Reise durch diese tropische Insel allein durchzuziehen planten.

Eine Woche vor Beginn sagte Thomas völlig unerwartet seine Reisebeteiligung wieder ab, da die Testamentseröffnung seines verstorbenen Schwiegervaters während unserer Urlaubsfahrt stattfinden sollte. Sein Sohn hätte ihn gebeten daran teilzunehmen, nachdem bereits im Vorfeld heftiger Streit zwischen den Erben ausgebrochen sei. Meine Erklärung, dass das Testament festliege, weshalb er daran nichts mehr ändern könnte, konnte ihn auch nicht umstimmen.

Die geplante Rundreise sagte er kurzfristig wieder ab. Olga und ich entschlossen uns deshalb, nicht nur in den Arabischen Emiraten, sondern auch in Sri Lanka ein Auto zu mieten, um selbst zu fahren. Die Kinder wollten teilweise mit uns mitkommen, teilweise aber auch ihre Reise allein fortsetzen. Dominiks Mutter hatte drei Hotelübernachtungen in Abu Dhabi und Dubai sowie eine in Colombo nach unserer Ankunft dort gebucht.

Andreas habe ich gebeten, drei weitere Nächte für uns in seinem Hotel in Galle zu reservieren, in dem er vor einem Jahr zwei Monate verbracht hatte, um Bauchchirurgie zu erlernen im Rahmen seines praktischen Jahres.

Johanna und Dominik wollten dorthin auch noch mit uns mitkommen, sich anschließend aber selbstständig machen. Dominik war erst wenige Tage zuvor von Hawaii zurückgekehrt, wohin er mit einem Freund nach Abschluss seines Bachelor-Studiums geflogen war.

Nachdem sein Masterstudium in London erst im Oktober beginnen wird, hat er Zeit, mehrere Monate in Asien herumzureisen. Das Geld dazu hat er sich bei einem Praktikum verdient, das er im Rahmen seines Studiums noch absolvieren musste.

Nachdem ich meine Station versorgt, meine Patienten untersucht und mich von Marlene verabschiedet hatte, fuhren Olga und ich nach Niederbayern, von wo aus uns Szabina und Andreas am Abend zum Flughafen bringen wollten.

Arkan und Andreas sind immer noch am Lernen. Ihre Staatsexamina rücken unausweichlich näher. Dafür wirken sie beide noch ziemlich ruhig.

Mit Andreas machte ich noch einen Spaziergang durch Lichtenhaag.

Bogena kam hoch, um sich von uns zu verabschieden. Abends fuhren sie uns zum Flughafen, wo wir Johanna und Dominik sowie seine Mutter Susanne trafen. Diese hatte es sich nicht nehmen lassen, ihren Sohn selbst zum Airport zu bringen. Beim Abschied weinte sie, da sie Dominik mehrere Monate nicht mehr sehen wird.

Nach unserer Landung am Samstagmorgen in Abu Dhabi holten wir als Erstes unser gebuchtes Mietauto. Wir fuhren in die Stadt, gingen eine Runde im Zentrum spazieren, wanderten der Corniche entlang. Es wirkte alles sehr gepflegt und modern. Riesige Hochhäuser standen überall herum. Wir kamen an palastartigen Hotelanlagen vorbei.

Wir waren tief beeindruckt. Besonders gefallen hat es mir dennoch nicht. Anschließend suchten wir unser Hotel, das nahe einem Park lag, der wiederum bis zur Uferpromenade der Corniche heranreicht. Die Stadtautobahn, die dazwischen hindurchläuft, konnte man durch eine Fußgängerunterführung queren. Nach einem erfrischenden Bad im Pool unseres Hotels machten Olga und ich einen Spaziergang der Promenade entlang. Wir genossen den Anblick des tiefblauen Wassers, in dem nur wenige Schiffe vorbeikamen. Am späteren Nachmittag mache Dominik den Vorschlag, die bombastische, große, moderne, blendend weiße Moschee mit den vergoldeten Minarettspitzen anzuschauen.

Mit unserem Wagen waren wir in wenigen Minuten dort. Sie breitet sich über einem künstlichen, eigens für sie aufgeschütteten Berg aus, weshalb man sie schon von weitem sehen kann. Dieses Bauwerk ist unglaublich beeindruckend. Ausgeschmückt mit viel Gold, Edelsteinen, Marmor und vielen anderen Preziosen, zeugt es von dem unermesslichen Reichtum, den der Ölboom diesem Emirat seit 50 Jahren beschert hat. Mir hat sie jedenfalls außerordentlich gut gefallen.

Am nächsten Morgen ging es über eine gut ausgebaute Autobahn quer durch die Wüste nach Dubai, wo Susanne ebenfalls ein Hotel für uns gebucht hatte.

Zuerst wollte Dominik das Hotel sehen, das wie ein Segelboot auf einer künstlichen Insel aussieht. Leider mussten wir feststellen, dass man ohne Reservierung nicht einmal in die Nähe dieses Gebäudes gelassen wird, so dass wir unsere Fotos nur von der Ferne machen konnten.

Das zweite Ziel war das höchste Gebäude der Welt, der sogenannte Burj Khalifa.

830 Meter soll diese Nadel in den Himmel ragen. Wir waren tief beeindruckt von diesem schlanken, sich nach oben verjüngendem Glaspalast.

Ähnlich wie wir auf unserer Reise nach Hongkong, Macao und Taiwan auf das Taipei 101 fuhren, das damals zweithöchste Gebäude der Welt, wollten die beiden jungen Leute sofort auch auf dieses Gebäude nach oben fahren.

Einen Termin bekamen sie allerdings erst eine Woche später, als wir längst schon in Sri Lanka weilten.

Das Zentrum von Dubai-City wird von einem künstlichen See gebildet, um den man herumgehen kann. Neben dem bereits erwähnten Hochhaus liegen am Ufer dieses Gewässers noch viele andere interessante Bauwerke.

Bevor wir zu diesem See gelangten, sind wir etwas verloren in einem riesigen Einkaufszentrum umhergewandert, haben dort zu Mittag gegessen und Kaffee getrunken.

Anschließend ließen wir uns von unserem Navi kreuz und quer durch die Stadt zu unserem Hotel geleiten. Dort angekommen, nahmen wir ein kurzes Bad im Pool, um daraufhin gleich wieder weiterzufahren, um zur Corniche von Dubai zu gelangen, wo man Daus und andere interessante Schiffe beobachten können soll.

Schiffe waren nur wenige da, Daus bekamen wir nicht zu Gesicht.

Dennoch unternahmen wir eine schöne, kleine Wanderung dem Strand der Corniche entlang bis zum Einbruch der Dunkelheit.

Dominik wollte die Wasserspiele am künstlichen See im Zentrum der Stadt, wo wir bereits am Nachmittag waren, unbedingt sehen. So fuhren wir also wieder zurück zum Parkplatz unter dem Einkaufszentrum, um uns durch dieses hindurch wieder zum See zu begeben, wo wir von einer Brücke aus diesem Spektakel zusehen konnten, das von klassischer Musik begleitet und von Scheinwerfern aus allen Richtungen bestrahlt wird.

Unser Abendessen nahmen wir daraufhin an der Uferpromenade ein.

Ähnliche, aber fast noch beeindruckendere Wasserspiele, haben wir bei unserem Urlaub mit unseren Landshuter Freunden in Las Vegas vor dem Caesars Palace beobachten dürfen.

Am nächsten Morgen fuhren wir trotz ausgesprochen dichtem Verkehr weiter nach Jasharaj, dem Emirat, das sich direkt an Dubai anschließt. Dieses Emirat wirkt nicht so auf Hochglanz poliert wie Dubai und Abu Dhabi.

Es hat sich dafür aber mehr seinen orientalischen Charakter bewahrt, mit etwas einfacheren Häusern, aber auch mit großen Moscheen, deren Kuppeln zum Teil vergoldet sind.

An dieser Corniche fanden wir endlich die Daus, nach denen wir in Dubai vergeblich Ausschau gehalten hatten.

Irgendwie entwickelte sich eine gewisse Rivalität zwischen Dominik und mir, obwohl ich mich sehr zurückzuhalten versuchte. Zeitweise erinnerte mich sein Verhalten an das von Anton während unserer Brasilienreise.

Johanna spürte dies und versuchte zu vermitteln, auch wenn es gar keinen offenen Streit gab.

Um nach Al Ain zu gelangen, mussten wir ziemlich weit in die Wüste hineinfahren.

Wir kamen an hohen Sanddünen vorbei, auf denen man wild lebende Kamele beobachten konnte. Die Stadt selbst gleicht einer riesigen Oase, die mitten in einer Sandwüste liegt. Im Hintergrund konnte man bereits die Berge des Oman erkennen.

Hauptattraktion dieser Stadt dürften wunderschöne Parkanlagen mit Wasserbecken und vielen bunten Blumen sein, in denen ein altes Fort mit Mauern, Wachtürmen und Eingangstoren zumindest von außen zu bewundern war.

Abends waren wir wieder zurück in Abu Dhabi, wo Olga und ich uns nach dem Essen bald schlafen legten, während Johanna und Dominik noch ausgingen.

Am folgenden Tag mussten wir wieder zum Flughafen, wo wir unser Auto abgaben und unseren Flieger nach Colombo bestiegen.

Sonnenuntergang am See

SRI LANKA

Nach unserer Ankunft dort warteten wir erst einmal auf unseren Autovermieter, bis der mit über einer Stunde Verspätung um circa 21 Uhr endlich kam. Als er uns vier mit unserem Gepäck sah, erschrak er und erklärte uns, dass der Wagen, den er mitgebracht hatte, viel zu klein für uns alle wäre. Wir müssten mit in seine Werkstatt kommen, wo er uns ein größeres Auto geben werde. Johanna und Dominik fuhren mit ihm. Olga und ich mussten uns ein Taxi nehmen, um bei stockdunkler Nacht mehr als eine Stunde durch diese riesige Stadt zu kurven. Beim Vorbeifahren fiel mir eine erhebliche Anzahl an christlichen Symbolen auf, Kruzifixe, Madonnen und andere, die von bunten Lichtern angestrahlt wurden. Offensichtlich gibt es in dieser Gegend nicht wenige Christen, was mir ein vertrautes Gefühl gab und mir irgendwie Zuversicht vermittelte.

An der Werkstatt angekommen, gab er uns einen alten Nissan mit vielen Kratzern und einem Tachostand von über 195.000 Kilometern. Wir wollten gerade einsteigen, als Olga auffiel, dass das vordere Nummernschild fehlte. Unser Vermieter telefonierte also wieder mit seinem Handy, wobei eine halbe Stunde später ein Motorradfahrer das Schild brachte und es auch gleich am Auto befestigte. Bis wir endlich losfuhren, um unser vorbestelltes Hotel zu erreichen, war es fast schon Mitternacht. Unseren Autovermieter bat ich, die Adresse des Hotels ins Navi einzugeben, damit wir dieses möglichst schnell finden würden.

Dennoch kurvten wir über eine Stunde durch diese 2 ½ Millionenstadt. Mehrmals musste ich umkehren, wenn wir die Angaben des Navis fehldeuteten und falsch aus den Kreisverkehren fuhren.

Der Verkehr insgesamt ist schrecklich. Fußgänger und Fahrradfahrer haben keine Lichter. Man sieht sie erst im letzten Moment. Motorräder und Tuktuks sind überall. Busse haben immer Vorfahrt. Sie überholen, ohne sich um den Gegenverkehr zu kümmern.

Im Laufe der fast drei Wochen, die wir durch Sri Lanka kurvten, habe ich mich ganz gut an diesen Verkehr gewöhnt. In der ersten Nacht, in dieser riesigen Stadt, wo uns jegliche Orientierung fehlte, wirkte er auf mich deprimierend. Einmal hielten viele Busse an einem Halteplatz. Unendlich viele Menschen stiegen aus, ohne uns auszuweichen, so dass ich fast keinen Weg mehr durch sie hindurch gefunden hätte.

Plötzlich hat man das Hotel erreicht. Die Schranke geht hoch. Man fährt auf einen Parkplatz. Es ist alles ruhig um einen herum. Keine Fußgänger, keine Autos oder Motorräder mehr, die von allen Seiten auf einen zukommen. Man öffnet die Wagentüre, steigt aus, streckt sich, fühlt sich auf einmal wie erlöst. Ich begann, die Koffer auszuladen. Die anderen gingen zu Rezeption, kamen jedoch nach kurzer Zeit gleich wieder heraus. Wir waren am falschen Hotel. Ich musste also wieder los, durch die Schranke, durch die Menschenansammlung.

Man versuchte, uns den Weg zu beschreiben. Kapiert haben wir es alle nicht. Eine gewisse Verzweiflung steigt in einem hoch. Wie soll das heute noch enden?

Ein Tuktukfahrer erbot sich, uns gegen geringes Entgelt mit seinem Gefährt bis zum richtigen Hotel vorauszufahren. Es vergingen kaum zehn Minuten, bis wir endlich angekommen waren.

Johanna und Dominik hatten noch Hunger. Sie suchten sich ein Lokal zum Essen. Olga und ich wollten nur noch ins Bett, wobei sofort wieder unser Klimaanlagenproblem auftrat, nachdem ich wegen meiner chronischen Bronchitis keine solchen Anlagen vertrage, Olga ohne sie aber fast nicht schlafen kann. Trotz der Gefahr, dass Moskitos hereinkommen, öffneten wir ein großes Fenster, damit kühle, frische Luft durchzieht. Unter unseren Moskitonetzen fühlten wir uns vor diesen Quälgeistern sicher.

Wir schliefen herrlich bis zum Morgen. Nur von Zeit zu Zeit vermeinte ich im Halbschlaf einen Eisenbahnzug vorbeifahren zu hören. Richtig aufgewacht bin ich davon allerdings nicht.

Am nächsten Morgen fühlten wir uns richtig wohl und ausgeschlafen. Die Sonne schien durch das geöffnete Fenster herein. Nach der Morgentoilette stiegen wir zum Schwimmbad hinab, das von der Eingangshalle bis weit in den tropischen Garten hinein reichte.

Als wir vor die Türe traten, standen wir voll im Sonnenschein. Um uns herum blühten Blumen in allen Farben. Wir gingen den Weg entlang, um zu sehen, woher die Zuggeräusche kommen. Gleich hinter der Mauer unseres wunderschönen Gartens mit Blumen, blühenden Bäumen, einer grünen, gepflegten Wiese und dem Pool in der Mitte verliefen zwei parallele Bahngleise, über die Vorortszüge Pendler zur Arbeit in die Großstadt brachten, über die aber auch Fernzüge nach Galle und weiterliefen.

Wir waren kaum bei den Gleisen gelangt, als auch schon zwei Züge in entgegengesetzte Richtung an uns vorbeifuhren. Gleich hinter den Gleisen begann der Strand.

Wir konnten zum ersten Mal die anbrandenden Wellen des türkisblauen Indischen Ozeans sehen, die sich zum Strand hin in einer weißen Gischt überwerfen. Weit in der Ferne konnte man die Hochhäuser von Colombo ausmachen. Wir standen still vor Staunen, genossen die morgendliche Ruhe am Strand und hörten dem Rauschen des Meeres zu.

Bei diesem Anblick fühlten wir uns frei und glücklich.

Als wir ins Gästehaus zurückkamen, hatten unsere Gastgeber bereits Frühstück für uns hergerichtet.

Johanna und Dominik schliefen noch. Wir vier waren die einzigen Gäste des Hauses.

Ein treuherzig blickender Hund bettelte uns unsere Würste ab.

Bis die anderen beiden kamen, genoss ich bereits das Bad im Pool.

Leider mussten wir dann schon bald wieder unsere Koffer packen, das Auto holen und losstarten. Ich wollte die Küstenstraße entlangfahren. Die anderen verlangten, die Autobahn zu nehmen, damit wir schneller nach Galle kämen.

Zuallererst mussten wir tanken, da uns unser Autovermieter den Wagen nur mit einer viertel Tankfülle übergeben hatte.

Am Tage fand ich es viel leichter, mich in dem doch erheblichen Durcheinander des Großstadtverkehrs zurecht zu finden, als letzte Nacht, wo ich mich ziemlich übermüdet durch dieses Chaos kämpfte.

In einer Autobahnraststätte aßen wir zu Mittag. Am frühen Nachmittag waren wir bereits in Galle. Dummerweise ließ uns unser Navigationssystem im Stich, das die Adresse unseres Hotels nicht kannte. Leider mussten wir diese Erfahrung mit diesem Gerät ziemlich oft machen.

Dieses Mal führte es uns ins alte Fort. Nachdem uns klar wurde, dass sich unser Hotel in einem völlig anderen Stadtviertel befand, schnappten wir uns wieder einmal einen Tuktukfahrer, der uns bis zum Hotel voranfahren sollte. Johanna und Dominik fuhren im Tuktuk, Olga und ich im Auto. Selbst der Taxifahrer musste mehrmals nach dem Weg fragen, bis wir endlich vor der Pforte unseres neuen Domizils standen.

Andreas hatte für uns zwei Zimmer inmitten eines herrlichen, tropischen Gartens gebucht. Überall blühten Blumen in allen Farben. Im Zentrum befand sich ein Swimmingpool mit wunderbar warmem, klarem Wasser.

Andreas war allen noch in guter Erinnerung. Wir wurden sofort als seine Eltern begrüßt.

An diesem Tag verließen wir diesen paradiesischen Garten nicht mehr.

Wir richteten unsere Zimmer ein, badeten im Pool, beobachteten die Affen, die auf den riesigen Bäumen dahinter herumturnten. Wir wollten einfach nichts tun und uns erholen.

Im Nachbarzimmer wohnte ein englisches Ehepaar aus York, das bereits mehrmals an diesem Ort weilte und sich vom Vorjahr her auch an Andreas erinnerte. Ich unterhielt mich an den drei Tagen, die wir hier verbrachten, viel mit den sympathischen Leuten. Er war Ingenieur bei der Bahn, sie ähnlich wie Johanna Sonderschuldpädagogin in leitender Position.

Christopher, wie der Mann hieß, war völlig fassungslos, als ich ihm erzählte, selbst mit dem Auto zu fahren. Er sei schon in vielen Ländern gefahren, hier in Südasien würde er es nie wagen, selbst ein Auto zu lenken. Der Verkehr wäre ihm viel zu chaotisch, erklärte er mir.

Am nächsten Morgen nach dem Frühstück wollten wir zuallererst an den Strand.

Dinisch, unser Kellner, würde zuerst das englische Ehepaar, nachher uns zum Jungle Beach mit seinem Tuktuk bringen. Dinisch hatte vor einem Jahr mit Andreas eine Wal-Tour unternommen, wobei sie Blauwale zu Gesicht bekommen hatten. Er war darauf sehr stolz.

Durch die engen, malerischen, leider aber auch ziemlich heruntergekommenen Gassen von Galle brachte uns Dinisch zur Meeresbucht hinunter, fuhr um diese herum, um uns bei einer wunderschönen, weißen Pagode abzuliefern.

Diese steht ganz oben auf den Klippen, so dass sie schon von weitem zu sehen ist.

Wir zogen unsere Schuhe und Käppis aus, stiegen die Stufen bis zur Plattform hinauf und gingen um die Pagode herum, auf der Figuren zu sehen waren, die vom Leben und Sterben Buddhas berichten.

Zum ersten Mal konnten wir den asketischen, abgemagerten Buddha bewundern, der so lange hungerte, bis er erkannte, dass der Weg durch die Mitte die beste Art ist, sein Leben zu meistern.

Eine andere Darstellung zeigte das verklärte Gesicht des sterbenden Buddhas, der dabei war, ins Nirwana einzugehen.

Auf einem weiteren Relief konnte man sehen, wie aus dem Königssohn Siddharta unter dem Feigenbaum sitzend, dessen Ableger wir in Anaratapurna bewundern konnten, von der Kobra bewacht, der erleuchtete Buddha wird.

Anschließend brachte uns Dinisch bis zum Einstieg, von dem aus man zum Jungle Beach hinuntersteigt. Dieser Weg führt steil nach unten, mitten durch dichten tropischen Regenwald.

Beim Abstieg konnten wir einen Waran beobachten, der sicherlich 1,5 Meter lang war.

Unten fanden wir einen herrlichen Sandstrand, der von Mangroven eingesäumt war.

Das Meer war tiefblau und spiegelnd glatt. Die Brandung reicht nicht so tief in die Bucht herein.

Das englische Ehepaar hatte für uns bereits Liegen bereitgestellt. Wir unterhielten uns, badeten in dem wunderbar warmen Meer, oder lasen unsere Reiseführer. Obwohl wir uns dick mit Sonnencreme eingeschmiert hatten, holten wir uns leichte Sonnenbrände, weshalb wir am dritten Tag unseres Aufenthaltes in Galle das Baden im Meer vermieden.

Dinisch holte uns später wieder ab, um uns zum alten Fort zu bringen. Dort gingen wir spazieren, nahmen Kaffee und Kuchen in einem netten, kleinen Café ein.

Später liefen wir der Festungsmauer entlang, um auf den Sonnenuntergang zu warten, der das Meer in eine fast kitschig wirkende rosa Fläche verwandelte. Die Palmen im Vordergrund erscheinen im Gegenlicht tiefschwarz.

Zum Abendessen holte uns Dinisch wieder mit seinem Tuktuk ab und brachte uns ins Hotel.

Unseren Engländer fragte ich, ob er auch schon auf den Adams Peak gestiegen sei.

Obwohl er vier Jahre jünger als ich ist, meinte er, seine Knie würden dies nicht mehr schaffen.

Man muss dazu sagen, dass seine Frau Rosemarie und er etwas beleibter waren.

Sein Hobby wäre sein Garten zu Hause in York, erklärte er mir.

Als Dominik unserem Gespräch zuhörte, meldete er Zweifel an, ob meine alten Knie die circa 5.000 Stufen bis zum Gipfel des Berges durchhielten.

Am dritten Tag mieden wir den Strand, gingen stattdessen zum Einkaufen, um für Olgas Patentochter, wie versprochen, einen Sari zu besorgen.

Unser Abendessen wollten wir dieses Mal im alten Fort einnehmen. Wir wanderten dazu den Fischerhafen entlang, wo die Fischer ihre bunt bemalten Auslegerboote an Land gezogen hatten.

Wieder zurück im Hotel planten Johanna und Dominik ihre weitere Reise.

Sie wollten jetzt endlich ohne uns mit Bussen und Bahnen weiterkommen. Endlich würden sie die Alten loswerden.

Dominik buchte über Internet Hotels und Bahnkarten. Man sah ihnen an, dass sie mit uns armen, hilflosen Wichten, die ohne Internet-Tablet reisten, fast Mitleid bekamen. Ich erklärte Johanna, dass ich es für gefährlich hielte, wenn sie zwei Wochen in Indien herumreisten.

Als Antwort musste ich mir anhören, dass es sich schließlich um den letzten Urlaub handelte, den ich ihr bezahlen muss. Ab jetzt würde sie für sich selbst sorgen.

Am folgenden Morgen durften wir sie noch bis zur nächsten Stadt an der Südküste bringen, wo wir uns dann endgültig verabschiedeten.

Irgendwie hatte sich eine gewisse Spannung vor allem zwischen Dominik und mir aufgebaut, ohne dass irgendjemand etwas gesagt hätte, dass ich eigentlich froh war, die beiden endlich loszuhaben. Wenn Johanna in vier Wochen wieder heimkommt, habe ich mir vorgenommen, mit ihr ein ernsthaftes Wort zu reden, da mir dies alles nicht wirklich gefallen hat.

Olga und ich fuhren noch ungefähr 50 Kilometer weiter, um uns ein schönes Hotel am Meer an der Südküste etwas weiter östlich zu suchen.

Im Gegensatz zum Jungle Beach in der Bucht von Galle zeigte der Ozean hier eine massive Brandung. Die Wellen rollten heran, überschlugen sich und liefen mit weißer, spritzender Gischt auf den Strand zu. Zum Entsetzen von Olga sprang ich in diese Gischt voll hinein, ließ mich mitreißen, tauchte unter ihr hindurch, wie ich es in meiner Jugend gemacht hatte. Ich fühlte mich plötzlich wieder 40 Jahre jünger. Das Wasser war warm. Die Brandung wirbelte mich herum, während Olga am Ufer schrie und gestikulierte, dass ich sofort herauskommen sollte.

Kaffee und ein Sandwich nahmen wir im Hotel zu uns.

Am Markt fühlte Olga sich unwohl, da ihr die Menschenmassen zu viel wurden.

Wir kauften Obst, Brot und Getränke ein, um alles auf der Terrasse vor unserem Zimmer zu verzehren.

Nach dem Frühstück am nächsten Morgen fuhren wir wieder weiter in Richtung Yala-Nationalpark an der Süd-Ost-Küste.

Tissa, die letzte Stadt vor dem Park, war im Altertum zeitweise Hauptstadt von Sri Lanka, wenn die alten Könige aus Angst vor Überfällen aus dem Norden hierher fliehen mussten.

Bei der Einfahrt in den Ort sahen wir mehrere Pagoden und Dagobars. Um die größte und schönste liefen wir herum.

Wir mieteten uns in ein Hotel ein, von dem aus auch Jeepsafaritouren starteten.

Wir wollten noch am gleichen Tag auf Tour gehen. Um elf Uhr kamen wir an. Um ein Uhr gingen wir schon auf Safari. Unser junger Fahrer fuhr extrem wild, so dass er fast mit einem entgegenkommenden Auto zusammengestoßen wäre. Glücklicherweise ging nur der Außenspiegel zu Bruch.

Im Park, der landschaftlich ausgesprochen malerisch zwischen Bergen und Meeresküste gelegen ist, fanden sich viele Seen und Sümpfe, an und in denen hunderte von Wildtieren aller Art zu bewundern waren. Wir sahen Vögel aller Art, Krokodile, Büffel, Elefanten, Affen und sogar Leoparden.

Als wir abends wieder zurück waren, rief plötzlich Johanna an, um uns zu erklären, dass sie auch im Park waren. Sie würden zum Abendessen zu uns kommen.

Nachdem das Lokal in unserem Hotel bereits geschlossen hatte, mussten wir eine einheimische Gaststätte aufsuchen. Das Essen war so scharf, dass ich hinterher furchtbare Mund-, Rachen- und Magenschmerzen bekam.

Die Jungen wollten in die Berge nach Ella, wo Dominik bereits für drei Nächte ein Hotel gebucht hatte. Sie hatten nur leider keine Busverbindung dorthin bekommen, so dass sie wieder zur Küste zurück hätten fahren müssen.

Ich bot ihnen an, mit uns im Auto mitzufahren, da wir ebenfalls nach Ella unterwegs waren.

Nach etwas Bedenkzeit willigten sie sogar ein. Dominik buchte im gleichen Hotel zwei Nächte für uns mit.

In der Frühe ließen sich die beiden mit ihren Rucksäcken von einem Tuktuk in unser Hotel bringen. Wir packten unsere Sachen, beluden das Auto und fuhren los in Richtung Berge.

Es stieg stetig nach oben an. Die Landschaft änderte sich laufend. Immer mehr Berge, deren Spitzen irgendwo im Dunst verschwanden, tauchten vor uns auf. Mittags stoppten wir bei einem Lokal, von dessen Aussichtsterrasse wir einen wunderbaren Blick über die grünen Täler unter uns und die gegenüberliegenden Berghänge hatten, auf denen viele Imkerkörbe aufgestellt waren.

Zeitweise waren wir in Serpentinen hochgefahren. Ich hatte beim Vorbeifahren ein Hinweisschild auf einen alten Tempel gesehen und mich bei unserer Kaffeepause entschlossen, diesen zu suchen. Wir fuhren zurück bis zu einer Abzweigung, die steil nach oben in die Berge hineinführt.

Unser Auto parkten wir auf einem kleinen Parkplatz, von dem ein felsiger Weg nach unten abzweigte.

Schon bald tauchte ein kleiner Tempel, der sich an eine Felswand schmiegte, vor uns auf.

Wie es sich gehört, zogen wir unsere Schuhe aus, als auch schon ein jugendlicher Mönch, in ein rotes Tuch gehüllt, erschien.

Er bedeutete uns, ihm zu folgen. Es zeigte sich, dass es sich bei dem Tempel um einen großen Komplex mit vielen einzelnen Gebäuden und Höhlen handelte, die, ähnlich wie wir es vor Jahren bei den Cliff Dwellings der Anasazi-Indianer in Colorado schon einmal gesehen hatten, unter einen riesigen Felsvorsprung hinein gebaut sind.

Der Mönch führte uns auch in den innersten Bezirk seines Heiligtums, der mit vielen bunten Fresken und Buddhafiguren ausgeschmückt war.

Zum ersten Mal begegnete mir hier ein liegender Buddha, dessen Gesicht ein verklärtes Lächeln zeigte. Uns sind solche Darstellungen während unserer Reise noch sehr häufig in allen Größen und Variationen dargeboten worden. Unser freundlicher Mönch, der sicherlich noch keine 30 Jahre alt war, erklärte uns, dass es sich dabei um den sterbenden Buddha handelt, also den Moment, wo er als einziger Mensch bisher ins Nirwana eingeht und zum Gott wird.

Unwillkürlich musste ich an meine Religion denken. Auch Jesus ist gestorben, als einziger Mensch wieder auferstanden, in den Himmel aufgefahren und zu Gott geworden.

Vielleicht hat der Dalai Lama doch recht, wenn er auf die Frage, ob der Buddhismus auch für Europa gut wäre, zur Antwort gab, man solle die Bergpredigt von Jesus lesen, um zu verstehen, dass der Buddhismus bereits seit 2.000 Jahren in Europa angekommen ist.

In einer weiteren, düsteren Höhle zeigte uns der Mönch eine überlebensgroße Figur eines sitzenden, völlig abgemagerten, meditierenden Buddhas. Auf unsere fragenden Blicke hin erläuterte unser Mönch uns abermals die Bedeutung dieser Figur. Es handelte sich um den asketischen, meditierenden Buddha, der unter einem Feigenbaum sitzend, der uns wiederum später in Anaratapurna noch intensiver begegnen wird, vom Siddhartha, dem Königssohn, zum Buddha also dem Erleuchteten wird.

Zum Schluss kamen wir an einen Wasserfall, von dem der Mönch, der seit fünf Jahren allein hier lebt, wie er uns erzählte, sein Trinkwasser bekommt. Ernähren tut er sich von Früchten in der Umgebung und Spenden seiner Mitmenschen. Er setzte sich neben den Wasserfall, überkreuzte seine Beine wie zur Meditation und bedeutete Dominik, es ihm nachzumachen.

Beide saßen mehrere Minuten meditierend nebeneinander, so dass wir herrliche Fotos von ihnen anfertigen konnten.

Zum Abschied zeigte er uns noch sein Zimmer, das einfach, aber nett eingerichtet war. Er hatte einen Laptop mit Englischlernprogramm. Irgendwie bekam ich den Eindruck, als wirkte er mit sich und seinem Leben in völligem Einklang. Er reichte uns Melonen und Honig. Wir gaben ihm zum Dank eine kleine Spende, die er freudig annahm.

Abends, nachdem wir in Ella angekommen waren und auch unser nettes kleines Hotel gefunden hatten, musste ich viel über das Gehörte nachdenken. Die Wurzeln beider Religionsgründer waren gänzlich unterschiedlich. Jesus kam als Jude aus der Tradition des Alten Testaments. Buddha als Königssohn und Hindu bezog sein Wissen aus den Lehren der Veden.

Das Leben und Wirken dieser beiden Männer zeigen doch viele Parallelen.

Vor allem aber, glaube ich, gibt es viele Übereinstimmungen in dem, was sie uns übermitteln wollten.

Eigentlich hätte es ein sehr schöner Urlaub werden können. Wir haben viel gesehen und schöne Wanderungen unternommen. Mein Verhältnis zu Dominik wurde beständig entspannter. Wir haben uns im Laufe des Urlaubs immer besser verstanden. Johanna merkte man an, wie froh sie darüber war. Das Autofahren machte mehr und mehr Spaß.

Es wäre also alles gut gewesen, wäre da nicht immer wieder der Gedanke an meine Patientin gewesen, der ich so viel Schaden zugefügt habe, der meine Stimmung drückte.

Wie hatte es bei meiner operativen Erfahrung geschehen können, dass ich einen Ureter verletzte? Natürlich hatte ich auch Angst vor einem neuen Haftpflichtfall, nachdem noch nicht einmal die Angelegenheit mit dem Bauchtuch ganz abgeschlossen war. Es tröstete mich auch nur wenig, dass eine Chefärztin eines Nachbarkrankenhauses bei einer stärkeren Blutung einen Ureter umstochen haben soll, wie mir Marlene Schweyer beim Abschied berichtete.

Am nächsten Morgen sind wir früh aufgestanden, um zu den Horten Plains zu kommen, wo wir wandern und ins Tal hinabschauen wollten, bevor der Nebel am späteren Vormittag kommt.

Leider hat uns das Navi wieder einmal auf einen falschen Weg geführt, so dass wir nicht rechtzeitig hinkamen.

Stattdessen fanden wir einen schönen Wanderweg in der Nähe eines christlichen Klosters.

Als wir wieder zurück waren, stiegen wir die grünen Tee Hänge bis ganz oben hinauf, was uns wunderbare Ausblicke auf die Teeplantagen, die, so weit man blicken konnte, die Berge und Täler mit ihren hellgrünen Pflanzen bedeckten. Tief unten im Tal fuhr der Zug vorbei.

Auf der Rückfahrt besichtigten wir noch ein buddhistisches Heiligtum, dessen große Buddhafigur, die in eine Felswand hinein gemeißelt war, 2.100 Jahre alt sein soll.

Es waren drei schöne Tage, die wir mit den Kindern verbracht hatten. Doch jetzt galt es endgültig, für diesen Urlaub Abschied zu nehmen. Die Kinder blieben noch einen Tag länger in Ella und wollten dann mit dem Zug zum Adam's Peak fahren.

Wir hingegen starteten einen Tag früher los, um über Nova Eliya, den höchstgelegenen Ort Sri Lankas, in dem noch viele Häuser aus der britischen Kolonialzeit zu bewundern sind, nach Delhas am Fuße des Adam's Peak zu gelangen.

Da uns unser Navigationssystem laufend im Stich ließ, gestaltete sich die Fahrt dorthin sehr mühsam. Dazu kamen noch die engen, kurvenreichen Bergstraßen und die vielen Baustellen, die uns das Vorankommen erschwerten. Die Landschaft um uns herum war hingegen grandios. Die Täler und Berge waren bedeckt mit Teepflanzen, deren Grün je nach Sonneneinstrahlung alle Schattierungen bot.

Unser Hotel in Delhas hatte uns Dominik über Internet gebucht. Endlich dort angekommen, genossen wir den herrlichen Blick auf den spitzen Bergkegel, den wir in der Nacht erklimmen wollten, um den Sonnenaufgang in dem Buddhistischen Kloster auf seiner Spitze mitzuerleben. Der Berg ist mit seinen 2.250 Metern eine der höchsten Erhebungen Sri Lankas. Es führen ungefähr 5.000 Stufen, die nachts beleuchtet sind, ziemlich steil nach oben. Für den Aufstieg muss man über 1.000 Höhenmeter überwinden.

Der Adam's Peak ist eine berühmte Pilgerstätte für alle vier Religionen Sri Lankas.

Auf seinem Gipfel soll sich ein großer Fußabdruck befinden, der allerdings zugedeckt ist, so dass er nicht einsehbar ist.

Die Buddhisten sehen in ihm einen überdimensionalen Fußabdruck von Buddha. Die Hindus glauben, er würde von Shiva stammen, während Christen und Moslems der Meinung sind, der Abdruck stamme von Adam. Nachdem dieser aus dem Paradies vertrieben worden war, bekam Gott Mitleid mit ihm, weshalb er ihn an den Ort auf der Erde brachte, der dem Paradies am ähnlichsten sei, nach Sri Lanka.

Wir starteten um zwei Uhr fünfzehn los und erreichten nach drei Stunden Aufstieg um fünf Uhr fünfzehn den Gipfel, also viel zu früh, um auf den Sonnenaufgang zu warten.

Nachdem wir das Kloster besichtigt und uns einige Zeit frierend im Wind oben herumgetrieben hatten, entschlossen wir uns, mit dem Abstieg zu beginnen, noch bevor die Sonne vollends aufgegangen war.

Bei Tageslicht konnte man die wunderbare Umgebung, in der wir wanderten, erst richtig erkennen. Die Sonne ging hinter den Bergen im Osten auf. Diese wirkten tiefschwarz, der Himmel darüber blutrot. Die Seen tief unten im Tal glänzten rosa im Sonnenlicht.

Wir beeilten uns, rechtzeitig wieder runterzukommen, da wir uns nach dem Frühstück im Hotel und der Morgentoilette noch etwas ausruhen wollten, bevor wir die Weiterfahrt nach Kandy, einer weiteren ehemaligen alten Königsstadt, antraten.

Dominik hatte für uns wieder zwei Nächte im Queens Hotel, einem altehrwürdigen Hotel aus der Kolonialzeit am künstlichen See gleich neben dem Zahntempel, gebucht. Bei der Hinfahrt kamen wir überraschend gut voran. In der Großstadt half uns das Navi, zum Hotel zu finden. Wir glaubten schon, uns wieder einmal verfahren zu haben, als es plötzlich vor uns auftauchte.

Da ich die Einfahrt zum Hotel nicht gleich fand, musste ich noch eine Zusatzrunde um den See drehen, bis wir endlich unser Auto dem Hotelpersonal übergeben konnten, das es zum Parkplatz brachte. Nachdem wir unser Zimmer bezogen hatten, erholten wir uns erst einmal am Pool von den Strapazen der letzten Tage. Das Wasser war wie überall in Sri Lanka herrlich warm. Abends wanderten wir noch etwas den See entlang, um den Eingang zum Zahntempel zu erkundigen. Zum Abendessen gingen wir, wie öfter in diesem Urlaub, in ein Pizza Hut-Lokal, da mein Magen bei der Schärfe der einheimischen Curry-Speisen streikte.

Nach dem Frühstück am Morgen besichtigten wir den Zahntempel, das größte Heiligtum Sri Lankas und zugleich der prächtigste und prunkvollste Bau des ganzen Landes.

Verehrt wird ein Zahn Buddhas. Je nach Reiseführer handelt es sich um den linken oberen Eckzahn oder einen rechten unteren Backenzahn. Jedenfalls ist der Zahn in mehrere übereinander liegenden, goldenen Behälter gefasst. Der Andrang zu diesem Behälter war so groß, dass wir nach 20 Minuten

Wartezeit, ohne weiterzukommen, auf dessen Besichtigung verzichteten.

Das Dach über dem Tempel, in dem der Zahn aufbewahrt wird, besteht aus massivem Gold.

Wenn die Sonne darauf fällt, strahlt es in alle Richtungen.

Einmal im Jahr wird der Zahnbehälter in einer Elefantenparade durch Kandy getragen.

Die Häuser, Straßen, aber auch Tiere und Menschen sind ähnlich geschmückt, wie bei uns zu Fronleichnam.

Wir kamen durch prunkvolle Räume, die mit wertvollen Edelsteinen und Gold verziert sind, aber auch große Buddhas beinhalten.

Neben dem Tempel befindet sich der Königspalast, der nur zum Teil erhalten ist.

Von Ferne konnten wir beobachten, wie ein riesiger Elefantenbulle, der am Boden lag, von seinen Pflegern mit einem Wasserschlauch abgespritzt wurde. Er schien es sehr genossen zu haben. In den Parkanlagen fanden wir wieder verschiedene Shiva- und Wischnu-Tempel. Etwas weiter hinten sogar eine christliche Kirche. Wie überall in Sri Lanka scheinen sich auch hier in Kandy zumindest Buddhismus und Hinduismus zu vermengen.

Ähnliches ist uns vor Jahren bereits in Nepal aufgefallen bei unserer Wanderung um das Annapurna-Massiv.

Nach dem Verlassen des Tempelbereiches wollten wir um den künstlich angelegten See wandern. Kirschbäume blühten überall in einem unglaublich intensiven Rosa. Auf einer Insel im See waren bunte Blumenteppiche angelegt. Vor dem Tempel-Palastbereich am See befindet sich ein prunkvolles Badehaus, das sich irgendeine Königin vor hunderten von Jahren zu ihrem privaten Vergnügen hat errichten lassen.

Auf den grünen Hügeln um den See herum konnte man überall prächtige Villen reicher Bürger beobachten. Am anderen Ende des Sees führt eine Steintreppe die Hänge hinauf nach oben.

Ich wollte hochsteigen, um zu sehen, was außer den vielen Affen, die darauf herumtollten, noch alles zum Anschauen kommt. Doch dies hätte mir fast Streit mit Olga eingebracht, die sich strickt weigerte, hoch zu steigen, und unbeirrt, ohne sich umzudrehen, ihren Weg um den See fortsetzte. Ich musste mich also beeilen, ihr wieder nachzukommen, wollte ich Probleme mit meiner Frau vermeiden.

Da es noch zu früh war, ins Hotel zurückzugehen, um den Nachmittag am Pool zu verbringen, schlug ich vor, einen Bummel durch die quirligen Einkaufszentren von Kandy zu machen, womit Olga natürlich sofort einverstanden war.

Als wir eine geschäftige Straße entlang flanierten, vermeinte ich plötzlich meinen Namen vernommen zu haben. Ich drehte mich um, konnte aber niemanden erkennen.

Wir gingen in ein Café, um Tee zu trinken und Gebäck zu verzehren, als Olgas Mobiltelefon läutete. Johanna hatte angerufen. Sie seien doch einen Tag eher als geplant nach Kandy gekommen und hätten uns vom Tuktuk aus beim Spaziergang gesehen. Sie kämen uns im Hotel besuchen, fügte sie noch hinzu.

Wir luden sie zum Abendessen ins Hotelrestaurant ein. Sie hätten für drei Nächte ein Zimmer in Polonnaruwa, einer noch älteren Königsstadt im Norden des Landes, gebucht. Wenn wir wollten, würden sie auch für uns dort Zimmer reservieren.

Wir kamen überein, zwei Nächte im gleichen Hotel zu verbringen.

Am nächsten Morgen ließen sie sich mit einem Tuktuk in unser Hotel bringen. Wir beluden unser Auto und starteten los, geradewegs nach Norden.

Leider kamen wir beim Verlassen der Großstadt in einen ziemlichen Verkehrsstau, so dass wir anfangs nur langsam vorankamen.

Unser nächstes Ziel war Dambulla, eine weitere Königsstadt, in der frühere Könige bei Überfällen Zuflucht gesucht hatten. Die Rivalität zwischen Tamilen und Singalesen scheint schon 2.000 Jahre zurückzureichen. Jedenfalls sollen sich singalesische Könige in den Bergen von Dambulla verschanzt haben, wenn Tamilen das Land überfielen.

Dabei haben sie gleich riesige Felsenklöster, die sich unter überhängende Felsen schmiegen, hoch in den Bergen ausbauen lassen.

Nachdem man beim Betreten buddhistischer Klöster grundsätzlich seine Schuhe ausziehen muss, ist es günstig, Socken anzuziehen, da der Steinboden von der Sonne massiv aufgeheizt wird.

Der Einzige, der Socken anhatte, war natürlich ich. Die anderen hätten sich bei der Besichtigung dieser herrlichen Klöster fast die Fußsohlen verbrannt.

Im ersten Kloster begegnete uns wieder einmal der liegende, sterbende Buddha mit strahlend verklärtem Gesicht an der Pforte zum Nirwana.

Die anderen Säle, tief im Felsen drin, waren bunt ausgemalt und vollgestellt mit Buddhafiguren aller Art, liegend, sitzend, meditierend. Es fand sich auch immer wieder die Darstellung, als der schlafende Buddha von der riesigen Kobra beschützt wurde, die ihr Brustschild zu seinem Schutze und nicht wie üblich zur Drohung ausbreitete.

Es gibt so viel anzusehen, dass man richtig benommen ist, wenn man wieder herauskommt.

Am späteren Nachmittag kamen wir in Polonnaruwa an. Unser Hotel, das wir nach einigen Umwegen doch noch gefunden hatten, lag am Ostufer eines großen Sees. Eingerahmt war es auf beiden Seiten von riesigen Drachenbäumen. Vor dem Hotel, in Richtung zum See hin, befand sich ein großer Pool mit Terrasse, auf der Liegen standen. Dahinter kommt eine Wiese mit einigen Schilfrohren. Am Ufer lief eine Unzahl von Vögeln herum. Wir konnten Ibisse, Störche, Enten und Reiher ausmachen. Daneben standen zwei Laubbäume, auf deren Ästen sich scharenweise Pelikane und Kormorane in der Abendsonne wärmten. Auf dem See kreuzten Fischerboote hin und her. Dahinter kam eine Insel, auf der einige Bäume standen. Das Westufer konnte man kaum noch ausmachen, da es im Dunst beinahe verschwand.

Johanna und Olga lagen auf den Liegestühlen und unterhielten sich. Dominik und ich standen im Pool. Er erzählte mir von seinem Masterstudium, das im Oktober in London beginnen sollte. Sein Vater würde eigens ein Jahr länger arbeiten, um ihm die Studiengebühren bezahlen zu können. Die Hälfte davon müsste er allerdings als Darlehen wieder zurückzahlen. Ich meinte, dass er es ihm letztendlich ganz schenken werde. Andernfalls würde er es ihm später am Altersheim abziehen, fügte Dominik darauf hinzu.

Unser Urlaub hatte mit so schlechten Vorzeichen begonnen und ist zu guter Letzt doch so schön und entspannt geworden. Thomas hat eine Woche vor Beginn kurzfristig abgesagt. Vom Hausarzt in Weilheim habe ich zwei Tage vor unserem Abflug von dem unklaren Nierenstau bei meiner Patientin erfahren.

Zwischen Dominik und mir bestanden Spannungen, ohne dass wir offen gestritten hätten.

Jetzt standen wir bei angenehmer Atmosphäre im Pool und unterhielten uns zwanglos über seine Zukunftspläne, während wir dem Naturschauspiel zusahen, das uns die untergehende Sonne über dem See bot. Der Himmel und das Wasser im See verfärbten sich immer mehr blutrot.

Die Insel, die Bäume, die hin und her fahrenden Fischerboote wurden langsam tiefschwarz.

Ähnliches geschah mit den weißen Vögeln direkt vor uns.

Ich habe schon viele wunderschöne Sonnenuntergänge gesehen. Doch dieser, über dem tropischen See, übertraf alles bisher Dagewesene.

Doch schon bald drängten die Hotelangestellten uns, ins Haus zu kommen, da die Seefliegen einen weiteren Aufenthalt im Freien unmöglich machen würden.

Nach dem Frühstück am nächsten Morgen fuhren wir nach Sigiriya, der wohl auffälligsten aller früheren Königsstädte.

Im 3. Jahrhundert nach Christus hatte ein Königssohn seinen Vater lebendig eingemauert, um selbst Herrscher zu werden. Sein Bruder, der eigentliche Thronfolger, floh nach Indien, um einem ähnlichen Schicksal, wie es seinem Vater widerfahren ist, zu entgehen.

Der neue König und Mörder baute aus Angst vor seinem Bruder seinen Palast auf einen riesigen, senkrecht nach oben gehenden, zum Teil überhängenden vulkanischen Felsen, der mitten in einem Sumpfgebiet liegt. Der Aufstieg wird von zwei Löwenpranken bewacht, um mögliche Feinde abzuschrecken.

Nach einem mühsamen Aufstieg kann man heute nur noch die Grundfeste dieses mächtigen Palastes bewundern. Später im Museum konnten wir an einem Modell erkennen, um welch prächtiges Schloss es sich damals gehandelt haben muss.

Wir hatten circa 60 Kilometer bis Sigiriya zurückzulegen, wobei die letzten 14 Kilometer durch ein einsames Naturschutzgebiet führen. Südlich vom Felsen breitet sich ein Sumpfgebiet aus, das völlig von bunten Seerosen zugewachsen ist. Wir konnten beobachten, wie Touristen von Elefanten durch diese Sümpfe getragen werden.

Beim Aufstieg zum Felsen kommt man durch eine Höhle, deren Wände mit Fresken von vielen, schönen, bunten Mädchen mit ausnehmend schlanker Taille ausgemalt sind, die als Wolkenmädchen bezeichnet werden.

18 Jahre dauerte die Herrschaft des ruchlosen Königs, bis sein Bruder mit einem Heer von Südindien anrückte, um ihn zu stürzen. Beim Anblick des mächtigen Feindes desertierten die meisten seiner Leute, bevor es überhaupt zum Kampf kam. Als er seine aussichtslose Lage erkannt hatte, soll sich der König in sein eigenes Schwert gestürzt haben.

Sein Bruder verlegte dann den Herrschaftssitz wieder zurück nach Anaratapurna, der größten und interessantesten aller alten Königsstädte.

Bei der Rückfahrt machten wir Pause in einer Raststätte, um Kaffee zu trinken und uns etwas zu stärken.

Olga und ich wollten noch die antiken Stätten von Polonnaruwa ansehen, da wir am nächsten Tag vorhatten, nach Anaratapurna zu fahren, während die beiden anderen zum Pool gingen. Sie hatten noch einen weiteren Tag Zeit für Polonnaruwa, würden dann aber mit dem Bus zurück nach Kandy fahren, dieses anschauen, um bald darauf mit dem Zug nach Colombo zu gelangen. Ihr Flug nach Indien war bereits zwei Tage vor unserem Heimflug vorgesehen.

Die antiken Stätten von Polonnaruwa liegen ziemlich weit auseinander, so dass wir froh waren, jeweils von einer zur anderen mit dem Auto fahren zu können.

Die Hauptattraktion ist wieder einmal ein liegender Buddha, der aus einer Felswand herausgemeißelt wurde. Sein Gesicht strahlt glücklich, wie bei allen anderen, da er im Augenblick seines Todes ins Nirwana eingeht.

Die Eintrittskarten für die antiken Stätten mussten wir uns in einem Museum am See besorgen. Dieses liegt gleich neben einem Gästehaus, das eigens wegen eines Staatsbesuches der englischen Königin Elisabeth II. vor 60 Jahren errichtet wurde, die damals noch Staatsoberhaupt von Sri Lanka war.

Wir kamen rechtzeitig zum Pool, um noch etwas baden und einen erneuten Sonnenuntergang bewundern zu können.

Dominik buchte für uns zwei weitere Nächte in Anaratapurna und drei Übernachtungen in Negombo an der Westküste in der Nähe des Flughafens, wo wir uns in einer Hotelanlage am Meer mit Pool und Freizeitanlagen noch ein paar Tage von den Strapazen der Reise erholen wollten.

Dieses Mal galt es, endgültig Abschied zu nehmen von Johanna, bis sie in gut zwei Wochen von Indien heimkommt, und von Dominik, bis er in mehreren Monaten aus Tibet wieder zurückkehren wird.

Wir kamen zügig voran, so dass wir zu Mittag bereits in Anaratapurna waren.

Wir gingen einkaufen, Geld wechseln und Kaffee trinken in der Stadt und ließen uns hinterher von einem Tuktuk zum Hotel vorausfahren, um dieses zu finden, nachdem unser Navi wieder einmal streikte.

Nachdem wir unser Zimmer eingenommen hatten, nahmen wir gleich ein Bad im warmen Pool. An der Rezeption informierten wir uns, wie wir zu den Sehenswürdigkeiten kommen und wo wir die Eintrittskarten dazu erwerben könnten.

Als wir am nächsten Morgen gerade dabei waren, die größte Dagoba Sri Lankas anzuschauen, meldete sich wieder Johanna, um uns mitzuteilen, dass Dominik einen allergischen Ausschlag bekommen hatte. Ich riet ihr, in einer Apotheke Tavegil Dragee und eine Kortinsonsalbe zu besorgen. Sollte der Ausschlag vom Pool kommen, wäre es unbedenklich. Wenn es sich um eine Nahrungsmittelallergie handelte, er also das

Essen nicht vertragen würde, sollten sie besser den Urlaub abbrechen und nach Hause fliegen.

In Kandy gingen sie zum Allgemeinarzt, in Colombo zum Hautarzt, der ihnen grünes Licht für Indien gab.

Wie aus den Berichten Johannas' zu erkennen war, haben sie in Radschastan sogar einmal in einem Maharadscha-Palast übernachtet. Es scheint ihnen jedenfalls gut gefallen zu haben. Dominiks Allergie hat sich offenbar auch wieder gebessert.

Wir besichtigten die Sehenswürdigkeiten von Anaratapurna, viele Dagobas, Pagoden, alte Palastruinen, riesige Pools, in denen schon vor 2.000 Jahren Mönche badeten.

Zwei rivalisierende buddhistische Klöster und Generationen von Königen haben dies alles entstehen lassen.

Bedeutend und heilig ist die Stadt wegen eines Feigenbaums. Es soll ein Ableger des Baumes sein, unter dem Sidhartha meditierend zum Buddha, dem Erleuchteten, wurde. Der Baum, der 300 Jahre vor Christus von einer Nonne von Indien nach Sri Lanka gebracht worden sein soll, ist also mindestens 2.500 Jahre alt. Der Originalbaum in Indien wurde angeblich schon vor langer Zeit von Hindus zerstört. Der Ableger in Sri Lanka wird unter großem Polizeiaufgebot streng bewacht. Wenn man ihn besuchen möchte, muss man zuvor eine Kontrolle wie am Flughafen über sich ergehen lassen.

Die letzten Tage unserer Reise verbrachten wir in einem abgelegenen Hotelressort an der Küste nördlich von Negombo. Mit einer Personenfähre wird man über eine Lagune gebracht, während man das Auto auf einem Parkplatz davor abstellt.

Es machte Spaß, im Pool zu baden. Viel mehr Spaß bereitete es mir, in die heranbrausende Brandung zu springen, unter ihr hindurchzutauchen, mich von ihr herum wirbeln zu lassen. Olga schimpfte furchtbar, konnte aber nichts gegen mein unvernünftiges Verhalten erreichen, da der Spaß für mich viel zu groß war, als dass ich davon abgelassen hätte.

Ansonsten war mir die Anlage zu einsam. Ich drängte bald darauf, nach Negombo zu fahren, um die Stadt zu erkunden, deren größte Sehenswürdigkeit eine Marienkathedrale sein dürfte.

An der Westküste von Sri Lanka und vor allem in Negombo sind angeblich viele Menschen zum christlichen Glauben konvertiert, weshalb man viele Kirchen, aber nur noch wenige buddhistische Heiligtümer besichtigen kann.

Der meiste Trubel herrschte am Fischmarkt. Olga war entsetzt, als ich durch ihn hindurch lief, um den Fischern beim Entladen ihres Fanges zuzusehen.

Am letzten Tag besorgten wir noch einige Geschenke, gingen in Negombo zum Essen und lieferten letztendlich unser Auto unbeschadet, was der Vermieter fast nicht glauben konnte, am Flughafen ab.

Am Sonntagmorgen holten uns Andreas und Szabina vom Flughafen in München ab.

Wir verbrachten einige Stunden in Niederbayern, bevor wir die Heimreise nach Schongau antraten.

Andreas und Arkan waren immer noch am Lernen für ihre Prüfung in zwei Wochen.

KLINIKPROBLEME

Am Montagmorgen nach dem Urlaub fand ich auf meinem Schreibtisch in der Praxis ein Schreiben meines Anwalts, in dem mir mitgeteilt wurde, dass sich meine Haftpflichtversicherung und die Anwälte der Patientin, in deren Bauch ich vor drei Jahren ein Tuch versehentlich belassen hatte, als ich im Dienst notfallmäßig einen sehr schmerzhaften und großen Tumor aus ihrem Bauch in einer zweistündigen, anstrengenden Operation entfernen musste und mir von den OP-Pflegern zugesichert worden war, dass sie alle Tücher nachgezählt und vollständig zurück bekommen hätten, auf eine Zahlung von 12.200 Euro außergerichtlich geeinigt hätten. Falls ich damit einverstanden wäre, was ich natürlich war, würde die Haftpflichtversicherung diesen Betrag an die Patientin überweisen. Wenn man bedenkt, dass die Patientin sicherlich mindestens die Hälfte dieses Betrages an ihre Anwälte weitergeben hat müssen, stellt sich für mich die Frage, ob es sich für sie wirklich gelohnt hat, dafür drei Jahre so massiv zu streiten. Das Bauchtuch ist übrigens fünf Wochen später von unseren Bauchchirurgen wieder entfernt worden. Ich habe mich daraufhin bei der Patientin entschuldigt.

Wenn sich diese Anwälte auch, wie mir mein Anwalt berichtete, darauf spezialisiert hätten, Geld von den angeblich so reichen Ärzten an die armen Patienten zu verteilen, so glaube ich doch, dass, zumindest in diesem Fall, der Hauptteil dieses Geldes in ihre eigenen Taschen geflossen ist. Andernfalls hätten sie nicht drei Jahre lang Briefe geschrieben, sondern wären gleich auf die Idee gekommen, nachzuschauen, wie die Präzedenzfälle von den Gerichten in solchen Fällen beschieden wurden. Nachdem bei im Bauch belassenen Tüchern von den Gerichten zwischen 10.000 und 15.000 Euro bisher als Entschädigung bestimmt wurden, nach Angaben meines Anwalts, hätte man, meiner Meinung nach, sofort nachsehen und diesen Fall nicht in drei Jahren, sondern in einer halben Stunde lösen können.

Gleich nach meiner Ankunft in der Praxis habe ich einen Arztbrief von den Urologen anfordern lassen, um zu erfahren, was mit meiner Patientin mit der gestauten Niere geschehen ist, ob sie bereits wieder von den Urologen operiert worden sei. Zu meiner Freude habe ich erfahren, dass die Urologen in Garmisch nur von unten einen Katheder hochgeschoben haben, der zwischen Nierenbecken und Blase zu liegen kam. Nach zwei Wochen haben sie diesen Katheder wieder gezogen, woraufhin die Patientin beschwerdefrei blieb, was mir ein Anruf bei ihr bestätigte.

Manche Probleme lösen sich überraschenderweise von selbst. Hoffentlich klappt es mit den Prüfungen von Andreas und Arkan, seinem Freund aus Somalia, die gemeinsam in Lichtenhaag für ihr Staatsexamen lernen, ebenso gut, dachte ich mir damals.

THORONG LA

Johanna ist mittlerweile von Indien zurückgekehrt, während Dominik mit seinem Freund Kevin weiter nach Norden in Richtung Nepal und Tibet reisen wollte.

Wunderschöne Bilder von prunkvollen Palästen in Radschastan, Mumbai oder Neu Delhi konnte sie uns zeigen, berichtete aber auch von Elendsquartieren, Slums, Zeltlagern, in denen Millionen von Menschen ein menschenunwürdiges Dasein fristen. Müll scheint überall herumzuliegen.

Neben den Bahngleisen verlaufen Müllstraßen, da die Reisenden ihren Abfall einfach zum Fenster hinauswerfen.

Der Verkehr scheint noch chaotischer als in Sri Lanka zu sein.

Als Johanna uns dies alles berichtete, musste ich unwillkürlich an meine Wettfahrt mit einem Tuktukfahrer auf unserem Weg nach Polonnaruwa denken.

In einer Ortschaft hörte ich, wie einer furchtbar hinter mir hupte. Im Rückspiegel sah ich einen Tuktukfahrer, der mich unbedingt überholten wollte.

Eigentlich hatte ich nicht vor, ihn überholen zu lassen, da er auf der Landstraße, außerhalb der Ortschaft, viel zu langsam fahren würde, so dass ich ihn wieder überholen müsste.

Doch so schnell konnte ich gar nicht schauen, als er auch schon eine Gelegenheit gefunden hatte, an mir vorbeizuziehen.

Er sah dabei zu mir herüber und grinste übers ganze Gesicht. Wie erwartet war er auf der Landstraße zu langsam, so dass ich wieder gezwungen war, an ihm vorbei zu fahren.

Ich hängte ihn weit ab, so dass er im Rückspiegel gar nicht mehr zu sehen war.

In der nächsten Ortschaft hörte ich wieder, wie jemand fürchterlich hinter mir hupte.

Bis ich in den Rückspiegel geschaut hatte, um zu sehen, was da hinten los war, war dieser Tuktukfahrer auch schon wieder an mir vorbeigezogen, wobei er über beide Ohren grinste.

Irgendwie begann er mich langsam zu ärgern.

Wieder auf der Landstraße fuhr ich schnell an ihn heran, hupte kräftig und fuhr schnell an ihm vorbei, wobei dieses Mal ich ihm zuwinkte.

Bis zur nächsten Ortschaft war er kaum mehr zu sehen.

Doch dann stockte der Verkehr wieder.

So schnell konnte ich kaum schauen, als er mich schon wieder überholt hatte, wobei er gönnerhaft seine Hand zum Gruß hob.

Eigentlich wollte ich ihn auch wieder überholen. Doch bis Polonnaruwa kam so viel Gegenverkehr, dass ich keine Gelegenheit mehr dazu fand, so dass ich zähneknirschend hinter ihm herfahren musste.

Gleich nach der Ortseinfahrt bog er links ab, nicht ohne mir noch einmal freudestrahlend zuzuwinken, um dann gleich darauf für immer zu verschwinden.

Im Nachhinein kam ich mir ziemlich kindisch vor. Nur gut, dass die anderen nichts von unserer Wettfahrt mitbekommen haben.

Andreas hat sein schriftliches Staatsexamen bestanden. Augenblicklich lernt er für den mündlichen Abschnitt.

Arkan ist mit seinem Ergebnis auch zufrieden. Zurzeit weilt er in Bremen bei seinen Angehörigen, gedenkt aber noch einmal zu kommen, um sich gemeinsam mit Andreas aufs Mündliche vorzubereiten.

Johanna meint, Indien sei kein Land zum Erholen. Sie wirkte ziemlich gestresst von ihrer Reise.

Ich glaube, sie ist froh, wieder zu Hause zu sein.

Mittlerweile weilt sie bereits wieder in Bologna in Italien.

In ihrem Italienisch-Seminar skypt Johanna regelmäßig mit einer Italienerin in Bologna, die Deutsch studiert. Von ihrer Italienisch-Dozentin bekommen sie ein Thema, meistens mit politischem Inhalt, worüber sie diskutieren sollen. Johanna soll dabei Italienisch sprechen, während ihre Gesprächspartnerin auf Deutsch antworten muss. Johannas Italienisch-Lehrerin, selbst eine Italienerin, hat nun ein Treffen zwischen den Studenten organisiert.

Johanna ist also mit der Eisenbahn mit zwei befreundeten Mitstudentinnen nach Bologna zu ihren Gesprächspartnern gefahren.

Wie ich am Telefon hören konnte, scheint es ihr dort recht gut zu gefallen. Jedenfalls waren im Hintergrund Gelächter und Musik zu vernehmen, was nicht auf große Langeweile schließen ließ. Bologna ist eine uralte Stadt, die noch von den Etruskern gegründet worden ist. Später wurde sie von den Römern erobert.

Zeitweise gehörte es zum Goten-, Langobarden- und Frankenreich, später auch zum Deutschen Reich. Einige Zeit wurde die Stadt von den Österreichern dominiert. Ihre Zugehörigkeit zum Kirchenstaat wurde von Garibaldi beendet. Seither liegt Bologna, das übrigens einen sehr malerischen, mittelalterlichen Marktplatz hat, in Italien.

Dies alles hat mir Sophia, eine gute Freundin und Universitätsprofessorin für Englisch, am Telefon erzählt, als ich ihr von Johannas Italienfahrt berichtet habe.

Augenblicklich weilt Anna, Olgas längste Freundin, für einige Tage seit langer Zeit einmal wieder bei uns.

Auch sie hat sich enorm gefreut, als uns Andreas telefonisch von Halle aus mitgeteilt hat, dass er nach zähem Ringen, aber doch erfolgreich, sein mündliches Examen bestanden hat.

Natürlich haben wir diese gute Nachricht gleich nach Bologna zu Johanna weiter gemeldet.

Ich fühlte mich jedenfalls zehn Kilo leichter, nachdem mir klar geworden ist, dass mein kleiner Sohn plötzlich approbierter Arzt ist.

Arkan musste noch zwei Wochen weiter lernen, bis er seine mündliche Prüfung bestanden hatte. Er kam dazu nach Niederbayern zum Lernen. Andreas las währenddessen seine Primärliteratur für seine Doktorarbeit durch. Wenn ich an meine Jugend zurückdenke, scheint sich jetzt alles nach 34 Jahren zu wiederholen.

Nachdem Dominik viele Wochen später aus Nepal zurückgekehrt ist, wo er mit seinem Freund Kevin um das Annapurna-Massiv gewandert und über den Thorong La-Pass gestiegen ist, konnte er mir eine Erklärung für das enge Verhältnis zwischen den Religionen Buddhismus und Hinduismus geben. Wie bereits mehrmals erwähnt, findet man in den meisten Tempelbereichen Zeugnisse und Bauten beider Konfessionen. Dominik verdeutlichte mir, dass die Hindus in Buddha die neunte Reinkarnation von Shiva sehen. Diese sei zwar in den Augen der Hindus nicht so bedeutungsvoll wie die vierte Reinkarnation, die den blonden, hübschen Jungen Krischna darstellt, dennoch bedeutungsvoll genug, um den Buddhismus zu akzeptieren, ohne dass es große Reibereien geben würde. Da der Buddhismus eine äußerst sanfte Religion ist, gehen von ihm kaum Aggressionen anderen Religionen gegenüber aus. Dagegen steht das Verhältnis zwischen Hindus und Moslems auf dem indischen Subkontinent unter starken Spannungen, da man beide Religionen sicherlich nicht als sanft und zurückhaltend bezeichnen kann.

Die Wanderung um das Annapurna-Massiv mit Überquerung des Thorong La-Passes in 5.416 Metern Höhe und Abstieg nach Mustang an der Grenze zu Tibet habe ich Dominik empfohlen, da wir, Olga, zwei Freunde und ich, diese Reise wenige Jahre zuvor unternommen hatten und ich sie neben unserem Aufstieg zum Mount Kilimandscharo in Tansania als einen unserer schönsten Wanderurlaube in Erinnerung habe. Da Tibet unter chinesischer Verwaltung steht, war es den beiden, Dominik und Kevin, ebenso wenig möglich dorthinein zu gelangen wie uns damals.

In Manang, einer Stadt in 3.500 Metern Höhe hinter dem Annapurna-Gebirge, haben wir damals Dolca wieder getroffen. Dolca weilte im Schüleraustausch mehrere Wochen bei uns in Schongau. Im Gegenzug ist Johanna mit ihr und einigen Klassenkameraden und Lehrern anschließend nach Manang gewandert. Dolca ist Buddhistin. Sie erzählte, dass ihre Mutter aus Glaubensgründen täglich in der Frühe neun Glaskugeln mit Wasser fülle und abends wieder ausleere. Falls man dies nicht täte, oder es sogar mit einer geraden Anzahl von Kugeln vornähme, würde es Unglück bringen. Einem Arbeitskollegen habe ich davon berichtet und ihn, der in Sri Lanka als Buddhist aufgewachsen ist, gefragt, was diese Glaskugeln im Buddhismus für eine Bedeutung hätten. Er meinte nur, dass es im Buddhismus viele Strömungen gäbe. Die Geschichte mit den Glaskugeln stufte er aber als Aberglaube ein.

Dolca wanderte damals den ganzen Tag mit uns mit.

Wir stiegen mit ihr ungefähr 500 Höhenmeter sehr steil nach oben zu der Behausung eines buddhistischen Eremiten, eines Heiligen, der von den Leuten in der Stadt sehr verehrt wird, um uns von ihm den Segen für die Überquerung des Thorong La-Passes zu holen.

Leider haben wir diesen Herrn, der über 90 Jahre alt gewesen sein soll, nicht angetroffen, da er gerade in die Stadt abgestiegen war.

Zu unserem Aufstieg auf den Adam's Peak möchte ich noch ergänzen, dass sehr viele Buddhisten als Wallfahrer dort hinaufsteigen. Es sind viele Versorgungsstationen eingerichtet, wo man Essen und Getränke kaufen und sogar übernachten kann. Der Weg ist gut ausgeleuchtet mit vielen Lampen, so dass man sich auch bei stockfinsterer Nacht nicht verirren kann. Oben im Kloster soll man sich vor dem heiligen Fußabdruck betend hinknien. Es wurde mir berichtet, dass seine Seele, falls man alle Rituale in richtiger Reihenfolge durchgeführt hat, im nächsten Leben aufsteigen wird, so dass man eventuell als Frau zum Manne werden kann. So jedenfalls steht es auch im Reiseführer geschrieben.

Johanna und Dominik sind einen Tag nach uns den Berg hochgestiegen, wobei es allerdings ziemlich viel geregnet haben soll. Olga und ich scheinen mit dem Wetter besonderes Glück gehabt zu haben, nachdem auch Andreas, der im Jahr davor zum Adam's Peak aufstieg, dies, wie er sagte, im strömenden Regen getan hat.

Man erkennt Olga und mich, wie wir bei Sonnenuntergang auf der Festungsmauer von Galle sitzen

OLGAS ENTSETZEN

Eine ähnliche Geschichte, wie Olga sie mir von dem armen Markus erzählt hat, der sich aus Liebeskummer erhängte, hat sie in ihrer Kindheit selbst einmal erlebt.

Als Olga und ich an einem Donnerstagvormittag, vor der Praxis um 13 Uhr, wieder einmal unsere Runde vom Parkplatz zur Rohrkopfhütte und über die Drehhütte zurückwanderten, erzählte mir Olga ein Erlebnis, das sie als Kind mit zehn Jahren hatte und seither nicht mehr vergessen konnte.

Eingekehrt sind wir in der Drehhütte, da die andere Gaststätte um zehn Uhr, wenn wir an ihr vorbei gehen, immer noch geschlossen hat, wobei man auch zugeben muss, dass das Essen in der Drehhütte besonders gut ist. Eingefallen ist ihr dieses Ereignis, als sie zu mir über den kürzlichen Tod einer 93-jährigen ehemaligen Nachbarin sprach.

Diese Dame, erklärte mir Olga, sei bereits vor langer Zeit einmal verheiratet gewesen. Aus dieser Ehe seien drei Töchter hervorgegangen. Ihr erster Mann war anscheinend ziemlich depressiv. Nach einer Nacht, in der die beiden Eheleute einen heftigen Streit ausgefochten hatten, hat sich dieser Mann, offensichtlich ähnlich wie Markus damals, aus Liebeskummer erhängt.

Anstatt ihn selbst sofort herabzuschneiden, um ihn vielleicht noch retten zu können, lief die Frau zu ihrem Nachbarn, Josef Weixelgartner, damit dieser ihm das Seil durchtrenne.

Ob sie einfach in Panik war, oder ihrem Ehemann Zeit zum Sterben lassen wollte, ist nie klar geworden. Jedenfalls lief Olga ihrem Vater nach, als dieser mit einem Messer bewaffnet zum Nachbarn ging, um ihn vom Seil zu holen. Nach Olgas Schilderung muss dieser Anblick schrecklich gewesen sein.

Er hatte seinen Mund weit aufgerissen und die Zunge herausgestreckt. In seine Hose war massiv Stuhlgang abgegangen. Olga musste sich übergeben, als sie den Mann in diesem Zustand hängen sah. Sie rannte schreiend nach Hause, wo sie sich weinend hinlegte und bis zum Nachmittag nicht mehr ansprechbar war. Diese Dame hat noch einen weiteren Bauern geheiratet, und beerbt, so dass sie ihren drei Töchtern zwei Bauernhöfe vererben konnte, obwohl sie sehr arm abstammte.

In diesem Zusammenhang erzählte mir Olga auch, dass ihre Mutter als uneheliches Kind zur Welt kam, was zur damaligen Zeit als große Schande galt, weshalb ihre Großmutter nach der Entbindung vom Arzt gefragt wurde, ob das Kind auch leben soll „Wenn es nun schon da ist, soll es auch groß werden“, hat ihre Oma damals angeblich geantwortet. Was der Arzt mit Olgas Mutter gemacht hätte, wenn die Antwort anders ausgefallen wäre, kann man sich kaum in seinen schlimmsten Fantasien vorstellen.

Wie bereits zu Beginn des Kapitels „Unklare Vorzeit“ dargestellt, wäre auch für unsere Vorfahren möglicherweise etwas buddhistische Erleuchtung nicht von Nachteil gewesen.

Vielleicht wäre die Weltgeschichte dann friedlicher verlaufen.

動而後能活，靜而後能明；
大而後能容，空而後能有；
虛而後能實，知而後能行；
捨而後能得，愛而後能惜。
Action goes with vigor.
Stillness goes with intelligence.
Spaciousness goes with magnanimity.
Emptiness goes with possessing.
Modesty goes with sincerity.
Knowledge goes with action.
Generosity goes with wealth.
Loving goes with cherishing.

能以平等觀看待一切眾生，
就是法界圓融；
能以因緣觀看待一切事物，
都是緣起緣滅。
Treat all beings in the spirit of equality.
See everything through the principle of dependent origination.

世間的得失皆有前因，
人生的苦樂都有所緣。
Gain and loss, suffering and happiness, come from our past causes and conditions.

世間最大的財富不是黃金、鑽石，
應是信仰、道德；
世間最大的財富不是房屋、土地，
應是真心、佛性。
The greatest wealth in the world is not gold or diamonds, but faith and morality.
The greatest wealth in the world is not an estate, but the true mind and the Buddha nature.

WIEDERBEGEGNUNG

Nach vielen Jahren haben wir Osama, einen Palästinenser und früheren Assistenzarzt auf meiner Abteilung in Schongau, wieder getroffen. Augenblicklich arbeitete er als Gynäkologe und Reproduktionsmediziner in München. Olga und ich waren mit Osama und seiner Frau bei unseren Augsburger Freunden eingeladen. Es gab wie immer ein hervorragendes Essen.

Wie so oft, wenn wir zusammentreffen, sprachen wir über Religion, da Osama ein sehr gläubiger Moslem ist und auch schon wiederholt auf Pilgerfahrt in Mekka war.

Warum ich immer noch Katholik sei, wenn es doch so viele Kinderschänder unter katholischen Würdenträgern gäbe, fragte mich Osama. Verbrechen von Repräsentanten einer Religion haben nichts mit dem Inhalt des Glaubens an sich zu tun, war meine Antwort. Was wir immer mit unserem Gott hätten, wandte daraufhin Anton ein. Wo soll der denn sein? Früher glaubte man, er sei irgendwo im Himmel. Seit man aber mit Flugzeugen und Raketen weit hinauffliegt, weiß man, dass er dort oben nicht zu finden ist.

Osama erklärte uns, dass Mohammed, als er von Jerusalem aus mit Hilfe des Erzengels Gabriel in den Himmel aufgefahren ist, dort unter den anderen Propheten auch Jesus getroffen habe. Jesus der Prophet sei aber nicht der Jesus, der gekreuzigt worden ist. Jesus sei ein wichtiger Prophet, aber nicht der Messias, wie die Christen glauben. Er ist deshalb auch nicht gekreuzigt worden. Gekreuzigt wurde statt seiner Judas Iskariot. Jesus sei eines natürlichen Todes gestorben, aber auferstanden und sitzt bei Gott und wird am jüngsten Tag als Weltenrichter vom Jesusminarett der Umayyaden-Moschee in Damaskus herabsteigen und entscheiden, welche Seele in den Himmel kommt und welche für immer verdammt sein werde. So jedenfalls wurde es uns in Damaskus berichtet, als Sophia und ich bei unserer Syrienreise diese großartige Moschee besichtigt haben.

Ähnlich wie die Juden warten die Mohammedaner offensichtlich noch auf einen Messias, der, wie Osama ihn schilderte, recht kriegerisch zu sein scheint. Er würde jedenfalls die Juden und diejenigen, die an den gekreuzigten Jesus glauben, vernichten. Die Palästinenser würden dann ihr Land wieder bekommen. Irgendwie wusste ich nicht, was ich darauf antworten sollte, da ich mehr auf die Gemeinsamkeiten der drei vorderasiatischen Religionen hinweisen wollte. Ich meinte, die Grundlagen der drei Religionen seien doch identisch, nur die Auslegungen gingen auseinander.

Osama ereiferte sich auch sehr über das Zitat eines römischen Kaisers, wonach der Islam zu nichts nütze sei, das Papst Benedikt XVI. bei seinem Deutschlandbesuch zitiert hat. Es beruhigte ihn auch nicht, als ich ihm erklärte, dass dies nur ein Zitat eines römischen Kaisers und nicht die Meinung des Papstes sei. Die gesamte islamische Welt sei in Aufruhr gewesen, als sie dieses Zitat aus der Presse erfahren habe. Ich erklärte ihm, der Papst hätte sich dafür entschuldigt und eigens darauf hingewiesen, dass dies nicht seine Meinung sei. Osama aber meinte, dass der Papst als Oberhaupt der katholischen Kirche auf keinen Fall ein solches Zitat hätte in den Mund nehmen dürfen.

Anton, als Atheist, hörte uns nur verständnislos zu. Für ihn handelte es sich um eine völlig unsinnige Diskussion.

Osama war sehr erstaunt, als ich ihm erklärte, in meiner Studentenzeit diesem Papst, damals noch Bischof von München, wiederholt begegnet zu sein. In vielen Diskussionsrunden, die ich als Mitglied der Domjugend am Münchener Frauendom mit ihm damals miterlebt habe, habe er nie irgendwelche Feindseligkeiten gegenüber dem Islam gebracht. Den Papst interessierten Gemeinsamkeiten der christlichen Kirchen untereinander. Er strebe nach Aussöhnung mit den Ostkirchen, habe aber keine Ambitionen, gegen den Islam vorzugehen.

Meine Erklärungsversuche beruhigten Osama nur unzureichend. Ich verstehe zu wenig von Theologie, um mich auf ein ernsthaftes Gespräch über Glaubensangelegenheiten einlassen zu können. Aus unserer Diskussion ist mir nur klar geworden, dass es noch vieler Gespräche unter den Religionsgruppen bedarf, um Toleranz und Verständnis untereinander zu erlangen, damit ein dauerhaft friedfertiges Zusammenleben zustande kommen kann.

Wo die Stellung der Atheisten dabei sein wird, ist mir noch völlig unklar. Für sie sind solche Diskussionen vollkommen unverständlich. Spätestens bei der Nachspeise wechselten wir das Thema, um uns über belanglosere Sachen zu unterhalten.

WARSCHAU

Olga und ich waren in Warschau. Anlass war die Taufe der kleinen Leni, der Tochter unserer Freunde aus Augsburg, die sie nach langer Sterilitätstherapie doch noch bekommen hatten.

Man muss dazu sagen, dass Angelika ursprünglich aus Warschau stammt.

In keiner anderen Stadt der Welt wird man so an den Zweiten Weltkrieg erinnert wie hier. Überall sieht man Fotografien von der Zerstörung der Stadt durch die Nazis. Ein eigenes Museum über den Warschauer Aufstand gibt Zeugnis über die Grausamkeiten dieser Zeit. Ich habe mich geweigert, in dieses Museum zu gehen, da ich bereits so viele Bilder über diese Zeit gesehen und so viele Geschichten über diesen Aufstand gehört habe, dass ich mir nicht noch weitere Abscheulichkeiten antun wollte.

Wir waren auch an der Stelle, wo Willi Brandt, unser damaliger Bundeskanzler, seinen Kniefall machte. Ich war damals sehr dagegen. Alle sagten, er würde uns an die Kommunisten verkaufen. Mittlerweile habe ich längst eingesehen, dass es allerhöchste Zeit war, dass ein deutscher Bundeskanzler die Polen um Vergebung für erlittenes, furchtbares Leid und Unrecht bat. Auch die Ostverträge, die dieser Kanzler auf den Weg brachte, waren dringend nötig, um die deutsche Wiedervereinigung vorzubereiten. Zur damaligen Zeit haben so viele Menschen darüber geschimpft. Auch ich habe sie strikt abgelehnt, meine Meinung darüber aber längst revidiert.

In Warschau musste ich unwillkürlich wieder an meinen Schwiegervater Josef Weixelgartner denken, der damals auf seinen Sonderurlaub verzichtete, da er keine fremden Menschen erschießen wollte. Wenn auch fast alle wieder in den Zug einstiegen, einer fand sich dann doch, der schoss. Als Soldat fuhr Josef damals in einem Zug durch Warschau, als die Frage gestellt wurde, wer einen Sonderurlaub haben möchte. Alle waren begeistert und hoben die Hand. Der Zug hielt. Die Soldaten stiegen aus. Jedem wurde ein Gewehr in die Hand gedrückt, mit dem er auf die circa 20 Menschen schießen sollte, die vor ihnen an der Wand standen. Josef und fast alle seiner Kollegen legten, wie gesagt, das Gewehr wieder zur Seite und stiegen erneut in den Zug ein. Einer aber blieb und verdiente sich den Sonderurlaub aller anderen.

Eigentlich sollte die Taufe der kleinen Leni in Augsburg stattfinden. Da aber beide Eltern aus ihren jeweiligen Kirchen ausgetreten waren, Angelika aus der katholischen und Anton aus der evangelischen, fand sich in Augsburg kein Priester, der ihre Tochter getauft hätte. Den polnischen Pfarrern haben sie wahrscheinlich einfach verschwiegen, dass sie in Deutschland aus der Kirche ausgetreten sind, weshalb sie dort keine Probleme bekamen. Angelika hatte bereits im Vorjahr sehr gegen die polnischen Geistlichen gewettert, als sich keiner bereiterklärte, ihre verstorbene Mutter kirchlich zu beerdigen, oder doch wenigstens einen Kirchenraum für die Totenfeier zur Verfügung zu stellen, nachdem auch ihre Mutter der Kirche den Rücken gekehrt hatte.

Immer wieder erstaunlich für mich ist in Polen die Anzahl der Kirchenbesucher. Die Taufe fand zwischen der Acht- und Zehnuhrmesse statt. Der Kirchenraum füllte sich für beide Messen bis auf den letzten Platz, so wie ich es in meiner Kindheit und Jugend auch bei uns gewohnt war. Für mich war es Anlass, auch über mein Verhältnis zur Kirche nachzudenken. Ich halte mich nach wie vor für einen gläubigen Christen. Meine sonntäglichen Kirchenbesuche sind aber eher selten geworden. Dies liegt zum Teil an der geringen Freizeit, die mir zur Verfügung steht, die ich deshalb anderweitig verplant habe, irgendwie aber auch an meinem Beruf. Gynäkologie und katholische Kirche passen nicht zusammen. Ich habe, wenn auch nur sehr selten und nur, wenn ich gar nicht anders konnte, Abtreibungen durchgeführt. Manchmal kann man sich als verantwortlicher Gynäkologe einfach nicht verweigern. Ich hatte hinterher jedes Mal mindestens eine Woche lang ein schlechtes Gewissen. Gott sei Dank muss ich solche Eingriffe jetzt nicht mehr vornehmen, da es Gynäkologen gibt, die eigens dafür eine Sonderausbildung machen. Sie freuen sich über jede Interruptio, die ich ihnen nach der vorgeschriebenen Beratung zusende. Ich breche aber die Grundsätze der katholischen Theologie und Sozialethik täglich oftmals, indem ich Spiralen lege, Pillen verschreibe oder auch Amniozentesen zur Pränataldiagnostik durchführe. Ich habe dabei auch kein schlechtes Gewissen, wie ich es bei Abtreibungen regelmäßig hatte. Jeder muss für sich selbst entscheiden, was er seinem Gewissen zumuten kann. Ich habe mir aber vorgenommen, mich nach Beendigung meines Berufslebens wieder mehr meiner Kirche zuzuwenden und auch häufiger die sonntäglichen Messen zu besuchen.

Für mich unglaublich erstaunlich war die Veränderung, die mit Warschau seit unserem letzten Besuch bei unseren Freunden vor ungefähr 20 Jahren vor sich gegangen ist. Dominierten damals allenthalben die hässlichen Plattenbauten aus der kommunistischen Zeit, so war jetzt plötzlich eine großartige Altstadt mit Palästen, Schlössern, barocken Kirchen und malerischen Plätzen entstanden. Die Polen haben ihre Stadt nach alten Fotografien und Gemälden wieder aufgebaut, nachdem sie von der deutschen Wehrmacht völlig dem Erdboden gleich gemacht worden war, wobei hinter dem Kulturpalast eine supermoderne Stadt mit Hotels und Hochhäusern entstanden ist. Als Olga und ich kreuz und quer durch diese fantastische Stadt marschierten, kamen wir aus dem Staunen kaum noch heraus. In einem dieser Hochhaus-Hotels hatte Angelika für uns ein Zimmer gebucht.

PALÄSTINA

Alle beim Essen

Osama hat uns nach Palästina eingeladen, um uns seine Heimat zu zeigen. Da wir Angst hatten, Probleme mit den israelischen Behörden zu bekommen, haben wir uns im Vorfeld erkundigt, ob es uns erlaubt ist, in der Westbank eine arabische Familie zu besuchen. Vom israelischen Fremdenverkehrsamt haben wir dazu grünes Licht bekommen. Trotzdem haben wir am Flughafen in Tel Aviv auf Osamas Rat hin dem Einreisebeamten auf seine Frage, ob wir Freunde besuchen, diesem dies verschwiegen, um unangenehmen Fragen zu entgehen und vor allem Osama keine Schwierigkeiten zu bereiten.

Da ich nach meinem langen, dieses Mal sehr anstrengenden Weihnachtsdienst mit vielen Entbindungen, vom 29. Dezember 2011 bis zum 08. Jänner 2012 frei hatte, war es eine günstige Zeit, das Heilige Land zu besuchen, zumal es zu dieser Jahreszeit zum Reisen nicht zu heiß war.

Andreas und Johanna wollten auch mitkommen, obwohl Johanna etwas traurig war, dass sie nach unserer Rückkehr ihren Freund Dominik nicht mehr antreffen würde, da dieser bereits am 06. Jänner 2012 für ein halbes Jahr nach Hongkong abfliegen wird zu seinem Auslandssemester. Wir haben vor, ihn im April dort zu besuchen.

Die ersten vier Tage in Israel waren sehr angenehm. Dominiks Mutter hatte uns schöne Hotels in Tiberias am See Genezareth, wo Jesus auf dem Wasser gegangen sein und dem Sturm Einhalt geboten haben soll, sowie in Tel Aviv, wo wir Silvester feierten, und zuletzt in Jerusalem gebucht.

Besonders beeindruckt hat uns Tel Aviv mit seinen herrlichen Stränden, seinen Hochhäusern, aber auch mit seiner arabischen Altstadt Jaffa mit ihren mittelalterlichen Häusern, Kirchen und dem alten Hafen. Eher enttäuscht waren wir hingegen von den alten Festungsstädten Akko und Haifa, wo wir spazieren und Tee trinken gingen. Dies sind sicherlich schöne Städte, die wir uns einfach noch toller vorgestellt hatten. Vielleicht waren wir aber einfach nur genervt von der furchtbaren Parkplatzsuche in Akko, wo alle nur denkbaren Plätze bereits belegt waren, weshalb wir ewig herumfahren mussten, bis wir endlich unser Auto abstellen konnten.

Zudem hatte ich die ersten Tage, wohl noch gestresst durch den anstrengenden Weihnachtsdienst, ziemliche Probleme mit meinen Magen, da ich das Essen, obwohl es eigentlich sehr gut schmeckte, nur schlecht vertragen habe.

Die Krönung eines jeden Israelbesuches ist selbstverständlich Jerusalem. Uns ist es gerade dort nicht recht gut ergangen. Zuerst fanden wir keinen vernünftigen Parkplatz. Dann hat uns das Navigationssystem bei der Hotelsuche im Stich gelassen. Für die Altstadt hatten wir nur wenig Zeit, da wir unser Mietauto noch abgeben mussten, wobei wir nicht wussten, wo wir die Car Rental-Stelle finden sollten, nachdem man uns drei mögliche Adressen angegeben hatte. Die erste führte uns weit nach außerhalb von Jerusalem, wo wir nur noch eine Müllhalde mit einem verblassten Schild der Autovermietung fanden. Auf der Rückfahrt kamen wir durch seltsame Viertel, in denen nur noch Juden mit ihren schwarzen Anzügen, ihren seltsamen Zöpfen und ihren Hüten, die teilweise wie Pelzhüte imponierten, in Scharen herumliefen. Als einzige Nichtjuden fühlten wir uns irgendwie unwohl und waren froh, als wir diese Gegend endlich wieder verlassen hatten.

Mir wurde dabei bewusst, dass ich sehr wenig über die jüdische Religion Bescheid weiß. Trotz der gleichen Grundlagen im Alten Testament wie das Christentum scheinen sie doch anders zu sein. Ich hatte bisher in meinem Leben Kontakte mit Hindus, Buddhisten, Moslems, habe mich mit allen auch viel über ihre Religion unterhalten. Juden habe ich bisher noch nicht kennengelernt. Vielleicht fehlt mir deshalb das Verständnis für ihre Religion.

In Jerusalem waren viele neunarmige Leuchter aus Glühlampen aufgehängt. Ich kannte von der Bibel her nur den siebenarmigen Leuchter. Im Internet fanden wir, dass bei den Juden zur Weihnachtszeit ein Lichtfest mit neunarmigen Leuchtern gefeiert wird. Diese Leuchter schienen also die jüdische Weihnachtsdekoration zu sein.

Da wir für die Altstadt von Jerusalem wenig Zeit hatten, hetzten wir von der Via Dolorosa zur Grabeskirche, ohne uns Zeit für Besinnung und richtiges Gebet zu nehmen. Dass es sich hierbei um die wichtigste Kirche der Christenheit handelt, wurde mir erst am nächsten Tag bewusst, als ich mich in der Geburtskirche von Bethlehem vor dem Stern, an der Stelle, wo Jesus geboren worden sein soll, zum Beten niederkniete. Ich wollte deshalb auf der Rückfahrt noch einmal in die Grabeskirche von Jerusalem, um auch dort innehalten und beten zu können.

Osama und seinen Schwager Schade trafen wir am nächsten Tag in Bethlehem, das bereits auf palästinensischem Gebiet liegt. Osama darf trotz seines deutschen Passes nicht nach Israel einreisen. In seiner Heimat gilt nur sein palästinensischer Pass. Seit der letzten Intifada vor elf Jahren ist es Arabern der Westbank verboten, nach Israel zu kommen. Ihre Autos haben weiße Kennzeichen, die nicht über die Grenze nach Israel dürfen. Diese wiederum darf nur von Autos mit gelben Kennzeichen in beide Richtungen überschritten werden, die Bewohnern des Staates Israel vorbehalten sind. Dies können Juden, Christen, aber auch Araber sein, die in Israel leben. Außerdem haben selbstverständlich auch jüdische Siedler in der Westbank freie Fahrt mit gelben Autonummern. Diese Siedlungen sind, wie in Hebron, mit Stacheldraht und Mauern von den arabischen Städten des Westjordanlandes abgetrennt, wobei sie massiv von schwer bewaffneten Soldaten mit Maschinengewehren und Granatwerfern bewacht werden.

Überall stehen Wachtürme herum, von denen aus die Soldaten vorbeifahrende Autos beobachten und jederzeit anhalten können.

Am Vortag, noch in Jerusalem, haben wir uns von einem arabischen Jungen tölpelhaft hereinlegen lassen, der uns vor die Klagemauer, die Al-Aqsa-Moschee und den Felsendom führte und uns gleich vier ungültige Karten für den Eintritt in den Felsendom verkaufte. Die Soldaten bei der Sicherheitskontrolle haben uns nur ausgelacht, als wir ihnen diese Karten zeigten. Irgendwie bringe ich es trotz meiner 57 Jahre immer wieder fertig, mich wie einen dummen Schuljungen hereinlegen zu lassen. An diesem Tag kann ich zu meiner Entschuldigung sagen, dass ich mich sehr gestresst gefühlt habe, weil ich aus Zeitnot alles auf einmal machen wollte.

Es ging alles schief. Beim Auto bekamen wir einen Strafzettel wegen Falschparkens. Die Autorückgabestelle fanden wir erst nach zweieinhalb Stunden Irrfahrt kreuz und quer durch Jerusalem. Da wir unseren bereits aufgefüllten Tank dabei wieder etwas leergefahren hatten, mussten wir doppelten Preis für das Benzin bezahlen, wenn wir nicht noch einmal aus der Tiefgarage der Rückgabestelle herausfahren und neu tanken wollten.

Von dem Knaben ließen wir uns ungültige Karten verkaufen. Der Taxifahrer, den wir für den nächsten Tag zur Grenzüberschreitung nach Bethlehem bestellen mussten, verlangte den dreifachen Preis für die wenigen Kilometer dorthin.

Trotzdem wollten wir uns durch solch kleine Betrügereien, mit denen man bei solchen Urlaubsfahrten immer rechnen muss, unseren Urlaub nicht verderben lassen. Den Verwandten Osamas, denen wir unsere Naivität eingestehen mussten, war dies alles sehr peinlich, weil wir von ihren Landsleuten so betrogen worden waren.

In Bethlehem trafen wir nach wiederholten Handytelefonaten endlich Osama.

Sein Schwager und er gingen mit uns in die Geburtskirche. Ich war sehr beeindruckt, an der Stelle zu stehen, wo Jesus geboren worden sein soll. Aber, wie sich in einem Gespräch in den folgenden Tagen herausstellte, waren nicht nur wir vier Christen tief bewegt, dort zu stehen, sondern auch Osama. Jesus sei ein sehr wichtiger Prophet, an den er glaubte, hat er mir später gestanden.

Er könne gar nicht verstehen, warum er bisher nicht an diese Stelle gekommen war.

Der Eingang zur Geburtskirche ist sehr niedrig, angeblich, damit man sich beim Eintritt vor Jesus verbeugen muss. Moslems würden häufig rückwärts, mit dem Hinterteil voraus diese Kirche betreten, um ihre Verachtung dem Christentum gegenüber kundzutun. So wurde es uns jedenfalls berichtet.

Wir haben in den folgenden Tagen viel über die christliche und islamische Heilslehre diskutiert und beide feststellen müssen, dass die Unterschiede sehr gering sind. Irgendeinmal hat er sogar zu mir gesagt, „wenn ich dir dies auch noch zugestehe, bin ich kein Moslem mehr. Das darf ich einfach nicht."

Osama hatte eigens, um uns herumzufahren, ein Auto gemietet. Ich wollte ihm die Miete dafür bezahlen, was er entrüstet ablehnte. In seiner Heimat seien wir seine Gäste, die nichts zu bezahlen bräuchten. Die beiden Araber gingen mit uns in eine Moschee. Sie zeigten uns Bethlehem. Wir kamen aber auch an die riesige Mauer, die Israel vom Westjordanland trennt. Ich fühlte mich unwohl. Soldaten beobachteten uns von Wachtürmen herab. Unwillkürlich musste ich an unsere Fahrt vor vielen Jahrzehnten mit Sophia und ihrer Schwester Beate der DDR-Grenze entlang denken. Ich fühlte mich hier genauso unwohl wie damals, weshalb ich drängte, bald wieder von dieser Mauer weg zu kommen.

Zwei Tage verbrachten wir bei Osamas Familie in Hebron im Süden Palästinas. In Hebron lebt die Familie seiner Frau Arisch.

Da diese unbedingt dort leben möchte, musste Osama eigens eine Wohnung für seine Frau und seine Kinder dort anmieten.

Ihre arabischen Verwandten kamen alle, um die Exoten aus Europa zu sehen. Wir wurden von allen eingeladen und so übermäßig bewirtet, dass wir einfach nichts mehr essen konnten.

Osamas Schwiegervater, der mich in seiner beherrschenden Art sehr an meinen eigenen Schwiegervater erinnerte, zeigte uns die Altstadt von Hebron, die hauptsächlich aus alten Häusern, Moscheen, Basaren und Geschäften besteht.

Er ging mit uns in sein Geburtszimmer in dem Haus, in dem er aufgewachsen ist, das leider nicht mehr bewohnbar ist, da gleich daneben israelische Wachtürme und Stacheldraht zu sehen sind, zur Bewachung der 40.000 israelischen Siedler, die sich mitten in die 400.000 Einwohner zählende Stadt eingenistet haben.

Bei Streitigkeiten sollen die Siedler von oben Steine auf die Passanten herab werfen, so dass die meisten Geschäfte in der angrenzenden Straße bereits geschlossen sind. Zeitweise, so wurde uns wenigstens berichtet, sollen Siedlertrupps unter militärischer Bewachung durch die Altstadtstraßen ziehen und auf die Leute, die sich nicht rechtzeitig in Deckung bringen, einschlagen.

Inwieweit diese Erzählungen stimmen, kann ich nicht beurteilen, da ich nur die Darstellungen der Palästinenser, nicht aber die Gegendarstellungen der Israeli gehört habe.

Zwei von Arischs Brüdern saßen in israelischen Gefängnissen, einer vier Jahre wegen radikaler Äußerungen, ein anderer neun Jahre. Dieser scheint bei der letzten Intifada massiv beteiligt gewesen zu sein und auch geschossen zu haben. Genaueres wurde uns nicht gesagt. Er hat jedenfalls Schulterprobleme, da man ihm angeblich die Arme am Rücken zusammengebunden und dann hochgezogen haben soll, wobei man ihm die Gelenke auskegelte. Seine Verlobte hat jedenfalls neun Jahre auf ihn gewartet, um ihn dann zu heiraten.

Ein weiteres Problem für die Palästinenser scheint der hohe Wasserverbrauch der israelischen Siedler zu sein, weshalb besonders in den Sommermonaten große Wasserknappheit herrschen soll, wobei neue Brunnen angeblich nur israelische Siedler graben dürfen. Wie gesagt, inwieweit diese Berichte stimmen oder zu einseitig dargestellt sind, kann ich nicht beurteilen.

Ansonsten stammt Arisch aus einer reichen Familie mit viel Grund- und Immobilienbesitz, so dass wir nur in schöne Häuser auf sonnige Terrassen zum Frühstück oder Abendessen eingeladen waren. Der Höhepunkt unseres Hebronbesuches war selbstverständlich die Besichtigung der mächtigen Abrahamsmoschee mit dem Grab des Stammvaters, um dessen Besitz sich Juden und Moslems streiten, da Abraham als Stammvater der Juden und der Araber angesehen wird.

Olga und Johanna durften total vermummt mit Kopftuch und Umhang diese Moschee gemeinsam mit uns betreten, nachdem wir zuvor wie am Flughafen kontrolliert worden sind, dass wir keine Waffen in dieses Heiligtum schmuggeln.

Es sind in dieser Moschee Abraham, seine Frau Sara und zwei ihrer Kinder begraben. Die Körper der Propheten sollen nicht in Sarkophagen, sondern in mehreren 100 Metern Tiefe in Höhlen liegen und nach islamischem Glauben nicht verwesen.

Osama stellte mich einem Wohnungsnachbarn vor, der uns zufällig über den Weg lief. Dieser fragte mich gleich, was wohl passiert wäre, wenn Hitler den Krieg gewonnen hätte, ob er dann alle Juden liquidiert hätte. Ich antwortete ihm, er solle sich nicht zu sehr auf Hitler berufen. Dieser hätte im Falle eines Sieges keinen großen Unterschied zwischen Juden und Arabern gemacht, sondern Letztere gleich mit vernichtet.

Am dritten Tag gingen wir wieder auf Reisen zu Osamas ursprünglicher Familie im Norden der Westbank. Da Osama nicht durch israelisches Gebiet fahren darf, mussten wir auf schlechten, kurvenreichen Bergstraßen weit um Jerusalem herum durch ein wunderschönes Bergland fahren, das genauso aussieht, wie ich mir das Heilige Land seit meiner Kindheit vorgestellt habe. Einmal konnten wir aus der Ferne die goldene Kuppel des Felsendoms in der Sonne leuchten sehen.

Zu unserer großen Freude war sogar die Straße zum Toten Meer offen, die für Palästinenser häufig gesperrt ist, so dass ich ungefähr 35 Jahre nach meiner Jordanien- und- Syrienreise mit Sophia wieder an diesen geheimnisvollen, faszinierenden See kam.

Damals haben wir sogar in diesem salzigen Wasser gebadet, was dieses Mal leider nicht möglich war. Beim Schwimmen in diesem herrlich warmen Wasser muss man aufpassen, dass es einem nicht die Beine wegen des hohen Salzgehaltes nach oben schlägt.

In Jericho besuchten wir die angeblich älteste Stadt unserer Erde.

Einmal wurden wir auf unserer Fahr nach Nablus von israelischen Soldaten aufgehalten. Als sie allerdings unsere deutschen Pässe sahen, winkten sie uns etwas verlegen zu und ließen uns schnell wieder weiterfahren.

In Tulkarem, Osamas Heimatstadt, stellte er uns interessanten Ärzten vor. Einer davon, der zugleich hoher Fatah-Funktionär war, fragte mich nach meiner Meinung über die Zustände im Westjordanland. Wenn die Palästinenser der Welt beweisen, dass sie wirklich Frieden wollen – keine Bomben mehr auf Tel Aviv, keine Raketen von Gaza –, werden ihnen zumindest die europäischen Länder helfen, ihren eigenen Staat in Palästina zu bekommen, war meine Erwiderung.

Leider war mir in diesem Moment auch klar, dass ich ihn belog, da ich nicht glaube, dass die Israeli ihre Siedlungen jemals wieder hergeben werden.

Die Antwort der Araber auf die israelische Übermacht hörte ich noch am gleichen Abend, als man mir erklärte, dass arabische Familien fast immer acht bis zehn, oder sogar zwölf Kinder bekommen, die von den Israeli nicht alle vertrieben werden können.

So drückte sich jedenfalls der Ehemann von Osamas Schwester aus, bei denen wir übernachteten.

Am letzten Tag vor unserer Rückreise nach Jerusalem besuchten wir eine weitere Schwester von Osama, deren Mann eine Gärtnerei am Abhang eines Berges bewirtschaftet, von der aus man über die nächste israelische Stadt hinweg bis zum nahegelegenen Mittelmeer mit vielen Schiffen, die dort im Hafen herum liegen, sehen konnte.

Leider sah man auch die schreckliche Grenzmauer dazwischen, die für Palästinenser derzeit nicht zu überwinden ist. Am nächsten Tag in Jerusalem wollte ich unbedingt nochmals zur Grabeskirche, um vor dem Kreuz Jesu zu beten, Gott für unsere schöne Reise zu danken und ihn um Gnade für dieses geschundene Land zu bitten.

Eine Geschichte einer jüdischen Frau, die einen Palästinenser geheiratet hatte, hat uns Osama vor unserer Abreise noch erzählt, die uns alle sehr mitgenommen hat.

Die Frau lebte mit ihrem Ehemann in der Westbank. Sie hat eine Tochter von ihm bekommen. Vor sieben Jahren wurden Mutter und Tochter von israelischen Siedlern entführt. Trotz Einschaltung israelischer Gerichte hat der Mann seither nichts mehr von seiner Familie erfahren.

Laut dem Bildband über Israel, den ich in Jerusalem gekauft habe, ist es die Aufgabe des jüdischen Volkes, Licht in die Welt zu bringen.

Vollkommen scheint es diese Aufgabe bisher noch nicht zu erfüllen.

Mit Osama bin ich auch in die Jonas Moschee gegangen.

Ich zog meine Schuhe aus und setzte mich auf einen der bunten Teppiche zum Meditieren, während Osama mit einigen anderen seine Gebete verrichtete, die ein Vorbeter vorgab.

Es ist seltsam, an Gräber von Propheten zu kommen, von denen man im Religionsunterricht schon so viel gehört hat.

Am meisten beeindruckt aber hat uns, wie bereits erwähnt, die, in grünen Farbtönen gehaltene, Abrahamsmoschee mit den Gräbern von Abraham, Sara und zwei ihrer Kinder.

Olga und Johanna mussten sich beinahe bis zur Unkenntlichkeit verschleiern, um mit uns mitkommen zu dürfen.

Diese prächtige Moschee dürfte auch der Grund sein, warum sich in Hebron eine jüdische Siedlung mitten in der Stadt gebildet hat, während normalerweise solche auf dem freien Feld errichtet werden. Juden und Araber streiten sich um ihre gemeinsamen Vorfahren.

Die Körper der Propheten sollen nicht in den Grabkammern ruhen, sondern sich tief unten in Höhlen befinden, wo sie, nach islamischem Glauben, nicht verwesen. So hat es uns Osama jedenfalls berichtet.

Einmal erzählte uns Osama von einem Erlebnis, das er bei einer Straßensperre von israelischen Soldaten hatte. Er habe die Sperre zu spät gesehen und nicht rechtzeitig gebremst, wobei sofort ein Warnschuss über ihn hinweg abgegeben wurde, so dass er eine Vollbremsung hinlegte; andernfalls hätte der nächste Schuss ihn getroffen.

Als wir wieder zu Hause waren, erklärte mir Olga, nicht mehr in dieses Land fahren zu wollen, da der Hass, den Juden und Araber gegenseitig empfinden, so groß sei, dass er überall richtig zu spüren und direkt zum Greifen ist.

Von Schade, seinem Schwager, mit dem uns Osama in Bethlehem abgeholt hatte, hat uns Osama später einmal berichtet, dass er mit über 30 Jahren beschlossen hat, zu heiraten. Man habe dann einen Hochzeitstermin festgesetzt und sich nach einer geeigneten Braut umgeschaut, die er an diesem Termin geheiratet hat.

KAPPADOKIEN

Auf einer unserer vielen Reisen sind wir auch einmal nach Konya gekommen, einer Stadt im anatolischen Hochland der Türkei, wo wir das Grabmal des Mevlana besuchten, eines Afghanen, der im 15. Jahrhundert den islamischen Orden der tanzenden Derwische gegründet hat.

Seine sieben Lehren lauten folgendermaßen:

1. Sei wie der Fluss bei Großzügigkeit und Hilfsbereitschaft.
2. Sei wie die Sonne bei Mitleid und Barmherzigkeit.
3. Sei wie die Nacht beim Verschleiern der Fehler der anderen.
4. Sei wie ein Toter bei Zorn und Wut.
5. Sei wie Erde bei Demut und Bescheidenheit.
6. Sei wie ein Meer bei Toleranz.
7. Sei so, wie du bist, oder sei so, wie du aussiehst.

Derwischgründer

Bei dieser Reise, die uns eigentlich nach Kappadokien führte, wo wir eine zauberhaft verklärte Märchenlandschaft kennenlernten, die übersät ist von Tuffsteinkegel mit Basaltkappen obendrauf, die uns wie Zwergendörfer imponierten, bekamen wir auch die Gelegenheit, den Tanz der Derwische live zu erleben.

Diese Veranstaltung wirkte auf mich wie eine religiöse Messfeier.

Die Derwische drehen sich wie in Trance immer schneller um sich herum, wobei ihre Röcke in der Luft zu schweben schienen.

Eine Hand heben diese Männer nach oben, um Gutes von Gott zu empfangen; die andere zeigt nach unten, um das Gute, das sie von Gott erhalten haben, an die Menschen weiterzugeben.

Die Reise in dieses märchenhafte Land hat uns so sehr beeindruckt, dass wir uns entschlossen haben, im nächsten Urlaub den Ararat, den mit 5.137 Metern höchsten Berg der Türkei zu besteigen, was erneut ein tolles Abenteuer wurde.

Etwas Aggressives oder Gefährliches kann ich an den sieben Lehren des Mevlana ebenso wenig feststellen, wie in den buddhistischen Versen des Everlasting Light oder in der Bergpredigt von Jesus, die der Dalai Lama als die europäische Version des Buddhismus einmal bezeichnet hat.

Als wir vor einiger Zeit in Vietnam herumreisten, hat man uns erzählt, dass es dort eine Glaubensrichtung gäbe, die versucht, alle drei Religionen in einer zusammen zu fassen.

Ob dies wirklich möglich ist, weiß ich nicht.

Die Familie

Der Autor

Gerhard Schmidberger wurde 1954 in Rosenheim geboren. Nach dem Abitur 1973 nimmt er das Studium der Medizin in München auf, das er 1980 abschließt. Nach der Facharztausbildung in Landshut ist er seit 1991 als Belegarzt in Schongau für Gynäkologie und Geburtshilfe tätig, zuletzt als Chefarzt.

Der Autor ist seit 1985 verheiratet und Vater zweier Kinder. In seiner Freizeit widmet er sich diversen sportlichen Aktivitäten, u. a. Tennis, Bergwandern und Skitourengehen, sowie gemeinsamen Reisen mit seiner Gattin. „Die Oama-Bauern und ihre Familien" ist sein erstes veröffentlichtes Werk.

Der Verlag

Wer aufhört
besser zu werden,
hat aufgehört
gut zu sein!

Basierend auf diesem Motto ist es dem novum Verlag ein Anliegen, neue Manuskripte aufzuspüren, zu veröffentlichen und deren Autoren langfristig zu fördern. Mittlerweile gilt der 1997 gegründete und mehrfach prämierte Verlag als Spezialist für Neuautoren in Deutschland, Österreich und der Schweiz.

Für jedes neue Manuskript wird innerhalb weniger Wochen eine kostenfreie, unverbindliche Lektorats-Prüfung erstellt.

Weitere Informationen zum Verlag und seinen Büchern finden Sie im Internet unter:

www.novumverlag.com

Milton Keynes UK
Ingram Content Group UK Ltd.
UKHW022022310723
426115UK00005B/128